CENT ANS

DE

COUPE STANLEY

CHRONIQUES OFFICIELLES
DE LA LIGUE NATIONALE DE HOCKEY

CENT ANS

DE

COUPE STANLEY

CHRONIQUES OFFICIELLES
DE LA LIGUE NATIONALE DE HOCKEY

COUPE STANLEY · 1893-1993

DAN DIAMOND

TORMONT

Données de catalogage avant publication (Canada)

Vedette principale en titre:
Cent ans de Coupe Stanley : Chroniques officielles de la Ligue nationale de hockey

Traduction de : The Official National Hockey League Stanley Cup centennial book.
Comprend un index.

ISBN 2-89429-326-7

1. Coupe Stanley – Histoire.   2. Ligue nationale de hockey – Histoire.
I. Diamond, Dan.

GV847.7.04414 1993   796.962'648   C93-096137-4

Directeur de projet : Dan Diamond
Directeur de la photographie : Ralph Dinger
Encadrés et légendes : James Duplacey
Recherchistes supplémentaires : Ron Boileau (PCHA/WCHL/WHL), Al Kowalenko
Texte original : Bob Hesketh, Jack Sullivan, James Duplacey, Dan Diamond
Index : Janet Goodfellow
Coordinateur : Pat Kennedy pour McClelland & Stewart
Conception graphique : Kong Njo
Texte français : François Galán
Réviseure : Monique Proulx

Imprimé et relié aux États-Unis

Publié en 1993 par
Les Éditions Tormont inc.
338, rue Saint-Antoine Est
Montréal, Québec, Canada
H2Y 1A3
Tél. (514) 954-1441 Fax (514) 954-1443

Pour tous ceux dont les rêves
sont inscrits sur la Coupe

Table des matières

Le mot
du président

Le but ultime d'un athlète, c'est de devenir un champion. Pour les joueurs de la Ligue nationale de hockey, il n'y a pas de plus grande réalisation que de conquérir la coupe Stanley. Cette Coupe est, depuis cent ans, le plus haut symbole de l'excellence au hockey. Il n'y a rien, dans le sport professionnel, qui équivaut à la sensation d'un joueur qui tient ce trophée au bout de ses bras, en tant que membre de l'équipe gagnante.

Au cours du siècle qui a suivi sa première présentation, la coupe Stanley est devenue le trophée le plus prestigieux de tous les sports, le symbole de l'accomplissement présent qui crée un lien entre le passé et l'avenir. À l'intérieur de la Coupe, on trouve gravé le nom des gagnants de la Coupe de 1907, les *Thistles* de Kenora. On trouve aussi le nom de Lester Patrick, à titre de membre de l'équipe gagnante de 1906, les *Wanderers* de Montréal, ainsi que celui de son petit-fils Craig, inscrit deux fois comme directeur général des *Penguins* de Pittsburgh, qui gagnèrent la Coupe en 1991 et 1992.

C'est ça la magie de la coupe Stanley : cette capacité de réunir les plus grands noms du hockey et de remémorer les plus belles années de ce sport. Les gagnants façonnent l'histoire à leur guise.

Il me fait plaisir de préfacer ce livre précieux et de célébrer avec vous le centenaire de la coupe Stanley.

Le président de la Ligue nationale de hockey
Gil Stein

Introduction

par Milt Dunnell

Depuis quelque temps, je songe à créer un trophée qui serait remis à la meilleure équipe de hockey du Dominion. Pour le moment, il ne semble pas qu'il existe réellement de championnat, bien que les matchs de hockey suscitent actuellement beaucoup d'intérêt. En tenant compte de cet intérêt et du fait que les parties doivent être disputées selon des règles reconnues, je suis prêt à faire don d'une coupe qui sera remise chaque année à l'équipe gagnante.

– Extrait d'une lettre de Lord Stanley, sixième Gouverneur général du Canada, à son aide, Lord Kilcoursie, qui fut lue lors d'un souper de l'Association des athlètes d'Ottawa, le 18 mars 1892.

Messieurs, vous ne vous rendez pas compte de ce que vous avez entrepris. D'accord, vous aviez eu vent de cette passion pour le hockey dans les régions froides du continent. Votre équipe de hockey, les *Rebels*, formée de vos enfants et de membres de votre personnel et qui tenait ses matchs près de la résidence du Gouverneur, interrompit certainement de nombreux débats sur les affaires de l'État afin de vous rappeler que c'est sur la glace qu'il faut régler certaines questions.

Compte tenu de tout cela, vous seriez tout à fait abasourdis de découvrir que la modeste coupe rosée que Lord Stanley avait acquise pour la modique somme de 10 guinées (48,67 $ canadiens) est devenue, tant du point de vue de la taille que de la reconnaissance, le plus ancien trophée et certainement l'un des plus convoités par les athlètes professionnels.

Au cours du siècle qui suivit sa présentation, il devint plus qu'un symbole de la performance athlétique et de la suprématie du hockey. Les éliminatoires à l'issue desquelles on déclare un champion font désormais partie des signes du printemps, tout comme l'arrivée des merles d'Amérique et des hirondelles.

Il fallut que les joueurs déclenchent une grève, la première en 75 ans d'histoire de la Ligue nationale de hockey, pour que le public se rende vraiment compte de l'importance des éliminatoires de la coupe Stanley.

À ce moment-là, les joueurs et les propriétaires étaient tous d'avis que les matchs devaient avoir lieu. Sinon, on aurait commis une trahison envers ces hardis chercheurs d'or du Yukon qui, en 1905, ont parcouru 6 400 kilomètres en attelage de chiens, en bateau à vapeur et en train, pour disputer, contre les *Silver Seven* d'Ottawa, une coupe qui était déjà considérée comme le prix le plus prestigieux dans le monde du hockey.

Ci-contre : depuis 1893, les noms des gagnants de la coupe Stanley sont gravés sur ce prestigieux trophée si souvent modifié.

Dirk Graham de Chicago glisse la rondelle derrière le gardien de Pittsburgh, Tom Barrasso, marquant ainsi le premier but de la finale de 1992. Par la suite, les Penguins enfilèrent quatre buts sans riposte, effaçant une avance de 4-1 des Blackhawks et remportant le premier match, 5-4.

Si les éliminatoires de la coupe Stanley n'avaient pas eu lieu, on aurait aussi déshonoré la mémoire de Frank McGee, la légendaire étoile borgne des *Silver Seven*, que les joueurs du Yukon ridiculisèrent à la suite du premier match d'une célèbre série deux-de-trois, parce qu'il n'avait pas joué à la hauteur de ses moyens. McGee, qui avait entendu les sarcasmes, enfila 14 buts dans la deuxième partie que les *Silver Seven* gagnèrent 23 à 2. McGee avait 34 ans lorsqu'il est mort à la Somme, au cours de l'une des batailles les plus sanglantes de la Première Guerre mondiale.

On a écrit des milliers d'anecdotes sur la coupe Stanley, sans jamais en décrire la magie. Clarence Campbell, le troisième président de la Ligue nationale de hockey, reçut la prestigieuse bourse d'études de la fondation Cecil Rhodes. C'est peut-être bien lui qui décrivit le mieux cette attirance que des millions de personnes éprouvent en attendant impatiemment les éliminatoires, chaque printemps. Campbell parlait des 60 minutes de vitesse et d'action soutenues que les jeux modernes présentent comme étant les grandes forces motivantes ayant permis au hockey de dépasser les frontières du pays, et d'être reçu avec le même enthousiasme aux États-Unis et en Europe.

Sans parler des passions qui se soulèvent quand la coupe Stanley est en jeu, comme en cette journée lointaine de 1907 lorsque les *Thistles* de Kenora, enragés parce que les *Wanderers* de Montréal – qui se battaient aussi pour la coupe Stanley – , avaient protesté quand on avait ajouté, à l'alignement des *Thistles*, deux étoiles des *Silver Seven* d'Ottawa, Alf Smith et Harry Westwick.

Le différend s'était tellement envenimé qu'un partisan des *Thistles* prit la coupe sous son bras et se dirigea vers le quai. Il s'apprêtait à jeter le trophée dans le Lac des Bois quand il fut intercepté, fort heureusement. Quand la querelle se fut apaisée, les parties reprirent à Winnipeg, et les *Wanderers* remportèrent la victoire.

À vrai dire, la coupe Stanley n'eut pas toujours un caractère de prestige comme c'est le cas aujourd'hui; ce prestige convient à sa place de premier prix dans un sport en train de gagner une reconnaissance mondiale.

En 1904, les dirigeants de sept grandes ligues, qui n'appréciaient pas la façon dont les matchs étaient organisés, proposèrent de remplacer la coupe Stanley par un nouveau trophée. En 1908, un quotidien torontois écrivit que la Coupe, vieille de 15 ans, «portait atteinte au vrai sport».

Muzz Patrick, le directeur général des *Rangers* de New York de l'époque, se souvint qu'un jour, son frère Lynn et lui avaient vu la coupe Stanley dans le sous-sol de leur maison de Victoria, en Colombie-Britannique. Leur père, Lester, alors directeur et entraîneur des *Cougars* de Victoria, avait remporté le trophée en 1925.

Comme ils étaient ambitieux, ils décidèrent de s'immortaliser en gravant leurs initiales sur la Coupe, à l'aide d'un ongle. Ils ne savaient pas encore que la reconnaissance officielle allait venir bientôt et que leurs noms seraient inscrits convenablement sur le trophée, à titre de membres des *Rangers* de New York, champions de la coupe Stanley en 1939-1940.

Par ailleurs, Léo Dandurand, copropriétaire du *Canadien* de Montréal, se plaisait à raconter une histoire à propos de la coupe Stanley, abandonnée un soir de 1924. Son équipe avait été honorée à l'Université de Montréal, là où était exposée la Coupe. Dandurand aimait faire remarquer que le *Canadien* était la seule équipe professionnelle honorée par cette institution. Après le souper et les discours, Georges Vézina, Sprague Cleghorn et Sylvio Mantha décidèrent de se rendre chez Léo pour boire du champagne à même la Coupe. Ils s'entassèrent donc dans la Ford Model T de Léo, et Cleghorn – l'un des joueurs les plus violents – berçait la coupe Stanley comme s'il s'était agi d'un nouveau-né.

En montant la côte Saint-Antoine, à Westmount, la voiture commença à protester contre un chargement excessif. Tous, sauf Léo qui conduisait, descendirent pousser. Cleghorn plaça alors soigneusement la Coupe sur le bord de la rue, afin de prêter main forte à ses coéquipiers. Arrivés au sommet de la côte, ils remontèrent dans la voiture et se dirigèrent vers la maison de Léo. Après avoir offert un casse-croûte, Léo demanda : «Où est la Coupe?» Léo et Cleghorn rebroussèrent chemin à toute vitesse et retrouvèrent la Coupe à l'endroit même où Cleghorn l'avait laissée.

Même s'il n'assista jamais à un match de la Coupe, Lord Stanley éprouva sûrement de la satisfaction en voyant la passion qui accompagnait les compétitions mettant son trophée en jeu. Il aurait particulièrement apprécié une partie jouée en 1904, entre le *Rowing Club* de Winnipeg et Ottawa, au pavillon Aberdeen, sur l'emplacement de l'exposition à Ottawa. Le match eut lieu au pavillon, patinoire de fortune, en raison d'un différend à propos de la location des

Les noms de huit membres du Temple de la renommée du hockey ont été inscrit sur la coupe Stanley, à titre de membres de l'édition 1939-1940 des Rangers de New-York.

installations habituelles. Le thermomètre indiquait 20 degrés sous zéro et ce n'étaient pas des degrés Celsius. Néanmoins, 2 500 spectateurs s'entassèrent dans les estrades temporaires. Tout à coup, l'alarme retentit; le bureau de poste était en flammes. Pourtant, presque personne ne quitta le pavillon.

Si on se tourne vers le passé, on s'aperçoit que l'histoire de la compétition pour la coupe Stanley suit de près le développement du sport. Décerné pour la première fois en 1893, le trophée est né à l'époque où l'organisation du calendrier des matchs était considérée comme une innovation dans le monde du hockey. Toutes les équipes pouvaient remporter la Coupe. La compétition était contrôlée par deux administrateurs, nommés par Lord Stanley et chargés de déterminer quelles équipes seraient des adversaires valables pour le champion en titre.

En 1910, l'Association nationale de hockey (ANH), précurseur de la Ligue nationale de hockey, prit en charge la coupe Stanley. Le champion de l'ANH acceptait de jouer contre les vainqueurs d'une autre ligue. De 1914 à 1916, la meilleure équipe de l'ANH rencontrait les champions de l'Association de hockey de la côte du Pacifique, une ligue de l'Ouest; le vainqueur remportait la coupe Stanley. En 1917, après la création de la Ligue nationale de hockey (LNH), les champions de la LNH jouèrent chaque année contre ceux de la ligue de l'Ouest, jusqu'en 1926.

Au début de la saison 1926-1927, avec la vente des meilleurs joueurs des équipes de l'Ouest aux équipes nouvellement créées dans le nord-est des États-Unis, le trophée fut disputé exclusivement entre les équipes de la LNH, et la coupe Stanley fut attribuée au vainqueur des éliminatoires de cette ligue. Depuis la victoire des *Maroons* de Montréal contre les *Cougars* de Victoria, en 1926, aucune équipe en dehors de la LNH ne tenta de remporter la coupe Stanley.

Depuis que la LNH a fait, de la coupe Stanley, l'objectif ultime de la compétition, en 1926, des événements remarquables se produisent sans arrêt et ce, chaque année durant la saison menant au couronnement du nouveau champion de la coupe Stanley. En 1950-1951, la demi-finale opposant les *Maple Leafs* de Toronto aux *Bruins* de Boston fut le théâtre de tels événements.

Ces deux équipes étaient de force tellement égale, qu'après de nombreuses périodes de prolongation, l'heure du couvre-feu du dimanche sonna à Toronto. Plutôt que de risquer de faire face à des poursuites judiciaires, les équipes abandonnèrent le match sur une marque de 1 à 1, un fait rare dans l'histoire de la coupe Stanley.

La quatrième partie de la série finale de 1988 fut interrompue vers la fin de la deuxième période, en raison d'une panne d'électricité qui plongea dans le noir le *Garden* de Boston où les *Bruins* et les *Oilers* avaient compté chacun trois buts.

Parmi les faits mémorables, il y a la légende de Lester Patrick, cet entraîneur aux cheveux blonds de 44 ans, des *Rangers* de New York, qui enfila des jambières de gardien de but après que le gardien d'office, Lorne Chabot, eut été blessé au début de la deuxième période d'un match contre les *Maroons* de Montréal. Les équipes n'alignaient qu'un gardien à l'époque, et les *Maroons* refusèrent de laisser jouer l'un des deux gardiens de but qui se trouvaient dans les estrades. Les *Rangers* remportèrent la victoire pendant que Lester gardait le filet, ajoutant ainsi un autre haut fait à l'une des carrières les plus illustres de l'histoire du sport.

C'est avec la LNH que les plus grandes équipes de hockey disputèrent des matchs de la coupe Stanley; cela, toutefois, n'enlève rien aux équipes qui ont défendu leur titre ou défié les champions au cours des premières années. Il ne faut pas essayer d'évaluer ces fameuses équipes, à moins d'être prêt pour un chaud débat. Mais on peut certes en faire mention.

Les dynasties dans les sports professionnels deviennent de plus en plus rares en raison de l'escalade des salaires et de l'ampleur que prend le marché des agents libres. Il convient donc de se souvenir avec respect de la formation du *Canadien* de Montréal, que Toe Blake a menée à la coupe Stanley pendant cinq saisons consécutives, à partir de 1955-1956.

Cet exploit n'avait jamais été réalisé auparavant et ne pourra sans doute jamais être répété, mais il faut attribuer à Scotty Bowman, Glen Sather et Al Arbour, le mérite d'avoir essayé. Bowman dirigea plus tard le *Canadien* et remporta quatre fois de suite la coupe Stanley, à partir de 1976. Les *Islanders* de New York, dirigés par Arbour, remportèrent eux aussi quatre fois la Coupe, à partir de 1979-1980. Sather, à titre de directeur général et entraîneur ou comme président d'équipe et directeur général, bâtit les *Oilers* d'Edmonton, une force dominante qui gagna la coupe Stanley cinq fois en sept ans, leur première victoire ayant été remportée en 1984. Il est difficile de faire mieux.

Les partisans des *Red Wings* de Détroit peuvent se demander si le souvenir du début des années 1950 ne s'est pas estompé. Les *Red Wings* de 1951-1952 frisèrent la perfection; aucune équipe ne pourra sans doute en faire autant durant la fièvre des éliminatoires de la coupe Stanley. La LNH ne comptait que six équipes et les *Red Wings* avaient remporté la Coupe en huit matchs, soit le minimum possible. Mais ce n'est pas tout : le gardien de but Terry Sawchuk n'accorda pas un seul but à domicile, et seulement cinq buts furent marqués contre lui durant les éliminatoires.

Encore une fois, il est improbable que cet exploit se répète, mais durant les éliminatoires de la coupe Stanley, on doit justement s'attendre à l'inhabituel et à l'improbable.

On peut se demander si la coupe Stanley, avec un passé si riche, ne pourra jamais rivaliser avec sa glorieuse histoire. En fait, le meilleur de l'histoire de la coupe Stanley reste peut-être encore à venir.

Et que dire d'une finale de la coupe Stanley entre Montréal et Moscou, Prague et Philadelphie ou encore Dusseldorf et Détroit? Pure fantaisie, direz-vous. Pourtant, en 1892, Lord Kilcoursie aurait pu s'exclamer : «Mes chers amis, vous devez vous reposer un peu!», si on avait prédit que la coupe rose de Lord Stanley allait se retrouver à Boston, New York, Chicago, Détroit, Philadelphie, Pittsburgh, sans oublier Kenora et Seattle.

Alors, ne quittez pas. Les cent premières années ont été merveilleuses, mais les cent prochaines pourraient être encore meilleures.

Le jeu défensif fut à son meilleur durant les séries de 1952, quand Terry Sawchuk et les défenseurs des Red Wings n'accordèrent, en moyenne, que 0,62 but par match.

Les débuts,

1893-1910

D es hommes se sont ruinés dans cette course folle pour acquérir temporairement la Coupe offerte en 1892 par le comte de Derby, appelé aussi Lord Stanley de Preston, qui fut l'un des nombreux gouverneurs du Canada et qui a montré un intérêt plus que passager pour le sport.

Des hommes, avec leurs millions de dollars et leur lubie, dépensèrent des fortunes pour posséder cette Coupe, dont la forme tronquée rappelle celle d'un bol. Quelques-uns atteignirent leur but; d'autres abandonnèrent la course pour se tourner vers d'autres objectifs, comme amasser encore plus d'argent pour s'offrir leur folie.

La Coupe, maintenant fixée sur une colonne scintillante haute de 90 cm et formée de bandes d'argent, a une histoire fascinante et remplie de souvenirs. Sa création précède d'environ sept ans celle de la coupe Davis de tennis, et d'un an celle de la coupe Temple, emblème des séries mondiales de baseball, oubliée depuis longtemps.

Lord Stanley, qui avait quitté le Canada pour son Angleterre natale avant que la première Coupe n'ait été gagnée, était loin de prévoir l'intensité et l'héroïsme que la conquête de son trophée allait susciter. Lorsque Lord Stanley parla pour la première fois d'une coupe du Dominion qui serait remise à la meilleure équipe de hockey du Canada, il n'y avait que des équipes d'amateurs. Petit à petit, les joueurs qui attiraient les spectateurs voulurent une part des profits et, au début du siècle, nombreux étaient les joueurs recevant un salaire.

Au cours des années 1890 et jusqu'en 1910, les équipes soi-disant formées d'amateurs alignaient, en réalité, de un à quatre joueurs professionnels. Personne ne s'inquiétait outre mesure de cette pratique et, chaque année, le champion de l'Association de hockey amateur du Canada (AHA) – formée en principe d'amateurs –, héritait automatiquement de la Coupe ainsi que de la responsabilité de la défendre.

Les champions des grandes ligues reconnues ailleurs au Canada pouvaient, ainsi qu'ils l'avaient fait fréquemment, défier les champions de l'AHA pour s'approprier le trophée. Ces équipes, provenant des ligues de l'Ouest, des Maritimes et de l'Ontario, se mesuraient souvent au champion au cours de la saison.

Ci-contre : la coupe Stanley, flambant neuve, est une véritable oeuvre d'orfèvrerie. Elle a l'air bien petite en comparaison du trophée du Championnat senior de l'Association de hockey amateur du Canada (AHA), qui se dresse juste derrière sur cette photo de la première équipe à remporter la coupe Stanley, les AAA de Montréal de 1893. De gauche à droite, assis : J. Lowe, joueur d'avant; T. Paton, gardien de but; Archie Hodgson, joueur d'avant. Debout : Alex Irving, joueur d'avant; Haviland Routh, joueur d'avant; James Stewart, joueur d'avant; Allan Cameron, joueur de pointe.

Lord Stanley of Preston, gouverneur général du Canada de 1888 à 1893, retourna en Angleterre et devint comte de Derby sans avoir assisté à un seul match de la coupe Stanley.

Le bol original

Le bol qui trône aujourd'hui au sommet de la coupe Stanley est une copie soigneusement élaborée du bol original que Stanley a acheté en 1893. Ce bol fut remplacé en 1969 parce qu'il était devenu fragile. On peut toutefois l'admirer et l'étudier au Temple de la renommée de Toronto.

Comme les parties se jouaient sur de la glace naturelle, les matchs de la saison régulière et les éliminatoires de la coupe Stanley avaient tous lieu dans une période de 15 semaines, à partir de la fin décembre jusqu'au début mars.

Le droit de défier le champion en titre était accordé par le shérif John Sweetland et Philip D. Ross, deux résidants respectés d'Ottawa nommés par Lord Stanley pour agir à titre d'administrateurs de la Coupe. Selon les conditions énoncées par Lord Stanley dans l'acte de donation de la Coupe, publié le 23 février 1894 par la *Gazette* de Montréal, on demandait aux administrateurs de «fixer les règles de la compétition. Si une équipe conteste le titre de champion, la Coupe pourra être retenue ou décernée par les administrateurs, selon ce qui leur semble juste, leur décision étant irrévocable. Si l'un des deux administrateurs se retire ou abandonne ses fonctions, l'autre doit nommer un remplaçant».

Bien que le trophée porte l'inscription «Dominion Challenge Cup» d'un côté et «From Stanley of Preston» de l'autre, on en vint rapidement à l'appeler la coupe Stanley. Les matchs de la Coupe opposaient des équipes d'amateurs, de pseudo-amateurs et de professionnels, de 1893 jusqu'en 1910, lorsque les ligues professionnelles comme l'Association nationale de hockey et la Ligue de hockey professionnel de l'Ontario commencèrent à dominer la compétition.

De trophée décerné aux amateurs, la Coupe est devenue la récompense la plus prestigieuse des ligues professionnelles d'élite. Cette transition ne se produisit évidemment pas sans heurts, car les équipes d'amateurs ne remettaient la Coupe aux pros qu'à la suite d'une chaude lutte. Les partisans du hockey amateur protestèrent contre l'infiltration de joueurs payés au sein des équipes, et exigèrent en quelque sorte que la coupe Stanley leur revienne, comme cela avait été prévu à l'origine. Dans beaucoup de disciplines sportives, les athlètes amateurs et professionnels ne faisaient pas bon ménage durant les premières décennies du XXe siècle. Les athlètes amateurs, qui pratiquaient un sport par plaisir et cultivaient un bon esprit sportif, éprouvèrent de la difficulté à comprendre l'idée de jouer pour de l'argent et de vouloir la victoire à tout prix.

La perte de la coupe Stanley par les ligues d'amateurs fut compensée par la création, en 1908, de la coupe Allan, don d'un gentleman de Montréal, Sir Montagu Allan; cette coupe est la plus haute récompense en hockey senior amateur. La coupe Allan est toujours décernée chaque année, mais la conquête de la coupe Stanley reste l'accomplissement ultime dans le hockey. La coupe Stanley est le totem scintillant du hockey, et sa conquête dépasse tous les objectifs personnels.

À quoi ressemblait le hockey au début de la coupe Stanley?

Les matchs étaient disputés sur des patinoires faiblement éclairées, non chauffées, et nécessitaient la coopération de Mère nature, qui devait autoriser une température assez froide pour produire de la glace...

Les joueurs fournissaient leur propre équipement, à l'exception des chandails et des bas, qu'ils devaient remettre à l'équipe à la fin de la saison...

Sept joueurs formaient une équipe : un joueur de pointe (défenseur), un couvreur (défenseur), un centre, un ailier droit et un ailier gauche. On appelait le joueur supplémentaire un maraudeur.

Les buts ne comportaient pas de filet, mais seulement deux poteaux montés sur une base mobile qui étaient à l'origine de nombreuses entourloupettes. En effet, les gardiens de but écartaient souvent les poteaux, d'un coup de pied malicieux, juste avant le changement de côté, afin d'amener l'espace réglementaire à 2,10 ou 2,40 m, alors qu'il devait être de 1,80 m...

Les matchs étaient divisés en deux périodes de 30 minutes chacune, et aucun changement de joueurs n'était autorisé sauf en cas de blessure...

Les joueurs pénalisés, pendant qu'ils «purgeaient leur peine» ou, comme on le dit aujourd'hui, qu'ils étaient au banc des pénalités, recevaient fréquemment la visite d'un agent de la paix qui les avertissait de bien se conduire à l'avenir...

Les spectateurs, une chique à la bouche, échangeaient volontiers des insultes avec les arbitres tandis que les femmes, bien emmitouflées à cause des températures glaciales, arboraient fièrement les couleurs de leur équipe favorite et considéraient les joueurs adverses comme des brutes...

Les joueurs devaient faire attention aux objets lancés par les spectateurs, en plus d'éviter les coups de bâtons à la tête de la part des adversaires ainsi que les mises en échec sévères qui causaient beaucoup plus de douleurs à l'époque, car, contrairement à aujourd'hui, les joueurs n'enfilaient aucune armure.

Il n'y avait pas de bande; la surface de jeu était entourée d'une plate-forme érigée à l'intention des spectateurs, et les joueurs qui avaient été mis en échec ou propulsés hors des limites de la patinoire étaient renvoyés dans l'arène à coups de botte par les fanatiques...

Les défenseurs, alignés l'un derrière l'autre, dégageaient leur territoire à l'aide d'un tir du revers, propulsant la rondelle à l'autre bout de la patinoire...

Les billets de dernière minute se vendaient 25 cents pièce, alors que les sièges réservés coûtaient 75 cents et un dollar...

Les règlements régissant les matchs de la Coupe ne ressemblaient aucunement à ceux que l'on connaît aujourd'hui. Toutes les équipes se donnaient le droit de participer, à l'instar du garçon fermier qui, à la fête foraine, croyait pouvoir tenir trois rondes contre un boxeur champion de la catégorie poids lourds...

Les séries éliminatoires étaient disputées selon la formule d'élimination subite, ou encore en choisissant entre le principe d'une série deux-de-trois ou du total des buts après deux parties. Les séries se succédaient parfois de très près, car aucun intervalle n'était prévu; la participation aux séries dépendait uniquement de l'approbation des administrateurs de la Coupe ou, parfois, du manque de fonds dans les coffres des équipes. Les parties de la ligue avaient lieu le samedi soir, et les champions en titre relevaient les défis durant la semaine...

Quelques finales de la Coupe furent jouées en décembre, d'autres en janvier, février ou mars...

Voilà où en était le hockey lorsqu'un gentleman barbu, avec un goût marqué pour ce divertissement hivernal à la popularité grandissante, paya une somme insignifiante pour acquérir un trophée dont la valeur actuelle est inestimable.

Le trophée acheté par Lord Stanley fut d'abord appelé la coupe Dominion Challenge. Ce n'est que vers le milieu des années 1890 qu'on l'appela du nom de son donateur.

(suite p. 13)

Lord Stanley et ses fils

par Phil Drackett

L es pages d'histoire de la coupe Stanley sont garnies de noms de frères célèbres : les Patrick, Cook, Boucher, Conacher, Bentley, Richard, Esposito, Dryden, Sutter et bien d'autres. Pourtant, le groupe de frères le plus redoutable de tous n'a pas participé un instant aux séries de la coupe Stanley.

Les sept frères Stanley étaient parmi les meilleurs joueurs de hockey de leur temps; ils influencèrent l'évolution de ce sport aussi bien en Amérique du Nord qu'en Grande-Bretagne; ils suscitèrent une passion pour le hockey qui dure depuis près de 100 ans et donnèrent leur nom au plus grand trophée du hockey, l'un des plus importants du monde du sport.

Ils patinaient, mais ne connaissaient à peu près rien au hockey lorsqu'ils débarquèrent au Canada, en 1888. Lord Stanley de Preston, qui plus tard devint le comte de Derby, avait été nommé Gouverneur général du Canada.

Arthur, son troisième fils, avait alors 19 ans; c'était un meneur né. Sportif complet et enthousiaste, comme ses frères, il découvrit rapidement le hockey sur glace. Ses frères n'eurent besoin d'aucun encouragement pour se laisser intéresser par le sport. Avec quelques nouveaux amis canadiens, ils formèrent deux équipes afin de disputer des matchs sur une patinoire publique. Malheureusement les patineurs artistiques, qui jusque là avaient eu la glace presque pour eux seuls, n'apprécièrent pas l'intrusion des joueurs de hockey. Peu de temps après, on avertit clairement les rudes gaillards qu'ils pouvaient aller jouer ailleurs.

Et c'est ce qui arriva. Arthur transporta l'action vers une patinoire privée située dans la propriété de la Maison Rideau, résidence du Gouverneur général, et forma une équipe, les *Rebels*, élégamment habillée de chandails rouges et de pantalons blancs.

En 1890, il réunit des gens partageant les mêmes intérêts et qui voulaient «poursuivre le projet de former une association de hockey sur glace». Cette rencontre, à laquelle de nombreuses personnes assistèrent, donna naissance par la suite à l'Association de hockey de l'Ontario, organisme qui a toujours eu une forte influence sur le sport.

Mais Arthur n'en resta pas là. Avec l'aide de son frère Algy, il persuada son père de fournir une coupe qui représenterait, de façon tangible, le championnat de hockey sur glace. Le capitaine Covill se vit confier la tâche d'acheter un bol cannelé de forme aplatie, dont la réplique est maintenant placée au sommet de la Coupe moderne. Soixante-dix ans plus tard, des voleurs dérobèrent cette Coupe et en exigèrent une rançon de 100 000 $.

Un certain doute subsiste quant à l'enthousiasme de Lord Stanley envers le hockey, bien qu'il ait patronné l'Association de hockey de l'Ontario. À l'occasion d'un souper, il annonça la création de ce trophée. Cependant, il est évident que les plaidoyers d'Arthur et d'Algy ont grandement influencé l'initiative du Gouverneur général. Parmi les raisons données lors de l'annonce officielle, on retrouve «l'intérêt que suscitent maintenant les matchs de hockey».

Les administrateurs ont, par la suite, reçu l'instruction de remettre la Coupe à l'Association des athlètes amateurs de Montréal, afin qu'elle serve de trophée au championnat amateur de hockey de la saison, dont la fin coïncidait avec le Jour de l'an de 1893.

Au moment où les Montréalais devaient défendre la Coupe, en 1894, la famille Stanley était de retour en Angleterre, Lord Stanley ayant dû quitter le Canada pour s'occuper d'affaires de famille, lors du décès de son frère. Montréal eut raison des *Capitals* d'Ottawa par la marque de 3 à 1, devant 5 000 spectateurs – un record à cette époque –, et un journal publia que «l'arbitre avait oublié de voir de nombreuses choses».

Dommage que les Stanley n'aient pu assister aux débuts de la longue et excitante histoire de leur trophée! Toutefois, l'enthousiasme des frères Stanley pour le hockey ne diminua pas d'intensité. Durant le dur hiver de 1895, quand l'Angleterre connut exceptionnellement trois mois de neige et de glace, le lac situé dans la propriété de Buckingham Palace se changea en patinoire de janvier à mars, et les Stanley intéressèrent les membres de la famille royale à un match.

Un jour de janvier, ce grand match eut lieu : Buckingham Palace contre l'équipe de Lord Stanley. Le futur roi George V, Lord Mildmay, Sir Francis Astley Corbett, Sir William Bromley Davenport et Ronald Moncrieff, plus connus lorsqu'ils jouaient sur le gazon, composaient l'équipe du Palace. Cinq des frères Stanley et Lord Annally formaient l'équipe adverse.

Le prince, gardien de but des receveurs, fut très impressionné par l'habileté de F.W. Stanley, qui maniait la rondelle d'une façon fulgurante «en patinant à reculons». Cet exploit, si on s'en souvient, fut réalisé quelque cinq ans avant que Fred «Cyclone» Taylor ne surprenne les amateurs de hockey canadiens en faisant la même chose. Taylor disait toujours qu'il avait appris cet art de Norval Baptis, champion de patinage de vitesse et patineur acrobate, lorsque celui-ci visita Listowel, en Ontario, où Taylor évoluait à ce moment-là.

Les Stanley fascinèrent certainement le prince. L'équipe du Palace marqua un but tandis que celle des Stanley «en marquait plusieurs». On peut supposer qu'il n'était pas très diplomatique de retenir le nombre exact de fois que la forteresse royale fut prise.

L'intérêt de la famille royale ne déclina pas.

Les Rebels de Rideau en 1889. Formée de sénateurs, d'aides de camp et de députés, cette équipe alignait également deux des fils de Lord Stanley : Arthur (debout, deuxième à partir de la gauche) et Edward (assis, à l'extrême gauche).

En 1904, le roi Édouard VII et la reine Alexandra amenèrent plusieurs personnes à Hengler (maintenant le London Palladium) pour voir un match de hockey sur glace entre Londres et une équipe internationale qui remporta la victoire. Le groupe royal était formé, entre autres, du roi et de la reine de Norvège, du futur roi George V et du duc de Connaught, qui avait été initié au sport pendant son séjour dans l'armée canadienne.

Le roi George VI, lorsqu'il était duc de York, jouait régulièrement au *London Ice Club*, et son frère cadet Henry, duc de Gloucester, était un amateur si fervent, qu'en 1914, il modifia l'itinéraire d'une tournée afin de pouvoir assister à deux matchs hors-saison entre Ottawa et les *Millionaires* de Vancouver.

La Reine Élisabeth II et le duc d'Édimbourg ont assisté à des matchs au Canada et au Royaume-Uni, et les princes royaux ont déjà pratiqué ce sport. Durant la tour-

Ted Kennedy, le capitaine des Maple Leafs de Toronto, accueille la princesse Elizabeth au Maple Leaf Gardens, le 7 novembre 1951. Après avoir organisé une démonstration d'après-midi au profit du couple royal, Toronto et Chicago disputèrent le soir même un match régulier que les Leafs remportèrent, 1-0.

née royale qui eut lieu au Canada au cours de la saison 1951-1952, la Reine et son mari ont assisté à des matchs à deux reprises. Ils étaient présents lors de la rencontre entre le *Canadien* et les *Rangers* au Forum de Montréal, et aussi lors d'une démonstration de hockey spécialement prévue qui s'est déroulée un après-midi au Maple Leafs Gardens, entre Toronto et Chicago. La saison suivante, le duc s'était rendu à Wembley pour voir les *Lions* de Wembley perdre 2 à 1 aux mains d'une équipe d'étoiles sélectionnées par le magazine britannique *Ice Hockey World*.

Les Stanley ne limitaient pas à la famille royale la croissance de la fièvre du hockey. C'est à la patinoire du Niagara Rink que se déroulaient les parties disputées à Londres; on utilisa bientôt, également, les patinoires Princes et Brighton. L'équipe *Niagara* était la meilleure, mais elle n'arrivait pas à la cheville de celle des Stanley qui était déchaînée. Six des frères Stanley eurent facilement raison de l'équipe *Niagara*, même si le service mili-

taire les obligeait à réduire le temps qu'ils passaient sur la glace. Un autre des frères, Victor, qui obtint le grade d'amiral dans la Marine, ne pouvait jouer que lorsqu'il était en permission.

Un triste événement survint. Arthur, le meilleur des sept frères Stanley, dut cesser de jouer au hockey en 1894, après une crise de rhumatisme articulaire.

Il s'intéressa à d'autres activités. En tant que président du Club automobile, il obtint le patronage royal. Au cours de la Première Guerre mondiale, il put, grâce au duc de Connaught qui était alors Gouverneur général du Canada, faire en sorte que l'équipe puisse être formée de Canadiens et d'autres officiers en permission. Il travailla également dans les centres hospitaliers et devint président de la Croix-Rouge britannique.

Beaucoup de gens au Royal Automobile Club (RAC) rappelaient à Sir Arthur, comme il convenait maintenant de l'appeler, sa carrière de joueur de hockey. Le concepteur et constructeur d'avions T.O.M. Sopwith était devant le filet de l'équipe de l'Angleterre lorsque celle-ci remporta le premier championnat d'Europe en 1910, n'ayant perdu aucun match contre l'Allemagne, la Suisse ou la Belgique; ce fut une remarquable performance. La formation de l'Angleterre interrompit sa marche vers le championnat pour disputer un match amical à Paris au cours duquel trois de ses éléments furent blessés. Les deux meilleurs joueurs de l'équipe ne purent participer aux finales, et le dernier joua avec un bandage à l'épaule.

Lord Brabazon de Tara, inventeur du bobsleigh Cresta, ministre de l'Air et du Transport et premier Anglais à voler, était également membre du RAC. «Brab» joua pour l'équipe des Princes au tout début et se joignit souvent à elle lorsque celle-ci représentait l'Angleterre durant les tournois disputés sur le continent.

Le président des compétitions du RAC, Earl Howe, pilote de voitures de course de premier ordre, était le vice-président de l'équipe de hockey sur glace des *Tigers* de Brighton et, encore aujourd'hui, le RAC continue d'accueillir de nombreux joueurs de hockey, des années passées et présentes. Le RAC est également associé à une autre coupe Stanley, beaucoup moins connue que celle du hockey. Elle fut présentée par Sir Arthur pour les compétitions de courses d'automobiles.

Le monde du sport, des deux côtés de l'Atlantique, doit beaucoup à la famille Stanley. Lord Stanley est déjà membre du Temple de la renommée; peut-être qu'un jour Sir Arthur Stanley, GCVO, GBE, CB, son troisième fils, l'y rejoindra.

L'équipe de hockey de l'Association athlétique amateur de Montréal remporta la première coupe Stanley en 1893. Chaque joueur reçut une bague en or de la part de l'Association, en souvenir du championnat.

Il était bien normal que le premier gagnant du cadeau de Lord Stanley fut l'une des trois équipes de hochey les plus anciennes du monde, ce qui était le cas des *AAA* (Association des athlètes amateurs de Montréal). Les *AAA* de Montréal, une équipe formée en novembre 1884, remportèrent le titre de l'Association de hockey amateur en 1893. Par conséquent, en vertu des volontés de Lord Stanley, cette équipe fut la première à voir son nom inscrit sur la Coupe.

Les différences abondent dans le récit des événements qui ont mené à la remise de la première coupe Stanley. En 1893, l'Association de hockey amateur du Canada décida que la meilleure équipe du Dominion serait celle qui remporterait des championnats au cours desquels cinq équipes – Ottawa, Québec et trois représentants montréalais, soit les *AAA*, les *Crystals* et les *Victorias* – joueraient deux fois contre toutes les autres, un match aller et un match retour. L'équipe qui gagnait à l'issue de ces rencontres remportait le droit d'être couronnée championne des amateurs seniors. Avant 1893, le calendrier du championnat était déterminé non pas selon les classements à la fin de la saison régulière, mais plutôt en fonction d'une succession de matchs-défis. Les *AAA* de Montréal constituèrent la première dynastie de gagnants. Ils remportèrent le titre sept saisons de suite et battirent souvent l'équipe d'Ottawa, obtenant les honneurs.

Cette équipe de Montréal a remporté les séries de 1893 avec une fiche de sept victoires et une défaite. Le match-clé de la saison eut lieu à Montréal, le 18 février 1893, lorsque les *AAA* se mesurèrent à l'équipe d'Ottawa. Les deux équipes n'avaient perdu qu'une seule rencontre durant la saison, et cette partie était considérée à la fois par la presse et par les joueurs comme étant *le* match du championnat. Les journaux d'Ottawa annoncèrent abondamment l'événement et un train spécial fut ajouté à l'horaire afin de permettre aux partisans d'Ottawa de se rendre à Montréal pour assister à la partie. Montréal eut raison d'Ottawa par 7 à 1 et semblait assuré de remporter le titre, car l'équipe de la capitale nationale n'avait plus qu'un match à jouer. Les *AAA* restèrent invaincus au cours de leurs trois dernières parties, en remportant un match par défaut contre les *Crystals* parce que cette équipe refusait de rompre l'égalité de 2 à 2. Les *AAA* de Montréal ont donc gagné le titre de l'AHA et furent considérés comme les champions du Dominion.

Après sa défaite contre les *AAA*, l'équipe d'Ottawa défendit son titre de champion de l'Association de hockey de l'Ontario en battant l'université Queens, le 1er mars 1893, par une marque de 6 à 3 (ou 6 à 4 selon le quotidien). Par la suite, elle attendit la visite des *Granites* de Toronto, mais ces derniers avertirent la formation d'Ottawa qu'ils ne pouvaient réunir suffisamment de bons joueurs. Ils demandèrent alors la permission d'envoyer à leur place une équipe de hockeyeurs provenant d'autres équipes de la région de Toronto. Ottawa accepta, mais encore une fois «l'équipe d'étoiles» ne put réunir assez de joueurs pour affronter Ottawa. L'équipe de la capitale nationale conserva donc son titre de l'AHO, puis joua son dernier match de l'AHA en l'emportant 14-0, le 17 mars. Dans son compte rendu du match, le *Citizen* d'Ottawa invitait les *AAA* de Montréal (champions de l'AHA) à se mesurer à l'équipe d'Ottawa afin de déterminer le vrai champion canadien, en faisant remarquer que les deux camps s'étaient rencontrés deux fois pendant la saison et avaient remporté chacun une victoire. Le défi ne fut pas relevé car Montréal, ayant gagné les séries de championnat de la AHA, n'avait plus rien à prouver.

Le 1er mai 1893, un article concernant le championnat de hockey de la coupe Stanley parut dans les journaux de Toronto et de Montréal. Cet article mentionnait en détail les règlements qui devaient régir la présentation des séries, et on remarqua que les *AAA* de Montréal devaient être les premiers détenteurs du trophée, car ils avaient «vaincu tout le monde au cours de la dernière saison, y compris les champions de l'Association de l'Ontario». Le trophée fut officiellement présenté aux dirigeants du *AAA*, le 15 mai 1893. Cependant, des querelles internes entre l'équipe de hockey *AAA* et l'association des dirigeants eurent pour effet de repousser au 23 février 1894 l'acceptation officielle de la Coupe par les *AAA*.

On se plaît à répéter, dans le monde du hockey, que la première coupe Stanley fut décernée aux *AAA* de Montréal parce que l'équipe d'Ottawa avait refusé de se rendre à Toronto pour rencontrer une formation de l'*Osgoode Hall Law School*. Nombreux sont les historiens du hockey qui appuient cette hypothèse dans leurs recherches sur l'histoire de la coupe Stanley. Toutefois, des documents originaux prouvent que la controverse Ottawa-Osgoode eut lieu non pas en 1893, mais en 1894, controverse qui eut pour conséquence le retrait d'Ottawa de l'AHO. Cet événement se reflète encore dans l'organisation du hockey amateur en Ontario, presque 100 ans après la séparation historique. En 1894, les *AAA* furent de nouveau couronnés champions, puis le 22 mars, la première partie pour l'obtention de la Coupe fut jouée sur la glace de la vieille patinoire Victoria de Montréal. Une fois encore, Ottawa était l'adversaire et les spectateurs furent «enthousiastes et à la mode», comme l'a écrit un chroniqueur de sport de l'époque.

Montréal remporta la victoire 3 à 1, lors d'un match au cours duquel aucune pénalité ne fut imposée, un fait rare dans l'histoire de la Coupe. Le lendemain, les journaux de Montréal décrivaient l'action en termes flamboyants et colorés.

«La patinoire Victoria n'avait jamais accueilli autant de monde» rapportait la *Gazette* de Montréal. Toutefois, le journal ne révélait pas le nombre de spectateurs.

> Il y avait des «hey-hey-ho», des «rah-rah-rah» et d'autres marques audibles d'imbécillité et d'enthousiasme mélangés. Certaines personnes n'hésitaient pas à déranger leurs voisins en soufflant dans des cornes, afin de profiter de leur achat. Ces cornes pouvaient avoir coûté jusqu'à cinq cents au début, mais elles causèrent assez de dégâts pour amener de nombreux clients à visiter un spécialiste des voies auditives, réputé. Ce fait était bien sûr extérieur au match et n'empêchait en rien le déroulement du jeu.

Sur le match, le reporter écrivit :

> la marque de cette rencontre va sembler étrange à tout spectateur familier avec ce sport; mais cela s'explique aisément. Le jeu intelligent et l'habitude de jouer sur la patinoire ont joué un rôle...

> Personne n'a été puni, mais James (George James du *AAA*) et Pulford (Harvey Pulford des *Capitals*) auraient dû être expulsés.

Le reporter faisait remarquer que «l'un des aspects les plus agréables de la rencontre fut le flottement des rubans. Presque chaque femme portait les couleurs de son équipe et jamais preux chevalier, lors d'une joute ou d'un tournoi, ne travailla aussi fort que les hockeyeurs». C'était 1 à 1 à la fin de la première demie, le premier but ayant été marqué par Chauncey Kirby, à la septième minute de jeu. Archie Hodgson, de la formation montréalaise, nivelait la marque 12 minutes plus tard. Et neuf minutes après le début de la seconde période, Billy Barlow marqua le but gagnant. Barlow marqua le dernier but neuf minutes avant la fin de la rencontre.

L'équipe du Osgoode Hall de Toronto défia les *AAA* de Montréal à la fin de mars, mais les administrateurs de la Coupe, Ross et Sweetland, décidèrent de ne pas organiser de match parce qu'il était fort possible que la température printanière ait fait fondre la glace. En 1895, les *Victorias* de Montréal conquirent la Coupe, en remportant le titre de l'AHA, mais ils ne cherchèrent même pas à défendre le trophée. Ils mirent plutôt le cap sur New York pour jouer des rencontres d'après-saison contre Ottawa.

Au lieu de disputer un match de la coupe Stanley à l'issue duquel le vainqueur triomphait, les *AAA* de Montréal devaient jouer contre l'université Queens à Montréal. Il avait été conclu que si les *AAA* gagnaient, la Coupe serait immédiatement remise aux *Victorias*; mais si l'équipe des *Queens* gagnait, elle devrait disputer la Coupe aux *Victorias*. Les *AAA* remportèrent le match 5 à 1, assurant ainsi la Coupe aux *Vics*.

L'année suivante, les *Vics* de Montréal remportèrent encore le championnat de l'AHA, mais leur marche vers la conquête d'une deuxième Coupe d'affilée fut stoppée le 14 février 1896, à Montréal, par les *Victorias* de Winnipeg qui gagnèrent 2 à 0; c'était la première fois, dans l'histoire de la Coupe, qu'une équipe de l'Ouest réalisait un blanchissage et gagnait la partie.

Dan Bain marqua à la dixième minute de la première demie après avoir reçu une passe de Mike Grant. Toat Campbell réussit le deuxième but à la neuvième

Le père des jambières

Le premier gardien de but à porter des jambières durant un match des séries éliminatoires de la coupe Stanley fut George Merritt des *Victorias* de Winnipeg, à l'occasion du match de championnat de 1896 entre Montréal et Winnipeg. Merritt portait une paire de jambières utilisées par les joueurs de cricket et blanchit les *Victorias* de Montréal, 2 à 0.

Voici l'une des plus anciennes œuvres d'art connues illustrant une scène de hockey. Cette gravure montre les AAA de Montréal aux prises avec les Victorias de Montréal, à la patinoire Victoria, en 1892.

minute de la seconde demie. Ce fut un coup dur pour les gens de l'Est qui félicitèrent à contrecœur les joueurs de l'équipe de Winnipeg et critiquèrent le travail de l'arbitre Alexis Martin de Toronto. Selon le *Globe* de Toronto, un geste déplut particulièrement aux partisans de l'Est. Hartland MacDougall de Montréal ouvrit la marque durant la première période et «les partisans locaux qui déliraient durent bientôt déchanter. L'arbitre venait de découvrir qu'il y avait eu un hors-jeu à un moment donné et le jeu fut rappelé».

«Les visiteurs vinrent à l'Est en quête de sagesse et trouvèrent la victoire, mais ils laissèrent derrière eux une empreinte de sagesse teintée de tristesse; et après un certain temps, nous, les survivants d'une civilisation de hockey décadente de l'Est, en arriverons à la conclusion qu'il est possible de tirer quelque avantage de l'Ouest sauvage et méconnu», rapportait un journal de Montréal.

Les *Victorias* de Montréal remportèrent la coupe Stanley durant les trois années suivantes.

Les Vics allèrent à Winnipeg et, le 30 décembre 1896, reprirent possession du trophée grâce à une victoire de 6 à 5 contre l'équipe de l'Ouest, dans une finale

d'un seul match. Cette rencontre eut lieu à la fin de 1896, mais elle ne fut accep-
tée comme défi qu'en 1897.

En décembre 1897, les *Vics* de Montréal n'eurent aucun mal à vaincre les
Capitals d'Ottawa 14 à 2, dans le premier match d'une série où le nombre total
de points comptait. Les *Caps*, déclassés, annulèrent la deuxième rencontre,
«dans le meilleur intérêt du hockey».

Aucun défi ne fut lancé en 1898. Apparemment, l'équipe d'Ottawa continuait
de panser ses blessures à la suite de la cuisante défaite qu'elle avait essuyée
l'année d'avant; elle fut également piquée au vif par les reproches des chroniqueurs de sport de Montréal qui avaient dit que les *Caps* avaient autant le droit
de participer au championnat du monde que «les premiers Indiens venus».

Ce n'est que quelques années plus tard qu'une nouvelle équipe d'Ottawa, les
Silver Seven, devait faire payer tous les affronts que les *Capitals* avaient
endurés.

La première controverse plutôt amère de l'histoire de la Coupe eut lieu en 1899,
à Montréal. Les *Vics*, qui avaient encore gagné le titre de l'Est en plus de la

*Les Victorias de Montréal,
champions de la coupe
Stanley de 1896 à 1899.
La formation de 1897,
que l'on voit ici, gagna
sept matchs sur huit.
L'édition 1898 de cette
équipe compila une fiche
de 8-0-0 et devint la première équipe gagnant
la coupe Stanley à avoir
terminé la saison sans
défaites et sans matchs
nuls. Les Vics obtinrent
leur troisième Coupe par
défaut, car aucune autre
équipe ne les avait défiés.*

Coupe, relevèrent le défi lancé par les *Victorias* de Winnipeg qui vinrent à Montréal disputer une série de deux rencontres, le plus grand nombre de points devant déterminer le vainqueur.

La formation montréalaise s'appropria le trophée pour la troisième année consécutive, mais il convient de souligner en toute honnêteté que sa victoire ne fut pas uniquement acquise par sa supériorité sur la patinoire. La série fut interrompue, et les joueurs de l'Ouest rentrèrent chez eux sans la Coupe et furieux.

Exactement 20 ans plus tard, une autre série fut interrompue, mais pour des raisons totalement différentes. En 1899, un arbitre avait décidé de mettre fin à la série parce que les joueurs ne voulaient pas accepter ses décisions. En 1919, la série fut suspendue en raison du décès de Joe Hall, au moment où une épidémie de grippe sévissait à Seattle.

Bill Findlay de Montréal était l'arbitre des séries de 1899. Tony Gingras avait marqué le premier but pour Winnipeg au début de la première période, mais Montréal remporta tout de même le premier match 2-1 grâce à des buts marqués par Bob Macdougall et Graham Drinkwater en fin de rencontre. Cette victoire fouetta l'intérêt des partisans pendant la deuxième rencontre. Les revendeurs de billets firent des affaires d'or et une foule de 8 000 personnes s'empila dans l'Arena Rink de Montréal pour voir à l'œuvre l'équipe de l'Ouest.

Les *Vics* menaient 3-2 à douze minutes de la fin lorsque le joueur de centre, Bob Macdougall, reçut une punition de deux minutes pour avoir donné à Gingras un coup de bâton au genou. Pendant que Macdougall se dirigeait au banc des pénalités, les joueurs de l'équipe de Winnipeg, furieux que la sentence soit si légère, se dirigèrent vers la salle des joueurs, en adressant à Findlay des remarques désobligeantes.

Findlay, qui de toute évidence n'avait pas l'habitude d'un tel traitement, rentra chez lui. Un groupe de personnes partit à sa recherche en traîneau et le convainquit de retourner à la patinoire. À son arrivée, après une interruption de 65 minutes, Findlay donna aux joueurs de Winnipeg 15 minutes pour s'habiller et poursuivre la partie. Mais les *Vics* de Winnipeg n'étaient pas calmés et refusèrent de retourner au jeu, à moins que Findlay n'expulse Macdougall du match en vertu d'un règlement datant de 1897 stipulant que l'arbitre pouvait suspendre tout joueur pour conduite antisportive.

Findlay refusa et, après le délai de 15 minutes, comme la formation de l'Ouest ne se montrait toujours pas, l'équipe montréalaise remporta le match, la série et la coupe Stanley. Les administrateurs de la Coupe respectèrent la décision de l'arbitre.

Le jugement des administrateurs se révéla plutôt sévère. L'équipe de Winnipeg n'aurait pas pu retourner au jeu, car plusieurs joueurs s'étaient non seulement déjà changés, mais étaient peut-être même partis dans les bars de Montréal pour goûter à la vie nocturne.

De tels événements comiques ne doivent cependant pas ternir le nom de quelques grands du hockey de l'époque.

L'alignement des *Vics* de Montréal était un véritable «Who's Who» des débuts du hockey : le gardien Gord Lewis, le pivot Mike Grant, le marqueur de pointe Graham Drinkwater, le centre Bob Mcdougall et le maraudeur Russell Bowie,

Une crosse de hockey minutieusement gravée, datant de la première grande controverse dans les séries de la coupe Stanley : le match entre les Victorias de Montréal et les Victorias de Winnipeg, le 18 février 1899. Remarquez la mention «Fizzie the referee» sur le manche.

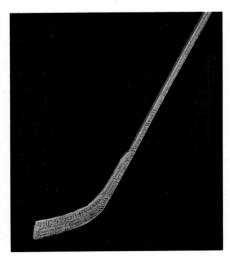

pesant à peine 55 kilos, l'une des premières grandes vedettes qui prit sa retraite en 1910, après une carrière de 22 saisons. Ernie McLea et Cam Davidson étaient les ailiers, tandis que Shirley Davidson jouait le rôle de substitut.

Les *Vics* de Winnipeg alignaient Whitey Merritt devant le filet, Charlie Johnston comme pivot, Bob Benson comme marqueur de pointe, le célèbre Dan Bain au centre et Gingras à la position de maraudeur; Toat Campbell et Addie Howard étaient les ailiers.

Les *Victorias* de Montréal ne gardèrent la coupe Stanley que peu de temps. En effet, deux semaines après leur victoire contre Winnipeg, ils perdirent le championnat de la ligue, de même que la coupe Stanley, en faveur des *Shamrocks* de Montréal. Ces derniers défendirent le trophée contre les *Queens* grâce à une victoire de 6 à 2, en mars 1899.

Sans se laisser abattre par les regrets qui persistaient à la suite de leur disqualification de février 1899, les *Vics* de Winnipeg tentèrent de nouveau leur chance contre une équipe de Montréal, en 1900, et obtinrent presque vengeance. Au cours d'une série au meilleur de trois matchs contre les *Shamrocks*, l'équipe de Winnipeg remporta une victoire de 4-3 lors du premier match, mais perdit les deux suivants 3-2 et 5-4. Pour la seconde fois dans l'histoire de la Coupe, aucune pénalité ne fut imposée durant la deuxième partie.

Le nouveau siècle marqua également la naissance d'un intérêt à l'échelle nationale pour la coupe Stanley. En mars 1900, les *Crescents* de Halifax s'étirèrent les muscles et vinrent à Montréal pour tenter de subtiliser la Coupe.

Ils retournèrent à Halifax après avoir encaissé des revers de 10-2 et 11-0.

En 1901, les fanatiques de l'Est étaient en droit de se demander si les *Vics* de Winnipeg ne bénéficiaient pas de rabais sur les voyages en train, car ceux-ci arrivèrent une nouvelle fois à Montréal. La formation de l'Ouest présentait de nouveaux visages, mais Bain, Gingras et Campbell formaient toujours le noyau de l'équipe. Art Brown était le gardien, les frères Flett, Rod et Magnus, étaient pivot et marqueur de pointe tandis que Burke Wood, qui devait connaître une excellente carrière, était le maraudeur.

Cette fois-ci, l'équipe de Winnipeg retourna chez elle avec la victoire. Les joueurs balayèrent la série deux-de-trois en deux matchs, grâce à des victoires de 4 à 3 à la première partie et de 2 à 1 à la seconde, le tout premier match de l'histoire de la Coupe ayant nécessité une prolongation. Bain fut le héros de la série avec ses trois buts – un au premier match, et les deux buts de l'équipe de Winnipeg au cours du deuxième. Il ouvrit la marque dans la première période du second match et, après que le capitaine Harry Trihey des *Shamrocks* eut nivelé la marque durant la deuxième période, Bain enfila le but vainqueur à la quatrième minute de la prolongation.

Deux pénalités seulement furent imposées durant la première partie, et un reporter de la *Gazette* de Montréal commentait le nombre peu élevé de pénalités en racontant à ses lecteurs que l'arbitre «n'a pas souvent utilisé son pouvoir d'expulser les spectateurs». Le *Toronto Star* écrivit qu'on avait «assisté au match le plus scientifique jamais joué au Canada».

Des invités de classe

En 1902, les *Wellingtons* de Toronto, qui s'étaient rendus à Winnipeg pour mettre la main sur la coupe Stanley, furent accueillis à l'arrivée par des représentants des *Victorias* de Winnipeg; les deux équipes défilèrent alors dans les rues. Entre les matches de la série deux-de-trois, les *Wellingtons* furent invités par les *Vics* à une soirée de théâtre et, lorsque Winnipeg mit fin à la série grâce à deux victoires de 5-3 de suite, les gagnants organisèrent un grand banquet pour les Torontois.

Les Shamrocks de Montréal, la troisième équipe de Montréal à obtenir la Coupe, étaient formés entre autres de Art Farrell (assis à l'extrême droite) qui écrivit, en 1899, la première histoire du hockey, Ice Hockey : The Royal Game.

En janvier 1902, à Winnipeg, les *Vics* acceptèrent le défi lancé par les *Wellingtons* de Toronto, connus sous le nom de *Iron Dukes*, dans les premières séries de la coupe Stanley jouées dans l'Ouest du Canada. Les *Vics* remportèrent les honneurs de la série deux-de-trois en deux matchs, tous deux par la marque de 5 à 3. Les chroniqueurs de Winnipeg se demandaient pourquoi les *Wellingtons* étaient venus de si loin pour se faire déclasser par les *Vics*. De toute évidence, les journalistes avaient oublié les voyages inutiles que les *Vics* avaient faits dans l'Est.

Il était maintenant clair que l'enthousiasme pour les séries de la coupe Stanley était très élevé. À Toronto, des milliers de citoyens veillèrent jusqu'à une heure avancée de la nuit pour entendre les coups de sifflet provenant du sommet de la centrale électrique des chemins de fer de Toronto. Deux coups auraient annoncé une victoire des *Iron Dukes*. Les trois coups qui retentirent signifièrent la défaite.

C'est durant cette série que les gardiens de but commencèrent à s'éloigner de leur filet, une innovation de style qui, plus tard, fut attribuée à Jacques Plante, membre du Temple de la renommée. Le gardien des *Wellingtons*, Dutch

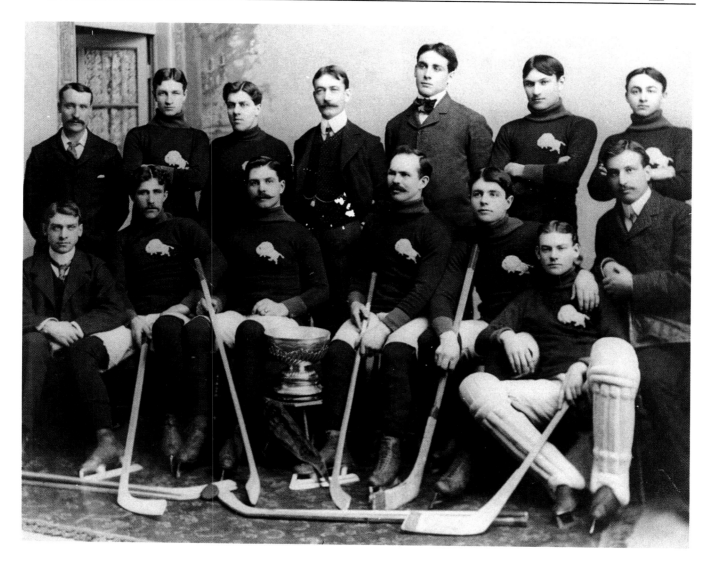

Morrison, surprit les partisans de Winnipeg en fonçant hors de son filet pour contrer un joueur d'avant adverse.

De toute façon, le prestige des équipes de l'Est, bien qu'un peu terni par la défaite des *Iron Dukes*, fut rétabli par les *AAA* de Montréal qui s'étaient rendus dans l'Ouest deux mois plus tard pour régler le cas des *Vics* de Winnipeg, en gagnant deux parties à une.

Et le système utilisé à Montréal pour informer la population du résultat de la série était plus pittoresque que les coups de sifflet de Toronto. On avait érigé une plate-forme devant les locaux du journal *Montreal Star*, au coin sud-est de l'intersection des rues Peel et Sainte-Catherine, d'où un annonceur muni d'un porte-voix hurlait les nouvelles devant une foule de curieux.

Au retour de l'équipe, les joueurs furent assaillis par la foule qui s'était réunie à la gare, entassés dans des traîneaux dont les attelages furent défaits et traînés dans les rues par des fans en délire.

Mais en 1902, les *AAA* n'eurent pas la vie aussi facile à Winnipeg. Sur une glace fondante et au cours d'une partie si violente que les observateurs purent à

Les Victorias de Winnipeg, qui perdirent la Coupe de façon controversée en 1899, devinrent la première équipe située à l'ouest de l'Ontario à gagner la coupe Stanley en 1901.

Tony Gingras, dont la blessure subie en 1899 poussa les Vics à quitter la patinoire en guise de protestation.

peine la qualifier de match de hockey, l'équipe de Winnipeg, qui comptait sur un Gingras en forme, marqua l'unique but de la rencontre pour remporter le premier match 1-0. Il en fut tout autrement au deuxième match, que Montréal remporta facilement 5 à 0. Pendant le troisième match, gagné 2-1 par l'équipe de l'Est, Gingras marqua de nouveau le seul but pour Winnipeg. Art Hooper, qui enfila deux buts dans la deuxième partie, ouvrit la marque du match décisif.

Pour Montréal, les grands joueurs des séries furent Jack Marshall et Charlie Liffiton, en plus de Hooper. Douze ans plus tard, Marshall devait mener les *Blueshirts* de Toronto à la coupe Stanley; pour la première fois, des joueurs d'une équipe torontoise buvaient le champagne à même l'historique bol.

En 1903, l'une des plus fabuleuses équipes apparut sur la scène de la coupe Stanley : les incomparables *Silver Seven* d'Ottawa.

Ils furent les principaux protagonistes d'une époque qui devait fournir quelques-unes des anecdotes les plus incroyables, et quelques-uns des meilleurs moments du hockey, ainsi que beaucoup des plus violents, des plus combatifs et des meilleurs joueurs.

Les succès des *Silver Seven* marquèrent le début de neuf victoires de la coupe Stanley que les équipes de hockey d'Ottawa ramenèrent dans la capitale nationale, sur une période de 25 ans. Les *Seven* passent pour la plus grande équipe d'Ottawa, et c'est certainement la meilleure formation que le hockey avait connue jusqu'à notre époque. Durant leur règne de trois ans à titre de champions de la Coupe, ils ont défait sept équipes canadiennes : les *Thistles* de Rat Portage, à deux reprises, le *Rowing Club* de Winnipeg, les *Marlboroughs* de Toronto, les *Wheat Kings* de Brandon et les légendaires *Klondikers* de Dawson City. Ils eurent raison de deux autres équipes, celles de l'université Queens et de Smiths Falls en 1906, avant de céder le trophée aux *Wanderers* de Montréal à l'issue d'une série palpitante de deux matchs.

(suite p. 31)

Ottawa et la coupe Stanley
par Roy MacGregor

La scène de l'un des plus légendaires incidents de l'histoire de la coupe Stanley n'a rien pour marquer son souvenir, et il est peu probable que vive encore un témoin de ce qui s'est vraiment passé par une froide nuit d'hiver, au début de 1904, lorsque les *Marlboroughs* de Toronto, champions de l'Association de hockey amateur, vinrent se mesurer aux *Silver Seven* pour s'approprier la coupe Stanley.

Le «Cattle Castel» tombe en ruine. Il se dresse, avec ses fenêtres brisées et sa peinture écaillée, entre le terrain de football et le canal, bâtiment en forme de grange maure que plusieurs personnes connaissent sous le nom de «Édifice des manufacturiers», mais dont peu se rappellent qu'il fut le Pavillon Lady Aberdeen. Construction ultramoderne dans les années 1890, l'immeuble est, en 1990, dans un état lamentable. Certains estiment qu'il faudrait investir 10 millions de dollars pour le restaurer, tandis que d'autres paieraient un démolisseur pour le détruire. À la fin du XXe siècle, l'immeuble est habité par les pigeons qui y nichent le long des chevrons. Pourtant, au début du siècle, ces mêmes chevrons tremblaient sous les clameurs d'une ville dont on dit que la passion pour le hockey et le patinage avait modifié jusqu'à la démarche de ses habitants.

Le soir du match contre les *Marlboroughs*, c'était la troisième fois en moins d'un an que les *Silver Seven* devaient défendre leur titre de meilleure équipe du Dominion. Dans le magnifique pavillon Lady Aberdeen, la glace était dure comme du roc, lisse comme du verre, et l'équipe torontoise, formée de joueurs vaillants et rapides, ébahit la foule en prenant l'avance 3 à 1 au cours de la première période. Les gens n'en revenaient pas.

Les hôtes, après tout, étaient ces fameux *Silver Seven* et, bien qu'il fallût attendre plusieurs décennies pour voir la formation élue meilleure équipe de hockey du Canada pendant la première moitié du siècle, ils avaient, en 1904, la réputation d'être les joueurs les plus forts et les plus violents du monde. Seulement quelques semaines auparavant, le *Rowing Club* de Winnipeg était venu à Ottawa disputer un match qu'il perdit 2-0. À la fin de la rencontre, sept des neuf joueurs de l'équipe de Winnipeg devaient recevoir des soins médicaux, et le train qui avait ramené le *Rowing Club* chez lui avait été appelé le «convoi médical», par les quotidiens.

C'est avec tristesse qu'on vit Arthur, le meilleur des sept frères Stanley, contraint de prendre sa retraite en 1894, après une crise de rhumatisme articulaire.

Il s'intéressa à d'autres activités. En tant que président du Club automobile, il obtint que ce club soit patronné par la famille royale. Au cours de la Première Guerre mondiale, il put, grâce au duc de Connaught qui était alors Gouverneur général du Canada, faire en sorte que le club réunisse outre-mer des Canadiens et des officiers en permission. Il travaillait également dans les hôpitaux et devint président de la Croix-Rouge britannique.

Beaucoup de gens au *Royal Automobile Club* (RAC) remémoraient à Sir Arthur, comme il convenait maintenant de l'appeler, sa carrière de joueur de hockey. Le concepteur et constructeur d'avions, T.O.M. Sopwith, était devant le but de l'équipe de l'Angleterre lorsque celle-ci remporta le premier championnat d'Europe, en 1910, n'ayant perdu aucun match contre l'Allemagne, la Suisse et la Belgique; ce fut une remarquable performance. La formation anglaise interrompit le championnat pour disputer un match amical à Paris au cours duquel trois de ses éléments furent blessés. Les deux meilleurs joueurs de l'équipe ne purent participer à la finale, tandis que le dernier joua avec une épaule bandée.

Lord Brabazon de Tara, inventeur du bobsleigh Cresta, ministre de l'Air et du Transport et premier Anglais à voler, était également membre du RAC. «Brab» joua pour l'équipe des princes au tout début et s'y joignait souvent lorsque celle-ci représentait l'Angleterre durant les tournois disputés sur le continent.

Le président des compétitions du RAC, Earl Howe, pilote de voitures de course de premier ordre, était le vice-président de l'équipe de hockey sur glace des *Tigers*

Le pavillon Lady Aberdeen à Ottawa, connu aujourd'hui sous le nom de «Cattle Castle», où étaient disputés, à l'origine, les matchs de la coupe Stanley qui avaient lieu dans la capitale nationale.

de Brighton et, encore aujourd'hui, le RAC continue d'accueillir de nombreux joueurs de hockey, des années passées et présentes. Le RAC est également associé à une autre coupe Stanley, beaucoup moins connue que celle du hockey. Elle fut mise sur pied par Sir Arthur pour les compétitions de courses d'automobiles.

Le monde du sport, des deux côtés de l'Atlantique, doit beaucoup à la famille Stanley. Lord Stanley est déjà membre du Temple de la renommée; peut-être qu'un jour, Sir Arthur Stanley, son troisième fils, l'y rejoindra.

Leur fierté étant en jeu tout autant que la Coupe, les *Silver Seven* étaient transformés lorsqu'ils revinrent jouer la deuxième demie contre Toronto. Mais ce n'était pas là le seul changement. La glace, si lisse et rapide au début de la partie, était maintenant molle et inégale. Cette détérioration de la surface de jeu avait ralenti les *Marlboroughs*, et quand les *Silver Seven* purent les rattraper, ce fut comme si le convoi médical était revenu en ville. Ottawa marqua cinq buts, remportant le match

6 à 3. À la fin de la rencontre, Henry Roxborough écrivit dans l'*Histoire de la coupe Stanley* qu'un des joueurs torontois pouvait à peine marcher, un autre ne pouvait même plus saisir son bâton et un troisième avait dû être transporté d'urgence à l'hôpital, en raison de multiples fractures des côtes.

«Les joueurs d'Ottawa», raconta le *Globe* de Toronto, «cinglent, font trébucher et assènent systématiquement des coups de bâton aux mains et aux poignets. Ils portent des coups à la tête dès que l'arbitre a le dos tourné et écrasent leurs adversaires contre la bande après que ceux-ci ont passé la rondelle. Celle-ci n'est pas importante, mais l'attaquant doit être arrêté à tout prix; et s'il peut être littéralement sorti du jeu, c'est tant mieux.»

En 1904, plusieurs ligues, dont l'AHO et la LHAC, suggérèrent de remplacer la coupe Stanley, mais la vénérable coupe ne se fit pas détrôner. Elle est devenue le plus ancien trophée d'Amérique du Nord.

THE HOCKEY LEAGUES WANT TO DO AWAY WITH THE STANLEY CUP

"CAST ADRIFT."

«Il valait mieux se protéger après avoir lancé la rondelle», aurait dit un joueur des *Marlboroughs*. «Les défenseurs d'Ottawa se fichaient pas mal si un but avait été marqué; ils vous flanquaient une torgnole pour vous apprendre les bonnes manières.»

Les joueurs de Toronto ne se plaignaient pas seulement de la violence du jeu. Estropiés et endoloris, ils ne furent plus bons à rien durant le second match, facilement gagné 11 à 2 par Ottawa. De retour chez eux, ils étaient convaincus d'avoir été les victimes d'une ruse utilisée pendant les matchs de la coupe Stanley. Après le premier match, d'une importance cruciale, les joueurs de Toronto affirmèrent que l'équipe d'Ottawa avait répandu du sel sur la glace durant l'entracte, au lieu de la nettoyer.

Lady Aberdeen, Ishbel Maria Marjoribanks Gordon, était la femme du comte d'Aberdeen, septième Gouverneur général du Canada. Il était normal que la première patinoire porte son nom plutôt que celui du comte, car ce fut elle le vrai Gouverneur général de 1893 à 1898. C'était une femme d'allure imposante et autoritaire, qui distribuait les conseils aux premiers ministres et qui fonda, entre autres, les infirmières de l'ordre de Victoria. On ne retient, de son mari qui était un homme timide et effacé, que son habileté à imiter le sifflement du train et son amour du patinage. Cette approbation du vice-roi eut de profondes répercussions sur la communauté. Les gens commencèrent à changer leur démarche. «Le patinage, écrivit Anson A. Gard, procure la grâce et la fermeté des pas, qu'on ne peut acquérir autrement, et puisque tous les citoyens d'Ottawa patinent – nulle part ailleurs une activité est-elle aussi largement répandue – il en ressort que la démarche des gens d'Ottawa est unique.»

Ce grandiose héritage du hockey fut légué par le prédécesseur des Aberdeen, Lord Stanley de Preston. Le sixième Gouverneur général fut lui-même impliqué dans l'une des premières controverses du hockey. Selon le livre de J.W. Fitsell, intitulé *Hockey's Captains, Colonels and Kings*, Stanley, qui avait chaussé les patins avant de rejoindre ses deux fils sur la glace du Parlement, fut sévèrement critiqué par les journaux de New York pour avoir joué au hockey le dimanche, jour de repos.

Les deux plus jeunes fils de Stanley, Arthur et Edward, éprouvèrent une telle passion pour le hockey qu'ils jouèrent pour les *Rebels* de la Maison Rideau, équipe que Fitsell considère comme ayant transporté le sport à l'ouest de Montréal et de Kingston vers le nouveau territoire de Toronto où, après un match de démonstration, en 1888, le *Mail* avait écrit : «C'est un sport d'hiver enlevant, et le seul qui puisse remplacer la crosse, le baseball, etc, au plaisir des spectateurs. Si l'équipe de Montréal peut attirer des milliers de spectateurs, il n'y a aucune raison pour que Toronto ne puisse en faire autant.»

Deux ans plus tard, Arthur Stanley, en tant qu'aide de camp de son père, tentait d'établir une organisation qui pourrait promouvoir et organiser les rencontres. À cette fin, le Gouverneur général accepta de donner la Coupe qui porte maintenant son nom.

Le souhait de Lord Stanley de voir le nom d'Ottawa gravé sur la Coupe ne se réalisa pas avant une dizaine d'années, soit longtemps après son retour en Angleterre. Les premières années d'histoire du trophée furent plutôt désastreuses. Les premiers gagnants, l'Association des athlètes amateurs de Montréal, montraient beaucoup plus d'intérêt envers le trophée décoré des seniors amateurs qu'ils avaient également remporté en 1893. En 1900, l'équipe d'Ottawa, qui se préparait à gagner la Coupe, perdit par défaut lorsqu'elle fut incapable d'aligner sept joueurs. Le trophée ne fut amené dans la capitale nationale qu'en 1903, après que les *Silver Seven* eurent défait les champions en titre, les *Victorias* de Montréal, dans une série de deux matchs au total des buts, s'appropriant ainsi le championnat de la Ligue de hockey amateur du Canada (successeur de l'AHA) en plus de la coupe Stanley, ainsi que du droit de la défendre.

Les *Silver Seven* étaient la plus puissante équipe de l'époque. Leur dirigeant, Alf Smith, était un ailier droit mesquin qui était revenu de Pittsburgh pour jouer; le nom de l'équipe fut trouvé lorsque le directeur Bob Shillington remit à chaque joueur une pépite d'argent en récompense de la saison victorieuse. Le mot «Seven» faisait bien sûr référence à la façon dont on jouait alors au hockey : sept hommes de chaque côté jouant pendant les 60 minutes du jeu.

Afin de bien se rendre compte de l'importante évolution du hockey au cours du siècle, il convient de noter que Ted Patrick, le jeune frère du grand Lester Patrick, était considéré par tous comme un excellent joueur amateur, bien qu'il eût perdu une jambe lors d'un grave accident et qu'il dût jouer avec une cheville de bois. Le patinage avait, au début, très peu d'importance, car la rondelle était frappée d'un joueur à l'autre, mais jamais sous la forme d'une passe avant. Les parties ressemblaient plus au rugby qu'à la crosse; ainsi, la surface de jeu était de taille considérablement réduite et la mobilité des joueurs n'était certes pas un aspect sur lequel on insistait. Étant donné que les frères Wright ont effectué leur premier vol l'année où les *Silver Seven* défendirent la coupe Stanley, on peut affirmer que le hockey a évolué presque autant que l'aéronautique, au cours de ce siècle.

Le premier défi fut lancé par les *Thistles* de Rat Portage, ville du nord-ouest de l'Ontario. La série de deux matchs au total des buts eut lieu en mars 1903, à la patinoire *Dey*, où les hôtes, préconisant une stratégie appelée «la tactique de la bagarre» par le journal le *Globe*, gagnèrent facilement 6-2 et 4-2. Les spectateurs furent si peu nombreux que les *Thistles* retournèrent, avec un déficit de 800 $, à Rat Portage qui prit bientôt le nom de Kenora. Dix mois plus tard, le défi venait du *Rowing Club* de Winnipeg, dont les joueurs meurtris et ensanglantés rentrèrent chez eux par le «convoi médical».

C'est à ce moment que prit naissance la légende des *Silver Seven*. Non seulement étaient-ils les joueurs de hockey les plus violents du Canada, mais ils étaient incontestablement les meilleurs. Alf Smith, qui fonda l'équipe et remplit les rôles de directeur et de capitaine, était tant apprécié du public que ce dernier écrivit un poème à son sujet. Le partenaire de Smith à la défense et membre du Temple de la renommée, Harvey Pulford, qui fit également partie d'équipes nationales de crosse et de football, était le champion de boxe de l'Est du Canada et le champion national d'aviron. Il excellait à envoyer ses adversaires à la deuxième rangée des estrades. Il y avait Arthur Moore, Dave Finnie, Billy Gilmour et Harry «Rat» Westwick, qui pouvaient jouer avec intensité durant toute une période de 30 minutes et, bien sûr, le talentueux Frank McGee.

Les Silver Seven de 1905 battirent Dawson City et Rat Portage pour conserver la Coupe à Ottawa.

On remarque, sur les photographies que l'on trouve dans des archives comme celles du *Ottawa Sports Book* de Jim McAuley, que les *Silver Seven* affichaient une grande assurance ressemblant à tout sauf à de la violence. Cinq des joueurs étaient coiffés avec la raie au milieu; Rat Weswick ressemblait plus à Oscar Wilde qu'à un robuste hockeyeur, tandis que Frank McGee semblait trop petit pour être un joueur de hockey. Toutefois, les photos ne rendent pas justice à l'énigmatique McGee, beau jeune homme d'allure élancée, qui ne voyait que d'un œil, mais qui lançait si bien qu'il marqua 63 buts en 22 matchs de la coupe Stanley.

D'autres joueurs exceptionnels se joignirent à l'équipe au fil des ans : Bouse Hutton devant le filet, deux autres frères Gilmour, Suddy et Dave, mais c'est de McGee dont on se souviendra aussi longtemps que le hockey existera, à cause du rôle qu'il a joué au cours d'un match, le soir du 16 janvier 1905. Les *Silver Seven* avaient atteint leur sommet; les *Wheat Kings* de Brandon les avaient défiés à un match de la coupe Stanley en 1904, mais la rencontre fut tellement à sens unique qu'elle figure à peine dans l'histoire de la Coupe. Par la suite, un autre défi arriva d'un endroit pour le moins inattendu : Dawson City, au Yukon.

Ce défi fut lancé par le colonel Joe Boyle, qui avait quitté l'Ontario, en 1896, pour participer à la ruée vers l'or du Yukon, ce qui l'avait enrichi. L'argent ne fut donc pas un problème – 3 000 $ furent amassés pour le voyage de l'équipe – mais le fait de trouver des joueurs et de les envoyer à Ottawa présentait certes des difficultés. Un seul joueur avait déjà joué dans une série de la coupe Stanley. Le gardien de but venait juste d'avoir 17 ans. Un mois avant le début de la série, quatre joueurs de l'équipe de Boyle se rendirent en traîneaux tirés par des chiens à Whitehorse, où d'autres joueurs les rejoignirent afin de tenir une séance d'entraînement. Les représentants de Dawson City durent prendre le train, le bateau puis encore le train pour se rendre à Ottawa. Ils perdirent le premier match 9 à 2 et Boyle, toujours optimiste, câbla à Dawson : «Perdre n'est pas honteux. Nous avons de bonnes chances de remporter la coupe.» Ils perdirent la deuxième partie 23-2, et McGee avait enfilé 14 buts. Boyle s'avoua finalement vaincu.

À ce moment-là, les *Silver Seven* étaient déjà légendaires; ils étaient les tout premiers héros nationaux du hockey à avoir captivé tout un pays. Quand les *Thistles* de Kenora vinrent de nouveau les défier, en mars 1905, les partisans, qui avaient dédaigné les premiers matchs de la coupe Stanley, arrachaient maintenant les billets des mains des revendeurs. La série fut si violente qu'elle obligea l'arbitre à porter un casque protecteur au cours du second match. Toutefois, les *Silver Seven*, menés par McGee, conservèrent la Coupe.

En 1906, les *Silver Seven* avaient défendu la Coupe avec succès à huit reprises, gagnant 17 des 20 matchs de la coupe Stanley. Puis apparurent les *Wanderers* de Montréal, soudainement devenus une puissance avec laquelle il fallait compter, grâce à un prodige de 22 ans, Lester Patrick, un mordu de vitesse rusé qui se déplaçait sur la glace plus à la manière d'un sprinter que d'un patineur. Les *Wanderers* et les *Silver Seven* avaient partagé le championnat de la ligue avec des fiches de neuf victoires et une défaite; une série de deux matchs déciderait du vainqueur.

Avant le premier match, qui devait avoir lieu à Montréal, les *Silver Seven* étaient favoris à deux contre un, mais les bookmakers avaient sous-estimé la nouvelle puissance de Montréal. Une foule de 4 200 spectateurs vit l'équipe montréalaise prendre une avance de 7-0 et remporter le match 9 à 1. Ernie Russell avait marqué quatre fois, Pud Glass trois fois et Patrick à deux reprises. La deuxième rencontre devait avoir lieu à Ottawa, le 17 mars, et, selon le livre intitulé *The Patricks : Hockey's Royal Family* d'Eric Whitehead, l'intérêt des fans était tellement vif que ceux-ci défoncèrent les baies vitrées du magasin *Allen & Cochrane* pour s'emparer des billets. Dans un amphithéâtre prévu pour 3 000 personnes, plus de 5 400 amateurs s'entassèrent pour assister à l'événement qui, plusieurs années plus tard, fut appelé «le plus grand match de l'histoire du hockey» par le *Sporting News*.

C'est peut-être cette partie qui inaugura la technique du repêchage, car les *Silver Seven* étaient allés chercher le remarquable gardien de but de Smiths Falls, Percy Le-Sueur, qui alloua rapidement un but à Montréal avant d'arrêter net l'équipe adverse. Frank McGee entreprit alors la remontée d'Ottawa et, à la mi-temps, les *Silver Seven* menaient 3 à 1, mais tiraient de l'arrière 10-4 dans la série. Pendant la deuxième période, apparemment sans verser de sel sur la glace, Harry Smith d'Ottawa attaqua en marquant à six reprises. Les *Seven* menaient alors 9-1, et chaque équipe avait maintenant marqué 10 buts. Smith avait tellement captivé la foule par ses exploits, qu'à un certain moment, le jeu fut interrompu parce que le Gouverneur général Grey lui donnait une tape dans le dos. Ernie Johnson, de la formation montréalaise, fit «accidentellement» tomber le haut-de-forme du Gouverneur général et un partisan de cette équipe s'enfuit en l'emportant, mais cet incident n'influença pas la remontée d'Ottawa. Smith marqua une nouvelle fois, et ce but aurait pu passer pour avoir scellé la plus belle remontée de l'histoire si l'arbitre du match, Bob Meldrum, ne l'avait annulé en raison d'un hors-jeu.

Le jeu reprit et lorsque Smith, frustré, reçut une pénalité, Lester Patrick en profita pour marquer deux fois et donner la victoire à Montréal, par une marque de 12-10. Pendant que les fans d'Ottawa ressassaient leur déception et que ceux de Montréal célébraient la victoire, le spectateur qui avait dérobé le chapeau s'introduisit dans la salle des joueurs et le remit à Johnson. Le Gouverneur général Grey avait perdu son chapeau. Les *Silver Seven*, après trois longues années et après avoir défendu leur titre huit fois, avaient perdu la coupe du Gouverneur général Stanley.

«Laissez-moi vous dire que vous n'avez pas fait tellement de substitutions.»

Frank Finnigan le brave, dernier représentant d'une équipe d'Ottawa ayant participé à des séries de la coupe Stanley, était assis dans le salon de sa fille, Joan, par une journée de printemps de 1988, et se remémorait les jours glorieux qu'avait connus Ottawa plus de 36 ans auparavant. Les cheveux blancs comme de la neige et aussi épais que le pelage d'une hermine, «l'express de Shawville» allait avoir 87 ans. Pourtant, il avait l'air d'un jeune homme dans la fleur de l'âge lorsqu'il montra son poing pour expliquer comment un seul coup «chanceux» lui avait permis d'expédier au tapis Sprague Cleghorn, certainement le joueur le plus violent de tous les temps.

«Ne croyez-vous pas qu'un gaillard doit rester sur la glace trois ou quatre minutes avant de rentrer dans le jeu?» demanda-t-il en remuant la tête à la pensée que, de nos jours, les substitutions s'effectuent aux 30 secondes. «On peut rester deux minutes sur la glace et ne pas toucher la rondelle une seule fois.»

L'homme qui marqua le premier but du match donnant aux *Senators* d'Ottawa leur dernière coupe Stanley – et qui inscrivit le dernier but que l'équipe originale devait marquer à Ottawa – perçoit parfaitement l'évolution du hockey à Ottawa durant le XXe siècle. À treize ans, Frank Finnigan joua sa première partie chez les professionnels, empochant 10 $ pour avoir aidé le village québécois de Quyon à prendre sa revanche sur l'équipe de Fitzroy Harbour, son amère rivale de l'Ontario, tout juste sur la rive opposée de la rivière Outaouais. Spécialiste de la défense, il joua 14 ans dans la LNH et marqua 115 buts en plus de récolter 88 passes au cours de sa carrière qui débuta à Ottawa et se termina à Toronto. Pendant plusieurs décennies, sa carrière fut une chose du passé, mais elle s'est récemment orientée vers l'avenir, car Frank Finnigan a vécu assez longtemps pour pouvoir être présent lorsqu'une franchise de la LNH fut accordée aux nouveaux *Senators* d'Ottawa. Il a vécu suffisamment longtemps pour apprendre que son ancien chandail, le numéro 8, serait retiré avec honneur. S'il n'était pas décédé le jour de Noël 1991, à l'âge de 91 ans, il aurait effectué la première mise au jeu ouvrant le second chapitre de l'histoire de ses chers *Senators*.

Le nom des équipes était plus volontiers employé dans les débuts du hockey qu'aujourd'hui. Ainsi, dès

Les Senators d'Ottawa de 1909, la première équipe formée de joueurs professionnels à remporter la coupe Stanley.

l'année suivant la défaite de l'équipe d'Ottawa contre les *Wanderers* de Montréal, le nom de *Senators* remplaça peu à peu celui des *Silver Seven*. L'équipe ajouta à son alignement un jeune de 23 ans de Renfrew, Fred «Cyclone» Taylor, et établit immédiatement un record avec une foule de 7 100 spectateurs lors du match d'ouverture. Les nouveaux *Senators* ne déçurent personne, écrasant les champions en titre, les *Wanderers*, par 12 à 2. Le *Citizen* d'Ottawa publia : «Taylor s'est révélé la vedette de la soirée.»

En 1908-1909, les *Senators* ramenèrent la coupe Stanley chez eux. L'inégalable Percy LeSueur était devant le filet, Cyclone Taylor se chargea de marquer les buts, Bruce Stuart était le capitaine de l'équipe et Marty Walsh, qui est peut-être à l'origine du lancer frappé, était une étoile tout comme Billy Gilmour et Fred Lake. Deux saisons plus tard, l'équipe alignant les mêmes joueurs, à l'exception de Taylor, gagna encore. Et on s'attendait fortement à ce que les *Senators* réitèrent l'exploit en 1911-1912, car la formation de la capitale nationale possédait une avance de 5-4, à peine 20 secondes avant la fin du jeu. Malheureusement pour Ottawa, Québec avait un joueur appelé «Phantom» Joe Malone, qui, non seulement inscrivit le but égalisateur dans les dernières secondes, mais en plus marqua le but gagnant en prolongation, pour donner à Québec sa première coupe Stanley.

À cette époque, le hockey subissait de grandes transformations. Au lieu des deux demies de 30 minutes, les parties furent formées de trois périodes de 20 minutes chacune. Le septième joueur, soit la position de maraudeur occupée par Frank McGee, disparut tout d'abord dans l'Est, puis longtemps après dans l'Ouest. Les arbitres, au lieu de placer la rondelle sur la glace, la laissaient maintenant tomber pour la mettre au jeu. Les passes avant furent autorisées en 1918, d'abord dans la zone neutre et, graduellement, dans toutes les zones. Enfin, le 19 décembre 1917, la Ligue nationale de hockey nouvellement formée, composée du *Canadien* et des *Wanderers* de Montréal, des *Arenas* de Toronto et des *Senators*, présentait ses deux premiers matchs de saison régulière.

Au cours des sept premières années de la nouvelle ligue, les *Senators* se sont classés premiers à cinq reprises, à la grande joie des partisans grisés par les succès de leur équipe. En 1921-1922, Harry «Punch» Broadbent gagna le trophée Art Ross du meilleur marqueur avec 46 points en 24 parties, marquant dans 16 matchs de suite, un record. En 1923-1924, Frank Nighbor des *Senators*, qui mit au point la technique de harponnage de la rondelle, fut choisi comme premier gagnant du nouveau trophée Hart remis au joueur le plus utile de la ligue, tandis que Cy Denneny remporta le championnat des marqueurs avec 22 buts et une passe, en 21 parties.

Frank Nighbor, qui fit partie de quatre équipes gagnantes d'Ottawa, fut élu le meilleur joueur de la LNH et gagna le trophée Hart en 1922-1923.

Les *Senators* remportèrent la coupe Stanley quatre fois dans les 10 premières saisons de la LNH, soit en 1920, 1921, 1923 et 1927, portant à neuf le nombre de coupes officiellement gagnées par les *Senators* et les *Silver Seven* – bien que les équipes d'Ottawa aient défendu au total 14 fois la coupe Stanley.

La popularité du hockey à Ottawa était donc indéniable. Lorsque les *Senators* élurent domicile au nouvel Auditorium de la ville en 1924, une section placée derrière le but des visiteurs avait été aménagée à l'intention des spectateurs qui désiraient voir le match debout; ces billets se vendaient alors 50 cents pièce et la section debout avait dû être entourée de grillages, à la manière d'une cage, afin d'empêcher les spectateurs de se ruer vers les sièges des autres sections durant les entractes. Les partisans venaient encourager le gardien de but, Clint Benedict, qui réalisa 16 blanchissages durant les matchs de séries. Ils venaient voir Sprague Cleghorn, dont le comportement était si grossier qu'il avait été poursuivi pour avoir brutalisé sa femme avec une béquille pendant sa période de convalescence, après s'être cassé une jambe.

Quand les Senators se retirèrent de la LNH pendant un an, l'étoile d'Ottawa, Frank Finnigan, se joignit aux Maple Leafs de Toronto au début de la saison 1931-1932, et aida les Leafs à remporter leur premier titre.

«La merveilleuse machine de la grande activité hivernale du Canada met la ville en évidence partout au pays», énonçait le titre d'une édition du *Citizen* de 1926. «Depuis 40 ans, les couleurs des équipes d'Ottawa vont et viennent sur la glace, faisant rejaillir la gloire sur la capitale, à titre de meilleures équipes des ligues dans lesquelles elles ont évolué.» Fait ironique, un an plus tard, Ottawa devait gagner sa dernière coupe Stanley.

Cette année-là, 1927, est inscrite dans la mémoire des amateurs de sport comme étant l'année où Babe Ruth claqua 60 coups de circuit. Mais pour Frank Finnigan, ce fut l'année la plus glorieuse et aussi la dernière de son équipe. Il ne jouait plus pour l'équipe de l'université

d'Ottawa, car il faisait croire qu'il tentait d'obtenir son diplôme en administration des affaires. «Ils placèrent une feuille de papier dans une machine à écrire, écrivirent une phrase, puis je me suis assis pour la copier avec un seul doigt, et c'est tout.» Il avait alors 26 ans et était un vrai professionnel, jouant aux côtés d'Alex Connell, «le pompier d'Ottawa», qui devait enregistrer 12 blanchissages en 44 parties; Francis «King» Clancy, le petit défenseur qui devait devenir l'une des plus grandes figures légendaires; George Boucher, qui gagna sept fois en huit saisons, le trophée Lady Byng remis au joueur le plus gentilhomme; ainsi que Frank Nighbor, Reginald «Hooley»Smith, Cy Denneny, Hec Kilrea, Alex «Boots»Smith, Milt Halliday et Jack Adams.

Ils jouèrent la finale contre Boston, une équipe robuste qui comptait sur Eddie Shore et l'ancien *Senator* Sprague Cleghorn à la défense. Aucun but ne fut marqué au cours de la première rencontre; la deuxième partie fut jouée à Ottawa, et Clancy, Finnigan et Denneny marquèrent, tandis que Boston ne réussit à marquer qu'un seul point; le troisième match se termina également par un verdict nul de 1-1. Le quatrième match, décisif, joué à l'Auditorium d'Ottawa, appartint à l'équipe-hôte à partir du moment où Frank Finnigan ouvrit la marque. Cinq joueurs reçurent des amendes pour s'être battus, Billy Couture de Boston fut expulsé de la rencontre pour avoir attaqué les arbitres présents sur la patinoire, et Ottawa remporta la coupe Stanley pour la dernière fois, avec la marque de 3 à 1.

Sept ans plus tard, les *Senators* avaient apparemment disparu pour toujours. L'équipe était vidée, les propriétaires sans le sou et les fans ne croyaient plus en elle. «AUCUNE ÉQUIPE NE REPRÉSENTERA OTTAWA L'HIVER PROCHAIN» lit-on en gros titre et en caractères gras dans l'édition du 7 avril 1934, du *Evening Citizen*. L'article précisait : «La décision de l'association de hockey [de ne pas financer les pertes de l'équipe] entraînera de profonds regrets, et pas seulement à Ottawa. L'équipe ne peut cependant pas continuer de fonctionner à perte et les fans devront accepter la situation aussi dignement qu'ils le pourront.»

«Ottawa eut son nom gravé sur la Coupe pour la dernière fois, en 1927», écrivit Jim McAuley en 1987, à l'occasion de la publication du *Ottawa Sports Book*. «Il est peu probable qu'un tel événement se reproduise.»

Pas durant la vie de Frank Finnigan, malheureusement. Mais tout à coup, avec la venue des nouveaux *Senators* dans la LNH en 1992-1993, tout redevient possible dans la ville où les *Silver Seven* et la précédente version des *Senators* concoctèrent des remontées qui figurent maintenant dans la légende.

La première équipe à défier les *Silver Seven* piquait la curiosité des amateurs de hockey. Les *Thistles* de Rat Portage, qui venaient d'une ville maintenant appelée Kenora, en Ontario, défièrent les *Silver Seven* en 1903 et 1905. Leur renommée venait du fait que Rat Portage ou Kenora était la plus petite communauté à avoir envoyé des représentants à des séries de la coupe Stanley.

À la surprise de presque tout le monde, y compris des *Silver Seven*, les vigoureux joueurs de cette petite ville ferroviaire, située à 225 kilomètres à l'est de Winnipeg, offrirent une résistance respectable à leur premier match, perdant 6 à 2, le 12 mars 1903, puis 4 à 2, deux jours plus tard.

Les *Silver Seven* battirent trois adversaires en 1903-1904. Le *Rowing Club* de Winnipeg perdit 9-1 le premier match d'une série deux-de-trois et gagna le deuxième 6-2, avant de s'incliner 2-0 au dernier.

Après la défaite de 9-1, un chroniqueur du *Winnipeg Free Press* écrivit que ce match avait été «le plus sanglant jamais joué à Ottawa», et nommait sept victimes des neuf joueurs de l'équipe de Winnipeg, dont deux avaient dû prendre leur retraite. «Une équipe doit être au moins 33 pour cent meilleure qu'Ottawa pour gagner dans la capitale», avait ajouté le reporter.

Les *Marlboroughs* de Toronto, qui défièrent les *Silver Seven* six semaines plus tard, encaissèrent des revers de 6-3 et de 11-2 en plus d'une solide raclée; le capitaine Lal Earls avait déclaré, sur le chemin du retour, que «Ottawa est sans aucun doute l'équipe la plus rapide et la plus salope du pays».

À cette époque, bien avant la radio et la télévision, les journaux influençaient grandement la façon dont les fans percevaient le jeu. Ainsi, un reporter du *Journal d'Ottawa*, probablement accoutumé à la violence, indiqua cavalièrement :

> Le jeu n'était pas plus violent que d'habitude ou que ce à quoi on peut s'attendre d'une équipe de l'Est, mais ce style était quelque peu nouveau pour les *Marlboroughs*, qui prétendirent n'avoir jamais reçu un traitement manquant autant de distinction. Les joueurs d'Ottawa bloquèrent leurs adversaires avec précision et s'attendirent à recevoir un traitement semblable, qu'ils ont d'ailleurs reçu.

Le *Globe* de Toronto, par contre, réagit fortement :

> Le style de jeu préconisé par l'équipe d'Ottawa semble être le seul qu'elle connaisse, et les gens estiment qu'il est convenable et légitime, pour des joueurs, de tenter de blesser leurs adversaires au lieu de les surpasser sur les plans de l'habileté et de la vitesse... les cinglages, les jambettes et les coups de bâton les plus solides portés systématiquement aux mains et aux poignets sont les meilleurs aspects du jeu d'Ottawa.

> De plus, ils ont coutume de frapper leurs adversaires avec la main dès que l'arbitre a le dos tourné, et de les écraser contre la bande quand ceux-ci ont fait la passe. Même le gardien de but de Toronto [Eddie Geroux] a écopé; on lui a asséné un coup à la tête. À plusieurs reprises, les joueurs des *Marlboroughs* ont été si amochés que la rencontre a dû être interrompue pour leur laisser le temps de récupérer, mais ils ont tous fini sur la glace.

Les joueurs des *Silver Seven* eurent tendance à prendre la réaction de Toronto à la légère. «Les *Marlboroughs* s'en sont tirés à bon compte, fit remarquer un joueur. Quand le *Rowing Club* de Winnipeg nous avait affrontés à Ottawa, la plupart de leurs joueurs avaient dû quitter la glace sur une civière.»

Les *Marlboroughs* subirent un autre échec : après avoir compté les factures, ils s'aperçurent qu'il ne restait plus assez d'argent et qu'ils avaient perdu 300 $ durant leur périple à Ottawa.

Deux semaines après leur victoire contre les *Marlboroughs*, les *Silver Seven* jouèrent une série de deux matchs au total des buts contre les *Wheat Kings* de Brandon, et l'emportèrent 6 à 3 et 9 à 3. Les *Wheat Kings*, en rentrant au Manitoba, se lamentaient : «Ottawa est la plus salope des équipes que nous ayons affrontée.» Le gardien Doug Morrison qualifia les joueurs d'Ottawa de «bouchers».

On peut noter, en passant, qu'une pénalité infligée à ce même Morrison eut pour effet de démystifier une croyance largement répandue au sujet de Lester Patrick, l'immortel renard argenté du hockey. À cette époque, les gardiens de but qui recevaient une punition se rendaient sur le banc des pénalités, et un autre joueur devait venir le remplacer devant le filet. Patrick, qui jouait alors pour les *Wheat Kings*, à la position de maraudeur, remplaça Morrison devant le but de Brandon, réalisant un arrêt et n'accordant aucun point. Près d'un quart de siècle plus tard, le 7 avril 1928, à Montréal, Patrick qui était l'entraîneur des *Rangers* de New York, remplaça le gardien de but de son équipe pendant un match des séries éliminatoires de la coupe Stanley. Beaucoup de gens pensent que c'était la première fois que Patrick gardait les buts dans un match de la coupe Stanley; en fait, il avait fait ses débuts à cette position dans les séries de 1904, contre Ottawa.

Après avoir vaincu trois équipes qui les avaient défiés, les *Silver Seven* étaient prêts à accueillir une équipe d'Amherst, championne de Terre-Neuve, mais les administrateurs de la Coupe décidèrent, le 7 mars, que la saison était trop avancée pour accepter un nouveau défi. Ils estimaient que la glace aurait été trop molle.

Le penchant des *Silver Seven* pour le jeu violent a été passablement oublié avec le temps, mais la légende a retenu l'histoire de leur premier adversaire des séries de 1905, les *Klondikers* de Dawson City, qui avaient parcouru près de 7 000 kilomètres pour venir disputer le trophée à Ottawa.

C'était une bande de joyeux lurons provenant de tous les coins du pays et que l'odeur de l'or avait attirés vers le nord. C'était des jeunes hommes forts, pleins d'énergie et sûrs d'eux, comme le gardien Albert Forest de Trois-Rivières, qui était encore un adolescent et le plus jeune joueur dans l'histoire de la coupe Stanley; ou Jim Johnstone d'Ottawa, pivot; Randy McLennan de Cornwall, marqueur de pointe; Norm Watt d'Aylmer (Québec), ailier droit; George Kennedy, ailier gauche; Hector Smith de West Selkirk, au Manitoba, centre; Dave Fairbairn de Portage la Prairie, au Manitoba, maraudeur; et A.N. Martin d'Ottawa, joueur substitut. Le marqueur de pointe Lorne Hanna de Brandon, au Manitoba, se joignit à l'équipe lorsqu'elle traversa les Prairies en route pour Ottawa.

Les *Klondikers* quittèrent Dawson City dans l'après-midi du 19 décembre 1904, courant derrière des attelages de chiens et saluant la foule d'admirateurs qui s'étaient amassés le long de leur route. Des extraits tirés d'articles parus à cette époque racontent leur périple de 20 jours. Le *Journal d'Ottawa* écrivit :

Le long voyage de retour

Après leur défaite à Ottawa en 1904, les Klondikers de Dawson City, au Yukon, entreprirent une tournée de 23 matches dans les Maritimes, le Québec et l'Ontario, afin d'amasser des fonds pour payer leur voyage de retour. Le gardien de but Albert Forrest, 17 ans, le plus jeune joueur dans l'histoire de la Coupe, marcha seul les 560 derniers kilomètres de Pelly Crossing à Dawson City.

Quand les Klondikers de Dawson City eurent subi la défaite contre les Silver Seven au cours des séries de la coupe Stanley, l'équipe entreprit une tournée rurale dans l'Est du Canada où elle enregistra treize victoires, neuf défaites et une partie nulle.

La première journée, ils parcoururent 74 kilomètres et le lendemain, 66. Le troisième jour, ils luttèrent pour effectuer la distance de 58 kilomètres; plusieurs d'entre eux eurent les pieds couverts d'ampoules et ils durent retirer leurs bottes afin de pouvoir continuer. Voilà qui donne une idée des épreuves qu'ils subirent lorsqu'on sait que le mercure descendit à 20 degrés sous zéro sur la route menant de Dawson City à Skagway, où il ratèrent leur bateau de deux heures environ, et durent ronger leur frein durant cinq jours le long des quais. Ils se rendirent à Seattle, puis à Vancouver où ils prirent un train pour se diriger vers l'Est.

À propos du voyage des *Klondikers* de Vancouver à Ottawa, le Journal écrivit : «Tout au long de la route, les *Klondikers* reçurent l'appui d'amateurs de hockey qui, apparemment, désiraient tous voir les gentlemen du Yukon battre l'équipe d'Ottawa. Des délégations les attendaient à divers endroits pour les encourager.»

Les *Klondikers*, que les épreuves n'avaient pas ébranlés, arrivèrent à Ottawa le 12 janvier 1905, la veille du début de la série deux-de-trois, où une fanfare les attendait. Fatigués, mais toujours rayonnants de confiance, ils demandèrent que la série soit retardée d'une semaine. Les *Silver Seven* refusèrent sous prétexte d'incompatibilité avec le calendrier régulier de la ligue.

Ce refus aurait été à l'origine d'une bravade d'un joueur des *Klondikers* qui, en observant Frank McGee durant la partie, aurait remarqué : «Il n'a pas l'air si bon.» Voilà une critique qui aurait pu être honnête, car elle a été faite après le premier match que les *Silver Seven* gagnèrent 9 à 2, mais au cours duquel McGee ne marqua qu'un but, après dix minutes de jeu en première période au cours d'une rencontre ponctuée de nombreuses pénalités.

«One-eyed» Frank McGee marqua 63 buts en 22 matchs de la coupe Stanley.

La partie fut violente; l'ailier droit Norm Watt des *Klondikers* fut envoyé sur le banc des punitions pendant 15 minutes pour avoir frappé Art Moore d'Ottawa sur le dessus de la tête, lui faisant une entaille qui nécessita quatre points de suture. Un peu plus tard, Watt se bagarra avec Alf Smith, et tous deux furent chassés pendant dix minutes.

Le second match fut plus calme – seulement quatre punitions furent infligées et McGee profita de la victoire d'Ottawa par 23-2 pour se racheter.

McGee, l'excellent joueur de centre blond et puissamment musclé de l'équipe d'Ottawa, fut parfois qualifié de meilleur joueur de tous les temps par les anciens. Il établit, au cours du deuxième match, un record de tous les temps pour un match des séries de la coupe Stanley, en marquant 14 buts, quatre en première période et dix en seconde, dont huit d'affilée en huit minutes 20 secondes. Il en marqua trois – ses sixième, septième et huitième – en 90 secondes, et quatre en 140 secondes, établissant des records à tout moment.

Personne n'a encore réussi à égaler, ni même à approcher, son record de 14 buts, que ce soit durant un match de la coupe Stanley ou pendant tout autre match d'une ligue professionnelle. Huit buts de suite et quatre buts en 140 secondes sont des records inégalés à ce jour.

Avec le temps, les *Klondikers* sont devenus une figure marquante dans leur uniforme noir, or et blanc, mais ces joyeux vagabonds n'étaient pas de taille à jouer dans les grandes ligues. Il est donc écrit, dans l'histoire de la coupe Stanley, que l'équipe qui fit le plus long voyage pour acquérir la Coupe argentée fut aussi celle qui subit la pire raclée.

Les prolifiques marqueurs des *Thistles* de Rat Portage, qui défièrent de nouveau les *Silver Seven* en 1905, donnèrent une sévère correction à l'équipe d'Ottawa lors du premier match d'une série deux-de-trois. C'était seulement la deuxième défaite des *Silver Seven* en 12 matchs de la coupe Stanley. Dans les deuxième et troisième matchs, les *Thistles*, l'équipe la plus rapide du pays, mais qui manquait de stratégie, disait-on, paya très cher son excès de zèle. Frank McGee et Billy Gilmour d'Ottawa, qui étaient absents lors du premier match, revinrent au jeu avec force menant les *Silver Seven* vers des victoires de 4-2 et de 5-4. Phillips, l'ailier gauche des *Thistles*, fut le meilleur marqueur des séries avec neuf buts, dont six furent inscrits au premier match et trois autres, lors de la belle.

Battre Ottawa au premier match n'avantagea pas les *Thistles*. Des descriptions tirées d'articles de journaux témoignent de la violence de la deuxième rencontre. Tous les joueurs de Rat Portage auraient été frappés, y compris le gardien de but Eddie Giroux, qui fut coupé au visage par McGee durant une échauffourée qui éclata près du filet. McGee reçut quatre des six pénalités infligées à Ottawa; il a été reconnu coupable de quatre infractions différentes : double échec, avoir retenu, fait trébucher et donné un coup de genou.

Un article révélateur, publié par un reporter plus ou moins impartial du *Globe* de Toronto, se lisait ainsi :

Les *Silver Seven* se ruèrent sur les *Thistles* comme des taureaux furieux, et tous les adversaires qui se risquèrent à les approcher se firent malmener vigou-

The Stanley Cup—"Ticket for Montreal, please."
Railway Ticket Agent—"Return?"
The Stanley Cup—"No; I'm not coming back."

Les dessins humoristiques dans la section des sports des journaux, au début des années 1900. Ce dessin de 1906 prévoyait un résultat qui se concrétisa lorsque les Wanderers de Montréal défirent les Silver Seven d'Ottawa 12-10, dans une série de deux matchs au total des buts.

reusement. McGee asséna plusieurs coups de bâton à la tête des joueurs des *Thistles*. Lorsque Griffis et Bill McGimsie des *Thistles* sautèrent sur la glace, ils étaient mieux préparés pour un séjour à l'hôpital que pour un match de hockey. Tous deux avaient les genoux passablement abîmés et ressentaient encore les effets de la fatigue à la suite du match terriblement épuisant qu'ils avaient disputé. McGimsie était si exténué que, durant une escarmouche qui eut lieu en deuxième demie, il s'écroula de faiblesse près du filet des *Thistles* et ne se remit debout que quelques secondes plus tard. Après qu'il se fut redressé, l'arbitre Grant l'expulsa pendant cinq minutes pour avoir bloqué le filet.

Tom Hooper, le marqueur de pointe des *Thistles*, avait aussi une blessure au genou, qu'il s'était faite au début du match quand Harvey Pulford, en se ruant vers lui par derrière, le fit presque passer par-dessus la bande. Tommy Phillips fut coupé trois fois au visage et eut un œil poché; il avait l'air d'avoir été victime d'une catastrophe ferroviaire. Griffis avait sa mine des beaux jours, avec le nez enflé, les lèvres fendues et une entaille au front. Le capitaine Phillips félicita les joueurs d'Ottawa pour leur victoire.

Les parties eurent lieu à la patinoire Dey où les loges pour six personnes se vendaient 10 $, les places réservées, 1 $ et 75 cents, et les billets sans siège, 25 cents.

Lester Patrick, dont la carrière de joueur, d'entraîneur et de directeur général s'étendit sur 42 ans, fut à son meilleur quand il fit partie des Wanderers de Montréal et qu'il les aida à conquérir deux fois la coupe Stanley, en 1906 et en 1907.

Les revendeurs obtenaient 6 $ pour des billets d'un dollar, partageant avec joie les séries de succès des *Silver Seven*.

Les *Silver Seven* rencontrèrent finalement leur Waterloo, en 1906, après avoir écrasé l'université Queens 16-6 et 12-7, puis Smiths Falls 6-5 et 8-2.

Les *Wanderers* de Montréal, formés de vaillants joueurs comme Lester Patrick, qui avait changé d'équipe, le gardien Doc Ménard, les défenseurs Billy Strachan et Rod Kennedy, le centre Pud Glass, et les ailiers Ernie Russell et Ernie «Moose» Johnston, ravirent enfin la Coupe aux *Silver Seven* dans une série de deux matchs au total des buts.

Les *Wanderers*, avec l'avantage de la glace et d'une foule qui les encourageait, gagnèrent la première partie 9-1, tandis qu'à Ottawa, ils s'inclinèrent 9-3 pour se sauver avec la victoire par la marque de 12-10.

La fin de cette série fut l'une des plus excitantes. Les *Wanderers*, qui s'amenaient à Ottawa avec une avance de huit buts et qui, selon les commentaires sur la première partie, affrontaient une équipe dont le jeu était pathétique autour des filets, étaient pratiquement assurés de la victoire.

Cependant, les *Silver Seven* étaient loin d'être morts. Dans la partie disputée à Montréal, le gardien Doc Ménard n'avait dû effectuer que trois arrêts au cours des 30 premières minutes de jeu; à Ottawa, les *Silver Seven* le mirent à l'épreuve cinq fois durant les 60 premières secondes. La féroce attaque d'Ottawa força Montréal à se replier en défense et, plusieurs fois, à lancer la rondelle dans les gradins pour ralentir l'allure. Malgré les impressionnantes attaques d'Ottawa, les *Wanderers* marquèrent le premier but, grâce à une échappée de Lester Patrick et de Pud Glass, donnant à la formation montréalaise une avance quasi insurmontable de 10 à 1 dans la série.

McGee, qui avait été tranquille jusque là, réussit enfin à percer la défense des *Wanderers*; la glace était brisée. L'équipe d'Ottawa, menée par Harry Smith qui enfila cinq buts, projeta Montréal dans les cordes, et égalisa la série à 10 buts chacun, à 20 minutes 40 secondes de la deuxième demie. Trois des buts d'Ottawa furent marqués en 2 minutes 30 secondes pendant la deuxième demie, alors que Billy Strachan des *Wanderers* servait une punition.

Encouragé par 5 500 partisans, Ottawa rôdait dangereusement autour du filet de Montréal, mais ne put rompre l'égalité. À cinq minutes de la fin, Lester Patrick dit un mot à chacun de ses coéquipiers. Ce fut probablement le laïus le plus excitant, car les *Wanderers*, délaissant complètement le jeu défensif, se ruèrent vers le but d'Ottawa. Et comme le hasard fait bien les choses, Patrick marqua deux buts en deux minutes, donnant la coupe aux *Wanderers* et mettant un terme au règne fabuleux des *Silver Seven*.

À propos de la stratégie offensive des *Wanderers* en fin de match, le *Citizen* d'Ottawa écrivit : «C'était un vrai coup de maître, la supériorité géniale d'un général.»

«C'est une scène qui restera gravée pour toujours dans les mémoires, écrivit encore le *Citizen*, lorsque Montréal, d'une allure provocatrice, repoussa fermement les misérables qui tentaient de prendre d'assaut, durant la dernière minute, le cercle qui entourait Ménard. Comme Ottawa attaquait, lançait, bataillait et tombait à quelques pas de la victoire, la foule se comportait comme les

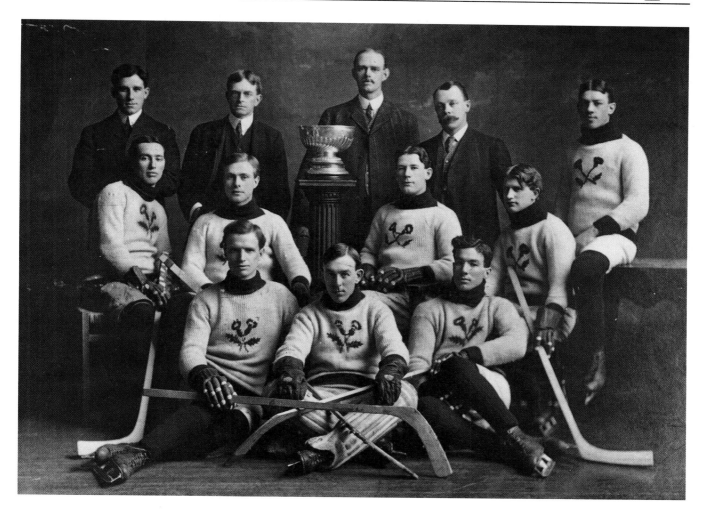

internés d'un asile d'aliénés, et le bruit, assourdissant par moments, se changea en terrible tumulte.»

Les *Silver Seven*, une équipe talentueuse qui voulait gagner à tout prix, établirent une imposante fiche en série de la coupe Stanley. Leurs méthodes peuvent être remises en cause, mais leurs statistiques sont irréfutables. De 1903 à 1906, les *Silver Seven* gagnèrent huit des neuf séries de la coupe Stanley, battant leurs adversaires 151 à 74.

En 1907, les *Thistles* de Kenora (anciennement Rat Portage) se réorganisèrent après leur défaite contre les *Silver Seven* et tentèrent, pour la troisième et dernière fois, de conquérir la coupe Stanley en défiant les *Wanderers* de Montréal. Ils remportèrent la Coupe à la mi-janvier, grâce à des victoires de 4-2 et de 8-6, pour une marque de 12-8 dans cette série de deux matchs au total des buts. Les *Thistles* eurent cependant fort peu de temps pour polir la Coupe. Deux mois plus tard, Montréal les affrontait de nouveau dans l'une des séries les plus controversées de l'histoire du hockey.

Pour la première série contre les *Wanderers*, les *Thistles* avaient emprunté Art Ross des *Wheat Kings* de Brandon. Ils avaient versé à ce commis de banque, qui gagnait 50 $ par mois, la somme de 1 000 $ pour jouer dans les deux matchs de la coupe Stanley. Apparemment, il n'y eut aucune objection de la part des *Wanderers*.

La série au cours de laquelle les Thistles de Kenora battirent les Wanderers de Montréal par une marque totale de 8-6, mettait en vedette onze futurs membres du Temple de la renommée du hockey, dont Lester Patrick, Art Ross et Joe Hall.

Quand ces derniers se mirent en route vers l'Ouest, pour leur deuxième affrontement contre les *Thistles*, William Foran, qui avait remplacé John Sweetland au poste d'administrateur de la Coupe, décida, en réponse à une plainte déposée par les *Wanderers*, qu'aucun repêchage ne serait toléré durant les prochaines séries. Cette décision fut accueillie avec consternation à Kenora, car les *Thistles*, même s'ils n'avaient pu s'assurer des services de Art Ross, avaient néanmoins renforcé leur alignement avec Harry «Rat» Westwick et Alf Smith des *Silver Seven*, ainsi que Fred Whitcroft de Peterborough de l'AHO. Pour leur part, les *Thistles* affirmèrent que les *Wanderers* avaient déjà aligné deux joueurs provenant d'autres équipes, notamment le gardien de but Riley Hern et le marqueur de pointe Hod Stuart, qui jouèrent tous deux dans la première série entre les deux équipes.

Les *Thistles* télégraphièrent à Foran : «Si on ne peut utiliser Westwick et Smith, on ne joue pas.»

Et Foran avait répliqué : «Utilisez Westwick et Smith, mais aucune équipe ne gagnera la coupe Stanley jusqu'à ce qu'on accorde au sport un respect suffisant.» Nulle mention de Whitcroft n'était faite.

Après deux reports de la série et plusieurs envois de télégrammes incendiaires, la série fut jouée en dépit des objections des administrateurs de la Coupe. Les *Wanderers* retirèrent leur plainte après que les *Thistles* eurent accepté de jouer les parties à la patinoire de Winnipeg, qui était beaucoup plus grande, de façon à augmenter les recettes des deux équipes. Les *Wanderers* remportèrent le premier match 7-2 grâce à une poussée de quatre buts d'Ernie Russell, perdirent le second 6-5, mais gagnèrent la série de la coupe Stanley par une marque de 12-8.

Smith et Westwick jouèrent pour les *Thistles* dans les deux parties; Smith obtint deux buts alors que Westwick n'en récolta aucun. Quant à Whitcroft, il marqua deux buts, tous les deux lors de la deuxième rencontre, son dernier filet devant briser l'égalité de 5-5 six minutes avant la fin. L'administrateur Foran, quelque peu rasséréné, présenta la Coupe aux *Wanderers* après avoir compris qu'ils étaient les premiers à protester contre l'utilisation de joueurs d'emprunt. En outre, Foran se rendit compte que les *Wanderers* devaient aller de l'avant et affronter les *Thistles*; ils ne pouvaient tout simplement pas se priver des recettes.

Durant les quatre années suivantes, la coupe Stanley devait descendre et remonter la rivière Outaouais. En 1908, les *Wanderers* défendirent la Coupe contre trois adversaires. Ils battirent plus que facilement les *Victorias* d'Ottawa et les *Maple Leafs* de Winnipeg en janvier et mars, puis eurent raison des *Maple Leafs* de Toronto, champions de la Ligue de hockey professionnel de l'Ontario qui venait d'être créée, avec une marque de 6 à 4, le 14 mars.

Avant le début de la saison 1909, les *Wanderers* défendirent la Coupe dans une série de deux matchs au total des buts contre une formation d'Edmonton dont presque tous les joueurs provenaient d'autres équipes. Les représentants d'Ottawa reprirent la Coupe à l'issue de la saison 1909, en raison du fait qu'ils avaient remporté le championnat de la Ligue de hockey de l'est du Canada avec

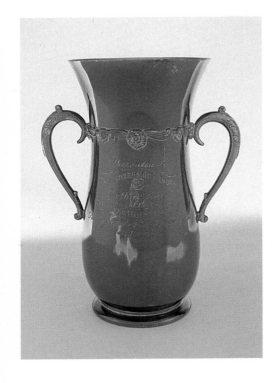

Les membres de l'équipe-étoile de 1907, les Thistles de Kenora, reçurent tous une coupe argentée en reconnaissance de leur jeu remarquable. Le trophée illustré ici appartient à Art Ross.

ERNIE JOHNSON

BERT LINDSAY

BRUCE STUART

une fiche de neuf victoires et deux défaites. Les *Wanderers* s'étaient classés deuxièmes, avec une fiche de neuf victoires et trois défaites. Le match crucial de la saison fut la dernière rencontre entre Montréal et les joueurs d'Ottawa, maintenant connus sous le nom de *Sénateurs*, qui gagnèrent 8-3.

À ce moment, des protestations furent élevées au sujet de la façon dont les séries de la coupe Stanley étaient organisées. Même si toutes les équipes avaient encore le statut d'amateur, il était évident que l'argent prenait de plus en plus d'importance et que plusieurs athlètes et certaines équipes ne jouaient plus seulement pour le plaisir.

Les amateurs de hockey, cependant, ne semblaient pas s'intéresser à la manière dont les séries étaient présentées. Ce qu'ils voulaient savoir, c'est qui avait gagné et comment. En mars 1909, par exemple, lors du match opposant Ottawa à Montréal, les revendeurs de billets réalisèrent des profits nets de 500 pour cent, et quatre heures et demie avant la mise au jeu, une foule d'amateurs s'était amassée, chacun nourrissant l'espoir d'acheter un de ces fameux billets. Quelque 6 500 spectateurs assistèrent au match à propos duquel un chroniqueur de hockey d'Ottawa écrivit que ce fut «l'un des plus grands jamais joué sur la patinoire locale».

Les fans ne trouvèrent à redire que lorsque leur portefeuille fut atteint. En 1910, après que la direction d'Ottawa eut haussé le prix des places sans siège de 25 cents à 50 cents, seulement 3 800 spectateurs assistèrent au dernier match contre Edmonton.

Mais l'inflation ne tint pas les amateurs à l'écart bien longtemps. À peine deux mois plus tard, lors d'une partie contre les *Wanderers*, les billets d'un dollar se revendaient 7 $ dans la rue, et 6 000 personnes avaient vu le match.

Ernie «Moose» Johnson (à gauche), à qui on attribue l'invention de la technique du harponnage, fut désigné quatre fois champion à titre de membre des Wanderers de Montréal. Bert Lindsay (au centre), père du membre de la renommée Ted Lindsay, termina sa carrière avec les Arenas de Toronto de la LNH. Bruce Stuart (à droite) gagna deux Coupes de suite – en 1908, avec les Wanderers de Montréal et en 1909, avec les Senators d'Ottawa.

Les ligues professionnelles

1910-1926

En 1910, le hockey des ligues majeures fut réorganisé. L'Association de hockey de l'Est du Canada, qui succédait à l'Association nationale de hockey (AHA), fut dissoute, et deux ligues professionnelles antagonistes furent formées pour la remplacer. Cependant, le nombre de spectateurs présents aux matchs de début de saison était restreint. Cela persuada rapidement les propriétaires qu'il y avait trop d'équipes; leur nombre fut bientôt ramené de dix à sept, et toutes faisaient partie de l'AHA. Ainsi commençait une autre époque colorée de l'histoire du hockey.

L'ANH devait devenir une union sensationnelle. Dans le petit village de Renfrew près d'Ottawa, Ambrose O'Brien, un millionnaire portant la barbe, émettait des chèques en blanc sans compter, afin de réaliser son projet grandiose de gagner la coupe Stanley. Ne tenant aucun compte des dépenses, il rassembla une fabuleuse équipe d'étoiles, incluant l'inégalable Fred «Cyclone» Taylor, un des plus rapides patineurs de tous les temps; les deux frères Patrick, Lester et Frank; Bert Lindsay, père de la future étoile Ted Lindsay; Fred Whitcroft; les Cleghorn, Sprague et Odie; Jack Fraser des *Silver Seven* de 1903; Bobby Rowe; et Newsy Lalonde qui, en plus d'être un formidable joueur de hockey, sera nommé le meilleur joueur de crosse du siècle au Canada, selon un sondage effectué en 1950 par la Presse canadienne.

Les coffres étaient ouverts et la fièvre du hockey, ainsi que la chasse à la coupe Stanley, s'étendit jusqu'aux régions argentifères du nord de l'Ontario. Cobalt et Haileybury sont deux autres villes-champignons riches qui ont poussé dans les régions reculées; elles voulaient aussi posséder leur équipe de hockey dans les ligues majeures, et leur souhait fut réalisé. De plus, l'ANH était fière de ses équipes déjà établies, dont celle d'Ottawa et celles de Montréal, les *Wanderers* et les *Shamrocks*, ainsi que de la dernière arrivée, celle du club le *Canadien* de Montréal, qui sera la seule rescapée de cette ligue. Même si son

Ci-contre : pionnier à titre de joueur et de bâtisseur, Jack Adams joua pendant trois saisons avec les Millionaires de Vancouver. Il fut le meilleur marqueur de l'AHCP en 1921-1922.

La formation de 1910-1911 des Wanderers de Montréal compila une fiche de onze victoires et une défaite, pour ravir le titre de champions de la coupe Stanley aux Senators d'Ottawa. C'était le quatrième et dernier championnat pour cette équipe.

histoire fut relativement brève, l'ANH entamait, en 1910, une des périodes les plus remarquables pour le hockey.

Les *Wanderers* de Montréal furent la première équipe à gagner la Coupe après la mise en place de la nouvelle structure de l'ANH. Ottawa était toujours titulaire de la coupe Stanley au début de la saison, ayant défendu son titre en janvier contre les équipes de Galt, d'Ontario et d'Edmonton. Toutefois, les *Senators* perdirent la Coupe le 5 mars, lorsque les *Wanderers* remportèrent les championnats de la ligue grâce à une victoire de 3 à 1.

Les *Wanderers* acceptèrent un défi d'après-saison lancé par l'équipe de Berlin en Ontario (maintenant Kitchener), championne de la Ligue professionnelle de hockey de l'Ontario. Les Montréalais gagnèrent la rencontre d'un match par la marque de 7 à 3. En deux mois, trois rencontres de la coupe Stanley avaient donc eu lieu, avec la participation d'Ottawa, de Galt, d'Edmonton, de Berlin et de Montréal avec les *Wanderers*.

Autour de son filet, le gardien de but Hugh Lehman égalait Percy LeSueur. En deux mois, Lehman joua dans deux rencontres de la coupe Stanley avec différentes équipes, d'abord avec Galt et ensuite avec l'équipe de Berlin, qui joua contre les *Wanderers*. En 1906, LeSueur avait fait une manœuvre semblable en quittant Smiths Falls après une défaite contre Ottawa, pour se joindre aux *Silver Seven* pendant le second match de leur série contre les *Wanderers* de Montréal.

Alors, grâce à du sang neuf, de l'argent et de l'ambition, le hockey plongea tête première dans une autre époque. Avant la fin de la décennie suivante, la coupe Stanley deviendrait exclusivement l'affaire du hockey professionnel et la principale cause d'une amère rivalité entre l'Est et l'Ouest. De plus, tous les éléments seraient réunis afin de former la LNH qui, résistant à l'érosion du temps, devait célébrer, en 1991-1992, le 75e anniversaire de sa création. La présentation même des matchs devait aussi être modifiée. Trois périodes de 20 minutes étaient jouées au lieu de deux demies de 30 minutes. En outre, le jeu à sept joueurs – c'est-à-dire le pivot, le couvreur de pointe, le maraudeur ainsi que trois avants – serait bientôt remplacé par le jeu à six joueurs, tel qu'on le connaît aujourd'hui.

Les *Senators* d'Ottawa remportèrent le championnat de l'ANH et la coupe Stanley en 1911, en deux rencontres d'un match chacune, avant de repousser les équipes de Galt et de Port Arthur, respectivement championnes de la Ligue professionnelle de l'Ontario et de la Nouvelle ligue de l'Ontario. Marty Walsh d'Ottawa marqua dix fois dans la victoire de 13-4 contre Port Arthur et marqua trois buts de plus dans le match disputé contre Galt devant 2 500 spectateurs, au moment où la patinoire était couverte d'eau. La formation de Galt perdit aussi 20 $ dans l'aventure, car elle n'avait récolté que 375 $ alors que ses dépenses s'élevaient à 395 $.

Les Frères Frank et Lester Patrick s'étaient établis, en 1910, sur la côte ouest du Canada et, en 1911, ils fondèrent la nouvelle Association de hockey de la côte du Pacifique (AHCP). En deux ans, ce nouveau circuit professionnel tenterait de remporter la coupe Stanley.

> ### Voir c'est croire
>
> Frank McGee est le joueur étoile borgne le plus connu des séries de la coupe Stanley, mais Fred Lake, qui gagna la coupe Stanley avec les *Senators* d'Ottawa en 1909 et 1911, perdit l'usage d'un œil durant son séjour dans la Ligue professionnelle internationale.

Marty Walsh (à gauche) marqua dix buts – dont trois en 40 secondes – contre Port Arthur, le 16 mars 1911. Paddy Moran (à droite) garda les buts pendant 15 saisons avec Québec. Jack McDonald (au centre), qui changea 14 fois d'équipe dans sa carrière de 18 ans, joua pour chacune des quatre équipes originales de la LNH.

MARTY WALSH

J. MAC DONALD

P. MORAN

En 1912, les *Millionaires* de Renfrew décidèrent de fermer boutique, ayant déjà englouti un million de dollars. Le fait qu'ils abandonnent réduisait à quatre le nombre d'équipes de l'ANH : les *Bulldogs* de Québec, les *Senators* d'Ottawa, les *Wanderers* de Montréal et le *Canadien* de Montréal, qui se classèrent dans cet ordre.

Les *Bulldogs* de Québec gagnèrent la Coupe en 1912 et en 1913, après n'avoir rencontré qu'une faible résistance de la part des équipes des Maritimes. En 1912, à Québec, ils défirent Moncton (Nouveau-Brunswick) avec des marques de 9-3 et de 8-0, dans une série deux-de-trois. En 1913, ils s'imposèrent devant les *Miners* de Sydney, champions de la ligue des Maritimes de Nouvelle-Écosse, avec des pointages de 14-3 et de 6-2.

La formation des *Bulldogs* comprenait une liste de noms impressionnants à toutes les positions : Paddy Moran dans le but, Harry Mummery et Joe Hall en défense, Joe Malone au centre, Tommy Smith et Rusty Crawford aux ailes, tandis que Bill Creighton, Walter Rooney, Jack Marks et Goldie Prodgers étaient les remplaçants. Dans la première partie contre Sydney, Joe Malone répéta l'exploit accompli par Walsh deux ans auparavant, en marquant dix buts.

En 1913, l'Association de hockey de la côte du Pacifique (AHCP), dirigée par les frères Patrick, défia pour la première fois la suprématie de l'Est. Même si la série n'était pas sanctionnée par les administrateurs de la Coupe, les *Bulldogs* de Québec, après avoir éliminé les *Miners* de Sydney, mirent le cap à l'ouest à la fin de mars pour disputer une série deux-de-trois contre les *Aristocrats* de Victoria, champions de l'AHCP. Les matchs furent joués à tour de rôle, selon les règlements du jeu à sept toujours en vigueur dans l'AHCP, et du jeu à six qui fut adopté par l'ANH, le 12 février 1913.

Le jeu à six avait été essayé pour la première fois en 1911, mais fut ridiculisé par le public et par la presse. Selon le *Citizen* d'Ottawa, c'était du «jeu pataud, décousu, sans stratégie. Du hockey sans ordre, désordonné et individuel». Quant au *Globe* de Toronto, il écrivit : «Des poussées individuelles et l'absence totale de jeu collectif caractérisent le jeu à six.»

Durant les séries non officielles de Victoria, les opinions étaient presque également partagées. La première partie entre les *Bulldogs* et les *Aristocrats* se disputa à sept joueurs, et l'équipe de l'Ouest l'emporta 7-5. À six joueurs, Québec l'emporta 6-3 puis, lorsque la partie décisive fut disputée à sept joueurs, Victoria gagna 6-1.

En 1914, les gouverneurs de l'ANH et de l'AHCP s'entendirent pour que les éliminatoires de la coupe Stanley soient une série trois-de-cinq disputée à la fin de la saison entre les champions des deux ligues. On estimait, de façon générale, que si les administrateurs désapprouvaient cette entente, les deux ligues étaient prêtes à ne plus tenir de compétitions pour obtenir la coupe Stanley et à bannir le trophée du hockey professionnel. Les administrateurs se rendirent compte que le destin de la coupe Stanley dépendait du fait qu'elle constituait le prix le plus prestigieux pour les équipes professionnelles, car les ligues d'amateurs, qui tentaient de gagner l'intérêt des partisans, se disputaient la Coupe Allan. La résolution prise dans les deux principaux circuits professionnels

accula les administrateurs au pied du mur; mais ceux-ci, qui ne voulaient pas diminuer le prestige des compétitions de la coupe Stanley, acceptèrent la proposition de l'ANH et de l'AHCP.

En 1913-1914, les *Bulldogs* de Québec terminèrent au troisième rang du classement de l'ANH, laissant au *Canadien* de Montréal et aux *Blueshirts* de Toronto le soin de jouer une série de deux matchs au total des buts, pour obtenir le titre de la ligue et celui de la coupe Stanley.

Bien que chaque équipe ait gagné son match à domicile par blanchissage, les *Blueshirts*, qui deviendront plus tard les *Maple Leafs* dans la LNH, eurent raison du *Canadien* par 6-2 au total des buts. La deuxième partie, qui eut lieu à Toronto, fut la première partie de la coupe Stanley jouée sur de la glace artificielle. Cette série marquait également la première participation du *Canadien* à un match de la coupe Stanley.

Après leur victoire contre le *Canadien*, les *Blueshirts* et les *Aristocrats* de Victoria croisèrent le fer dans la première de treize confrontations entre l'Est et l'Ouest, pour obtenir la coupe Stanley. L'équipe de Victoria de l'AHCP partit pour Toronto en ayant oublié une petite formalité : lancer un défi. À cause de cet oubli, les administrateurs de la Coupe considérèrent que les séries n'étaient pas légitimes, de telle sorte que même si les *Aristocrats* avaient gagné, la situation

Même si Goldie Prodgers, Eddie Oatman et Jack McDonald se joignirent à l'AHCP, la ligue rivale, les Bulldogs de Québec conservèrent aisément la Coupe en 1913, en défaisant Sydney, en Nouvelle-Écosse, en deux matchs à sens unique.

Le premier Rocket

Bien que Maurice Richard soit le plus célèbre «Rocket» dans l'histoire de la coupe Stanley, il ne fut pas le premier Rocket à gagner cette Coupe. «Rocket» Power faisait partie des *Bulldogs* de Québec qui remportèrent le trophée en 1913.

C'est écrit sur la Coupe

Trois équipes qui ne sont pas reconnues comme championnes de la coupe Stanley ont leur nom gravé sur le trophée : les *Senators* d'Ottawa en 1915, les *Rosebuds* de Portland en 1916, et les *Millionaires* de Vancouver en 1917. Ces trois formations battirent le détenteur de la Coupe dans les éliminatoires de leur ligue, mais perdirent le trophée à l'issue des éliminatoires ANH-AHCP.

Frank Foyston, qui termina sa carrière avec les Cougars de Détroit en 1928, remporta son premier championnat avec les Blueshirts de Toronto, en 1914.

aurait exigé quelques négociations accélérées. La controverse fut évitée lorsque les *Blueshirts* remportèrent trois matchs serrés de suite, défendant ainsi leur titre. Frank Foyston fut le meneur des *Blueshirts* avec trois buts dans la série, dont le but qui leur permit de remporter la Coupe dans la troisième partie de cette toute nouvelle série trois-de-cinq.

On peut juger de la santé du hockey senior amateur par le nombre de spectateurs présents lors des séries de 1914. Les trois matchs LNH-AHCP attirèrent 14 639 fans; pourtant, dans l'Association de hockey de l'Ontario, 15 000 personnes avaient assisté à seulement deux parties entre les équipes de Toronto qui luttaient pour une place dans les éliminatoires de la coupe Allan.

Toronto glissa au quatrième rang, avec à peine huit victoires au cours des 20 matchs de la saison de l'ANH, en 1914-1915. Les *Senators* d'Ottawa et les *Wanderers* de Montréal, qui présentaient une fiche identique de 14 victoires et de 6 défaites à la fin du calendrier, jouèrent une série de deux matchs au total des buts pour l'obtention du championnat de la ligue et du droit de défendre la coupe Stanley contre la formation de Vancouver, championne de l'AHCP. Bien que les *Wanderers* eurent remporté trois des quatre confrontations entre ces deux équipes, les *Senators* inscrivirent deux victoires par blanchissage dans la série, gagnant ainsi cette série et obtenant une place dans les finales de la Coupe.

Fred «Cyclone» Taylor enfila six buts en trois parties, menant l'équipe d'étoiles des *Millionaires* de Vancouver à un balayage de la série trois-de-cinq, par des pointages élevés. Cette série fut la première entre l'ANH et l'AHCP à être sanctionnée par les administrateurs de la Coupe, la première victoire de la ligue de la côte ouest et la première finale de la coupe Stanley jouée à l'ouest de Winnipeg. Plus de 20 000 spectateurs assistèrent aux rencontres, laissant une part de 300 $ à chaque joueur de Vancouver et de 200 $ aux joueurs d'Ottawa. Les qualités imposantes des *Millionaires* convainquirent de nombreux spectateurs que la puissance du hockey se trouvait maintenant à l'Ouest.

À partir de 1915-1916, la Première Guerre mondiale entraîna l'avènement du service militaire obligatoire, ce qui interrompit la carrière de plusieurs joueurs de hockey et augmenta la lutte visant à engager des joueurs pour l'ANH et l'AHCP. Les *Rosebuds* de Portland terminèrent facilement en tête du classement de l'AHCP, quatre matchs devant Vancouver et Victoria. Malgré les règles originales de donation de la coupe Stanley, indiquant que le trophée devait être remis à une équipe faisant partie du Dominion du Canada, les *Rosebuds* de l'Oregon reçurent la Coupe des champions en titre (les *Millionaires* de Vancouver), après avoir remporté le championnat de l'AHCP; ils firent graver leur nom sur le trophée et mirent le cap vers Montréal pour disputer la série annuelle Est-Ouest contre le *Canadien*, l'équipe championne de l'ANH. Les *Rosebuds* décidèrent d'inscrire leur nom sur la Coupe, mais il fut quand même reconnu que l'équipe gagnante de la coupe Stanley, en 1916, serait celle qui remporterait la victoire dans la série opposant Portland et Montréal.

Pour la première fois depuis l'introduction de la formule trois-de-cinq en 1913-1914, les séries nécessitèrent un cinquième match décisif. Tommy

En mars 1915, les premiers matchs de la coupe Stanley qui eurent lieu à l'ouest de Winnipeg furent remportés par les Millionaires de Vancouver contre les Senators d'Ottawa par la marque totale de 26-8, balayant ainsi la série trois-de-cinq.

Dunderdale de Portland donna l'avance aux *Rosebuds* tôt dans le match, mais le *Canadien* riposta. Skene Ronan marqua le but égalisateur et Goldie Prodgers, peu souvent utilisé, marqua le but gagnant dans la victoire de 2-1 du *Canadien*. Le gardien Georges Vézina participait pour la première fois à une série de la Coupe dans l'uniforme du *Canadien*, avec une moyenne de 2,60.

La lutte que l'AHCP et l'ANH se livraient pour mettre des joueurs sous contrat avait tellement fait grimper les salaires que la situation financière de plusieurs équipes des deux ligues avait atteint un point critique. L'argent était rare, et les rumeurs selon lesquelles l'ANH allait bientôt s'écrouler ne se firent pas attendre bien longtemps. Les recettes chutèrent abruptement lorsque les fans en eurent assez des activités menées au petit bonheur par la ligue et par ses équipes. La désorganisation résultant des restrictions financières eut pour effet de retarder d'une heure ou deux plusieurs matchs.

Les recettes du premier match de la ligue de la saison 1915-1916 se chiffrèrent à moins de 200 $. Les chroniqueurs de sport critiquèrent fermement la ligue. Un reporter du *Globe* de Toronto remarqua que les équipes des visiteurs se présentaient pour un match avec seulement la moitié des joueurs, parfois sans même un gardien de but, et déclaraient que les «joueurs, adoptant une attitude insolente, faisaient fi de leurs obligations envers le public».

Les équipes dont la liste de paie allait de 4 000 à 8 000 $ ne possédaient aucun avoir, à l'exception de quelques bâtons de hockey, de quelques uniformes râpés et de valises destinées à transporter le tout. Le hockey organisé dans l'Est battait de l'aile; les équipes se ruinaient rapidement.

Après avoir vaincu les Millionaires, champions en titre, et s'être emparés du titre de l'AHCP en 1916, les Rosebuds de Portland gravèrent le nom de leur équipe sur la coupe Stanley, même s'ils n'avaient pas gagné officiellement ce trophée.

Les premiers membres du Canadien de Montréal qui gagnèrent la coupe Stanley en 1916.

Le grand chelem de la coupe Stanley

Jack Marshall joua pour quatre différentes équipes qui remportèrent la coupe Stanley; c'est le seul patineur de l'histoire du trophée à avoir réalisé cet exploit. Il s'aligna avec Winnipeg, en 1901, les *AAA* de Montréal, en 1902, les *Wanderers* de Montréal, en 1907, et termina son grand chelem avec les *Blueshirts* de Toronto, en 1914.

Sur la glace, une autre équipe américaine, les *Metropolitans* de Seattle, remportèrent le titre de champions de l'AHCP en 1916-1917, à leur deuxième saison dans la ligue. Étant donné que les séries de la coupe Stanley de cette année-là devaient être jouées sur la glace des champions de l'AHCP, les administrateurs – ayant suivi l'évolution de leur époque –, admirent qu'une équipe située hors du Canada avait le droit de disputer les séries à domicile et de remporter le trophée. Les *Metropolitans* affrontèrent le *Canadien* qui avait conservé le championnat de l'ANH ainsi que la coupe Stanley, grâce à une victoire de 7 à 6 contre Ottawa, dans une série très serrée, comptée au total des buts.

Dans le premier match de la série Est-Ouest, Montréal s'imposa en gagnant 8-4; Didier Pitre marqua alors à quatre reprises. Mais les *Mets* se reprirent de belle façon et remportèrent les trois parties suivantes, en limitant le *Canadien* à un seul but par rencontre. Bernie Morris de Seattle, qui s'était classé au deuxième rang des marqueurs avec une production de 37 buts en 24 parties, marqua 14 points contre Montréal dans les séries de la coupe Stanley, dont six dans la victoire finale de 9 à 1, permettant ainsi aux *Mets* de devenir la première équipe américaine à obtenir le trophée tant convoité.

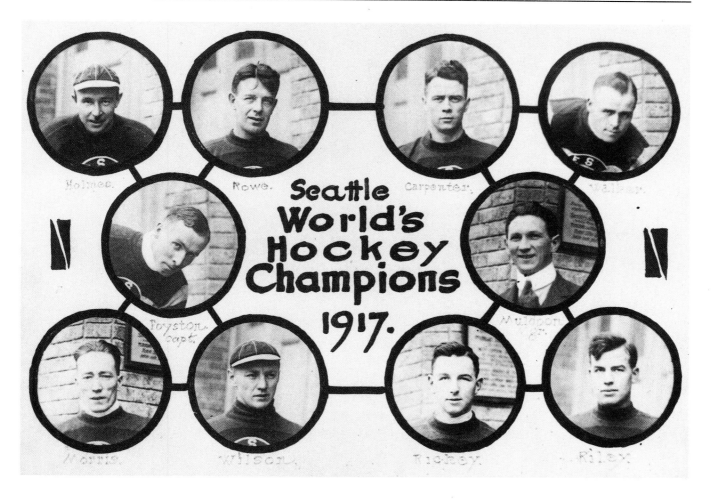

Les difficultés financières des propriétaires d'équipes et les désaccords qu'il y avait entre eux entraînèrent la création d'une nouvelle ligue professionnelle de l'Est, la *Ligue nationale de hockey*, en 1917. Quatre équipes qui appartenaient à l'ANH, le *Canadien* et les *Wanderers* de Montréal, les *Senators* d'Ottawa et l'équipe de Toronto nouvellement baptisée les *Arenas*, commencèrent à jouer durant la saison inaugurale de la ligue. Les *Wanderers* furent forcés d'abandonner la ligue à la mi-saison, après qu'un incendie eut détruit la patinoire de Montréal ainsi que tout l'équipement. Il ne restait donc plus que trois équipes pour terminer la deuxième moitié de la saison 1917-1918 de la LNH. Le *Canadien*, qui s'était classé premier au terme de la première moitié de saison, se mesura aux *Arenas*, qui avaient terminé au premier rang de la deuxième moitié du calendrier. Inspirés par leur entraîneur recrue, Dick Carroll, les *Arenas* remportèrent laborieusement la série de deux parties au total des buts, par la marque finale de 10-7, remportant ainsi le titre de champions de la LNH de même que le droit d'affronter les champions de l'AHCP pour l'obtention de la coupe Stanley.

L'AHCP adopta pour la première fois, en mars 1918, la formule des deux matchs au total des buts pour les séries éliminatoires de la ligue. L'équipe de Seattle, championne en titre de la Coupe, joua contre Vancouver une série où peu de buts furent marqués; le premier match se solda par un verdict nul de 2-2 et le second, par une victoire de 1-0 des *Millionaires* de Vancouver et d'un

Les Metropolitans de Seattle de 1917, première équipe située aux États-Unis à remporter la Coupe.

La chance du débutant

En tout, treize entraîneurs de la LNH réussirent à gagner la Coupe dès leur première saison. Dick Carroll, qui dirigea les *Arenas* de Toronto en 1918, fut le premier à réussir l'exploit; Jean Perron, pilote du *Canadien* en 1986, fut le dernier entraîneur recrue à conquérir la Coupe.

Hugh Lehman a été membre de cinq ligues professionnelles en 20 saisons, mais il ne gagna la Coupe qu'avec une seule formation, les Millionaires de Vancouver de 1915.

Bernie Morris, qui marqua 14 buts dans la finale de la coupe Stanley de 1917 contre Montréal – dont six au quatrième et dernier match –, ne marqua plus aucun but par la suite au cours des séries éliminatoires.

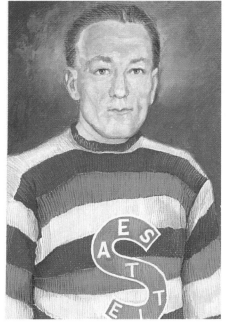

blanchissage pour le gardien Hughie Lehman. Barney Stanley, qui sera plus tard intronisé au Temple de la renommée, marqua l'unique but de la dernière rencontre.

La première série de la coupe Stanley mettant aux prises la LNH et l'AHCP eut lieu à Toronto selon la formule au meilleur de cinq matchs. Cette formule, qui avait été instaurée en 1914, exigeait la victoire d'une équipe à chacune des parties. Les règlements de l'Est (six joueurs) et ceux de l'Ouest (sept joueurs) étaient toujours en vigueur, et étaient utilisés à tour de rôle. Cette rotation dans l'utilisation des règlements aura joué un rôle déterminant dans la série. En effet, les équipes jouant selon leurs propres règlements remportaient à coup sûr la victoire. Et comme les séries avaient lieu dans l'Est, les règlements de la LNH furent appliqués au cinquième match, match décisif, aidant Toronto à l'emporter 2 à 1. À titre de comparaison, au cours de la série de deux matchs disputés selon les règlements de l'AHCP, Vancouver avait écrasé les *Arenas* par une marque totale de 14 à 5.

L'Arena Hockey Club de Toronto, première équipe de la LNH qui remporta la coupe Stanley. Jack Adams, qui gagna sept fois la Coupe à titre d'entraîneur et de directeur général, remporta son premier trophée lorsqu'il était membre de cette formation torontoise.

Montréal battit Ottawa dans les séries de 1919 de la LNH. Le champion en titre, Toronto, avait connu une saison démoralisante et avait abandonné la ligue le 20 février 1919. Comme il ne restait plus que le *Canadien* et les *Senators* et que le début de la série LNH-AHCP ne devait pas débuter avant plusieurs semaines, la ligue décida d'étirer la série finale en utilisant la formule quatre-de-sept plutôt que trois-de-cinq. Le *Canadien* remporta la série de championnat en cinq matchs au cours desquels Newsy Lalonde s'avéra le meilleur marqueur avec neuf buts.

Vancouver termina premier à la fin du calendrier régulier de l'AHCP, et choisit de disputer le premier match d'une série de deux sur la patinoire de ses adversaires, les *Mets* de Seattle. Cette stratégie ne lui fut pas bénéfique, car les *Metropolitans* remportèrent une victoire franche de 6 à 1. Les ailiers Grank Foyston et Muzz Murray marquèrent, à eux deux, cinq buts des *Mets*. Les *Millionaires* remportèrent le deuxième match à domicile, mais perdirent la série par la marque totale de 7-5.

La série entre Montréal et Seattle avait tout pour devenir une série classique. Seattle profita de sa maîtrise du jeu à sept pour gagner haut la main les première et troisième parties. Le *Canadien* remporta la deuxième rencontre grâce à quatre buts de Newsy Lalonde. Le quatrième match fut considéré comme l'un des meilleurs qui fut disputé sur une patinoire de l'AHCP. La partie se termina 0-0 après 20 minutes de prolongation. Enfin, au cours de la cinquième partie, le *Canadien* sembla avoir maîtrisé l'art du hockey à sept. Newsy Lalonde marqua deux buts du point de pivot (la position occupée par le septième joueur selon les règlements de l'Ouest), tandis que l'ailier droit du *Canadien*, Odie Cleghorn, obtint le but de la victoire après plus de 15 minutes de jeu supplémentaire. Une sixième partie, partie décisive, devait avoir lieu le 1er avril, mais une épidémie

De 1908 à 1926, l'étoile Newsy Lalonde marqua 27 buts en 29 parties de la coupe Stanley.

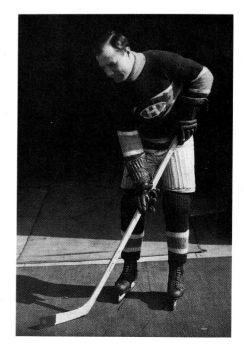

«Bad» Joe Hall était l'un des meilleurs défenseurs de son temps, remportant deux fois la Coupe avec les Bulldogs de Québec en 1912 et 1913, avant de se joindre à l'équipe du Canadien. Cette photo fut prise peu avant sa mort, en 1919.

Jack Darragh qui joua à Ottawa pendant toute sa carrière, fit ses débuts chez les professionnels le jour même où Georges Vézina défendit, pour la première fois, le filet du Canadien de Montréal.

de grippe espagnole, qui se déclara sur tout le continent, changea le cours des événements. Cinq des joueurs de Montréal durent être hospitalisés ou se confiner au lit; les séries furent donc abandonnées à peine cinq heures et demie avant le début de la sixième partie. Aucune équipe ne fut déclarée championne.

Le défenseur de Montréal, Joe Hall, ne quitta jamais l'hôpital, succombant, le 5 avril 1919, à une pneumonie découlant de la grippe. Hall, qui avait joué au hockey pendant 15 années avec Houghton, Michigan, Winnipeg, Kenora, Québec et le *Canadien*, fut enterré dans sa ville adoptive de Brandon, au Manitoba.

Les listes officielles des gagnants de la coupe Stanley indiquent qu'il n'y eut pas de champion en 1919. Mais ces listes ne tiennent pas compte d'un précédent oublié qui fut établi durant les premières séries de la Coupe, dans les années 1890. Au cours des premières décennies qui suivirent la présentation de la Coupe, celle-ci était accordée à toute équipe qui avait terminé en tête du classement de la ligue, à la condition que son titulaire fût membre de cette ligue. Selon ces critères, le *Canadien* devint titulaire de la coupe Stanley en 1919, lorsqu'il gagna le 6 mars contre l'équipe de Toronto, elle-même championne des séries de 1918. Bien que les séries annuelles entre la LNH et l'AHCP n'aient déterminé aucun gagnant, selon les normes de l'époque, le *Canadien* était déjà en possession de la Coupe quand il mit le cap vers l'Ouest.

Il semble que la coupe Stanley soit devenue un trophée remis exclusivement aux gagnants des séries éliminatoires. Aucune décision des administrateurs de la Coupe n'avait changé les conditions de la compétition, mais il était clair, en 1919, que la Coupe ne serait décernée qu'au gagnant des séries annuelles entre la LNH et l'AHCP.

Six fois au cours des sept saisons suivantes, les équipes de la LNH remportèrent la coupe Stanley. Cette stabilité apparente contrastait avec les changements majeurs que subissait la structure du hockey professionnel et qui, avec le temps, allaient avoir des répercussions permanentes sur la façon de disputer les séries de la coupe Stanley.

Les *Senators* d'Ottawa remportèrent les deux moitiés du calendrier de la saison régulière de 1919-1920, et gagnèrent le droit de se mesurer aux champions de l'AHCP sans avoir été obligés de disputer une série éliminatoire. Dans l'Ouest, les *Metropolitans* de Seattle battirent encore une fois Vancouver par la marque totale de 7-3. Lorsque les *Mets* arrivèrent à Ottawa, on s'aperçut que leur chandail rouge, blanc et vert (évoquant une enseigne de coiffeur) ressemblait trop à celui des *Senators*, qui était rouge, blanc et noir. Ottawa accepta donc de revêtir un chandail blanc.

Ottawa remporta les deux premiers matchs, mais les *Mets* revinrent de l'arrière avec une victoire de 3 à 1 en troisième partie. À cause du temps clément, la glace avait été dans un état lamentable au cours des trois premières parties. On transporta donc la série à Toronto afin de pouvoir profiter de la glace artificielle du Mutual Street Arena. Seattle égalisa la série avec une victoire de 5-2 lors de la quatrième rencontre, Frank Foyston marquant deux fois. Jack Darragh, qui avait obtenu le but gagnant au premier match, propulsa Ottawa vers le championnat grâce à une poussée de trois buts pendant la partie décisive. Pete Green devint le second entraîneur recrue de la LNH à remporter la coupe Stanley, après que Dick Carroll des *Arenas* de Toronto eut réalisé l'exploit, en 1918.

En 1920-1921, Ottawa et Vancouver n'eurent aucun mal a décrocher le championnat de leur ligue respective. Pour le premier match de la finale de la

Les Senators d'Ottawa, tirés à quatre épingles à l'extérieur de la patinoire et joueurs éblouissants sur la glace, gagnèrent deux Coupes de suite, en 1920 et 1921.

Une soirée bien remplie

Frank «King» Clancy est le seul joueur à avoir occupé les six positions dans un seul match de la coupe Stanley. Le 31 mars 1923, Clancy entreprit la rencontre au centre, prit la place de chacun des défenseurs et patina aux ailes droite et gauche. Et, lorsque Clint Benedict fut puni pour avoir cinglé, Clancy le remplaça entre les deux poteaux pendant deux minutes.

Les Capitals de Regina, premiers champions de la Ligue de hockey de l'Ouest canadien, ce circuit professionnel de quatre équipes formé en 1921.

coupe Stanley, 11 000 fans s'étaient entassés dans le Denman Street Arena de Vancouver; jamais il n'y avait eu autant de monde à un match de hockey. On vendit le nombre record de 51 000 billets durant la série, qui fut étirée jusqu'à la limite de cinq parties, chacun des matchs ayant été gagné par un but.

Pour la deuxième année consécutive, Jack Darragh fut le héros qui marqua les deux buts d'Ottawa lors de la victoire finale de 2 à 1, faisant des *Senators* la première équipe de la LNH à s'emparer de la coupe Stanley deux années de suite, depuis le doublé des *Bulldogs* de Québec, en 1912-1913.

Une troisième grande ligue fut créée en 1921-1922. Composée des *Capitals* de Regina et des *Shieks* de Saskatoon au Manitoba, ainsi que des *Tigers* de Calgary et des *Eskimos* d'Edmonton en Alberta, la Ligue de hockey de l'Ouest du Canada (LHOC) et l'AHCP se mirent d'accord pour que les champions de chacune des ligues se disputent une série de deux matchs au total des buts, afin de déterminer quelle équipe rencontrerait les champions de la LNH dans une série trois-de-cinq pour l'obtention de la coupe Stanley.

Regina remporta les premières séries éliminatoires de la LHOC et affronta les *Millionaires* de Vancouver dans les finales de l'Ouest. Les *Capitals* surprirent Vancouver lors de la première rencontre; ils gagnèrent 2 à 1 le match joué à sept joueurs, selon les règlements de l'AHCP, et Dick Irvin de Regina marqua le but victorieux. La série se transporta à Regina et on utilisa alors la formule à six joueurs de la LHOC. Les *Millionaires* revinrent de l'arrière, grâce à trois buts marqués par le défenseur Art Duncan, et remportèrent le match 4-0, gagnant ainsi la série par la marque totale de 5-2.

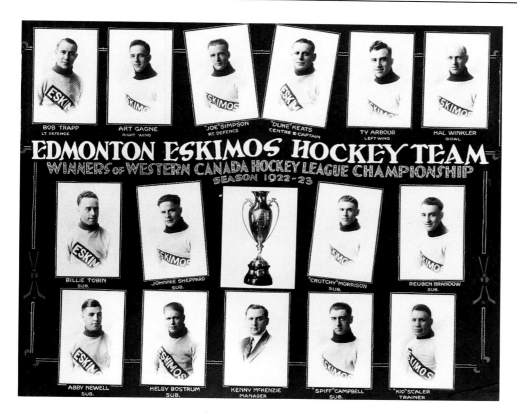

Les Eskimos d'Edmonton, menés par «Bullet» Joe Simpson, Gordon «Duke» Keats et Hal Winkler, furent champions de la LHOC, en 1923.

Dans la LNH, les *St. Patricks* de Toronto (anciennement appelés *Arenas*) battirent Ottawa dans la série éliminatoire de deux matchs au total des buts de la LNH. Tous les buts de cette série furent marqués durant un seul match, Corbett Denneny inscrivant le but gagnant pour les *St. Patricks*. Les *Senators* pressèrent le jeu durant la deuxième rencontre jouée sur une glace molle, et forcèrent Toronto à dégager souvent son territoire, mais aucun but ne fut marqué.

En finale de la coupe Stanley, les *St. Patricks* battirent Vancouver en prolongation lors de la deuxième rencontre, puis mirent la main sur la coupe Stanley grâce à des victoires écrasantes en quatrième et cinquième parties. Cecil «Babe» Dye enfila neuf des seize buts des *St. Patricks*, dont deux buts gagnants. Le gardien John Roach, pendant la quatrième partie, signa la première victoire d'une recrue au cours d'un match de la coupe Stanley : il obtint une moyenne de 1,80 lors de la deuxième conquête de la coupe Stanley par Toronto. Dye profita également du premier lancer de punition accordé en séries, mais il ne marqua pas, envoyant la rondelle bien au-dessus du filet. Le joueur de centre Jack Adams, que Vancouver avait acquis de Toronto par la ruse, en 1920, fit un impressionnant retour au jeu en marquant six buts pendant les séries.

Ottawa se hissa de nouveau en tête de la LNH en 1922-1923, ayant remporté une série difficile contre le *Canadien* de Montréal. Les *Senators* remportèrent la première rencontre 2-0 en dépit des nombreux coups bas portés par le duo de défenseurs du *Canadien*, formé de Sprague Cleghorn et de Billy Couture. Tous les deux furent expulsés du match et tenus à l'écart du reste de la série par leur propre directeur, Léo Dandurand. Lors de la deuxième partie, le *Canadien*, réorganisé, prit une avance de deux buts avant que Cy Denneny ne marque le but

Cecil Dye, surnommé «Babe» parce qu'il était joueur de baseball professionnel pendant la saison morte, domina tous les marqueurs durant les éliminatoires de la coupe Stanley de 1922, avec onze buts en sept matchs.

qui donna le championnat aux *Senators*. Cette série fut un point tournant pour l'équipe de Montréal : Didier Pitre, vétéran de 19 saisons, se retirait, et une future étoile, Aurel Joliat, participait à sa première série éliminatoire.

Entre temps, Edmonton battit Regina et gagna le championnat de la LHOC, grâce à un but de Duke Keats pendant la prolongation du deuxième match de la série. Du côté de l'AHCP, qui avait fini par adopter le jeu à six, les anciens *Millionaires* de Vancouver, rebaptisés *Maroons*, eurent raison de Victoria par la marque de 5 à 3.

Les trois champions se disputeraient la coupe Stanley en 1923, toutes les parties se déroulant à Vancouver. Les équipes de la LNH et de l'AHCP jouèrent en premier; c'est durant cette série entre Ottawa et Vancouver que deux frères devaient jouer pour la première fois l'un contre l'autre dans une série finale. En fait, deux groupes de frères, Cy et Corbett Denneny, ainsi que George et Frank Boucher, se tenaient de part et d'autre de la ligne centrale lors de la première mise au jeu du match. Cy et George pour Ottawa, Corbett et Frank pour Vancouver. Aucun des Denneny ne marqua au cours de cette série, mais les deux frères Boucher enfilèrent chacun deux buts. Harry «Punch» Broadbent d'Ottawa, qui marqua l'unique but de la rencontre initiale, en marqua cinq lors des quatre matchs de la série, menant les *Senators* vers la victoire. L'entraîneur de Vancouver, Frank Patrick, disait que les *Senators* formaient la meilleure équipe qu'il ait jamais vue.

Trois jours après la fin de leur série contre les *Maroons*, les *Senators*, toujours à Vancouver, entamèrent leur série deux-de-trois contre les *Eskimos* d'Edmonton de l'AHOC. L'expérimenté défenseur d'Ottawa, Eddie Gerard, qui avait subi une dislocation de l'épaule au cours de la dernière rencontre contre Vancouver, fut remplacé par Francis «King» Clancy, qui faisait ses débuts dans les séries de la coupe Stanley. Cy Denneny marqua en prolongation pour donner aux *Senators* une victoire de 2 à 1. Gerard, qui était blessé et souffrait particulièrement à une épaule, fit quand même partie de l'alignement de départ lors de la deuxième rencontre qu'Ottawa remporta 2-1 grâce à un but de Punch Broadbent.

Les *Senators* avaient gagné la coupe Stanley et l'avaient défendue, le tout en seize jours.

Jamais deux sans trois

Eddie Gerard est le seul joueur à avoir gagné la Coupe trois fois de suite avec des équipes différentes. Gerard joua pour Ottawa en 1921, pour les *St. Pats* de Toronto en 1922, puis de nouveau pour Ottawa en 1923.

Le *Canadien* de Montréal, qui avait terminé au deuxième rang à l'issue du calendrier régulier de la LNH, en 1923-1924, battit Ottawa par une marque totale de 5-3, remportant ainsi le championnat de la ligue, avec Howie Morenz qui marquait l'unique but lors d'une première rencontre de la finale de la ligue. En tant que directeur de la nouvelle équipe gagnante et détentrice de la Coupe, Léo Dandurand, de Montréal, avait adopté un ton beaucoup plus péremptoire qu'en 1919, dans des circonstances semblables, pour déclarer que la coupe Stanley appartenait à son équipe. Dandurand estimait que les équipes de l'Ouest n'étaient pas de taille pour les champions de la LNH, et que son équipe était prête à jouer contre l'un des deux champions de l'Ouest, mais pas contre les deux. Frank Patrick, président de l'AHCP, proposa un compromis : le *Canadien* jouerait contre les deux champions de l'Ouest, à Montréal, mais les contributions habituelles de l'équipe-hôtesse envers ses adversaires seraient réduites de moitié.

Vancouver mit la main sur le titre de l'AHCP au terme d'une série excitante contre Seattle, et trouva vainqueur lorsque Frank Boucher marqua après 14 minutes de prolongation de la deuxième partie. Calgary eut raison de Regina et remporta le championnat de l'AHOC, annulant le premier match 2-2 et gagnant le second, 2-0, à domicile.

Les deux équipes de l'Ouest se mirent donc en route vers Montréal. Afin d'amasser un peu d'argent supplémentaire, les équipes disputèrent en chemin une série de trois matchs, et le perdant devait affronter le *Canadien* en premier. Les matchs furent joués à Vancouver, à Calgary et à Winnipeg. Calgary perdit la première rencontre, mais remporta les deuxième et troisième parties. Cully Wilson, en saison régulière, avait marqué trois buts en 61 secondes pour les *Tigers*. Il sauta sur la patinoire et marqua trois fois pendant la deuxième partie contre Vancouver.

À Montréal, le *Canadien* balaya Vancouver en deux matchs gagnés par un but. Dans la deuxième rencontre, gagnée 2-1 par Montréal, personne n'avait encore marqué jusqu'en troisième période, lorsque Frank Boucher ouvrit la marque tandis que son frère Billy répliquait avec deux buts pour le *Canadien*. Deux jours plus tard, le premier match entre Montréal et Calgary fut joué sur

Les Senators d'Ottawa, champions de la coupe Stanley de 1923, étaient menés par leur capitaine Eddie Gerard (au centre), membre du Temple de la renommée, qui disputa son premier match de la Coupe en 1908, et qui participa au dernier match de la série contre Edmonton, malgré une dislocation de l'épaule.

L'édition 1923-1924 du Canadien de Montréal présentait la fiche peu enviable de treize victoires et onze défaites; mais elle se métamorphosa durant les séries et remporta ses six matchs en marquant 19 buts contre 6. Sprague Cleghorn (à gauche) et Billy Couture (à droite) furent les deux premiers joueurs de défense de Montréal pour la conquête de la coupe Stanley, en 1924.

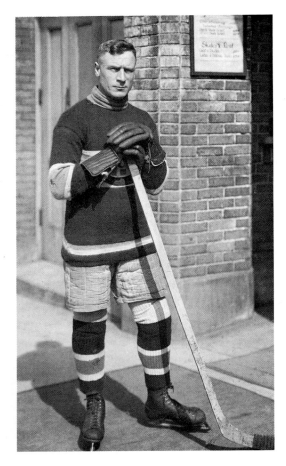

Le gardien d'or

Le gardien Harry «Hap» Holmes, qui joua de 1913 à 1928, fit partie de quatre différentes équipes gagnantes : les *Blueshirts* de Toronto en 1914, les *Metropolitans* de Seattle en 1917, les *Arenas* de Toronto en 1918, et les *Cougars* de Victoria en 1925. Ces quatre conquêtes de la coupe Stanley par Holmes constituent un record chez les gardiens de but.

une glace molle. Howie Morentz donna le rythme à l'attaque de Montréal en marquant trois buts au premier match, puis un autre au suivant. La deuxième rencontre eut lieu à Ottawa, mais la surface artificielle et lisse de la nouvelle patinoire des *Senators* avantagea les rapides joueurs du *Canadien* qui remportèrent la partie 3 à 0, et terminèrent le balayage des deux séries de 1924.

La domination de la LNH dans les matchs de la coupe Stanley fut interrompue en 1925, quand les *Cougars* de Victoria remportèrent la grande victoire; ce devait être la dernière fois qu'une équipe n'appartenant pas à la LNH mettait la main sur le trophée.

Le hockey professionnel de l'Ouest connaissait des difficultés au moment où la LNH allait prendre de l'expansion. Les *Metropolitans* de Seattle cessèrent leurs activités, ne laissant d'autre choix à Victoria et à Vancouver (les deux équipes qui restaient) que de se joindre à la LHOC au début de la saison 1924-1925. La même année, la première équipe américaine de la LNH entamait sa première saison : il s'agissait des *Bruins* de Boston. Art Ross, qui s'était distingué comme joueur dans les équipes de Kenora, des *Wanderers* et des *Senators*, troqua ses épaulettes contre une chemise blanche et accepta le poste de directeur des *Bruins*. À Montréal, un groupe d'entreprises, dirigé par Jimmy Strachan, obtint une franchise et forma une nouvelle équipe : les *Maroons* de Montréal.

Les représentants de la LNH et de la LHOC à la finale de la coupe Stanley de 1925 s'étaient tous deux classés au troisième rang à l'issue du calendrier

WESTERN CHAMPIONS 1924-25

WORLD CHAMPIONS 1924-25

VICTORIA COUGARS

W.C.H.L. CUP

STANLEY CUP

régulier. Dans la LNH, le *Canadien* disputa le championnat à Toronto, deuxième du classement. L'équipe de première place, les *Tigers* de Hamilton, avait été suspendue par le président Frank Calder pour avoir organisé une grève à la fin de la saison, car les joueurs exigeaient d'être indemnisés pour l'augmentation du nombre de matchs de la saison régulière, qui passaient de 24 à 32. Howie Morentz marqua deux buts dans la première partie que le *Canadien* remporta 3 à 2. Montréal maintint son allure au deuxième match et obtint son laissez-passer pour la finale, l'emportant 2-0 grâce au blanchissage réalisé par Georges Vézina.

Dans l'Ouest, les *Cougars* de Victoria eurent raison de l'équipe de Saskatoon avec une marque totale de 6 à 4, et eurent ainsi le droit de disputer à Calgary, champion de la saison régulière, le titre de champion de la LHOC. Le premier match de la série de deux rencontres au total des buts se termina par un verdict nul de 1-1; Victoria gagna le second par blanchissage et obtint ainsi le droit d'accueillir le *Canadien* dans une série finale trois-de-cinq.

Les Cougars de Victoria de 1924-1925 furent la dernière équipe ne faisant pas partie de la LNH à remporter la coupe Stanley. Cette formation comprenait cinq futurs membres du Temple de la renommée, dont le directeur-entraîneur Lester Patrick, Frank Foyston et «Hap» Holmes.

(suite p. 67)

La grève de 1925

par Myer Siemiatycki

Le vrai coup de théâtre des séries éliminatoires de la coupe Stanley de 1925 eut lieu non pas sur la glace mais à l'extérieur de la patinoire. Pour la première fois dans l'histoire de la Ligue, une équipe entière se mit en grève; il s'agissait des *Tigers* de Hamilton qui avaient terminé en tête du classement. Les dix joueurs de l'équipe de Hamilton refusèrent de participer aux matchs d'après-saison sans recevoir de primes.

Peu d'événements survenus au cours de l'histoire de la LNH ne transformèrent autant la Ligue que cette grève des *Tigers* de Hamilton de 1925. Elle coûta sa franchise à Hamilton et empêcha l'équipe de participer aux éliminatoires de la coupe Stanley. Frank Calder, président de la LNH, disqualifia l'équipe rebelle; la formation des *Tigers* de Hamilton de 1925 est sans doute l'une des meilleures de la Ligue, mais elle ne remporta jamais la Coupe. Cette grève occasionna également l'expansion de la LNH aux États-Unis. En effet, elle joua un rôle-clé dans le fait que la LNH, petite et instable, se transforma en une puissante organisation du monde du hockey.

Les *Tigers* se joignirent à la LNH au début de la saison 1920-1921, lorsqu'un groupe de commerçants de Hamilton payèrent 5 000 $ la défunte franchise de Québec dont l'équipe, les *Athletics*, avait fait partie de la Ligue en 1919-1920. Du point de vue des vendeurs, cette transaction aurait pu paraître un vol.

Hamilton hérita d'une équipe de chiffes molles jouant dans une ligue vieille de deux ans et qui luttait pour survivre. L'édition 1919-1920 de l'équipe de Québec termina sa saison de 24 matchs avec une fiche de quatre victoires et une assistance pas beaucoup plus nombreuse. Encore une fois, la LNH semblait sur le point de s'effondrer, car les trois équipes restantes – Montréal, Toronto et Ottawa –, se maintenaient en vie de peine et de misère.

Entra alors en scène la compagnie *Abso-Pure Ice* de Hamilton. Cette entreprise avait accaparé le marché de presque tout ce qui avait affaire avec de la glace en ville, qu'il s'agisse de la livraison à domicile de produits réfrigérés ou de la construction d'une superbe patinoire dotée d'une glace artificielle et d'estrades pouvant accueillir 3 800 spectateurs. En principe, cette patinoire ne devait servir que pour le plaisir des patineurs, à qui l'on chargeait des droits d'entrée; mais on avait besoin d'autre chose pour remplir les gradins, même s'il ne s'agissait que d'une équipe de second ordre. *Abso-Pure* étendit donc son champ d'activités au domaine du hockey. Cette firme acheta la franchise de Québec, la transféra à Hamilton, la rebaptisa, puis confia la direction de l'équipe à Percy Thompson, qui devait rester, pendant des décennies, entraîneur et directeur du hockey professionnel et amateur de Hamilton.

Malheureusement, rien n'améliora la piètre performance de Hamilton sur la glace, ni le changement de décor ni les nouveaux joueurs. Les *Tigers* terminèrent bons derniers du classement de la LNH, qui ne comptait que quatre équipes pendant les quatre premières années. Durant leur meilleure saison, ils remportèrent neuf victoires en 24 matchs; ils ne constituaient pas vraiment une équipe, ils étaient plutôt une association de perdants.

Et pourtant, à leur cinquième saison, 1924-1925, les *Tigers* de Hamilton passèrent du rang de perdants patentés à celui de meneurs de la Ligue, terminant la saison régulière en tête du classement. Percy Thompson avait réussi l'exploit d'attirer à Hamilton quelques-uns des meilleurs joueurs amateurs du Canada, ce qui déclencha une tempête dans la LNH. Le rusé Thompson avait sillonné le pays pour réunir les futurs membres du Temple de la renommée et les faire jouer dans son équipe.

La récolte la plus riche de Thompson eut lieu à Sudbury, en Ontario. Comme le soulignait le journal local le *Star*, en pavanant : «Cette région est connue pour ses ressources naturelles, mais le nickel, le cuivre, l'or et l'argent sont d'une pâle insignifiance pour le monde des athlètes lorsqu'on les compare au produit que Sudbury a donné au marché du hockey.»

Au début des années 1920, les *Wolves* de Sudbury s'étaient hissés au premier plan sur la scène du hockey. Lorsqu'ils furent invités à disputer un match amical aux États-Unis, le journal de Pittsburgh – le *Dispatch* – fut très impressionné et écrivit : «L'équipe de Sudbury n'a pas fait mentir sa réputation d'être l'une des meilleures au Canada.» L'équipe des *Wolves* était formée des frères Shorty et Red Green, d'Alex McKinnon à l'attaque, et de Charlie Langlois à la défense.

Dès 1920, un titre du *Globe* de Toronto demandait : «Qui mettra la main sur les frères Green?» Shorty était un joueur intrépide, au caractère exubérant, tandis que Red possédait un don naturel pour marquer des buts. Curieusement, leur surnom n'allait pas avec leur personnalité. Shorty n'était pas petit et Red n'était pas roux. Red était tout simplement le diminutif de Redvers, et aucun des deux ne souffrait de diminution de talent.

Lorsque le directeur de l'équipe de Toronto de la LNH, Harvey Sproule, mit le cap vers le nord pour recruter Shorty Green, il fut pratiquement chassé de la ville. Comme on pouvait lire dans un article du *Telegram* de Toronto, Sproule sentit que sa visite ne fut pas appréciée. À l'époque, les équipes de hockey amateur représentaient la fierté des résidants de la région et elles étaient une source de profits pour leurs propriétaires. Avant l'arrivée de Percy Thompson, les joueurs-étoiles des *Wolves* de Sudbury étaient largement rémunérés à titre «d'employés» d'entreprises locales et ne voyaient aucune raison de devenir professionnels.

En 1923, les *Tigers* surprirent le monde du hockey en faisant signer aux frères Green un contrat de deux ans, avec un salaire deux fois plus élevé que celui qu'on accordait aux meilleurs joueurs. King Clancy, par exemple, reçut des *Senators* d'Ottawa la somme royale de 1 500 $ pour la saison 1923-1924; cette même année, Shorty et Red Green gagnèrent chacun 3 000 $, et c'était leur première saison. Un an plus tard, Thompson retourna à Sudbury pour mettre la main sur McKinnon et Langlois. Quatre des dix joueurs de l'édition 1924-1925 des *Tigers* de Hamilton provenaient des *Wolves* de Sudbury.

Le président Calder fut particulièrement heureux de la chance que la Ligue avait eue d'embaucher un joueur de la réputation de Shorty Green. En félicitant Thompson de l'avoir mis sous contrat, Calder fit remarquer que «ce n'était certainement pas parce qu'il n'avait pas reçu d'offres que Green n'avait jamais joué dans la Ligue». Calder était loin de se douter que, l'année suivante, Thompson et Shorty deviendraient les principaux antagonistes dans la grève des *Tigers*.

Les deux autres grandes étoiles de l'équipe de Hamilton avaient fait leurs classes dans le hockey amateur de Toronto. Le gardien Jake Forbes inaugura dans le sport, sur deux plans au moins. Mesurant à peine 1,65 m, il fut le premier à prouver que la petite taille pouvait être avantageuse, à une époque où on recherchait les grands gardiens de but parce qu'ils couvraient une bonne partie du filet. De plus, Forbes fit preuve d'une détermi-

nation peu commune lorsqu'il se battit pour ce qu'il croyait mériter. Après avoir joué deux saisons avec les *St. Patricks* de Toronto dans la LNH, Forbes réchauffa le banc pendant toute la saison 1921-1922 après que la direction eut refusé sa demande salariale de 2 500 $. Déterminé à jouer selon ses conditions, il accepta l'offre de Thompson.

Le dernier élément de la combinaison gagnante des *Tigers* était aussi celui qui avait le plus d'allure. Le joueur de centre Billy Burch aurait pu devenir une star à Hollywood tant il paraissait bien et avait du charme. Un journal torontois écrivit un jour qu'il était, durant son séjour chez les amateurs, «un joueur adorable» alors que plus tard, durant sa carrière professionnelle, un quotidien

Après avoir dominé la ligue pour le plus grand nombre de défaites plusieurs années de suite, le gardien Vernon «Jake» Forbes rebondit pour se hisser au sommet de la LNH avec 19 victoires, en 1924-1925.

de New York le qualifia de «véritable cyclone sur patins». Percy Thompson s'aperçut que Billy Burch était exactement le joueur de centre qu'il lui fallait pour prendre place entre l'impitoyable Shorty Green à l'aile droite et le grand marqueur Red Green, à l'aile gauche.

Après quatre années creuses derrière eux, les *Tigers* de Hamilton étaient enfin prêts à faire des vagues dans la LNH. Après leur victoire de 5-3 contre les *Senators* d'Ottawa lors du premier match de la saison 1924-1925, le chroniqueur Paddy Jones sentit qu'il pouvait prédire sans risque que «les représentants de Hamilton ne seront plus des chiffes molles comme ils l'ont été durant les précédentes saisons». À une époque où les paris sur les événements sportifs étaient monnaie courante, Jones aurait été bien inspiré de suivre ses intuitions.

Il est intéressant de remarquer que le rajeunissement des *Tigers* ne constituait pas le seul événement marquant de la LNH cette saison-là. La Ligue elle-même avait subi une grande transformation avant le début de la saison 1924-1925 : deux nouvelles équipes s'étaient ajoutées. Ce sont ces changements qui devaient être à l'origine de la grève d'après-saison des *Tigers* de Hamilton. L'instabilité caractérisait la LNH depuis sa formation, en 1917. Au cours des sept premières années de la Ligue, plusieurs choses avaient nui à la LNH débutante : la faillite des équipes, les incendies détruisant les patinoires et la concurrence des ligues rivales. Au début des années 1920, l'idée de créer une nouvelle ligue professionnelle internationale, formée d'équipes canadiennes et américaines, en inquiétait plus d'un.

Les propriétaires de la LNH répliquèrent en élaborant eux-mêmes des plans d'expansion. Au début des années 1920, il était évident que les nouvelles frontières du hockey professionnel devaient s'élargir du côté des États-Unis. L'intérêt des amateurs prenait de l'ampleur, et on construisait d'immenses complexes sportifs dans nombre de villes américaines. On présentait habituellement du hockey dans ces complexes et le destin de la LNH était maintenant lié au fait qu'elle tirerait profit de la conjoncture; sinon, elle risquait de voir une autre ligue s'en charger. En 1922, la Ligue vendit des droits exclusifs à un entrepreneur de Montréal, Thomas Duggan, pour qu'il fonde deux équipes américaines, à New York et à Boston. Duggan devait agir à titre d'émissaire de la Ligue pour sélectionner les propriétaires désireux de se joindre à la LNH.

Duggan se révéla un extraordinaire vendeur, à la fois du sport et de la LNH. Il choisit d'abord Charles Adams, le magnat de l'épicerie de Boston et, en 1924-1925, l'équipe des *Bruins* de Boston fut la première des équipes américaines à se joindre à la LNH. La Ligue désespérait de pouvoir conquérir le plus grand des marchés, New York, et des retards dans la construction du Madison Square Garden empêchèrent la ville de se doter d'une patinoire adéquate. La seule consolation de la Ligue fut l'entrée en scène de la deuxième équipe de Montréal, les *Maroons*. Cette nouvelle équipe avait pour objectif d'attirer la population anglophone de la ville, car il était solidement établi que le *Canadien* incarnait le hockey francophone.

C'est à ce moment-là qu'on prit une décision qui s'avéra fatidique : les propriétaires de la LNH décidèrent qu'une ligue plus grosse devait avoir un calendrier plus long. Plus de parties signifiait plus de revenus, ce qui rendrait la LNH plus attrayante pour les propriétaires de nouvelles équipes. Chaque équipe jouerait maintenant six fois contre chacun de ses cinq adversaires, augmentant le nombre de rencontres de 24 à 32. Les séries de fin de saison furent également allongées. Auparavant, les deux premières équipes du classement se disputaient le titre de la Ligue dans une série de deux matchs au total des buts. Le gagnant de cette série jouait alors contre les meilleures équipes de l'Ouest du Canada. Maintenant, la LNH présentait ses éliminatoires en deux volets : une semi-finale entre les équipes de deuxième et troisième places dont le vainqueur jouerait en finale contre l'équipe de première place. De plus, la Ligue annonça que les profits des parties éliminatoires seraient divisés de façon équitable et exclusive entre les six propriétaires d'équipe. Contrairement à aujourd'hui, les joueurs ne recevaient aucune part.

Du point de vue des joueurs, ces changements signifiaient simplement qu'ils joueraient plus de matchs durant une saison plus longue, sans avoir la garantie d'obtenir de primes. Les joueurs de l'équipe de première place de la Ligue en 1924-1925, par exemple, joueraient pendant 17 semaines comparativement à 13 la saison d'avant. Que penseraient les joueurs professionnels d'une telle proposition?

Les *Tigers* de Hamilton terminèrent la saison régulière de 1924-1925 en tête du classement, devançant d'un point les *St. Patricks* de Toronto. Percy Thompson se révéla être un fin connaisseur en matière de hockey. Le capitaine de l'équipe, Shorty Green, et l'étincelant Billy Burch venaient de connaître la meilleure saison de leur carrière. À la mi-saison, après que Green eut marqué un but décrit par le *Herald* de Hamilton comme «le plus beau travail et le plus bel exemple de vivacité d'esprit

jamais vu sur la glace de Hamilton», le journal publia le titre suivant au-dessus de la photo de Shorty : «Trouvez son égal!» À la fin de la saison, les observateurs attentifs pensaient l'avoir trouvé. Billy Burch fut nommé second gagnant du tout nouveau trophée Hart remis au joueur le plus utile de la LNH.

En fait, c'est le puissant jeu d'équipe des *Tigers* qui constituait leur véritable force interne, comme de nombreux commentateurs le firent remarquer. À cette époque, les six joueurs d'une équipe restaient sur la glace durant presque toute la partie; c'était donc un grand atout que les quatre joueurs de Sudbury aient travaillé ensemble pendant des années et que Billy Burch et les frères Green se soient immédiatement liés d'une indéfectible amitié. Tommy Gorman, qui dirigeait les *Senators* d'Ottawa durant leur période de gloire des années 20, au cours de laquelle ils avaient conquis trois fois la coupe Stanley, commenta alors le jeu des *Tigers* en disant qu'il constituait une «magnifique machine à jouer au hockey». Gorman se rappellerait ses dires un an plus tard lorsqu'il fut engagé comme directeur de la nouvelle concession de New York. Mais ce fut P.J. Jones, chroniqueur de sports de Hamilton, qui rendit le mieux

Après avoir terminé derniers au classement général de la LNH quatre fois d'affilée, les Tigers de Hamilton renversèrent la situation en gagnant le championnat de la saison régulière de 1924-1925, avec 39 points.

l'essence de l'équipe lorsqu'il publia : «Ils ont tout ce qu'il faut – la vitesse, le jeu d'équipe et le courage. Leur générosité a été un facteur déterminant dans leur merveilleuse démonstration.»

Dès la fin de la saison régulière, le 9 mars 1925, cet esprit d'équipe se muta rapidement en solidarité et la grève débuta. Les frustrations de toutes sortes et le miroitement d'occasions uniques incitèrent les dix joueurs à lancer un ultimatum à Percy Thompson. S'ils ne recevaient pas chacun 200 $ supplémentaires, ils ne joueraient pas à la finale de la Ligue contre le gagnant de la série demi-finale *Canadien*-Toronto.

Les joueurs avaient certainement raison de croire qu'ils méritaient plus d'argent. Alors que la direction de l'équipe de Hamilton avait enregistré un bénéfice record, les joueurs n'avaient jamais travaillé si fort. Le prolongement de la saison obligeait les joueurs à se présenter au camp d'entraînement plus tôt que jamais et à disputer

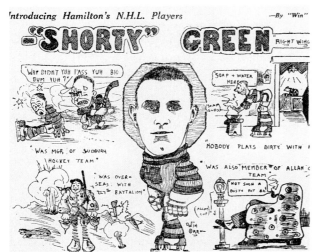

Introducing Hamilton's N.H.L. Players — By "Win"

Wilbur «Shorty» Green, qui possédait un immense talent, marqua 18 buts pour Hamilton en 1924-1925.

six matchs de plus durant la saison régulière; de plus, on s'attendait maintenant à ce qu'ils patientent une semaine complète, le temps que les demi-finales déterminent un gagnant. Ils auraient ensuite à jouer gratuitement deux autres parties éliminatoires. Et la situation ne s'améliora pas quand les propriétaires de Hamilton décidèrent de ne pas augmenter les salaires et de ne pas accorder de généreuses primes à Noël pour compenser le nombre accru de matchs, comme l'avaient fait les propriétaires des autres équipes.

Les joueurs de Hamilton reconnaissaient la portée de leurs menaces. Plusieurs d'entre eux déclarèrent qu'ils abandonneraient le hockey plutôt que d'être exploités. De toute évidence, les joueurs sentaient qu'ils avaient déclenché la grève au bon moment. D'une part, la Ligue hésiterait à annuler la finale et à renoncer aux revenus; d'autre part, les joueurs savaient que la LNH prévoyait prendre de l'expansion et qu'il se créerait probablement des ligues rivales. À cause de tout cela, ils sentaient qu'il y avait de l'avenir pour des joueurs professionnels de talent. Ceux-ci seraient très en demande, ce qui leur permettait de courir le risque de maintenir leurs positions.

Comme on pouvait s'y attendre, le fougueux Shorty Green devint le porte-parole des joueurs lorsque le conflit fut rendu public, le 11 mars 1925. Green avait informé les journalistes que les joueurs ne faisaient que suivre la logique des propriétaires, et il avait déclaré : «Le hockey professionnel est une entreprise lucrative. Les promoteurs sont en affaires pour en tirer profit et les joueurs ne feraient pas partie de cette entreprise s'ils ne voyaient

pas les choses de la même façon. Pourquoi donc nous demanderait-on de disputer deux parties simplement pour arrondir les finances de la Ligue?»

Le président de la Ligue, Frank Calder, riposta promptement en indiquant que, en vertu des contrats de la LNH, les joueurs devaient offrir leurs services du 1er décembre au 31 mars, peu importe le nombre de rencontres. Considérant que l'attitude des joueurs était un bris de contrat, Calder ordonna aux *Tigers* de revenir au jeu sous peine de suspensions et d'amendes imposées par la Ligue. Il craignait, disait-il, que toute décision moins sévère n'incite les joueurs rebelles à recommencer. Pire, Calder mentionna aux journalistes que s'il cédait ou même acceptait un compromis, les «énormes investissements en immobilisations, patinoires ou complexes sportifs des propriétaires seraient en danger; et cet investissement doit être protégé».

Des lignes de front furent tracées, mais aucune des parties ne broncha. Shorty Green et Frank Calder eurent une rencontre décisive au *Gardens* de Toronto, le 13 mars, au cours du dernier match de la demi-finale opposant Toronto au *Canadien*. À la fin de la soirée, deux équipes avaient été éliminées de la course à la coupe Stanley : Toronto, qui fut éliminée et Hamilton qui fut disqualifiée. Chaque joueur des *Tigers* fut suspendu de la LNH et reçut une amende de 200 $ après que Green eut informé Calder que ses coéquipiers ne bougeraient pas.

Calder songea à un plan destiné à sauver la finale en permettant à l'équipe de quatrième place, en l'occurrence les *Senators* d'Ottawa, d'affronter le *Canadien*, mais les railleries de la presse et la résistance du *Canadien* mit un terme au projet. À la place, Calder annonça, le vendredi 13 mars, qu'en raison d'une grève déclenchée par les *Tigers* de Hamilton, la finale de la LNH n'aurait pas lieu et que le *Canadien* s'en irait vers l'Ouest pour représenter la Ligue dans les séries de la coupe Stanley.

Le *Canadien* ne fut pas de taille contre les finalistes de la Ligue de hockey de l'Ouest canadien, les *Cougars* de Victoria. Comme Charles Coleman a résumé la série dans son livre *The Trail of the Stanley Cup* : «Les *Cougars* étaient beaucoup plus rapides que les joueurs du *Canadien* et finirent par les étourdir.» Les *Cougars*, dirigés par Lester Patrick et menés par les futurs membres du Temple de la renommée, les joueurs avant Frank Fredrickson et Jack Walker, battirent facilement le *Canadien* trois parties à une.

C'était la dernière fois qu'une équipe ne faisant pas partie de la LNH remportait la coupe Stanley; voilà peut-être l'ultime conséquence de la grève des *Tigers*. Victoria aurait sans doute eu beaucoup plus de mal à vaincre les *Tigers*. Mais il est plus important de noter que, à long terme, la grève des *Tigers* de Hamilton eut pour effet d'établir la suprématie incontestée de la LNH sur toutes les autres ligues du monde.

Suspendus pour leur grève de mars 1925, les dix membres des *Tigers* de Hamilton étaient de retour au jeu au début de la célèbre saison 1925-1926. À ce moment-là, les Green, Burch et compagnie avaient déménagé et faisaient partie des *Americans* de New York. L'équipe et les joueurs de Hamilton, jusqu'à leurs chandails rayés, furent vendus au plus célèbre bootlegger de New York, «Big Bill» Dwyer. Une équipe à New York était maintenant possible, car Thomas Duggan avait réussi à convaincre le promoteur Tex Rickard de faire installer une glace artificielle dans le nouveau Madison Square Garden contenant 18 000 sièges. De nombreux déplacements pour voir les matchs des *Tigers* au cours de leur dernière saison gagnante jouèrent un rôle dans la conversion de Rickard au hockey.

Une somme considérable était en jeu durant la première année d'existence de la LNH à New York. Rickard

En réaction aux augmentations salariales exigées par les joueurs de Hamilton, le président de la LNH, Frank Calder, disqualifia les Tigers des séries de la coupe Stanley.

comptait sur le hockey pour rentabiliser le Madison Square Garden. La LNH espérait faire bonne figure à New York, car elle tenait à éliminer définitivement les menaces de ligues concurrentes et à attirer d'autres villes américaines dans le circuit. Le fait de construire une patinoire et de choisir un propriétaire d'équipe constituait certes un bon pas, mais pour remplir les gradins, il fallait des joueurs. Et Tommy Gorman, le directeur nouvellement engagé de l'équipe, connaissait exactement ceux qu'il voulait.

Les *Americans* de New York entreprirent leur première saison en profitant de la bonne réputation que s'était faite la LNH l'année précédente. Dwyer versa 75 000 $ à Percy Thompson et au groupe *Abso-Pure* pour l'achat des joueurs et de l'équipe de Hamilton. Les propriétaires de Hamilton savaient bien que la LNH ne se contentait plus de petites patinoires. De plus, après la grève, les joueurs déclarèrent publiquement qu'ils ne joueraient plus pour les propriétaires de Hamilton. L'offre faite par New York était tout simplement trop bonne pour qu'ils la refusent.

Les propriétaires de Hamilton ne méritaient pas de pitié. Ils avaient réalisé d'énormes profits durant leur court séjour dans la LNH. Les joueurs devaient eux aussi obtenir compensation. Ils signèrent des contrats passablement meilleurs que ceux qui les avaient liés à leur ancienne équipe. Le salaire de Shorty Green bondit de 3 000 à 5 000 $. Billy Burch devait recevoir la meilleure offre; il signa un contrat de trois ans qui devait valoir entre 18 000 et 25 000 $, selon plusieurs sources. Originaire de Yonkers dans l'État de New York et récent gagnant du trophée Hart, Burch deviendrait le plus important élément commercial de New York où les promoteurs le hissèrent sur un piédestal. De grands panneaux d'affichage annonçaient : «Vous connaissez le Babe Ruth du baseball, venez maintenant découvrir le Babe Ruth du hockey.»

Cependant, avant que les *Americans* ne puissent sauter sur la patinoire, il fallait régler la question des amendes et des suspensions imposées aux joueurs en mars. Avant le début de la saison 1925-1926, le président Calder exigea que tous les joueurs des défunts *Tigers* de Hamilton demandent par écrit leur réadmission, expliquent les motifs de la grève et s'en excusent. Les lettres que Calder reçut le mirent en colère. Comme il en informa le directeur des *Americans*, Tommy Gorman, «la plupart de ces jeunes joueurs soutiennent qu'ils avaient raison de déclencher la grève».

Calder ne céda que lorsque les joueurs eurent transmis leurs excuses. Sans faute et sans regret, Calder indiqua aux joueurs que leur suspension ne serait pas levée. Cinq semaines plus tard, et après avoir reçu des douzaines de lettres, Calder obtint enfin les excuses et les promesses de bon comportement qu'il estimait nécessaires pour réintégrer les joueurs. Cependant, comme le souligna Calder à Gorman, cette réintégration devait être accompagnée d'une punition et de précautions. Gorman dut s'assurer que tous les joueurs payaient leur amende de 200 $; en outre, juste au cas où ils seraient tentés de récidiver, la Ligue exigea de Gorman qu'il prélève 300 $ sur le salaire de chacun de ses joueurs pour garantir leur bonne conduite. Les joueurs ne récupéreraient cet argent qu'à la fin de la saison, s'ils avaient disputé tous les matchs comme l'exigeaient leurs contrats.

La première saison des *Americans* de New York se révéla un franc succès aux guichets, mais une déception sur la glace. À cause des blessures, des mauvaises conditions de jeu et des tentations de Broadway, l'équipe finit en cinquième place. Mais les partisans accouraient pour

Billy Burch conquit le cœur des fans ainsi que le trophée Hart en 1924-1925, marquant 20 buts en 27 matchs. Bien qu'il connut une superbe carrière avec les Americans de New York, Boston et Chicago, il ne prit part qu'à deux matchs éliminatoires.

voir un sport dont les campagnes de promotion mettaient autant en évidence le côté violent du jeu que l'habileté technique des joueurs. Paul Gallico informa les lecteurs du *Daily News* que le hockey était une confrontation entre «des hommes portant un bâton aux mains et des couteaux aux pieds».

Les curieux accouraient pour voir les *Americans* de New York et l'autre nouvelle équipe qui fit son apparition dans la LNH en 1925-1926, les *Pirates* de Pittsburgh. L'année suivante, la LNH comptait trois équipes supplémentaires, à Chicago et à Détroit. Les succès financiers des *Americans* de New York convainquirent Tex Rickard qu'il ne devait pas se contenter de louer sa patinoire à une équipe de la LNH, mais qu'il devait lui-même posséder une équipe. Ainsi naquirent les *Rangers* de New York. À la même époque, la Ligue de hockey de l'Ouest du Canada se démantela, libérant des joueurs pour approvisionner les nouvelles équipes de la LNH. La LNH se transforma donc complètement dans un très court délai. En trois ans, la Ligue – qui ne comptait que quatre villes canadiennes – est devenue un circuit international regroupant dix villes et s'épanouissant dans quatre des plus grandes villes américaines. La LNH était maintenant dans une classe à part, et était associée au meilleur hockey professionnel.

Le point tournant de cette transformation fut amené par un groupe d'ex-grévistes de Hamilton, qui prouvèrent que le hockey et la LNH pouvaient se développer au-delà des frontières internationales. En 1925-1926, les *Americans* de New York attirèrent plus de spectateurs que n'importe quel groupe de quatre équipes faisant partie de l'autre circuit professionnel, la Ligue de hockey de l'Ouest du Canada.

Ce fut Shorty Green qui, fort à-propos, marqua le premier but au *Madison Square Garden*. Green et Burch furent plus tard intronisés au Temple de la renommée du hockey. Jusqu'à la fin de ses jours, Shorty Green restera convaincu que lui et ses coéquipiers des *Tigers* prirent la bonne décision l'année où la coupe Stanley se trouvait à leur portée. Trente ans après la grève, Green confia au reporter Milt Dunnel : «Je n'ai jamais regretté le rôle que j'ai joué dans la grève, même s'il m'a coûté l'occasion de gagner la coupe Stanley. Nous nous étions aperçu que le hockey se développait. Tout ce que nous demandions, c'était que les joueurs reçoivent une part des revenus. Je recommencerais demain, s'il le fallait.»

Les *Cougars* dominèrent la série, battant le *Canadien* en quatre parties. Victoria fut plus rapide et l'équipe bénéficiait de la puissance de frappe du défenseur Gordon Fraser, de l'ailier gauche Jack Walker et du centre Frank Fredrickson. Le gardien de Victoria, Harry «Hap» Holmes, obtint une moyenne de 1,60 en huit matchs d'après-saison.

Malgré la conquête de la coupe Stanley par Victoria, l'écart entre les ligues majeures de l'Est et de l'Ouest augmenta en 1926. Dans l'Ouest, l'équipe de Regina de la LHOC, qui connaissait des difficultés, fut transférée à Portland, dans l'Oregon et la ligue adopta un nouveau nom, la Ligue de hockey de l'Ouest (LHO). Entre temps, l'expansion de la LNH se poursuivait. La plupart des joueurs des *Tigers* de Hamilton se joignirent aux *Americans* de New York, équipe nouvellement formée. Un autre nouveau venu, les *Pirates* de Pittsburgh, vit le jour en 1925-1926, et le nombre de matchs de la saison régulière passa de 32 à 36.

Le *Canadien* et le *St. Patricks*, finalistes de la LNH de 1924-1925, occupaient le fond du classement la saison suivante. Ottawa finit en première place, suivie des *Maroons* de Montréal et des *Pirates* de Pittsburgh. Dans la série demi-finale de deux matchs au total des buts, les *Maroons* battirent les *Pirates* 6 à 4. Les deux buts du centre Bill Phillips à la deuxième rencontre firent la différence.

Les *Maroons* causèrent une surprise en éliminant les *Senators* par un pointage exceptionnellement bas dans la finale de la LNH. King Clancy et Punch

Les Shieks de Saskatoon de 1925-1926 présentaient plusieurs joueurs, comme Bill Cook, George Hainsworth et Léo Reise, qui devinrent des étoiles de la LNH. S'étant classés au deuxième rang de la LHOC, ils perdirent de peu un match éliminatoire aux mains des Cougars de Victoria de l'AHCP.

De fervents amateurs de hockey, à l'entrée d'une boutique d'équipement de sport de Victoria, s'apprêtent à acheter des billets pour la dernière série de la coupe Stanley à laquelle participait une équipe ne faisant pas partie de la LNH; il s'agissait de la finale de 1926 entre les Cougars et les Maroons de Montréal.

Broadbent marquèrent chacun un but lors de la première partie qui se termina 1-1. Albert «Babe» Seibert des *Maroons* marqua l'unique but de la deuxième rencontre, donnant la victoire à l'équipe montréalaise par la marque totale de 2-1.

Lors de la demi-finale de la LHO, l'équipe de troisième place, Victoria, élimina Saskatoon grâce à un but de Gordon Fraser après huit minutes de prolongation de la deuxième partie. En finale, les *Cougars* battirent Edmonton 5-3, grâce à Frank Foyston qui sauta sur la glace pour marquer un but dans chacun des deux matchs.

Les *Maroons* furent supérieurs aux *Cougars* lors des finales de la coupe Stanley de 1926. La série fut disputée au Forum de Montréal, dont la construction venait d'être terminée. L'excellente recrue des *Maroons*, Nels Stewart, meneur de la Ligue avec 42 points, se montra encore plus prometteur en marquant six buts contre Victoria. Une autre étoile de la série, le gardien de Montréal Clint Benedict, qui avait quitté les *Senators* pour se joindre aux *Maroons*, blanchit les *Cougars* dans les trois matchs gagnés par Montréal. Victoria ne remporta que le deuxième match de la série par la marque de 3 à 2.

La conquête de la coupe Stanley de 1926 mettait fin à un chapitre mouvementé de l'histoire du hockey. Elle marqua la fin des rivalités entre les ligues de l'Est et celles de l'Ouest puisque la LHO disparut après les éliminatoires de 1926. Étant donné la prééminence de la LNH, les défis provenant d'équipes ne faisant pas partie de la Ligue n'étaient plus qu'une simple formalité. La finale de la

Clint Benedict, le meilleur gardien de but de la LNH dans les débuts de la Ligue, gagna trois fois la coupe Stanley avec Ottawa avant de mener les Maroons vers leur premier titre en 1926, quand il enregistra quatre blanchissages en huit matchs éliminatoires.

coupe Stanley de 1926 devait être la dernière disputée entre deux villes canadiennes jusqu'en 1935, car la LNH, maintenant en possession de la Coupe, comptait de nombreuses équipes américaines.

De 1893 à 1926, les matchs de la coupe Stanley étaient passés de simples rencontres entre des équipes d'amateurs de l'Est du Canada à des séries de ligues majeures professionnelles que les fanatiques suivaient d'un bout à l'autre du pays. Une nouvelle expansion allait avoir lieu, et les sports professionnels aux États-Unis devaient bientôt obtenir une part d'un marché florissant.

La LNH s'empare de la Coupe

1927-1942

À partir de 1926-1927, de nombreux joueurs de l'AHCP et de son successeur, la Ligue de hockey de l'Ouest du Canada, se retrouvèrent dans les nouvelles équipes de la LNH. Les grandes villes du nord des États-Unis réclamaient des équipes de hockey des ligues majeures et la LNH se plia à leur désir en ajoutant trois nouvelles équipes : les *Black Hawks* de Chicago, les *Cougars* de Détroit et les *Rangers* de New York. La LNH comptait maintenant dix équipes avec des divisions canadienne et américaine.

Frank et Lester Patrick, qui détenaient toujours le contrat de nombreux joueurs de l'AHCP et de la LHO, conclurent plusieurs ententes visant à les envoyer dans l'Est joindre les rangs des équipes nouvelles ou déjà formées de la LNH. La nouvelle équipe de Détroit portant le même nom acquit des joueurs des défunts *Cougars* de Victoria, tandis que des membres des *Rosebuds* de Portland se joignirent aux *Black Hawks* de Chicago.

Au moins 30 des meilleurs joueurs de l'Ouest faisaient partie de la LNH en 1926-1927, dont Eddie Shore, Gordon «Duke» Keats, Perk Galbraith, Harry Oliver et Harry Meeking pour Boston; Dick Irvin, Mickey Mackay, George Hay, Charley «Rabbit» McVeigh, Percy Traub et Jim Riley pour Chicago; Frank Fredrickson, Frank Foyston, Clem Laughlin, Art Duncan, Jack Walker et Harold «Slim» Halderson pour Détroit; Art Gagné, Herb Gardiner, George Hainsworth et Amby Moran pour le *Canadien* de Montréal; Mervyn «Red» Dutton pour les *Maroons* de Montréal; Leo Reise, Laurie Scott et «Bullet» Joe Simpson pour les *Americans* de New York; les frères Bill et Bun Cook et Frank Boucher pour les *Rangers* de New York; Jack Adams pour Ottawa et Jack Arbour pour Pittsburgh. Ce fut certainement un choc culturel pour plusieurs de ces joueurs de l'Ouest qui, du jour au lendemain, furent tirés de leurs petites villes, comme Saskatoon et Portland, pour être plongés dans la vie des grands centres comme New York et Chicago.

C'était l'époque des années folles. Grâce à la radio, le tout nouveau moyen de communication, ces années constituaient la première grande époque du sport en Amérique du Nord. La LNH, sous la direction du président Frank Calder et de ses gouverneurs, était devenue un organisme sportif d'envergure interna-

Ci-contre : Milt Schmidt, le distingué centre du trio des Boches de Boston, passa 16 ans dans la LNH comme joueur, puis 13 autres années comme entraîneur et directeur général.

tionale, après avoir été un circuit aux conditions précaires. Elle était révolue l'époque où l'ANH fonctionnait au petit bonheur, où les joueurs changeaient d'équipe dès la fin d'un contrat et où les parties commençaient avec une heure de retard. De bien des façons, les origines de la LNH moderne peuvent être retracées jusqu'à la saison 1926-1927.

Même les éliminatoires de la coupe Stanley subirent une transformation radicale. Ce virage dérouta les vétérans, ceux qui avaient connu le temps des matchs-défis simples et désordonnés, le temps où une équipe jetait son gant par terre quand elle croyait pouvoir arracher la Coupe au détenteur. En 1926-1927 et 1927-1928, les trois premières équipes de chaque division à l'issue du calendrier régulier de 44 matchs se qualifiaient pour les éliminatoires. Dans chaque division, le gagnant d'une série de deux matchs au total des buts entre les équipes de deuxième et troisième places jouait une autre série de deux matchs au total des buts contre l'équipe de tête pour déterminer le champion de la division. Les gagnants de chacune des divisions disputaient ensuite une série trois-de-cinq pour l'obtention de la coupe Stanley.

Au cours de cette saison ponctuée de transformations, les *Senators* d'Ottawa remportèrent la Coupe. Les *Senators* avaient terminé au premier rang de la division canadienne, battant le *Canadien* 4-0 et annulant 1-1 pour remporter la série de deux matchs au total des buts.

Leurs adversaires dans cette finale, qui se révéla un moment marquant de l'histoire de la coupe Stanley, furent les *Bruins* de Boston qui, sous la direction d'Art Ross, s'étaient classés au deuxième rang de la division américaine. Dans leur première ronde éliminatoire, les *Bruins* s'imposèrent 6-1 devant Chicago, puis annulèrent 4-4, gagnant ainsi la série. Dans la finale de la division américaine, les *Bruins* réussirent à stopper les *Rangers* de New York, l'équipe de tête, et aucun but ne fut marqué au cours du premier match; Boston remporta 3 à 1 en deuxième rencontre, pour remporter une place en finale.

La finale trois-de-cinq qui suivit fut unique car elle prit fin après seulement quatre matchs, malgré le fait qu'Ottawa n'avait gagné que deux fois. Les deux autres parties s'étaient terminées par un verdict nul après vingt minutes de prolongation. En disant que les *Bruins* ne pourraient jamais rattraper Ottawa en un seul match, Frank Calder mit fin à la série pour éviter qu'on pense que la série s'était rendue à cinq matchs dans le but d'obtenir une recette supplémentaire.

Les tensions entre les équipes couvèrent pendant toute la série. Billy Couture, un défenseur de Boston qui avait déjà été suspendu lorsqu'il jouait pour le *Canadien* en 1923, fut banni de la LNH et dut payer 100 $ d'amende pour s'être attaqué aux arbitres Gerry LaFlamme et Billy Bell, le lendemain du dernier match de la série qu'Ottawa remporta 3-1.

Quatre autres joueurs, dont la sanction fut moins sévère que celle de Couture, écopèrent néanmoins d'une amende à la suite de cette sauvage rencontre. Hooley Smith d'Ottawa reçut une amende de 100 $ en plus d'être suspendu pendant le premier mois de la saison suivante pour avoir frappé l'ailier droit des Bostoniens peu de temps avant la fin de la rencontre. Lionel Hitchman, Jimmy «Sailor» Herberts de Boston et George «Buck» Boucher d'Ottawa écopèrent d'une amende de 50 $ chacun pour «jeu dangereux et intimidation» au cours de la partie. Les amendes, totalisant quelque 350 $, furent prélevées du salaire

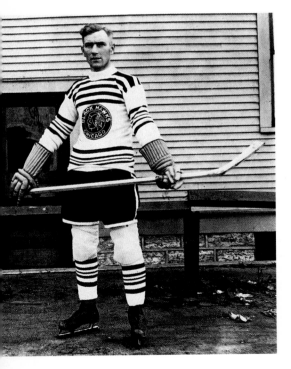

Dick Irvin, dernier champion marqueur de la LHO, se joignit à la LNH et termina en tête des marqueurs avec 18 buts en 1926-1927, à sa première saison avec Chicago.

des joueurs qui s'élevait à 1 200 $ pour chacun des *Senators* et à 800 $ pour les *Bruins*, et furent remises à des organismes de charité de Boston et d'Ottawa.

Si un doute persistait quant à savoir si le hockey intéressait les fans américains, il fut balayé par les 30 000 demandes de billets que reçurent les *Bruins* pour les finales.

Parmi les principaux joueurs de la série, on retrouve Jack Adams, King Clancy, Cy Denneny et Frank Nighbor qui, avec le borgne Alex Connell devant le filet, constituaient sans doute la meilleure formation d'Ottawa à gagner la coupe Stanley. Les *Bruins* étaient menés par Eddie Shore, ex cow-boy aux jambes arquées, qui avait entrepris une éclatante carrière de 15 années dans la LNH comme défenseur exceptionnel, et l'une des personnalités les plus colorées. Shore devait plus tard contribuer grandement aux conquêtes de la coupe Stanley par les *Bruins*, en 1929 et 1939. Le directeur Art Ross avait aussi réuni des joueurs de fin talent comme Lionel Hitchman, Frank Fredrickson, Sprague Cleghorn, Billy Boucher, Perk Galbraith, Jimmy Herberts, Bill Stuart, Harry Meeking et le gardien expérimenté Hal Winkler.

Les *Rangers* de New York, dont l'entraîneur et le directeur était maintenant Lester Patrick, étaient devenus une formidable machine et ils méritaient indéniablement leur participation aux séries de 1927-1928. Conn Smythe, qui avait précédé Patrick à la barre des *Rangers*, avait monté une équipe gagnante en obtenant, avant de quitter New York, Frank Boucher de Vancouver ainsi que Bill et Bun Cook des défunts *Shieks* de Saskatoon.

Mais la conquête de la coupe Stanley par l'équipe de New York ne se réalisa pas sans agitation ni querelle. La finale opposait les *Rangers* aux *Maroons* de Montréal; dans la dernière partie, le 14 avril, une dispute éclata. En troisième période, alors que la marque était de 2-1 en faveur des *Rangers*, Russ Oatman des *Maroons* marqua un but que l'arbitre Mike Rodden refusa en raison d'un hors-jeu. Les fans réussirent à se contenir jusqu'à la fin du match, remporté par les *Rangers*, grâce à deux buts marqués par Frank Boucher; les *Maroons* n'avaient pu en marquer qu'un seul, celui de Bill Phillips aidé de Babe Siebert.

La fin du match déclencha l'explosion. Rodden réussit à s'esquiver à l'extérieur de l'édifice par une porte de service, mais Frank Calder, que les fans avaient repéré, dut se replier rapidement en direction des bureaux de la patinoire pour se protéger de la foule qui s'avançait vers lui. Le chahut avait débuté lorsque quelqu'un dans la foule montra le président et cria qu'il était responsable d'avoir nommé Rodden à titre d'arbitre.

L'un des événements les plus spectaculaires de la LNH, qui eut lieu au cours du deuxième match de la finale, mit en évidence l'entraîneur-directeur de 44 ans des *Rangers*. Pour la seconde fois pendant son illustre carrière en séries éliminatoires, Lester Patrick, faute de mieux, remplaça le gardien de but lors d'un match de la série finale.

L'exploit de Patrick eut lieu en deuxième partie de la finale. Lorne Chabot, un jeune gardien exceptionnel qui ne rata les éliminatoires que deux fois en 11 ans, fut blessé à la quatrième minute de la deuxième période, lorsqu'un coup de revers de Nels Stewart l'atteignit directement à l'œil gauche. On le conduisit immédiatement à l'hôpital.

Frank «King» Clancy, prince héritier du hockey et l'un de ses meilleurs défenseurs. En 1930, il fut vendu aux Leafs par les Senators d'Ottawa pour 35 000 $, la somme la plus élevée jamais payée pour un joueur de hockey.

Joe qui?

En 1928, Joe Miller, gardien de but des *Americans* de New York, fut prêté aux *Rangers* pour le reste de la finale après que Lorne Chabot se soit blessé. Il aida les *Rangers* à remporter leur premier titre, n'accordant qu'un seul but au cours des deux matchs remportés par l'équipe de New York. C'était sa dernière participation aux séries de fin de saison.

Les *Rangers* n'avaient pas de gardien substitut en uniforme; aussi demandèrent-ils la permission d'utiliser le gardien d'Ottawa, Alex Connell, qui assistait au match. Toutefois, Eddie Gerard, le directeur des *Maroons*, refusa. New York demanda ensuite s'il pouvait faire jouer Hughie McCormick, un jeune gardien de la ligue mineure *Canadian Pro League* qui était originaire de London (Ontario), mais Gerard, qui avait conservé un gardien substitut durant toute la saison, restait inflexible, citant un règlement qui stipulait que seul un joueur lié à l'équipe par contrat pouvait remplacer le gardien de but.

Patrick, l'homme aux cheveux d'argent, s'en fut lui-même prendre la place de Chabot et ne laissa passer qu'un seul but pendant le reste de la partie, que les *Rangers* remportèrent 2-1 après sept minutes de prolongation. En tout, il fit face

Ci-dessus : dans la finale de la coupe Stanley de 1928, Lester Patrick garda le filet des Rangers pendant 43 minutes, sa plus longue présence devant le filet. Il avait déjà remplacé son gardien de but à l'occasion, lorsque celui-ci recevait une pénalité.

En 1928, Bill Cook (à gauche) et Frank Boucher menèrent les Rangers de New York vers la coupe Stanley, à la deuxième année d'existence de l'équipe.

à 18 tirs, et seul Stewart réussit à marquer en prenant un retour de lancer de son coéquipier Hooley Smith. Odie Cleghorn, le directeur de Pittsburgh, prit la relève de Patrick derrière le banc des *Rangers*.

Chabot ne put poursuivre la série et fut remplacé par Joe Miller, qui avait joué une partie de la saison avec les *Americans* de New York. Miller remplit bien son rôle; il ne laissa passer que trois buts en autant de rencontres, ce qui aida les *Rangers* à remporter la série trois-de-cinq. Miller encaissa aussi sa part de coups. Pendant la première période de la dernière partie, il trébucha sur un bâton qui traînait sur la glace et termina la rencontre avec deux yeux pochés et une sérieuse entaille au nez.

La LNH modifia la formule des séries éliminatoires pour 1928-1929. Selon les nouveaux règlements, les équipes de première, deuxième et troisième places de chacune des divisions joueraient l'une contre l'autre dans la première ronde des séries éliminatoires. Les deux équipes de première place se disputaient une série

Tiny Thompson fut brillant devant le filet de Boston, n'accordant que trois buts en cinq matchs, alors que les Bruins s'emparèrent de leur première coupe Stanley.

Même si les Bruins ne marquèrent que neuf buts durant les éliminatoires de 1929, ils gagnèrent cinq matchs consécutifs ainsi que leur premier titre. Le gardien de but substitut, Hal Winkler, est assis à droite (voir ci-dessous.)

Mention honorable

Le nom de Hal Winkler apparaît sur la coupe Stanley avec les *Bruins* de Boston de 1929, même s'il n'a pas joué pour l'équipe pendant cette saison. Winkler, qui menait la ligue en minutes de jeu et en blanchissages pendant la saison 1927-1928, a pris sa retraite avant la saison 1928-1929. Les *Bruins* l'ont honoré en inscrivant son nom sur la Coupe, comme «gardien de but suppléant».

trois-de-cinq, tandis que les autres étaient des séries de deux matchs au total des buts. Le gagnant des équipes de première place pouvait participer aux finales, tandis que les équipes de deuxième et troisième places devaient disputer une série deux-de-trois pour déterminer le représentant en finale. La finale fut réduite à une série deux-de-trois.

Boston, qui avait terminé au premier rang de la division américaine en 1928-1929, avait renforcé l'endroit le plus vulnérable sur la glace, le poste de gardien de but, en mettant sous contrat Cecil «Tiny» Thompson, qui avait joué à Duluth et Minneapolis, et qui devait donner dix années spectaculaires aux *Bruins*. Durant cette période, il gagna quatre fois le trophée Vézina, un record qu'il conserva jusqu'en 1949, lorsque Bill Durnan en gagna cinq avec le *Canadien*.

Les *Bruins* se débarrassèrent du *Canadien* en demi-finale, puis des *Rangers* dans une finale de cinq rencontres, soit le minimum nécessaire. Thompson inscrivit trois blanchissages et ne laissa passer que cinq buts. La série entre les *Bruins* et les *Rangers* fut la première finale entièrement américaine.

Entre temps à Montréal, la plus grande rivalité que la ville ait connue existait entre les *Maroons* et le *Canadien*. Elmer Ferguson du *Herald* de Montréal ressentait le pouls du hockey de Montréal lorsqu'il écrivit : «Le *Canadien* comptait sur le brillant Morenz tandis que Joliat et [Alfred] Pit Lépine gravissaient les échelons du succès... Les *Maroons* avaient formé une puissante machine; l'argent ne comptait pas.»

La direction des *Maroons* avait versé 22 500 $ pour acquérir Hooley Smith, 15 000 $ et 8 000 $ pour Dave Trottier et Dunc Munro, et avait garanti 17 000 $ en salaire et en primes à Jimmy Ward lors de la signature du contrat. On fit l'acquisition de Reg Noble pour 7 000 $ et on versa de grosses primes pour embaucher Nels Stewart et Babe Siebert. Les deux équipes étaient l'objet de vives passions; les Anglais encourageaient les *Maroons* et les Français, le *Canadien*.

Les *Maroons* firent tout ce qu'ils purent pour rester en vie. Le *Canadien* venait de gagner deux coupes Stanley de suite, en 1930 et 1931, et la popularité des *Maroons* en 1933 avait irrévocablement chuté et ne devait pas reprendre, même après une victoire de la Coupe par les *Maroons*, en 1935.

En 1930, les partisans des *Maroons* nourrirent un grand espoir quand leur équipe talonna le *Canadien* jusqu'à la fin, et remporta la première place de la division canadienne. Les deux équipes avaient obtenu 51 points au cours du calendrier régulier de 44 matchs, mais la tête du classement fut accordée aux *Maroons*, car ceux-ci avaient remporté 23 victoires, soit deux de plus que le *Canadien*.

Les *Maroons* perdirent contre les puissants *Bruins* de Boston pendant la première ronde des séries, après une défaite crève-cœur à la 45e minute de prolongation de la première partie. Boston était la meilleure équipe de la Ligue, finissant en première place de la division américaine avec une avance de 30 points sur Chicago. Le *Canadien* accéda à la finale contre les *Bruins* grâce à des victoires contre Chicago et contre les *Rangers* de New York.

Le *Canadien*, qui avait perdu quatre matchs de suite contre Boston en saison régulière, fit un suprême effort maintenant que la Coupe était en jeu, et remporta la série deux-de-trois par des marques de 3-0 et de 4-3. Sylvio Mantha marqua pour le *Canadien* dans les deux matchs de la finale.

Le *Canadien* s'imposa encore en 1931, mais cette fois les *Black Hawks* de Chicago lui donnèrent du fil à retordre en finale. Ils avaient terminé au deuxième rang, loin derrière les *Bruins*, dans la division américaine. La finale, maintenant devenue une série trois-de-cinq, s'étira au maximum; les *Black*

George Hainsworth (à droite), que l'on voit ici en compagnie du défenseur de Montréal, Sylvio Mantha, assura efficacement les arrières du Canadien durant ses victoires de la coupe Stanley, en 1930 et 1931. Il devançait tous les gardiens quant au nombre de minutes jouées, de victoires et de blanchissages.

Les Canadiens sont là! Ils avaient perdu trois matchs en prolongation durant les éliminatoires de 1931 – dont deux de suite contre Chicago dans la finale – mais le Canadien de Montréal était tout de même la première équipe à gagner deux coupes Stanley de suite depuis les Senators d'Ottawa, en 1920 et 1921.

Hawks gagnèrent les deuxième et troisième parties par des marques de 2-1 et 3-2, grâce à des buts marqués en prolongation par Johnny Gottselig et Cy Wentworth.

Le *Canadien*, pour sa part, remporta le premier match 2-1 et le quatrième 4-2, et s'empara de la série grâce à une victoire de 2-0 en cinquième partie. Howie Morenz marqua le dernier but de la série à 15 min 27 de la troisième période du cinquième match, son premier des séries de 1931.

Le *Canadien* avait entrepris la finale avec quatre joueurs blessés. Armand Mondou souffrait d'une fracture d'une côte; Albert «Battleship» Leduc, d'une légère commotion; Morenz, d'une vilaine entaille au visage; et Pit Lépine, d'une coupure à la main. Ils ne purent revenir tous au jeu qu'au troisième match de la série.

Il faut également mentionner, à propos des séries de 1931, ce qu'on appela la «manœuvre stupéfiante» exécutée par Art Ross pendant le second match de la demi-finale opposant le *Canadien* aux *Bruins*. Durant la dernière minute de jeu, Tiny Thompson remplaça son gardien de but par un attaquant supplémentaire afin de combler, en vain, un déficit de 1 à 0. C'était la première fois qu'un gardien était rappelé au banc durant les séries de la coupe Stanley.

En 1932, Toronto n'avait pas gagné de coupe Stanley depuis que l'ancienne équipe *St. Patricks*, sous la direction de Charlie Querrie et de l'entraîneur Eddie Powers, avait battu les *Millionaires* dix ans auparavant. En 1927, les *St. Pats* avaient été rebaptisés *Maple Leafs* au moment où l'équipe était achetée par un groupe à la direction duquel on trouvait Conn Smythe, l'ancien directeur des *Rangers* de New York.

À l'automne de 1929, Smythe entreprit industrieusement la construction d'un complexe sportif que son équipe pourrait utiliser. Plusieurs personnes

Aux côtés de ses coéquipiers Red Horner (à gauche) et Hap Day, King Clancy (au centre) se joignit aux Leafs, en 1930, et demeura un membre d'une valeur inestimable pour cette organisation durant la majeure partie des 56 années suivantes, agissant loyalement à titre de joueur, d'entraîneur, de dépisteur, de conseiller et d'ambassadeur dévoué. C'est en son honneur qu'a été créée la récompense de la LNH pour le sens du leadership et l'esprit communautaire.

perdirent espoir en raison du krach boursier de 1929, et Smythe dut solliciter de l'aide pour réaliser son rêve. Il rencontra alors J.P. Bickell, un mineur intéressé et aussi bon vendeur que lui, qui écouta sa proposition et téléphona ensuite à quelques amis pour leur apprendre la nouvelle suivante : «Vous venez d'acheter pour 10 000 $ d'actions de la *Maple Leaf Gardens Limited.*»

La stratégie utilisée par Smythe pour former une équipe de hockey fut tout aussi franche. Il obtint King Clancy des *Senators* d'Ottawa contre deux joueurs et contre la somme inouïe de 35 000 $. En 1931, il avait composé un jeune trio formé de Joe Primeau au centre, de Charlie Conacher à l'aile droite et de Harvey «Busher» Jackson à l'aile gauche. Il mit la main sur le gardien des *Rangers*, Lorne Chabot, et ajouta à son alignement le défenseur Reginald «Red» Horner ainsi que Clarence «Hap» Day, un pharmacien qui songeait à ouvrir un commerce avant d'être orienté vers le hockey par Smythe. Jackson, Conacher et Horner avaient tous joué pour les *Marlboroughs* de Toronto, champions juniors canadiens de 1928. L'entraîneur Dick Irvin, que les *Black Hawks* avaient congédié, fut rappelé de Regina pour remplacer Art Duncan, et les *Leafs* se lancèrent en affaires.

En 1932, Toronto termina derrière le *Canadien*, mais battit Chicago 6-2 puis les *Maroons* 4-3 dans deux séries au total des buts, avant de vaincre les *Rangers* en trois matchs par des marques de 6-4, 6-2 et 6-4. Ce fut la première fois qu'une équipe remportait la coupe Stanley en trois parties consécutives.

Les *Leafs* ne tirèrent de l'arrière qu'en une seule occasion au cours de la finale, soit pendant le deuxième match, lorsque Bun Cook et Doug Brennan donnèrent à New York une avance de 2 à 0 après une minute de jeu de la deuxième période. Les *Leafs* ripostèrent en marquant six buts de suite, un membre du trio des jeunes participant à chacun des buts.

Les Maple Leafs de 1931-1932 étaient la troisième formation torontoise à remporter la coupe Stanley.

Un fantôme du passé revint hanter Conn Smythe en 1933. En effet, Boucher et les frères Cook, qu'il avait embauchés du temps qu'il était directeur des *Rangers*, aidèrent New York à arracher la coupe Stanley des mains des *Leafs* au cours d'une série trois-de-cinq qui nécessita quatre rencontres. Le but de l'ailier droit, Bill Cook, lors de la prolongation du quatrième match, avait procuré aux *Rangers* une victoire de 1-0, de même que la Coupe. Deux joueurs de Toronto, Alex Levinsky et Bill Thoms, purgeaient une pénalité lorsque le maître artisan de trente-cinq ans marqua.

Cecil Dillon des *Rangers* se distinguait. Cet homme, de qui Patrick avait dit un jour qu'il ne connaissait pas de meilleur joueur, enregistra huit buts et deux passes, aidant les *Rangers* à gagner la Coupe. Trois de ses buts furent marqués contre les *Leafs*.

Pour les *Leafs*, la défaite contre les *Rangers* fut une déception, car cette année-là avait eu lieu, à Toronto, un match éliminatoire contre Boston qui prit fin vers deux heures du matin, lorsque le petit Ken Doraty des *Leafs* marqua le but qui rompit l'égalité.

Tous les amateurs de hockey de Toronto dignes de ce nom avaient veillé et écouté à la radio le plus long match jamais disputé à l'époque. Après 100 minutes de prolongation, les directeurs Conn Smythe et Art Ross demandèrent à Frank Calder d'interrompre la partie et de la faire reprendre le lendemain. Leur requête fut refusée.

Les *Bruins* suggérèrent de jouer à pile ou face. Smythe informa ses joueurs de cette proposition et ceux-ci acceptèrent. Cependant, au moment du lancement de la pièce, qui devait avoir lieu au centre de la patinoire, 14 539 fans pressèrent presque unanimement les *Leafs* de poursuivre la rencontre. Ce fut l'une des rares fois où l'on peut affirmer que les spectateurs firent gagner leur équipe. Calder avait suggéré aux équipes de retirer leur gardien de but afin d'accélérer la conclusion du match, mais cette proposition avait également été rejetée.

Un avantage de plus en supplémentaire

Bill Cook des *Rangers* est le seul joueur à avoir marqué un but gagnant en supériorité numérique en prolongation. Pendant la finale de 1933, Cook marqua le but de la victoire pendant que deux joueurs des *Leafs* purgeaient une pénalité.

GENERAL MOTORS HOCKEY BROADCASTS

"HE SHOOTS.....HE SCORES!" *(Storu under Pad.)*

Ken Doraty glisse la rondelle derrière Tiny Thompson à 4 min 46 de la sixième période supplémentaire, mettant fin au deuxième match le plus long de l'histoire de la LNH. Dix-huit heures plus tard, les Leafs se trouvaient à New York pour disputer, aux Rangers, la finale de la coupe Stanley de 1933.

Doraty reçut une passe d'Andy Blair qui avait intercepté le dégagement d'Eddie Shore, et marqua enfin à 164 minutes 46 secondes. Le record du plus long match ne fut battu que le 24 mars 1936, lorsque les *Red Wings* de Détroit battirent les *Maroons* à Montréal, lors d'un match de demi-finale dont le but gagnant fut marqué par Moderre «Mud» Bruneteau aidé de Hec Kilrea à 16 min 30 de la sixième période de prolongation, ou après 176 min 30 de jeu.

Cecil Dillon, qui marqua huit buts durant les éliminatoires de 1933, marqua le but gagnant lors du premier match de la série, que les Rangers remportèrent 4-1 contre les Maple Leafs.

La coupe Stanley de 1934 fut remportée par les *Black Hawks* de Chicago. Peut-être devrait-on dire qu'elle fut remportée par le gardien Charlie Gardiner… Les amateurs de Chicago n'oublieront jamais ce joueur combatif, originaire d'Edimbourg en Écosse, mesurant 1,7 m et pesant 70 kg, qui entreprit sa carrière à Winnipeg. Il se joignit aux *Hawks*, en 1927, et joua son premier match devant une foule de 9 000 spectateurs, dont Babe Ruth qui avait pris place derrière le banc des *Hawks*. Durant ses deux premières années dans la LNH, il garda les buts pour une équipe qui enregistra une fiche de treize victoires et dix matchs nuls en 88 rencontres.

Si Gardiner n'était pas décédé à l'âge de 29 ans, après avoir aidé les *Hawks* à remporter leur première coupe Stanley, il est fort probable qu'il aurait été classé comme l'un des meilleurs gardiens de but. Il obtint une fiche impressionnante durant les séries de 1934 qui se terminèrent par un duel contre Détroit. En huit matchs de la coupe Stanley, les *Black Hawks* perdirent seulement une partie et en annulèrent une autre. Gardiner signa deux blanchissages et afficha une moyenne de 1,32.

Les *Hawks*, qui n'avaient pas gagné un match à Détroit depuis le 2 février 1930, remportèrent le premier match de la finale en prolongation par la marque de 2-1. Et pour prouver que ce ne fut pas un coup de chance, ils revinrent à la charge deux jours plus tard, à l'Olympia, en gagnant un deuxième match de suite par la marque de 4-1.

Les Black Hawks de Chicago remportèrent leur première coupe Stanley en 1934, surtout grâce aux prouesses du gardien Charlie Gardiner.

Un capitaine-gardien de but champion

Charlie Gardiner, capitaine des *Black Hawks* de Chicago qui remportèrent la Coupe en 1934, est le seul gardien de but à avoir son nom gravé sur la coupe Stanley à titre de capitaine d'une équipe gagnante.

La série se transporta ensuite à Chicago. Devant 17 700 partisans, le solide trio formé de Larry Aurie, Herbie Lewis et Marty Barry sonna la charge et permit à Détroit de vaincre les *Hawks* 5 à 2.

Le match suivant, qui devait être le dernier de Gardiner, fut gagné 1 à 0 par les *Hawks*, après 30 minutes de prolongation. Le défenseur de Détroit, Ebbie Goodfellow, purgeait une pénalité lorsque Harold «Mush» March marqua le but gagnant après avoir reçu une passe d'Elwyn «Doc» Romnes.

Le lendemain, «Broadway» Roger Jenkins s'acquitta de sa dette envers son coéquipier Gardiner, et promena Gardiner en brouette dans tout le quartier Loop de Chicago.

Deux mois plus tard, le 13 juin, Gardiner mourait dans un hôpital de Winnipeg des suites d'une hémorragie cérébrale survenue trois jours plus tôt.

(suite p. 90)

La dernière saison de Charlie Gardiner – Un court hommage

par Antonia Chambers

Repose en paix

Lorsque Charlie Gardiner mourut dans un hôpital de Winnipeg en juin 1934, la Ligue nationale de hockey perdit l'une des figures les plus aimées du hockey. Partout où les *Black Hawks* passaient, on s'attendait toujours à voir beaucoup d'action et à entendre à tout moment d'astucieuses répliques si on était assis près du but de Chicago.

Pendant plus de trois saisons, Gardiner fut reconnu comme le meilleur gardien de but du hockey. Il avait une confiance illimitée en ses capacités de réagir plus rapidement que les meilleurs francs-tireurs, mais il n'effaça jamais son sourire communicatif ni ne cessa de faire des farces au sujet des arrêts qu'il venait d'effectuer.

Il faut souligner que même si son sourire venait du cœur, Chuck éprouvait une grande difficulté à paraître joyeux après une défaite car il détestait qu'un but soit marqué contre lui, même durant les pratiques de l'équipe. Dick Irvin mentionna souvent que, durant les séances d'entraînement, il travaillait si fort pour arrêter ses coéquipiers que plusieurs d'entre eux, qui avaient un caractère soupe au lait, étaient passablement agacés par l'Écossais rusé. Né à Edimbourg, Gardiner vint au Canada à l'âge de sept ans.

Par une ironie du sort, Gardiner ne put jamais savourer le fruit des longs efforts qu'il avait déployés pour remporter les plus grands honneurs du hockey… Une place lui sera certainement réservée au Temple de la renommée du hockey, aux côtés de son glorieux prédécesseur, Georges Vézina, à l'instar duquel il se consacra entière-

ment au sport qu'il aimait. Tous ceux qui le connurent chériront la mémoire de celui dont les qualités personnelles étaient aussi exceptionnelles que son talent au hockey. Alors Charlie, repose en paix, pour reprendre une expression aussi reconnue que l'était ton talent pour le hockey.

– Nécrologie de Charlie Gardiner
tirée d'un album d'Ace Bailey

Howie Morenz l'appelait : «L'homme que j'avais le plus de difficulté à battre.»

«Le connaître, c'était avoir une relation avec quelqu'un qui défendait tout ce qui était idéal dans le sport», écrivit le *Montreal Star*.

«C'était un homme authentique», dit Eddie Shore. Ils parlaient tous de Charlie Gardiner, ce gardien de but mesurant 1,68 m et pesant 67 kg, qui joua pour les *Black Hawks* de Chicago de 1927 à 1934. Deux fois gagnant du trophée Vézina et nommé quatre fois pour participer au match des étoiles, il inscrivit 42 victoires par blanchissage

Charlie Gardiner, vers 1931.

et afficha une moyenne de 2,02 en 316 parties du calendrier régulier. Durant les matchs de la coupe Stanley, sa moyenne atteignait à peine 1,61. Il fut un membre privilégié du Temple de la renommée du hockey.

Mais les statistiques, même si elles sont impressionnantes, ne donnent qu'un aperçu du talent de Gardiner et ne révèlent rien de sa personnalité. Le feu de la compétition brûlait en lui et il possédait une formidable joie de vivre. Il perdait rarement son sang-froid, et il reçut sa seule pénalité à la suite d'une prise de bec avec Eddie Shore. Ses coéquipiers appréciaient sa compagnie même s'il ne fumait ni ne buvait jamais. Il se consacrait à sa femme, Myrtle, et à son fils, Bobby. Il n'avait que faire des parieurs, et quand on lui offrait de l'argent pour perdre délibérément une partie, il se fâchait et racontait l'histoire à la police. Il s'occupait bien de ses fans, des jeunes comme des moins jeunes. Il était aimé des gens de sa région, aussi bien à Chicago qu'à sa résidence d'été à Winnipeg, ville où il apprit à jouer au hockey. Il donnait des ateliers sur le hockey et trouvait quand même du temps pour participer à des organisations de bienfaisance. C'était un athlète complet et il excellait au baseball, au golf, au tir aux pigeons et à la course en bateau automobile. Ses passe-temps comprenaient le chant, la photographie et l'aviation. Il avait aussi pensé ouvrir un commerce d'articles de sport après sa retraite du hockey.

En 1932-1933, Gardiner souffrit d'une amygdalite, une inflammation dont il ne réussit jamais à se débarrasser complètement. Malgré de nombreux séjours à l'hôpital, il ne rata pas un seul match. Son état se détériorait de façon constante et, en 1933, l'infection atteignit les reins. Sa dernière saison dans le hockey, 1933-1934, témoigna de son talent et de son grand courage. Il inscrivit dix blanchissages au cours de la saison régulière de 48 matchs, fut nommé au sein de la première équipe d'étoiles de la Ligue, et aida son équipe à gagner sa première coupe Stanley en dépit d'une maladie douloureuse et débilitante qui l'emporta le 13 juin 1934.

Voilà l'histoire de la dernière saison de Charlie Gardiner.

Le 6 novembre 1933, le major Frederic McLaughlin, propriétaire des *Black Hawks* de Chicago, annonça la nomination de Gardiner à titre de capitaine de l'équipe, honneurs et responsabilités peu souvent accordés à un gardien de but. «Il fut sélectionné à l'unanimité par les joueurs, rappelle Art Coulter. C'était un vrai joueur d'équipe. Largement apprécié. Une source d'inspiration. Le gars méritait le chandail de capitaine.»

Après la visite sur la glace du major McLaughlin venu féliciter Gardiner pour ses nouvelles responsabilités, il fit une déclaration qui coupa le souffle aux personnes présentes, et que les médias tournèrent en dérision au cours des jours suivants : «Je m'apprête à faire une prédiction comme je n'en ai jamais fait au début de la saison. Je vous garantis que notre équipe amènera la coupe Stanley à Chicago pour la première fois.»

La saison 1933-1934 commença par un camp d'entraînement de 23 jours tenu à l'Université de l'Illinois. Tous les jours, les *Black Hawks* passaient deux heures et demie sur la glace, s'entraînaient à l'extérieur de la patinoire et faisaient du jogging; ceux qui avaient des livres en trop allaient les perdre dans la salle d'entraînement des joueurs. Après ces épreuves, tous les joueurs avaient atteint leur poids idéal, à l'exception de Clarence «Taffy» Abel, le plus gros joueur de la LNH, qui pesait 119 kg.

La saison des *Black Hawks* débuta le 9 novembre 1933 par un match nul de 2-2 contre les *Americans* de New York. Déjà en ce début de campagne, on commençait à dire que les *Black Hawks* reprendraient là où ils avaient terminé en 1932-1933, c'est-à-dire en dernière place. Mais après la victoire des *Hawks* contre les *Rangers*, les champions en titre, l'atmosphère se détendit à bord du train qui amenait les joueurs à Montréal.

Donnie McFadyen et Mush March jouaient au gin rummy et, lorsque March perdit, son «Toi mon grand chanceux!» retentit dans le wagon tout entier. Et au moment où il fit semblant de frapper McFadyen, tous ceux qui l'entouraient éclatèrent de rire. Johnny Gottselig était assis en face de Rosie «Lolo» Couture, fumant une cigarette et racontant des histoires drôles. Assis deux sièges devant eux, Lionel Conacher fumait tranquillement sa pipe en contemplant le paysage. Taffy Abel et Elwyn «Doc» Romnes disputaient une partie de cribbage très sérieuse. Gardiner était absorbé par son habituelle partie de dames et, après avoir vaincu son adversaire, se tourna vers le reporter John Carmichael. «Je ne le bats pas toujours, plaisanta Gardiner, je ne suis pas très bon aux dames.» L'un de ses coéquipiers beugla «Écoutez-le, écoutez-le» sous les rires du groupe.

Les *Hawks* connurent du succès sur la glace, se maintenant près de la tête du classement pendant presque toute la première partie de la saison. «Depuis sa promotion à titre de capitaine, Gardiner est la bougie d'allumage de l'équipe, regroupant ses défenseurs dans les moments critiques et décidant de jeux à exécuter par les ailiers», remarqua le *Daily News*.

En décembre, une rivalité, qui avait pris naissance

entre les *Black Hawks* et les *Bruins* de Boston à la suite de quelques matchs serrés et violents, incita Lionel Conacher de Chicago à lancer un avertissement sur un ton provocant : «Écoutez, je ne cherche pas la bagarre, mais j'ai dit que tout joueur qui donnerait un coup de poing à l'un des *Black Hawks* recevrait le second de ma part, et cela tient toujours. Vous pouvez citer mes paroles.» Les *Maroons* de Montréal durent éprouver des remords après avoir envoyé le charismatique Conacher à Chicago; l'assistance aux matchs à Montréal diminuait et plus de 500 abonnements annuels furent résiliés.

Les *Black Hawks* s'en furent à Boston peu avant Noël se mesurer aux *Bruins*, privés des services d'Eddie Shore. Le défenseur étoile des *Bruins* avait été suspendu à la suite d'un incident qui s'était produit dix jours auparavant. L'ailier gauche des *Maple Leafs*, Ace Bailey, que Shore avait plaqué par derrière, fut admis dans un hôpital de Boston après avoir subi une fracture du crâne qui lui fit voir la mort de près. Le port obligatoire du casque protecteur fut suggéré, mais l'entraîneur de Chicago,

Tommy Gorman, n'appréciait pas tellement l'idée. «Nous ne croyons pas en leur utilité, dit-il, et à moins que la Ligue n'oblige à les porter, nous ne les utiliserons pas.»

Les *Black Hawks*, peu disposés à appuyer le port du casque protecteur, acceptèrent néanmoins une autre innovation : la création d'un comité de joueurs chargé d'aider l'entraîneur à prendre les décisions. Gardiner et Conacher furent choisis pour assister Gorman.

Les *Black Hawks* battirent les Bruins 3-1, le 23 décembre 1933, se hissant une nouvelle fois en tête du classement. Une victoire contre les *Americans* donna aux *Hawks* une avance de trois points sur les *Red Wings* de Détroit, mais ceux-ci s'étaient rapprochés à un point lorsque les *Black Hawks* retournèrent à Chicago pour y affronter Boston, le 11 janvier 1934.

On choisit Gardiner comme l'un des meilleurs gardiens de la Ligue, et ce titre fut confirmé lorsqu'il fut désigné pour participer au match de bienfaisance Ace Bailey, en 1934.

À peine 9 000 personnes se déplacèrent pour voir les *Bruins* toujours privés de Shore, mais ils durent recourir à la feuille de marque pour reconnaître les joueurs car ceux-ci portaient tous, pour la première fois, un casque de hockey en cuir conçu par le directeur Art Ross. Gardiner bloqua 45 tirs et personne ne marqua durant la partie. Au match suivant contre les *Americans*, Gardiner inscrivit son septième blanchissage de la saison avec une victoire de 4-0.

Lorsqu'il essaya de s'endormir dans sa couchette du wagon-lit cette nuit-là, Gardiner ressentit de vives douleurs qui descendaient de la tête vers les reins. Quand il se réveilla le lendemain matin, il ne voyait que des taches noires. Apeuré, il se rendormit. Lorsqu'il se réveilla de nouveau, il voyait normalement et la douleur s'était calmée.

Chicago perdit ses deux parties suivantes 6-5 et 5-0. Et Gardiner continuait de ressentir les effets de sa maladie. Il devenait étourdi chaque fois qu'il se déplaçait rapidement vers les côtés du filet et ressentait un élancement à la tête quand il plongeait sur la patinoire.

Le 20 janvier, les *Black Hawks* disputèrent contre les *Maple Leafs* une rude partie qui se solda par un verdict nul de 2 à 2. Lionel Conacher, qui avait la réputation d'être un robuste joueur de hockey et qui avait joué un rôle important lors du match contre les *Leafs*, fut plus tard intercepté dans le hall de l'hôtel par l'étoile de la boxe Kingfish Levinsky. Le boxeur, qui semblait jauger son interlocuteur, lui confia : «Je dois te revaloir ça pour ce soir. Tu es bon, tu tiendrais sûrement une ronde complète

Les habiletés de Lionel Conacher sur la glace étaient souvent cachées par ses autres capacités athlétiques, mais il joua un grand rôle dans la conquête du premier titre par Chicago.

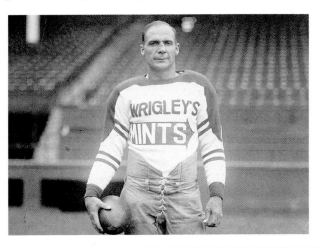

contre moi.» Le lendemain, en parlant du match, Conacher dit : «Ils allaient nous tabasser devant une foule de curieux locaux et s'en aller satisfaits. Je crois qu'ils en ont eu pour leur argent. Mais je n'aime pas ça, je hais ces combats. Je préférerais jouer au hockey.»

Vers la fin de janvier 1934, Gardiner récolta deux blanchissages de suite, contre Toronto et Ottawa. Il avait donc obtenu au cours de la saison au moins un blanchissage contre chacune des équipes, à l'exception du *Canadien*.

Charlie Gardiner fut choisi au sein d'une équipe d'étoiles de la LNH qui affronterait les *Maple Leafs* de Toronto dans un match amical qui devait rapporter près de 21 000 $ à Ace Bailey, obligé de prendre sa retraite à cause de blessures. Le jour du match, un reporter de Chicago demanda à plusieurs joueurs de l'équipe d'étoiles s'ils avaient l'intention de se la couler un peu plus douce. Gardiner répliqua :

> Les *Leafs* n'obtiendront pas un seul but ce soir si je réussis à les en empêcher. Ce match pourrait bien être la première représentation d'un spectacle annuel... et si j'étais le gardien ayant remporté la première rencontre, je garderais un sentiment de fierté jusqu'à la fin de mes jours. Ace Bailey ne jouera plus au hockey de sa vie, mais il a au moins obtenu la satisfaction d'occuper la tête du classement des marqueurs et de faire partie d'une équipe qui remporta la coupe Stanley. Mon ambition est de remporter ce dernier honneur.

Les gentilles paroles de Gardiner ne purent empêcher la rondelle de pénétrer dans son filet, et les *Leafs* remportèrent le match inaugural des étoiles par la marque de 7-3.

Gardiner mit à profit les trois jours entre le match des étoiles et la prochaine partie des *Black Hawks* pour organiser un atelier de hockey avec quelques autres joueurs, ainsi que pour dessiner et commander un nouvel équipement de gardien de but conçu pour lui.

La page couverture de l'édition de février 1934 du magazine *North American* représentait un petit garçon vêtu d'un rudimentaire équipement de gardien de but, posté devant un «filet» composé de deux branches et d'un bout de ficelle et se prenant pour Charlie Gardiner. Cette photo témoignait de l'immense popularité de Gardiner.

Dans le train à destination de Chicago, les joueurs entreprirent une discussion animée concernant le coût d'un équipement complet de hockey. Gardiner, qui après tout était marchand en gros d'équipement de sport entre deux saisons, sortit son crayon et griffonna la liste suivante :

Patins	27,50 $
Chaussettes	2,00 $
Culotte	6,00 $
Chandail	7,50 $
Épaulettes	5,00 $
Gants	10,00 $
Protège-coudes	3,50 $
Bâton	2,00 $
Divers	5,00 $
TOTAL	68,50 $

Les *Black Hawks* finirent le mois de février sur une mauvaise note, encaissant trois revers et annulant 0-0 (le dixième blanchissage de Gardiner). Ils perdirent encore leur première partie en mars et chutèrent en troisième place. Ils jouèrent ensuite contre Détroit, meneur de la division, et perdirent 3 à 0. Une atmosphère de frustration s'établit dans le vestiaire de l'équipe. Un des joueurs apostropha un reporter : «Pouvez-vous me dire pourquoi nous sommes incapables d'écraser ces gars-là?» Paul Thompson prit une longue bouffée de sa cigarette et souffla la fumée avec mélancolie en murmurant, «C'est pas l'enfer, ça?»

La maladie de Gardiner se réveilla durant la défaite de 6-2 des *Black Hawks* aux mains des *Maroons*, le 13 mars. À trois points derrière les *Rangers*, Chicago ne semblait plus pouvoir espérer terminer au deuxième rang puisqu'il ne restait plus que deux matchs en saison régulière, tous deux contre les *Leafs*, qui avaient dominé la Ligue en enfilant 171 buts en 42 rencontres.

Mais le talent et le leadership de Gardiner encouragèrent l'équipe qui gagna deux fois par les marques de 2-1 à Toronto et 3-2 à domicile. «Chaque fois, nous savions que l'adversaire nous dominait», dit l'entraîneur Tommy Gorman, «et chaque fois, Gardiner s'imposait un peu plus et tirait Chicago des difficultés». Dans un contexte où New York avait perdu deux fois, le sprint final de Chicago contribua à assurer à l'équipe une deuxième place dans la division américaine, un point devant New York.

Le 19 mars, le lendemain de la fin du calendrier régulier, Charlie Gardiner fut sélectionné à titre de gardien de but au sein de la première équipe d'étoiles de la LNH, 80 pour cent des chroniqueurs sportifs participants ayant voté pour lui; il fut aussi choisi au sein d'autres formations d'étoiles sélectionnées non pas par de simples journalistes, mais par les directeurs et les entraîneurs de la Ligue. Il gagna également pour la deuxième fois le trophée Vézina, avec une avance qui n'avait jamais été aussi forte depuis la première remise du trophée.

Harold «Mush» March, totalisant 17 années d'expérience dans la LNH, marqua à 10 min 05 de la deuxième période de prolongation dans le quatrième match de la finale de 1934, procurant à Charlie Gardiner sa seule victoire de la coupe Stanley.

La formule des éliminatoires dans les deux divisions de la LNH en 1933-1934 était fort différente de celle d'aujourd'hui. En première ronde, les deux équipes de deuxième place, en l'occurrence celles des *Black Hawks* et du *Canadien*, disputaient une série de deux matchs au total des buts, tout comme les deux équipes de troisième place. Les gagnants jouaient alors une troisième série de deux matchs au total des buts, et le vainqueur de cette série jouait une série trois-de-cinq contre la meilleure des deux équipes de première place — en l'occurrence celles de Toronto et de Détroit.

La première série de Chicago débuta le 22 mars au Forum de Montréal, contre le *Canadien*. Gardiner jouait malgré un sévère orgelet à l'œil droit. Montréal marqua deux buts au début du match, mais durant les 45 dernières minutes, Gardiner ne laissa rien rentrer, même si son œil droit était presque fermé par l'enflure. Les *Black Hawks* gagnèrent 3 à 2.

Dans le vestiaire des joueurs, le major McLaughlin, le propriétaire, était si excité qu'il avait peine à allumer sa cigarette. Tommy Gorman tournait dans la pièce en criant : «On les a eus ou on les a pas eus?» Gardiner, Johnny Gottselig et Lionel Conacher chantaient gaiement sous les douches; la voix de baryton de Gardiner se mêlait aux voix assez fausses de ses coéquipiers, ce qui amusait bien les autres. Tous les trois durent se dépêcher comme des fous pour sauter à temps dans le train de Chicago.

Les *Black Hawks* jouèrent au Chicago Stadium devant une foule de 17 000 fans, le dimanche 25 mars. Johnny Gagnon marqua un but en première période, donnant l'avance 1-0 au *Canadien* et égalisant les chances 3-3 au total des buts. Aucun autre but ne fut marqué en temps réglementaire. Au début de la première période de prolongation, les *Black Hawks* reçurent une pénalité majeure, et le *Canadien* put profiter d'un avantage numérique pendant cinq minutes. Gardiner fut solide et arrêta Aurel Joliat qui s'était échappé. Après la fin de la punition, Mush March déjoua le gardien de Montréal, Lorne Chabot, d'un tir à la hauteur de la taille pour donner la victoire 4-3 aux *Black Hawks* ainsi qu'un laissez-passer pour la demi-finale.

Quand les *Black Hawks* revinrent à Montréal pour y affronter les *Maroons* en demi-finale, Gardiner souffrait d'une violente fièvre mais tenta de dissimuler sa maladie. Les *Black Hawks* prirent rapidement l'avance 1-0 et Gardiner s'appliqua à conserver cette faible marge de sécurité, car Chicago ne marqua de nouveau qu'en troisième période, pour l'emporter 3 à 0. Le *Montreal Star* mentionna qu'il avait joué même s'il «souffrait le martyre» et qu'il passait les entractes étendu sur le dos aux côtés d'un médecin.

Au deuxième match, les *Black Hawks* frappèrent rapidement grâce à un but de Paul Thompson, 25 secondes après le début de la rencontre. Peu de temps après, Harold Starr, qui menait une attaque des *Maroons*, échoua dans le filet de Chicago; la lame de son patin coupa profondément Gardiner au front, juste au-dessus de l'œil droit. On le sortit de la patinoire et le consuisit au vestiaire, le visage couvert de sang. Un médecin referma l'entaille avec sept points de suture. Et dix minutes plus tard, il était de retour.

Petit à petit au cours de la rencontre, il finit par perdre son énergie, à cause de sa blessure, de son amygdalite et de la chaleur qui régnait dans l'enceinte. Avec une marque de 2 à 2 au début de la troisième période, Gardiner complètement vidé continuait de résister aux assauts des *Maroons*. Les *Black Hawks* gagnèrent 3-2 grâce à un but de Tommy Cook qui élimina les *Maroons*.

Le décor était en place pour un duel de finale entre Chicago et Détroit. Une partie dans une partie, opposant Gardiner et Wilf Cude de Détroit, deux amis d'enfance qui protégeaient le but chacun de leur côté. «Il habitait près de chez moi sur la rue William, à Winnipeg, et pendant des années, nous allions à l'école et en revenions ensemble», confia Gardiner.

Au premier match, les *Hawks* prirent l'avance à 17 min 50 de la période initiale, mais Détroit répliqua grâce à un but marqué en supériorité numérique, et une prolongation fut nécessaire. Thompson des *Black Hawks* mit fin au match en marquant après deux minutes du début de la deuxième période de prolongation.

La deuxième partie ressembla beaucoup à la première. Les *Black Hawks* marquèrent à 17 min 52, puis Détroit nivela la marque. Chicago reprit une avance d'un but à 1 min 28 de la troisième période; le but de Doc Romnes fut suivi quatre minutes plus tard par celui d'Art Coulter. Le but de Johnny Gottselig marqué en fin de match porta la marque à 4-1, et les *Hawks* remportèrent la partie.

Le soir de la troisième partie, Gardiner se traîna jusqu'au vestiaire. Quand il se pencha pour lacer ses patins, une vague de douleur l'envahit et le força à interrompre ses mouvements. Gorman l'avait remarqué et le désigna à Conacher : «Il est mal en point. Que devrait-on faire selon toi?» Gardiner, qui avait entendu, se mit debout avec difficulté et leur répondit : «Écoutez, je veux jouer. Laissez-moi jouer – pour la Coupe.»

Pendant environ cinq minutes, il put jouer normalement mais vers la fin de la période, Détroit prit une avance de 2-1. Il réussit tant bien que mal à empêcher les *Red Wings* de marquer en deuxième période, mais à mi-chemin en troisième période, il était vidé. Détroit gagna 5-2. Gardiner s'écroula sur un banc. Lorsque ses coéquipiers aux mines abattues se réunirent autour de lui, il se souleva sur un coude et leur dit : «Écoutez, tout ce que je veux, c'est un but à la prochaine partie. Juste un but, et je m'arrangerai avec l'autre équipe.»

Le 10 avril, Gardiner prit sa place devant le filet. Aucun but ne fut marqué en première période, mais au début de la deuxième, Herbie Lewis décocha un tir haut et puissant que Gardiner stoppa; à ce moment, une douleur fulgurante le transperça. Il attrapa la rondelle, mais il était si faible qu'il ne put la conserver. Lewis faillit la pousser au fond du but, mais il manqua son coup. Larry Aurie décocha un boulet de canon que Gardiner bloqua avec les jambières, faisant avec grand effort un arrêt qui aurait dû être facile. Les *Black Hawks* montèrent une fois de plus à l'attaque, mais Lewis intercepta la rondelle et se dirigea vers Gardiner qui fit l'arrêt au moment où prenait fin la deuxième période.

Au début de la troisième période, Gardiner souffrait presque constamment, même quand il ne bougeait pas. Un puissant lancer de Cooney Weiland faillit glisser au-dessus du bâton de Gardiner, mais celui-ci recouvra la rondelle à temps pour l'empêcher de pénétrer dans le filet. Gord Pettinger intercepta une passe et lança sur le filet de Chicago. Gardiner se laissa tomber à genoux avec difficulté pour faire l'arrêt. Louis Trudel et Leroy Goldsworthy de Chicago se lancèrent en zone adverse, mais Pettinger et Ebbie Goodfellow des *Red Wings* contre-attaquèrent; Gardiner parvint à stopper l'attaque. Hap Emms de Détroit revint à la charge, mais Gardiner se jeta sur la glace pour faire l'arrêt. Goodfellow faillit passer le retour par-dessus le gardien épuisé, mais le défenseur des *Black Hawks* – Roger Jenkins – dégagea la rondelle au moment où la période de jeu réglementaire achevait.

Au début de la prolongation, Gardiner, épuisé, sourit, salua la foule et encouragea ses coéquipiers. Goodfellow effectua un tir vif vers lui, Weiland prit le retour de l'autre côté et lança de nouveau. Gardiner se remit à genoux pour faire l'arrêt. À mesure que les 20 minutes de prolongation s'écoulaient, il se battait non seulement pour arrêter les charges des attaquants de Détroit, mais aussi contre les poussées de douleur répétées. Chaque plongeon sur la patinoire, chaque mouvement brusque de son bâton le gênaient considérablement. Il ne souriait plus, il ne criait plus à ses coéquipiers. Mais il jouait toujours et, à la fin de la première période de prolongation, aucun but n'avait encore été marqué.

Le jeu reprit. Gardiner ressentait une vive douleur chaque fois qu'il effectuait un mouvement; pourtant, il ne laissait rien passer. Il était là, disputant un match de la coupe Stanley, gardant le but en deuxième période de prolongation par la seule force de sa motivation.

Un panneau du corps de la coupe Stanley, où est inscrit le nom des Black Hawks de Chicago de 1934. Le directeur Tommy Gorman, qui mena les Maroons de Montréal à la Coupe l'année suivante, est le seul entraîneur à avoir gagné le trophée deux fois d'affilée avec deux équipes différentes.

Enfin, à 10 minutes 5 secondes de la deuxième période de prolongation, un lancer de Mush March, décoché d'une distance de 12 mètres, trouva le fond du filet, donnant aux *Black Hawks* la victoire ainsi que leur première coupe Stanley. Gardiner, exultant de joie, lança son bâton en l'air, puis s'effondra pendant que ses coéquipiers venaient le féliciter.

Deux mois plus tard, à sa résidence de Winnipeg, Gardiner dit à son professeur de chant qu'il se sentait faible et qu'il désirait annuler sa leçon. Peu après, il perdit conscience. Il fut transporté rapidement à l'hôpital, mais les efforts déployés pour le ranimer restèrent vains. Ravagé par sa maladie, il eut une hémorragie cérébrale qui ne put être guérie malgré une opération d'urgence. L'étoile de 29 ans et le gardien de but gagnant de la coupe Stanley, Charlie Gardiner, était décédé.

La direction de l'équipe de hockey des Maroons de Montréal reçoit, du président de la LNH – Frank Calder – le trophée de plus en plus prestigieux.

En 1935, il devenait évident que les *Maroons* de Montréal disparaîtraient. Ils étaient en train de perdre la lutte visant à attirer les partisans au profit du *Canadien*, car Montréal n'était pas une ville assez grosse pour abriter deux équipes de la LNH. Les *Maroons* disparurent en 1938, mais, en 1935, ils tentèrent une dernière fois de regagner la faveur des spectateurs grâce à une victoire en finale contre les *Maple Leafs*, en trois matchs consécutifs, par les marques de 3-2, 3-1 et 4-1. C'était la première fois en dix ans que deux équipes canadiennes se disputaient la coupe Stanley. Un tel événement ne devait se reproduire qu'en 1947.

Les *Maroons* avaient pour directeur Tommy Gorman, qui avait gagné la coupe Stanley à Chicago l'année précédente. À cette époque, l'équipe était formée de solides joueurs comme Lionel Conacher – qui avait entrepris sa carrière avec les *Pirates* de Pittsburgh – , Cy Wentworth, Hector «Toe» Blake – qui plus tard connut la gloire avec le *Canadien* –, Jimmy Ward, Lawrence «Baldy» Northcott, Reginald «Hooley» Smith et Dave Trottier. Devant le filet, on trouvait Alex Connell, «le pompier oublié», qui avait été forcé de quitter son emploi à Ottawa deux ans plus tôt.

L'année 1936 marqua le début de la dynastie de Détroit comme l'une des puissances du hockey. Avec l'ancienne étoile de l'AHCP et de la LNH, Jack Adams occupant le poste de directeur et remplissant les fonctions d'entraîneur, Détroit ne manquerait pas de connaître la prospérité; de 1940 à 1950, Détroit ne rata les séries éliminatoires que deux fois.

Les *Maple Leafs*, qui jouèrent contre les *Red Wings* dans la finale de 1936, ne furent pas très avantagés par les séries précédentes. En effet, ils atteignirent la dernière ronde des séries beaucoup plus grâce au mauvais caractère d'Eddie Shore et à la langue bien pendue de King Clancy, que grâce à leur talent.

Le trophée Totem

Après leur défaite contre les *Red Wings* de Détroit lors des finales de 1936, les *Maple Leafs* de Toronto entreprirent avec les *Black Hawks* de Chicago une tournée de démonstration sur la côte du Pacifique. À Vancouver, ils battirent les *Black Hawks* en deux matchs consécutifs et gagnèrent un nouveau trophée impressionnant, le trophée Totem. Ce trophée, qui ressemble à un totem, fut redécouvert au cours des rénovations du Maple Leaf Gardens, en 1989.

L'événement se produisit lors de la demi-finale entre Toronto et Boston, une série de deux matchs au total des buts. Les *Bruins* avaient remporté la première partie 3-0 et semblaient s'acheminer vers la finale. Au cours du second match, cependant, Red Horner marqua un but au moment où il se tenait près de la zone réservée au gardien de but. Les *Bruins* protestèrent énergiquement, puis le malin Clancy s'approcha de Shore, qui n'avait jamais été reconnu pour sa nature placide, et lui souffla : «Mauvaise décision, Eddie. Vous vous faites avoir. Ne le laisse pas s'en tirer ainsi».

Sur ces mots, Shore se mit en colère et lança la rondelle à l'arbitre Odie Cleghorn qui fut atteint par derrière. Pour son geste, Shore reçut une punition de deux minutes mais, en se rendant au banc des pénalités, il ramassa la rondelle et la projeta dans la foule. Il écopa d'une punition de dix minutes pour mauvaise conduite. Il n'en fallait pas plus à Clancy pour donner le ton à ses coéquipiers. Toronto gagna le match 8-3 et remporta la série 8-6.

La finale fut jouée sans entourloupettes de ce genre. Les *Red Wings* entreprirent la série à domicile en battant les *Leafs* 3-1 et 9-4. Ceux-ci se maintinrent en vie à Toronto grâce à une victoire en prolongation de 4 à 3, mais cédèrent la Coupe à Détroit après avoir perdu 3-2 le dernier match.

Les séries éliminatoires de 1936-1937 produisirent de nombreuses blessures. Charlie Conacher des *Maple Leafs* et Toe Blake du *Canadien* eurent une fracture du poignet. Frank «Buzz» Boll de Toronto se fractura le bras tandis qu'Eddie Shore s'était blessé à la hanche. Quant aux *Red Wings*, ils atteignirent la finale contre les *Rangers* de New York sans les services de Larry Aurie, l'un des meilleurs marqueurs de la Ligue.

Toronto renforça son attaque au cours de l'été en obtenant Orland Kurtenbach des *Bruins*. Punch Imlach connut de difficiles négociations avec

Eddie Shore excellait à s'emparer de rondelles libres et à bloquer les tirs en se laissant tomber à genoux.

Earl Robinson, après sa meilleure saison, aida les Maroons à pénétrer dans le cercle des gagnants en 1935.

les défenseurs Bob Baun et Carl Brewer qui réclamaient plus d'argent. Baum finit par signer, mais Brewer annonça sa retraite. Les *Leafs* mirent aussi sous contrat l'attaquant Brian Conacher, qui fit son entrée chez les pros avec des antécédents impeccables. Son père, Lionel, et son oncle, Charlie, avaient été des étoiles de la LNH dans les années 1920 et 1930. Conacher, qui joua au sein de l'équipe nationale du Canada aux championnats mondiaux du TRH, exigea un contrat garantissant qu'il ne serait pas envoyé dans les ligues mineures. Imlach refusa carrément et Conacher joua toutes les parties de la saison 1965-1966, sauf deux, avec les défenseurs Doug Young et Orville Roulston, qui avaient subi tous les deux une fracture de la jambe. Le gardien Normie Smith se blessa au coude au cours du troisième match de la demi-finale, dans la victoire de Détroit contre le *Canadien*. Et même si Smith entreprit le premier match de la finale, c'est le gardien recrue Earl Robertson qui fut très fort le reste de la série. Ebbie Goodfellow, un défenseur de Détroit qui était solide comme le roc, rata la quatrième partie de la finale à cause de douleurs au genou.

Les *Rangers* formaient une équipe remarquable, avec Frank Boucher, les frères Neil et Mac Colville, Alex Shibicky, Lynn Patrick, Ivan «Ching» Johnson et d'autres membres de cette joyeuse compagnie qui visait haut. On comprend sans mal que le directeur Jack Adams s'excusa de ne pouvoir participer aux festivités prévues dans le vestiaire et disparut aussi sec après que les *Wings* eurent gagné la série et la coupe Stanley en cinq matchs, avec des marques de 1-5, 4-2, 0-1, 1-0 et 3-0. Marty Barry de Détroit fut le meilleur marqueur des éliminatoires, amassant quatre buts et sept passes, pour un total de onze points en dix parties.

En 1938, les joueurs des *Black Hawks* inscrivaient pour la seconde fois leurs noms sur les bandes argentées de la coupe Stanley – et pourtant, personne n'aurait parié sur eux au début de la saison. Si on se fie à leurs performances en

Les Red Wings de Détroit, champions de la coupe Stanley de 1936, dirigés par Jack Adams, comptaient sur Hec Kilrea, qui jouait avec Adams, quand les Senators d'Ottawa conquirent le titre, en 1927.

saison régulière, les *Hawks* dépassèrent toutes les espérances en atteignant la finale contre Toronto, et encore plus en la gagnant. Ce fut une série qui fit place à du jeu dur, à des cinglages, à des charges au bâton et à des bagarres entre les représentants des équipes.

Les *Hawks* finirent au troisième rang de la division américaine, avec une pauvre fiche de 14 victoires et de 9 nulles en 48 matchs, à 30 points de Boston, le meneur de la division. Ils éliminèrent le *Canadien* en première ronde grâce à un but de Paul Thompson à 11 min 49 de la prolongation du troisième match de la série. La formule des deux matchs au total des buts avait été remplacée par une série deux-de-trois en 1937. Les *Black Hawks* purent participer à la finale en battant les *Americans* de New York deux parties à une après avoir perdu la première. Cully Dahlstrom de Chicago marqua l'unique but de la deuxième rencontre, après treize minutes de jeu supplémentaire, ce qui remit les *Black Hawks* dans la série.

Les séries des *Leafs* furent plus faciles; ils n'eurent besoin que de trois matchs, dont deux en prolongation, pour balayer les *Bruins*. Le scénario de la finale Toronto-Chicago ressemble à celui d'un film mélodramatique.

Première partie, Toronto, le 5 avril : Mike Karakas, le gardien de Chicago, se blesse à un orteil. L'entraîneur de Chicago, Bill Stewart, veut faire appel à Dave Kerr des *Rangers*, mais le directeur de Toronto, Conn Smythe, refuse. Une recherche désespérée permet de dénicher Alfie Moore, des *Americans* de New York, qui avait été prêté à Pittsburgh. Il enfile son équipement au moment où on accepte de l'admettre, c'est-à-dire une demi-heure avant le début du match. Bill Stewart et Conn Smythe se permettent alors de se bousculer à l'extérieur du vestiaire. Résultat : Chicago 3 et Toronto 1. Moore fait un pied de nez face au banc de Toronto.

Deuxième partie, le 7 avril : le président de la LNH, Frank Calder, décide que Moore n'est pas admissible. Deux heures et demie avant le match, on retrouve dans une salle de cinéma Paul Goodman, des *Hawks*, que Stewart n'avait jamais vu de sa vie. Il occupera le poste de gardien de but. Résultat : Toronto 5 et Chicago 1.

Troisième partie, Chicago, le 10 avril : Karakas revient au jeu pour les *Hawks*, avec un patin muni d'un embout d'acier. Tout le monde pousse un soupir de soulagement. Doc Romnes brise l'égalité de 1-1 à 15 min 55 de la troisième période. Les *Leafs* prétendent alors que le tir a touché le poteau, mais l'arbitre Clarence Campbell, futur président de la LNH, en décide autrement. Résultat : Chicago 2 et Toronto 1. Une foule de 18 497 spectateurs en délire encourage les *Hawks*, hue les *Leafs* et applaudit Campbell.

Quatrième partie, Chicago, le 12 avril : les *Hawks* ouvrent la marque à 5 min 52 grâce à un but de Cully Dahlstrom; c'est la première fois que Chicago marque le but initial. Gord Drillon réplique peu après pour les *Leafs*. Carl Voss reçoit ensuite une passe de Johnny Gottselig, qui termine en tête des pointeurs des séries éliminatoires et, vers la fin de la deuxième période, redonne aux *Hawks* une avance qu'ils ne devaient pas perdre. Jack Shill marque le but d'assurance et Mush March cloue le cercueil. Résultat : Chicago 4 et Toronto 1. Les partisans des *Black Hawks*, qui n'en croient toujours pas leurs yeux, se lèvent au signal annonçant la fin du match pendant que les joueurs se félicitent.

Les premiers seront les derniers et vice-versa

Les *Red Wings* de Détroit, qui se classèrent au dernier rang de la division américaine en 1935, terminèrent en tête et gagnèrent la Coupe les deux années suivantes avant de retourner à la fin du classement avec la pire fiche de leur division, en 1938.

Herb Lewis of the Detroit Red Wings says: "I go for Camels in a big way!"

THE lightning-quick camera eye caught *Herb Lewis* (*above, left*) in this slashing set-to before the goal. Next split-second he scored! After the game (*right*), Herb said: "You bet I enjoy eating. And I'll give Camels credit for helping me enjoy my food. Smoking Camels with my meals and afterwards eases tension. Camels set me right! And they don't frazzle my nerves."

Camel smokers enjoy smoking to the full. It's Camels for an invigorating "lift" in energy. At mealtimes it's Camels again "for digestion's sake." Thanks to Camel's gentle aid, the flow of the important digestive fluids—*alkaline* digestive fluids—speeds up. A sense of well-being follows. So make it Camels—the live-long day.

Aujourd'hui, il serait surprenant de voir un athlète faire de la publicité pour le tabac, mais des appuis de ce genre étaient fréquents dans les années 1930. L'ailier gauche, Herbie Lewis, faisant équipe avec Marty Barry et Larry Aurie formaient le premier trio de Détroit en 1935-1936 et 1936-1937. Lewis et Aurie furent les deux meilleurs marqueurs des éliminatoires, en 1937.

Après cette partie, les joueurs de Chicago se ruèrent vers leur but, où Karakas s'était penché pour soulager son pied enflé. Le petit gardien fut assailli et traîné à l'extérieur de la patinoire. Bill Stewart se tenait derrière lui, accroché au cou de Mush March, et son crâne chauve scintillait sous les acclamations de 17 205 fans. Stewart, à sa première saison derrière le banc, devint le premier directeur né aux États-Unis à remporter la coupe Stanley, et son équipe, comptant huit Américains dans ses rangs, établit un nouveau record pour le nombre de joueurs américains de talent au sein d'une équipe championne. Résultat : Bill Stewart apprit que la gloire n'avait pas d'égal. Il fut congédié la saison suivante.

Pour la seconde fois dans l'histoire de la LNH, un conflit mondial avait lieu sans provoquer d'interruption au calendrier des matchs. Les hommes partirent à la guerre, les joueurs comme les employés haut placés, mais durant les années sombres de 1939 à 1945, pas une joute ne fut remise. Bien que de nombreux joueurs soient partis pour le service militaire, on réussissait à les remplacer pour assurer la continuité des matchs et l'épanouissement du jeu. Comme ce fut le cas durant la Première Guerre mondiale, plusieurs des meilleurs joueurs de la LNH, dont Syl Apps, Maurice Richard et Ted Kennedy, en profitèrent pour se distinguer.

Mais la carrière d'autres joueurs fut détruite, et la guerre perturba les systèmes des équipes-écoles et de dépistage qui mettaient à jour de nouveaux ta-

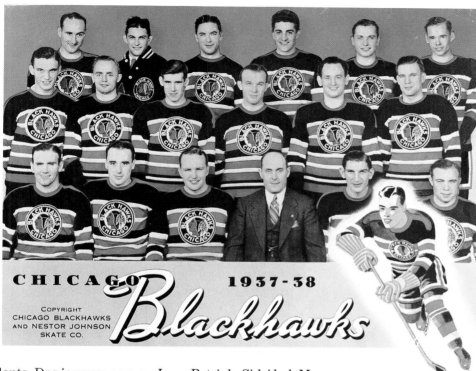

Les Black Hawks de Chicago, peu avant le début de la saison 1937-1938. À la fin de l'année, huit nouveaux joueurs s'étaient ajoutés à la formation, dont Carl Voss, un ancien gagnant du trophée Calder, qui joua pour huit équipes en huit ans.

lents. Des joueurs comme Lynn Patrick, Sid Abel, Max Bentley, Jim Conacher, Milt Schmidt, Woody Dumart, les frères Terry et Ken Reardon, Howie Meeker, dont la carrière de hockey arrivait à terme, – comme l'ont déclaré des médecins après sa blessure, – «Sugar Jim» Henry, Jack Stewart, Chuck Rayner, Bobby Bauer, Ken Mosdell, Jimmy Peters, Floyd Curry, Bill Juzda, Bob Goldham, Tony Leswick, Johnny Mariucci, Wally Stanowski et Harry Watson perdirent tous d'excellentes années de jeu.

De 1940 à 1946, lorsque le processus de reconstruction d'après-guerre débuta, la coupe voyagea régulièrement des États-Unis au Canada.

La LNH ne comptait plus qu'une seule division de sept équipes après le retrait des *Maroons* de Montréal, qui datait du début de la saison 1938-1939. La formule des éliminatoires fut modifiée. Selon cette nouvelle formule, les équipes de premier et deuxième rangs devaient jouer une série quatre-de-sept pour déterminer l'un des finalistes. Les équipes de troisième et quatrième places devaient se disputer une série deux-de-trois de même que celles de cinquième et sixième positions. Les gagnants de ces deux dernières séries jouaient ensuite une autre série deux-de-trois pour décider de la formation qui participerait à la finale. C'était la première fois que la formule quatre-de-sept, toujours en vigueur de nos jours, était employée dans une finale de la coupe Stanley.

Boston gagna la coupe en 1939, après avoir dominé haut la main durant la saison. Pendant les séries de la coupe Stanley, les *Bruins* durent jouer cinq matchs qui se terminèrent en prolongation, quatre en demi-finale contre les *Rangers* de New York et un contre Toronto en finale.

Ces séries appartiennent à Mel «Sudden-Death» Hill, qui revint hanter les *Rangers* de Lester Patrick après avoir été refusé par l'équipe new-yorkaise deux ans plus tôt. Pendant la saison, il fut l'un des plus anonymes ailiers droits aux

L'évolution de la Coupe

Au tout début, les joueurs avaient l'habitude d'inscrire leurs noms sur la Coupe en les gravant à l'aide d'un couteau ou de leur ongle. De 1890 à 1930, des bandes furent ajoutées au bas de la Coupe pour y inscrire les noms des équipes gagnantes et de leurs joueurs. Pendant tout ce temps, la Coupe n'a pas cessé de changer presque d'année en année. En 1939, la coupe Stanley prit la forme d'un long trophée en forme de cigare, et ce, jusqu'en 1948. Il fut ensuite reconstruit en deux parties, avec une large base en forme de baril et un bol et des bandes démontables. La Coupe moderne, en une seule pièce, fut introduite en 1958.

côtés du grand Bill Cowley; c'est plutôt dans les matchs d'après-saison qu'il se fit remarquer.

Ayant obtenu dix buts en 48 parties régulières, il en marqua trois en prolongation, battant les *Rangers* 2-1, 3-2 et 2-1. Les *Bruins* gagnèrent un autre match 4-1 tandis que les *Rangers* remportèrent deux victoires de 2-1 et 3-1. Dans le septième et dernier match de la demi-finale, son but après 48 minutes de prolongation permit au *Bruins* d'accéder à la finale.

Les *Bruins* et Hill, gonflés à bloc, maintinrent leur rythme et éliminèrent Toronto en cinq rencontres, perdant 3 à 2 le seul match de la série qui nécessita une prolongation. Toronto marqua deux de ses buts pendant que Hill purgeait une pénalité. Les *Bruins* gagnèrent 2-1, 3-1, 2-0 et 3-1. C'était la première fois que les partisans de Boston eurent l'occasion de voir l'équipe d'Art Ross remporter la coupe Stanley à domicile.

À ce moment, les *Bruins* avaient le vent en poupe. En 1935, Ross avait déniché un jeune de seize ans du nom de Milt Schmidt, qui devait se faire refuser par les *Leafs* en raison de sa minceur. Schmidt obtint la chance de sa vie lorsqu'il reçut, de Ross, une lettre l'invitant à participer au camp d'entraînement des *Bruins* à Saint-John, au Nouveau-Brunswick. La réponse de Schmidt fut d'un classique sans prétention. «Je vous remercie beaucoup de votre invitation, écrivit-il. Je participerai avec plaisir à votre camp d'entraînement et je commencerai dès maintenant à économiser de l'argent pour payer le transport.»

Schmidt refusa son premier contrat avec les pros parce qu'il estimait qu'à 17 ans, une autre année chez les juniors lui serait profitable. «Après tout, dit-il des années plus tard, j'avais à peine 17 ans. M. Ross me donna une paire de patins neufs, me recommanda de gagner du poids et de revenir l'année suivante.» C'est ce qu'il fit. Il se tailla une place au sein de l'équipe qui devait accueillir plus tard un de ses coéquipiers de Kitchener chez les juniors, puis un autre joueur originaire de Kitchener qui avait fait partie de l'équipe junior de London, Woodie

Les Bruins de Boston de 1939 et leurs amis se réunirent à l'occasion d'un repas, à la suite de la victoire en cinq matchs des Bruins contre Toronto, lors de la première série finale quatre-de-sept.

L'action défensive ne cessait jamais chez les Rangers de New York de 1940, grâce aux efforts de (de gauche à droite) Muzz Patrick, Art Coulter, Ott Heller et Babe Pratt.

Dumart. Tous les trois jouèrent une partie de la saison 1936 avec l'équipe-école de Boston, à Providence, avant de se joindre aux *Bruins*, en 1937.

Même à Providence, Schmidt ne savait pas très bien ce qu'il voulait faire. Lorsqu'il reçut son premier chèque des *Bruins*, à titre de membre de l'équipe de Providence, Schmidt l'envoya à sa mère avec un billet lui disant : «Veux-tu déposer ce chèque pour moi. Je vais en avoir besoin dans pas très longtemps parce que je ne ferai pas long feu dans cette ligue.»

Schmidt, Bauer et Dumart formaient le trio des Boches, l'une des combinaisons d'attaquants les meilleures et les plus colorées de l'histoire de la LNH. Le trio des Boches aida Boston à s'assurer de quatre championnats de la Ligue, de 1938 à 1941 inclusivement. Le premier championnat fut gagné au moment où il existait encore une division canadienne et une autre américaine, tandis que les autres furent remportés lorsque les sept équipes se furent regroupées, en 1938.

Ils firent deux fois partie de la formation qui remporta la coupe Stanley en une période de trois ans et, en 1940, ils perdirent la demi-finale aux mains de l'équipe de deuxième place, les *Rangers*, en six matchs.

En 1940, les *Rangers* de New York battirent Toronto au cours d'une finale âprement disputée qui nécessita la présentation de six matchs, dont trois en prolongation.

À cette époque, l'un des trios des *Leafs* était formé de Syl Apps au centre, de Bob Davidson à l'aile gauche et du rapide tireur Gord Drillon à l'aile droite. Les gros canons des *Rangers* étaient Phil Watson, Bryan Hextall et Wilfred «Dutch» Hiller, avec les frères Lynn et Muzz Patrick au centre et à la défense ainsi que Neil et Mac Colville et le fin marqueur Alex Shibicky.

Les *Rangers* gagnèrent deux fois à domicile, 2-1 en prolongation et 6-2; ils perdirent les deux matchs suivants, 2-1 et 3-0; et ils remportèrent la série grâce à deux victoires en prolongation de 2-1 et 3-2.

Milt Schmidt eut droit à une première participation au match des étoiles ainsi qu'au titre de champion des marqueurs avec 52 points en 48 matchs, en 1939-1940.

Les piliers des Bruins de Boston, gagnants de la coupe Stanley en 1941, réunis dans le vestiaire après une nouvelle victoire.
De gauche à droite : Terry Reardon, Herb Cain, Bobby Bauer, Woody Dumart et Flash Hollett.

Malgré leurs succès en 1940, les *Rangers* allaient bientôt connaître une période difficile. Reconnus pour former leur propres joueurs, il n'y avait, au sein des *Rangers* qui avaient remporté la coupe, que deux joueurs qui n'étaient pas passés par leur système : Dave Kerr et Art Coulter. Durant la guerre, leur système d'entraînement disparut et ne put reprendre avec la même efficacité avant le milieu des années 1950.

Les *Rangers* terminèrent en tête de la Ligue en 1942, mais durant les treize années suivantes, soit jusqu'en 1956, ils ne participèrent aux séries éliminatoires qu'en deux occasions, en 1948 et en 1950. Cette année-là, passant pour l'équipe Cendrillon sous la direction de Lynn Patrick, ils avaient été battus en finale par Détroit.

En 1940-1941, les *Bruins* devaient inscrire leur nom sur la Coupe pour la dernière fois avant 1970. Le trio formé de Schmidt, Bauer et Dumart, maintenant appelé le «Trio des jeunes de Kitchener» (Boche était un mot à éviter à l'époque), joua un rôle important dans la victoire de Boston avant de se joindre tous les trois ensemble aux Forces armées canadiennes. Ils furent de retour après la guerre, mais leur jeu n'atteignit jamais l'intensité d'antan. Bauer rompit le trio lorsqu'il prit sa retraite pour se lancer dans le commerce des patins, à Kitchener.

Les *Bruins* gagnèrent la Coupe en battant Détroit et en enregistrant le premier balayage en quatre matchs d'une série quatre-de-sept depuis la présentation de cette formule, en 1939. Schmidt, qui inscrivit trois buts et quatre passes en finale, fut le meilleur marqueur des séries éliminatoires avec cinq buts et six passes.

Huit ans après la finale de 1942, les chroniqueurs de sport canadiens proclamèrent cette série la remontée du demi-siècle. Les *Leafs*, perdant trois parties à zéro, revinrent de l'arrière et l'emportèrent.

Une belle rivalité était née entre les deux équipes après que les *Maple Leafs* eurent gagné deux séries demi-finales, en 1939 et 1940. C'est dans ce contexte que les deux équipes s'affrontèrent de nouveau dans la finale de 1942. Les *Wings* avaient eu raison des *Leafs* dans les trois premières rencontres.

Les experts, qui avaient favorisé Toronto, changèrent tous d'idée avant le début du troisième match et annoncèrent que les *Wings* étaient invincibles.

Personne ne crut Billy Taylor des *Leafs* quand il confia à un groupe de journalistes résignés de Toronto dans un hôtel de Détroit, la veille du quatrième match : «Ne vous-en faites pas pour nous. Nous gagnerons les quatre prochains.» Taylor ne pouvait avoir plus raison, lui qui avait été la mascotte des *Leafs* pendant son enfance. Avec une détermination presque incroyable, les *Leafs*, avec Don Metz et Ernie Dickens – deux inconnus qui firent pencher la balance de leur côté – remportèrent les quatre matchs suivants 4-3, 9-3, 3-0 et 3-1, le dernier match ayant été présenté à Toronto.

Les 16 218 partisans – la foule la plus nombreuse présente à un match de hockey au Canada – applaudirent soudainement à tout rompre la plus formidable remontée que le sport ait jamais connue.

Les Maple Leafs de Toronto de 1941-1942 possédaient une bonne puissance offensive. C'était la seule équipe de l'histoire de la LNH à pouvoir compter sur neuf marqueurs d'au moins dix buts.

(suite p. 109)

La plus belle remontée de tous les temps
par Stan Fischler

Ce qu'il y a de plus formidable à propos de la série «miraculeuse» de la coupe Stanley de 1942, c'est qu'il se passait beaucoup de choses fantastiques entre le 4 et le 18 avril de cette année, les plus grands événements retenant toujours plus l'attention. Mettons les choses au point dès le début. Le mot «miraculeux» fut trop souvent employé dans le monde du sport, presque autant que le mot fantastique. Mais dire que les *Maple Leafs* de Toronto de 1942 furent une équipe miraculeuse est une affirmation qui est presque en dessous de la vérité. Il faut s'imaginer être à la place de l'entraîneur Hap Day en l'occurrence : jamais dans l'histoire du sport professionnel une équipe de baseball, de football ou de basket-ball n'a été couronnée championne après avoir tiré de l'arrière par trois matchs dans une finale.

«Nous sommes uniques», dit le défenseur Wally Stanowski, l'un des héros de cette glorieuse remontée. «Personne ne peut faire une telle affirmation.» Et dans combien de séries de la coupe Stanley retrouve-t-on les éléments suivants?

- Une lettre d'une jeune fille de 14 ans fut l'inspiration des *Maple Leafs* désorientés après leurs trois défaites.
- Deux joueurs étoiles, l'excellent marqueur Gordie Drillon et le vétéran défenseur Wilfrid «Bucko» McDonald, réchauffèrent le banc et furent plutôt remplacés à leurs positions respectives par deux inconnus, Don Metz et Ernie Dickens.
- Le fondateur de l'équipe, Conn Smythe, fut pratiquement banni du vestiaire des *Leafs* pour le septième match.

- Sans tenir compte de l'interdiction d'entrer, Smythe pénétra deux fois dans le vestiaire pour prononcer des discours véhéments.
- Le directeur général des *Red Wings* de Détroit, Jack Adams, donna un coup de poing à l'arbitre et fut suspendu pour la durée de la série.
- Pendant le mandat d'Adams, les *Red Wings* mirent au point une stratégie entièrement nouvelle qui devait devenir la base du hockey moderne.
- Pour la première fois dans l'histoire de la LNH, une série fut fortement perturbée par la guerre mondiale.

Voilà quelques-uns des écarts de conduite causés par l'émotion qui porta à vif les nerfs des partisans des sept équipes du circuit, à une époque où de nombreux observateurs croyaient sincèrement que la saison 1941-1942 serait la dernière jusqu'à la fin de la guerre.

Les panzers nazis avaient semé la terreur partout en Europe lorsque la LNH tint ses assises annuelles à Toronto, le 12 septembre 1941. Moins de trois mois plus tard, les Japonais effectuèrent leur raid surprise sur la base navale américaine de Pearl Harbor, forçant l'Oncle Sam à entrer en guerre. Avant la fin de la saison, le superbe trio des Boches de Boston, formé de Milt Schmidt, de Woody Dumart et de Bobby Bauer, s'était enrôlé dans les Forces aériennes royales du Canada.

Le départ du trio des Boches, quoique noble, donna un dur coup aux *Bruins*, champions en titre. Au printemps de 1941, le trio Schmidt-Bauer-Dumart avait fortement aidé Boston à gagner les honneurs, dans une série préliminaire qui avait permis à l'équipe de disposer des *Leafs* quatre matchs contre trois. «Boston était excellent», confia Stanowski des *Leafs*, lui qui prit part aux sept matchs. «Mais nous n'étions pas mal non plus. Nous nous sommes classés au deuxième rang en 1940-1941, seulement cinq points derrière les *Bruins*. Et nous menions au septième match avant qu'ils nous rejoignent et nous battent (2-1) en fin de rencontre. Alors nous amorçons 1941-1942 dans d'assez bonnes conditions.»

C'est le moins qu'on puisse dire. Durant la saison morte, le directeur Conn Smythe conclut plusieurs habiles transactions dont les effets devaient se répercuter longtemps sur le moral des *Leafs,* en avril 1942. Il mit sous contrat le défenseur recrue Bob Goldham, qui allait devenir l'un des meilleurs joueurs pour bloquer les rondelles, de même qu'Ernie Dickens, un arrière à la barbe forte. Il acquit également de Winnipeg l'ailier droit Johnny McCreedy. «Nous avons tout ce qu'il nous faut», dit Smythe pendant que les *Leafs* se préparaient pour le match inaugural du 1er novembre 1941, au Maple Leaf Gardens. Ils perdirent 4-3 aux mains des *Rangers*, mais par la suite l'équipe de Smythe se déchaîna; le 22 novembre, elle avait remporté six victoires consécutives et le petit directeur crut pouvoir aller à la guerre la conscience tranquille.

Bien que Smythe fut âgé de 56 ans à l'époque, il n'eut absolument aucune hésitation avant de s'enrôler dans les Forces armées canadiennes. Bien au contraire, l'homme qui allait être connu comme le «petit major» était aussi chauvin qu'une affiche de l'armée pouvait l'être. Il avait déjà cette attitude durant la Première Guerre mondiale lorsqu'il s'était enrôlé dans la batterie des sportifs, et il n'était pas moins emballé maintenant, en 1941.

«Je croyais que si j'avais la possibilité de former ma propre batterie, de rechercher des recrues et de m'organiser, ils seraient forcés de m'envoyer outre-mer», mentionna Smythe dans son autobiographie intitulée *If You Can't Beat'em in the Alley*. Pendant que ses *Leafs* se préparaient à entreprendre le camp d'entraînement, la 30e batterie de Smythe fut formée, et celui-ci reçut les titres d'officier responsable et de major. Avec une prévoyance exceptionnelle, Smythe avait planifié sa commission d'officier jusqu'à permettre à Dick Irvin (pas assez fort, selon lui) d'accepter le poste d'entraîneur du *Canadien* de façon à pouvoir nommer son ancien défenseur, Clarence «Hap» Day, à la barre de l'équipe. «Hap était pour moi l'homme idéal, disait-il, car il accomplissait tout ce que je ne pouvais faire : congédier des joueurs ou les faire réchauffer le banc, utilisant toujours ce que ses joueurs sont en mesure de lui donner aujourd'hui au lieu de ce qu'ils ont réalisé il y a quelques années.»

Apparemment, le haut commandement qui devait former Smythe s'intéressait uniquement à ce que Conn pourrait faire demain, c'est-à-dire rien, pour lui. Avec une rapidité déconcertante, les directeurs du Maple Leaf Gardens, Ed Bickle et le colonel Bill MacBrien, ainsi que le sous-directeur, Frank Selke père, commencèrent à élaborer des plans pour transformer l'équipe à leur goût. Avant de quitter le Gardens pour la base militaire de Petawawa, en Ontario, Smythe leur gueula : «Bon Dieu, attendez-vous que les corps soient raides?»

Smythe ne se trouvait sans doute pas au Maple Leaf Gardens, mais son souvenir était présent, grâce à Day, le loyal assistant qui suivait au pied de la lettre toutes les directives que son patron avait suggérées. Comme coup de fouet supplémentaire, Smythe s'était débrouillé

Canny Conn Smythe était renommé pour son habileté à repérer des athlètes sur le terrain de football, sur le losange de baseball et dans les amphithéâtres de hockey. Son équipe, les Leafs, gagna cinq fois la coupe Stanley dans les années 1940.

pour obtenir l'excellent ailier droit Lorne Carr des *Americans de New York*, équipe de dernier rang qui venait d'adopter un nouveau nom pour la saison 1941-1942, les *Americans de Brooklin*, même s'ils continuaient à jouer au Madison Square Garden.

Lorsque la saison régulière tira à sa fin, les *Leafs* s'engagèrent avec les *Rangers* dans une chaude lutte pour la première place. New York termina en tête de justesse. Puissante équipe de deuxième rang, Toronto possédait une équipe bien équilibrée avec deux trios menaçants. L'attaque était formée du remarquable capitaine Syl Apps, étoile en athlétisme des jeux olympiques de 1936 et as du football collégial. Grand et élégant, Apps était le meilleur athlète canadien. C'était un patineur puissant, possédant un tir redoutable, et qui maniait la rondelle comme les meilleurs joueurs.

Apps, qui jouait au centre, était flanqué de l'ailier droit, Gordie Drillon, et de l'ailier gauche, Bob Davidson. Drillon se classait parmi les meilleurs francs-tireurs de la Ligue et Davidson excellait aussi bien en attaque qu'en défense.

Le deuxième trio était tout aussi puissant. Il comptait deux anciens joueurs des *Americans* de New York, Carr et Dave «Sweeney» Schriner; ce dernier était admiré, car il excellait dans les matchs importants.

Day jonglait avec son troisième trio. Il choisissait entre la recrue Johnny McCreedy, Pete Langelle, Hank Goldup et Nick Metz, l'un des meilleurs joueurs en désavantage numérique. Bien qu'on ne lui ait pas accordé beaucoup d'attention à l'époque, Don Metz, petit frère de Nick, faisait aussi partie de l'équipe. Peu de gens savaient ce que le substitut pouvait accomplir. «Mon frère Nick fait partie de l'organisation des *Leafs* depuis 1934», se rappelle Don. «C'était devenu un joueur régulier bien avant que je ne fasse mon entrée dans l'équipe. J'ai obtenu une première chance en 1939-1940, puis une seconde en 1940-1941. On estimait que je n'étais pas assez bon pour la saison 1941-1942, mais j'ai tout de même marqué deux buts et j'étais avec l'équipe à la fin de la saison.» Les *Leafs* terminèrent la saison 1941-1942 avec une fiche de 27 victoires, 18 revers et 3 matchs nuls, pour un total de 57 points, trois de moins que les *Rangers*. Turk Broda, qui s'était hissé au poste de premier gardien de but, avait devant lui une défense équilibrée. Bucko McDonald et Rudolph «Bingo» Kampman étaient de solides cogneurs à une époque où les mises en échec avec les hanches et la poitrine constituaient les remparts habituels des défenseurs.

«On ne peut pas dire que nous étions favoris pour gagner la coupe Stanley, car la dernière fois que Toronto l'a remportée remonte à 1932. Mais nous avons une équipe solide et nous serons mis à rude épreuve dans la première série contre New York.»

Les *Rangers* possédaient le trio le plus productif avec Lynn Patrick, Bryan Hextall et Phil Watson qui étaient responsables de 77 des 177 buts que New York avait marqués pour accéder au premier rang. Hextall remporta le championnat des marqueurs de la Ligue. L'équipe était bien équilibrée, du gardien de but Sugar Jim Henry's à la brigade défensive. Personne ne fut donc surpris de lire dans un journal de Toronto : «Les productifs *Rangers* sont favoris contre les gars de Hap.»

En un rien de temps, les *Leafs* démolirent les prévisions. Ils remportèrent les deux premiers matchs, perdirent le suivant et gagnèrent le quatrième, se donnant une confortable avance de trois parties à une. Les *Rangers* s'imposèrent 3-1 au cinquième match, forçant la tenue d'un sixième affrontement prévu, le 31 mars au Maple Leaf Gardens. Pendant un moment, on crut que les *Leafs* allaient écraser les *Rangers* ce soir-là. Johnny McCreedy marqua un but chanceux en première période, puis Pete Langelle déjoua Henry au début de la deuxième période. Broda fut invincible jusqu'au milieu du troisième engagement. Les *Leafs* baissèrent leur garde un instant et les *Rangers* tirèrent profit de ce relâchement pour égaliser la marque. Accomplissant

des exploits sous la pression, Broda réussit tout juste à empêcher les *Rangers* de prendre l'avance. La fin de la période approchait et tout indiquait que la marque resterait nulle. À moins d'une minute de la fin, Toronto prit possession de la rondelle. Il ne restait que 30 secondes de jeu et les *Leafs* devaient prendre une décision. Ils pouvaient jouer prudemment et garder la rondelle jusqu'au son de la cloche indiquant la fin de la période, ou ils pouvaient jouer le tout pour le tout et risquer de subir une contre-attaque des *Rangers*. La décision fut prise par Nick Metz, qui s'éloigna du filet de Toronto en conservant prudemment la rondelle sur son bâton.

Logiquement, Metz aurait dû revenir se placer derrière Broda pour réorganiser l'attaque parce que Apps était placé à droite et Drillon, à gauche, c'est-à-dire du mauvais côté. Pourtant, Metz s'avança, imperturbable, et traversa la zone défensive des *Rangers* avec seulement 15 secondes au tableau. Ses ailiers étaient de bons marqueurs et les défenseurs de New York s'en rendirent compte en se préparant pour le dernier effort de la période. À qui fera-t-il la passe, à Apps ou Drillon? Les *Rangers* reculèrent mais la passe ne vint jamais. Metz fit un rapide mouvement des poignets et, avant que Sugar Jim Henry ne réagisse, le filet avait bougé; il ne restait que six secondes avant la fin de la période.

Le tonnerre envahit le Maple Leaf Gardens. Metz, en joueur d'équipe consciencieux, regrettait son «erreur» et se dirigea vers le banc pour s'excuser. «Je sais, j'aurais dû faire la passe à Syl ou Gordie», dit-il à Day.

«Voilà des excuses que j'accepte sans me fâcher», répondit en riant Day, dont l'équipe venait d'obtenir une place en finale grâce au but de Nick Metz.

Les *Leafs* s'étaient attendus à rencontrer en finale les *Bruins*, champions en titre, mais il semble que les courageux *Red Wings* de Détroit se soient interposés. Équipe de cinquième place, les *Wings* prirent Montréal par surprise deux parties à une en quart-de-finale, puis disposèrent des *Bruins* en deux matchs consécutifs pour atteindre la finale. Toronto n'avait pas gagné la Coupe depuis dix ans. Cette année serait-elle la bonne? Le journaliste Ed Fitkin des *Maple Leafs*, tout comme les autres, se le demandait : «Personne ne peut le dire vraiment, dit Fitkin, trop souvent les *Leafs* ont semblé près de remporter le titre et ont déçu. Ils sont restés dix longues années sans gagner le fameux objet.»

À l'époque où les magnétoscopes n'existaient qu'en rêve, le dépistage en était à ses balbutiements. Pourtant, l'entraîneur des *Red Wings*, Jack Adams, détecta une faiblesse dans le jeu de pied du défenseur de Toronto,

Bucko McDonald, autrement solide sous tous les aspects; il était possible de le contourner en passant rapidement le long de la bande. Adams mit au point une tactique tout à fait nouvelle à cette époque où on transportait la rondelle ou effectuait une passe pour pénétrer en zone adverse. «Dans le premier match, dit Fitkin, Détroit nous a complètement déroutés. Au lieu de traverser la ligne bleue en possession du disque, de la façon habituelle, ils la poussaient derrière nos défenseurs puis patinaient aussi vite qu'ils le pouvaient pour la rattraper, ce qu'ils réussissaient souvent. Bucko, qui avait excellé tout au cours de la saison, et particulièrement contre les *Rangers*, fut fortement gêné par cette tactique.» Détroit, utilisant le système d'Adams à la perfection, remporta le premier match 3-2. Comme on pouvait s'y attendre, il régnait une atmosphère de jubilation et de confiance dans le vestiaire des *Red Wings*.

«Nous avons l'équipe qu'il faut pour battre les *Leafs*. Nous les vaincrons en six matchs.»

Le second match de la série fut pour ainsi dire le clone du premier. Don «Count» Grosso ouvrit de nouveau la marque pour Détroit et, comme il l'avait déjà fait, marqua un autre but. Seule la marque de 4-2 en faveur des *Wings* fut différente.

Les *Leafs* s'écroulaient sur tous les flancs comme un château de cartes. Le redoutable Broda, qui fut immortalisé à titre de gardien de but accompli dans les matchs difficiles, connut la pire partie de sa carrière en série de la coupe Stanley à la troisième rencontre. Malgré la perte de Sid Abels, qui s'était fracturé la mâchoire, les *Red Wings* déversèrent cinq rondelles derrière Broda et quittèrent l'Olympia Stadium avec une victoire de 5-2 sous les applaudissements de la foule en délire. «Nous avions touché le fond, se rappela McCreedy, la tactique consistant à rattraper les rondelles poussées dans le coin nous avait déboussolés.»

C'est le moins qu'on puisse dire.

De son avant-poste situé à Petawawa, le major Smythe, livide, était au téléphone avec Day. «Hap me dit qu'il avait l'intention de brasser l'équipe avant le quatrième match.» Mais comment? Day n'avait pas tellement de solutions. Il étudia sa liste de réservistes et évalua le rendement de ses vétérans. Drillon, son meilleur marqueur de la saison, n'avait pas obtenu un seul point en trois parties. McDonald se faisait constamment avoir à la ligne bleue. «Hap prit une décision audacieuse», dit Don Metz qui avait assisté en civil aux matchs depuis les estrades. «Il laissa Gordie et Bucko au banc. C'est à ce moment que j'ai appris que mon tour approchait.»

On avait l'impression que tout le haut commandement de Toronto mourait d'envie d'aider l'équipe, y compris le directeur du Maple Leaf Gardens, Bill MacBrien, qui eut recours à une ruse publicitaire digne d'un espion de la Deuxième Guerre mondiale.

Stanowski se rappelle que la première chose que fit MacBrien fut de «rencontrer tous les joueurs dans le vestiaire après la troisième défaite». Il dit : «Ne faites pas attention à ce que vous lirez dans les journaux demain.»

Évidemment, le lendemain, on pouvait lire dans les journaux : «Les *Maple Leafs* accepteront la défaite. Les joueurs de Détroit lirent aussi les articles et devinrent trop confiants. Ils étaient tous prêts à sabler le champagne.»

En plus de Don Metz, l'inexpérimenté Ernie Dickens fut ajouté à l'alignement, laissant deux recrues à la ligne bleue, Dickens et Bob Goldham. Pas surprenant qu'un titre de Détroit proclama les *Wings* «grands favoris pour porter le coup final».

La plus grosse foule jusque là, 13 694 spectateurs, assista au match, s'attendant à ce que Don Grosso et compagnie appliquent le coup de grâce. À ce moment, Day était disposé à remuer ciel et terre, y compris s'abaisser à larmoyer. Avant le match, il réunit ses troupes au vestiaire et leur lit la lettre qu'il avait reçue d'une partisane de 14 ans. Contrairement à la majorité des fans de Toronto, la jeune fille était persuadée que les *Leafs* pouvaient toujours se battre et sauver la série. Le laconique Day avait été ému par cette lettre et, lorsqu'il la lut, la conviction lui sortait par tous les pores de la peau. Le message toucha la corde sensible des joueurs, et Sweeney Schriner se leva et dit : «Ne t'en fais pas pour cette partie, Skipper, nous la gagnerons pour la jeune fille!» Billy «The Kid» Taylor ajouta : «Nous ne sommes pas encore morts.»

Le résultat à la moitié du match indiquait le contraire. Détroit détenait une avance de 2-0 grâce à des buts de Mud Bruneteau et Sid Abel. Les *Leafs* enfilèrent deux buts en fin de deuxième période, mais Détroit se redonna la priorité à 4 min 18 de la troisième période, grâce au but de Carl Liscombe.

«Nous tirions peut-être de l'arrière, mais il y avait des signes encourageants», remarqua Stanowski. Don Metz et Ernie Dickens s'adaptaient parfaitement, et Hap nous répétait sans cesse que nous ne devions gagner qu'une période à la fois».

Toronto gagna la troisième période avec un peu d'aide de Stanowski. Le défenseur de 22 ans, qui devait devenir un héros dans les éliminatoires, participa à la préparation du but égalisateur du Capitaine Apps à 6 min 15. Le prochain but de la rencontre devait être le but vainqueur.

Dans ses élans fantaisistes, Day avait pensé que le duo des deux frères Nick et Don Metz se marierait bien avec Apps. Il envoya ces trois joueurs sur la glace environ douze minutes après le début de la troisième période et, 45 secondes plus tard, Nick Metz avait battu le gardien des *Red Wings,* Johnny Mowers. Apps et Don Metz furent crédités d'une passe. À partir de ce moment, les *Leafs* enrayèrent la machine à marquer des buts de Détroit. Broda n'accorda plus de but et Toronto l'emporta 4-3.

L'avance de Détroit au début de la troisième période avait sans doute contribué à établir un état de contentement trompeur. La frustration de laisser s'échapper un avantage fut certainement perçue comme un présage des événements. Peu importe la raison, un incident survenu en fin de troisième période déclencha une explosion au banc de Détroit, qui devait avoir des répercussions sur le reste de la série. Cet incident devait aussi modifier le déroulement de la finale et permettre aux *Maple Leafs* de nager dans le sens du courant, après avoir essuyé la tempête pendant les trois premiers matchs.

Le soulèvement eut lieu à la toute fin de la rencontre; Toronto menait alors 4-3. L'arbitre Mel Harwood imposa au vétéran de Détroit, Eddie Wares, une punition pour inconduite. Furieux, Wares refusa de quitter la patinoire et se rendit plutôt au banc des joueurs ramasser une bouteille d'eau chaude. Il voulut la passer à Harwood, mais ce dernier, peu impressionné par ce geste curieux, lui

Les frères Metz – Nick (à gauche) et Don – participèrent à la fantastique remontée des Leafs, au cours de la finale de 1942.

donna en prime une amende de 50 $ et lui ordonna d'aller s'asseoir au banc des pénalités, ce que fit Wares. À la reprise du jeu, Harwood signala presque immédiatement une punition à Détroit pour avoir eu trop d'hommes sur la patinoire. L'Olympia gronda son désaccord, mais l'arbitre resta de marbre et demanda aux *Red Wings* d'envoyer un joueur au banc des pénalités. Grosso fut désigné. Il se dirigea vers le banc, y prit place, puis sortit soudainement et jeta ses gants et son bâton aux pieds de l'arbitre. Harwood lui infligea une amende de 25 $ et lui ordonna de retourner au banc. Grosso se plia aux ordres et le match put continuer jusqu'au gong final. Ce fut une victoire tumultueuse et imprévue des *Maple Leafs*.

Habituellement, il n'en fallait pas beaucoup pour démonter Jack Adams, mais la défaite et l'arbitrage de Harwood déclenchèrent une formidable réaction après la partie. Adams enjamba la bande, rejoignit l'arbitre sur la patinoire et lui donna quelques coups de poing avant que les juges de lignes, Don McFayden et Sammy Babcock, ne puissent le contenir. Lorsque le calme revint, on apprit les graves répercussions des événements. Le président de la Ligue, Frank Calder, annonça qu'Adams était «suspendu pour une période indéterminée; en outre, il lui est interdit de prendre part à toute activité derrière le banc des *Red Wings*. Wares et Grosso recevront une amende de 100 $ pour leur rôle dans l'affaire».

Day avait été bien inspiré de laisser Drillon et McDonald, mais il apporta une autre modification au tableau. Il laissa de côté le grand attaquant Hank Goldup, qui totalisait trois ans d'expérience, et le remplaça par un jeune de 18 ans, Gaye Stewart, qui viendrait en aide à Schriner et Davidson. Stewart se distingua par un aspect : il fut le premier hockeyeur à jouer, au cours d'une même saison, à la fois chez les juniors, dans les rangs seniors, pour une ligue mineure professionnelle et dans la LNH.

«J'étais encore au secondaire à l'automne 1941», se rappelle Stewart.

«Lorsque la saison de hockey débuta, je jouais pour les *Marlboroughs* juniors de Toronto. En décembre, ils me firent monter dans les *Marlies* seniors et en mars, je jouais pour les *Hershey Bears* de la ligue américaine. Je suis resté avec eux jusqu'à la fin des éliminatoires de la coupe Calder, puis on me dit de me rendre à Détroit pour rencontrer les *Leafs*. On me dit de tenir mes patins aiguisés, mais on ne m'utilisa pas au quatrième match et, comme beaucoup de gens croyaient qu'il n'y aurait pas de cinquième match, j'avais cru avoir manqué le bateau tout de même. Mais nous avons gagné ce quatrième match très important et Hap m'inclut dans la formation du match suivant. Il m'envoyait parfois avec Apps, parfois avec Taylor. C'est beaucoup d'émotions pour un jeune de Toronto qui allait au secondaire.»

Les experts de Toronto décidèrent d'entreprendre la cinquième partie, disputée le 14 avril au Maple Leaf Gardens, avec Don Metz et Ernie Dickens, qui étaient encore dans l'alignement, et le nouveau venu, Stewart. Tant de joueurs inexpérimentés à des postes-clés pouvaient-ils garder l'avantage psychologique qu'avaient acquis les *Maple Leafs*? C'était la question qui s'était infiltrée dans le Gardens avant le début du match. En trois heures, la réponse affirmative retentit. Don Metz enregistra trois buts et deux passes pour un total de cinq points sur les neuf buts des *Maple Leafs*. Ils prirent une avance de 7-0 après deux périodes, et terminèrent le match avec une priorité de 9-3. «De nombreuses personnes tentèrent de me faire passer pour un héros, se rappelle Don Metz, mais je ne voyais pas les choses de cette façon. Mon frère avait joué beaucoup plus souvent que moi et lorsque Hap fit appel à moi, j'avais eu l'avantage de me reposer durant les trois premières rencontres.» Gaye Stewart renchérit : «Don était l'un des gars les plus calmes de l'équipe; en fait, lui et son frère Nick avaient l'attitude tranquille typique des gens de l'Ouest. Il n'était pas du genre à se vanter. Mais je peux vous dire que ce fut la meilleure soirée de Don.» En dépit de la modestie de Metz, celui-ci fut un héros, ne serait-ce que pour sa performance durant l'intense remontée qui restait à effectuer.

Détroit menait toujours trois parties à deux dans la série, et le sixième match avait lieu sur la glace de l'Olympia. «La victoire de 9-3 à Toronto fut le point tournant de la série», confia Stewart. «Jusque là on avait des doutes, mais après ce gain, aller à Détroit ne nous dérangeait pas du tout. À partir de la cinquième partie, personne dans l'équipe ne pensait perdre.»

Aucun but ne fut marqué dans la première période de la sixième rencontre, bien que les *Wings* eurent dominé le match; ils se heurtèrent à Broda en excellente forme. Dès le début de la deuxième période, Don Metz frappa de nouveau. Après seulement 14 secondes de jeu, il propulsa la rondelle derrière Johnny Mowers, et les *Leafs* s'acheminaient vers une victoire de 3-0, Broda récoltant un blanchissage. Ce qui est amusant, c'est que le Turc avait entrepris sa carrière comme apprenti à l'Olympia, en 1936, avant de se joindre aux *Maple Leafs*.

«Je félicite Hap Day d'avoir su transformer l'équipe», dit Stewart.

Gaye Stewart, le dernier joueur des Maple Leafs de Toronto à terminer en tête des marqueurs de la Ligue, fit ses débuts dans la LNH durant la finale de 1942. Stewart a obtenu un poste régulier avec les Leafs en 1942-1943, gagnant le trophée Calder avec vingt-quatre buts à son actif.

Il nous répétait souvent, à plusieurs jeunes et à moi, d'effectuer des replis défensifs disciplinés. Il estimait que les buts allaient venir plus tard, et c'est ce qui se produisit. Hap avait autre chose de particulier : c'était à ma connaissance le premier entraîneur à garder un calepin de notes à portée de la main, près du banc; un peu comme le fit Bob Johnson des *Penguins* en 1991.

Il n'y avait pas de vidéo à l'époque; alors ses notes comptaient beaucoup. Chaque fois que Hap avait une idée, il étendait le bras pour attraper son calepin, griffonnait quelques mots sur une feuille, puis nous en faisait part entre les périodes.

Il restait une chance aux *Red Wings*, comme aux *Maple Leafs*. Le septième et dernier match eut lieu le 18 avril 1942 au Maple Leaf Gardens. La foule la plus nombreuse de l'histoire du hockey au Canada, 16 240 spectateurs, s'était déplacée pour voir de quoi les *Maple Leafs* étaient capables. Ils se rappelaient les échecs passés et se demandaient si l'histoire n'allait pas se répéter. Le major Conn Smythe, qui voyagea en train de la base militaire de Petawawa à Toronto, s'en souvient certainement très bien. Mais au lieu d'avoir été reçu chaleureusement au Gardens, Smythe, comme il le dit lui-même, fut «accueilli comme une mouffette dans une fête par Bickle, MacBrien et Selke». Bickle, qui était en poste à ce moment, interdit à Smythe d'entrer dans le vestiaire.

«Je savais ce que je pouvais faire dans le vestiaire des Leafs», raconte Smythe dans ses mémoires. «J'avais un don pour toucher les cordes sensibles, même celles des gens en qui j'avais confiance. Je leur tombais dessus jusqu'à ce qu'ils n'en puissent plus et lorsqu'ils sautaient sur la patinoire, ils me haïssaient tellement qu'ils démolissaient les adversaires juste pour m'embarrasser.»

Day, qui connaissait aussi le pouvoir des discours épineux de Smythe, le pressa de parler aux joueurs en précisant qu'il se chargerait de boxer Bickle, si celui-ci s'interposait. Smythe entra au vestiaire et joua son rôle, mais les résultats ne furent pas apparents au premier abord.

Syd Howe donna à Détroit une avance de 1-0 et soudainement, l'attaque de Toronto se mit à stagner, comme elle l'avait fait durant les trois premiers matchs. Le gardien de but Mowers put contenir les Leafs pendant que son équipe jouait avec un double désavantage numérique, et lorsque les équipes retournèrent au vestiaire à la fin de la deuxième période, les Red Wings avaient conservé leur avance de 1-0. Le petit major pénétra de nouveau dans le vestiaire des Leafs pour prononcer un second discours.

Il se souvient de la scène :

> Je me rendais compte que le rythme de la partie avait ralenti parce que les deux équipes étaient fatiguées. Ce ralentissement procurait aux vieux, Sweeney Schriner et Lorne Carr, ainsi qu'au jeune Billy Taylor un environnement idéal. Je me suis dirigé vers le coin où ils se trouvaient et je leur ai parlé sec, à chacun d'abord, puis aux trois à la fois. Je n'oublierai jamais le visage de Sweeney qui, me regardant avec un large sourire, me dit : «Pourquoi vous en faites-vous, patron, on va marquer une paire de buts.»

Il disait on ne peut plus vrai.

Les Leafs avaient besoin d'un moment de répit et ils l'obtinrent lorsque l'arbitre Bill Chadwick, au début de la troisième période, envoya Jimmy Orlando deux minutes au cachot. Day fit alors appel au trio de Schriner durant l'avantage numérique, au lieu de Apps et des frères Metz.

«Sweeney était un homme de grande taille, un rapide patineur et un joueur vif et agile», écrivit l'historien du hockey, Charles Coleman.

Jamais Schriner ne fut aussi vif que lorsqu'il se retrouva devant le filet de Détroit avec ses coéquipiers, à deux doigts de la défaite. Sweeney attendit la passe, mais la rondelle était debout au lieu de glisser à plat. Afin de contrôler le disque, il fallait que Sweeney tourne le dos au filet. C'est exactement ce qu'il fit : pour égaliser la marque, il propulsa la rondelle derrière le gardien Mowers, qui n'en revenait pas. Les Maple Leafs reprenaient vie! Les spectateurs étaient si excités qu'ils chiffonnaient leur programme, ou bien ils étaient assis tellement au bord de leur siège que leurs genoux touchaient le dos des spectateurs occupant la rangée devant eux. Tous attendaient et espéraient le moment où Toronto réussirait à sortir Détroit de la course. Mais ils étaient inquiets, car ils savaient les Red Wings capables de faire volte-face.

Durant les deux minutes suivantes, les attaquants des Red Wings tentèrent de percer la ligne bleue adverse, mais les remplaçants de Day s'acquittèrent de leur tâche à merveille. Les recrues Ernie Dickens et Bob Goldham ne purent être contournées et Don Metz, à l'attaque, distribuait généreusement les mises en échec.

Un arrêt de jeu fut sifflé, et Day changea de joueurs. Il envoya Pete Langelle à l'aile gauche avec les vétérans, et Bob Davidson et Johnny McCreedy à l'aile droite.

Immédiatement, ils investirent la zone des Red Wings et McCreedy mena la charge en tirant sur le gardien Mowers. Le gardien de Détroit sortit loin de son filet pour faire dévier le tir, mais la rondelle revint en jeu et le but de Détroit était grand ouvert. Dans un plongeon désespéré, les défenseurs des Wings tentèrent de protéger le filet abandonné par Mowers, mais Langelle sauta sur la rondelle tel un léopard, saisit sa proie et la projeta dans la cage.

«La rondelle fit un bond à 3 mètres de Mowers, dit Langelle, et je l'ai comme claquée. Tout ce dont je me suis aperçu, c'est que la lumière rouge était allumée et que nous avions pris la tête.» Avec moins de cinq minutes de jeu, Schriner battit Mowers, donnant à Toronto une priorité de deux buts. Les Wings étaient complètement démoralisés lorsque sonna la fin du match.

Ed Fitkin se souvient : «Le charivari éclata sur la glace et dans les gradins dès la fin du match. Tous les joueurs des Leafs sautèrent sur la patinoire pour sauter dans les bras d'un coéquipier et le féliciter pendant que la foule rugissait de plaisir. Broda, souriant et criant de joie, fut assailli par tous les joueurs de Toronto dès la fin du

match.» À cette époque où la télévision n'existait pas, les festivités étaient plus spontanées et certainement plus modestes que dans les années 1990. «Après que les joueurs se furent changés, je suis retourné à mon hôtel, le vieux Westminster Hotel, boire une bière avec Bucko McDonald, dit Stewart. Toronto était une ville très conservatrice en ces années-là, et on ne pouvait pas sortir ni festoyer longtemps.»

Smythe serra quelques mains avant de retourner en train à Petawawa. L'un de ses soldats, chroniqueur au *Telegram* de Toronto, Ted Reeves, se rappelle que Smythe «était tellement de bonne humeur qu'il a limité l'exercice de maniement d'armes à deux heures et réduit à 16 km la marche sur route.»

Le lendemain, Toronto honora officiellement ses héros au cours d'un déjeuner organisé au Royal York Hotel. Les grands joueurs, tels que Broda, Apps et Schriner furent célébrés comme il convient, de même que les nouvelles étoiles, Don Metz, Dickens et Stanowski. Apps fut sans doute celui qui eut les plus belles paroles. En s'inclinant devant l'entraîneur, il dit : «Nous ne célébrerions pas la victoire aujourd'hui si Hap n'avait pas eu confiance en nous. Il a gagné la Coupe plus que tous les autres.»

En fait, une infinité de personnes avaient apporté leur contribution : la jeune fille de 14 ans qui écrivit une lettre dans laquelle elle proclamait sa confiance aux *Leafs* après que ceux-ci eurent perdu les trois premiers matchs, le

Le tir qui ébranla les murs. Pete Langelle (bras levés, au centre de la photo) vient de lancer la rondelle dans le filet abandonné de Détroit pour donner aux Leafs une avance de 2-1 au septième match de la finale de 1942.

major Conn Smythe qui inspira ses troupes, et la recrue Gaye Stewart, au visage d'enfant, qui fonça tête première sans rater une marche.

«Je pense encore, dit Stewart, à cette équipe qui remporta quatre matchs après en avoir perdu trois en finale, et un seul mot me vient à l'esprit : phénoménal.»

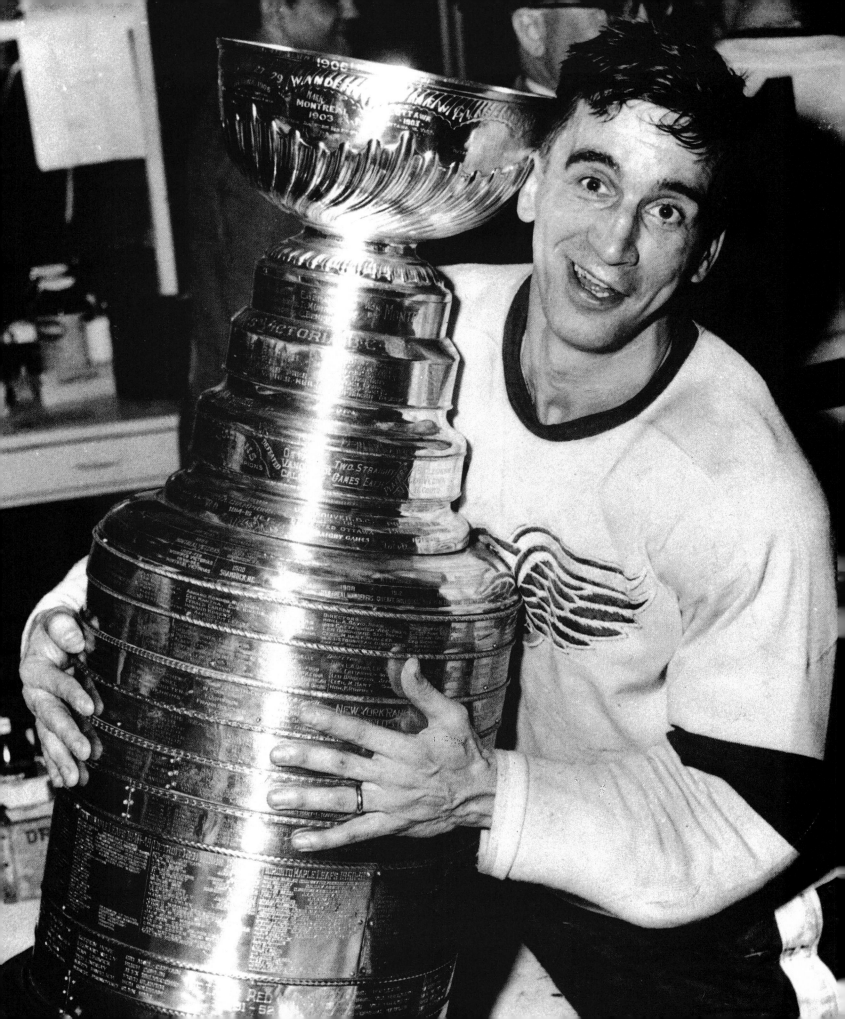

Les belles années

1943-1955

Au début de la saison 1942-1943, les *Americans* de New York, qui étaient les *Americans* de Brooklyn la saison précédente, mirent la clé dans la porte, après une existence médiocre dans la LNH. Il n'y avait plus que six équipes au sein de la Ligue, et ces équipes resteraient les mêmes durant les vingt-cinq prochaines années. Le calendrier régulier passa de 48 à 50 parties, chaque équipe jouant contre ses adversaires cinq fois à domicile et cinq fois à l'étranger. Les quatre premières équipes du classement se qualifiaient pour les séries éliminatoires; la première jouait contre la troisième alors que la deuxième affrontait la quatrième. Toutes les séries, y compris les finales, étaient des quatre-de-sept.

Détroit domina nettement ses adversaires pendant la première saison de l'époque des six équipes. En effet, les *Wings* écrasèrent Boston en quatre matchs consécutifs lors de la finale de 1943. Le gardien de but, Johnny Mowers, blanchit les *Bruins* dans les troisième et quatrième matchs.

La saison suivante, le *Canadien*, grâce à une autre brillante étoile du nom de Joseph Henri Maurice «Rocket» Richard dont on voyait poindre le talent, flanqua une raclée à Toronto, en éliminant l'équipe en cinq parties lors de la demi-finale de 1944.

Dick Irvin, qui était parti de Toronto pour se joindre au *Canadien*, avait déjà remarqué Richard lorsque celui-ci évoluait chez les juniors en 1940, et les experts ne tardèrent pas à se rendre compte que Richard et le grand Howie Morenz étaient de la même trempe. S'il fallait trouver un défaut chez l'athlète ardent et renfrogné qu'était Richard, c'était peut-être sa fragile constitution. Il avait eu une jambe cassée en 1941 et 1943, et en 1942, à sa première saison dans la LNH, il rata la plupart des matchs de la saison à cause d'une fracture à un poignet.

La montée du maussade ailier droit aux yeux noirs et brillants fut phénoménale en 1943-1944. Il démarra la saison lentement et obtint seulement neuf buts en 28 parties, puis il explosa littéralement et, avant la fin de la saison, Richard avait ajouté 23 buts à sa production.

Les fans de Toronto semblaient considérer Richard comme étant de la même classe que Gaye Stewart, une excellente recrue locale. Cependant, les doutes qu'ils pouvaient entretenir quant à la supériorité de Richard furent dissipés le

Ci-contre : Ted Lindsay – nommé neuf fois au sein d'une équipe d'étoiles – et les Red Wings de Détroit gagnèrent la Coupe quatre fois en six saisons, à partir de 1950.

Johnny Mowers, qui menait la LNH en 1942 pour le plus grand nombre de défaites, renversa la situation en 1943, en obtenant le plus grand nombre de victoires. Il reçut le trophée Vézina ainsi qu'une place au sein de la première équipe d'étoiles.

Le jeune Maurice Richard, dont le caractère intense se remarque même sur cette photo prise dans le vestiaire, laissa sa marque aux éliminatoires de la coupe Stanley dans les séries de 1944, en inscrivant douze buts en neuf matchs, contribuant à ce que le Canadien remporte la coupe Stanley.

23 mars, à Montréal, lorsque le Rocket marqua les cinq buts de Montréal, lors de la deuxième partie de la demi-finale gagnée 5-1 par le *Canadien*. Richard renouvela le record de buts marqués au cours d'un match des séries éliminatoires, établi en 1919 par Newsy Lalonde. Cet exploit fut également répété par Darryl Sittler et Reggie Leach en 1976, ainsi que par Mario Lemieux, en 1989. Le blanchissage de 11-0 réalisé par Montréal au dernier match de la série est la victoire la plus écrasante de l'histoire des séries de la LNH.

Le *Canadien* passait donc en finale contre l'équipe de Chicago, qui s'était classée au quatrième rang. Les *Hawks* entreprirent la série comme une équipe condamnée montant sur la potence. Leurs craintes étaient toutefois bien fondées, car ils furent balayés par le *Canadien*, Richard s'illustrant comme le plus puissant joueur offensif. Comme «tour du chapeau» à la deuxième partie, il marqua tous les buts de Montréal, qui remporta le match 3 à 1. De plus, le dynamique trio formé de Richard, Elmer Lach et Toe Blake inscrivit dix des seize buts marqués par le *Canadien* pendant les séries. Le championnat de 1944 fut la première Coupe Stanley pour le *Canadien* depuis 1931.

En plus de Richard, Blake et Lach, Montréal comptait dans son alignement Murph Chamberlain, Émile «Butch» Bouchard, Glen Harmon, Herbert «Buddy» O'Connor et le gardien de but Bill Durnan, qui allait remporter six fois le trophée Vézina.

L'élément insolite de cette série provint de la réaction injuste des partisans de Montréal à l'égard de Bill Durnan. Après trois victoires du *Canadien* contre Chicago, les partisans montréalais huèrent copieusement Durnan et scandèrent le mot «imposteur», pendant que le *Canadien* battait de l'aile au quatrième match. Se rappelant l'incident beaucoup plus tard, Blake était encore perplexe, mais aussi reconnaissant envers la foule. «Cela nous a tellement mis en colère, dit-il en parlant de Richard, Lach et lui-même, que nous avons comblé un retard de trois buts pour gagner la Coupe en prolongation.» Richard marqua deux fois dans les cinq dernières minutes de la troisième période, portant la marque 4 à 4. Blake marqua ensuite le but vainqueur à 9 min 12 de la prolongation.

La saison suivante, en 1944-1945, le *Canadien* ne semblait pas devoir manquer de souffle. L'équipe remporta le championnat de la Ligue, 13 points devant les *Red Wings*, qui terminèrent deuxième, et 28 devant les *Maple Leafs*, qui devaient éliminer le *Canadien* dans une demi-finale de six matchs, malgré une défaite écrasante de 10-3 à la cinquième rencontre. Pendant une série finale excitante, les *Leafs* devaient battre les *Red Wings* en sept matchs pour s'approprier la coupe Stanley.

La saison régulière 1944-1945 fut la plus productive de Richard. Il marqua son 50e but contre Boston lors du dernier match d'un calendrier qui en comptait 50. Cinq joueurs du *Canadien* furent nommés au sein de l'équipe d'étoiles de la Presse canadienne : le gardien de but Durnan, le défenseur Butch Bouchard ainsi que les attaquants Lach, Richard et Blake. Dick Irvin fut élu entraîneur de l'équipe d'étoiles. Le défenseur Frank «Flash» Hollett de Détroit vint compléter la sélection.

Ted Kennedy des *Leafs*, un jeune de Port Cobourne, en Ontario, qui avait été remarqué par Nels Stewart, commençait à s'imposer. Toronto avait aussi le gardien Frank «Ulcers» McCool, gagnant du trophée Calder, ainsi qu'un assortiment de jeunes joueurs et de vétérans expérimentés, dont certains revenaient du service militaire; c'était le cas de Wally Stanowski, Don Metz, Reg Hamilton,

Le Canadien de Montréal, mené par Toe Blake qui avait enregistré 18 points, perdit la première rencontre de la demi-finale de 1944 contre les Maple Leafs de Toronto, avant de remporter huit parties de suite, dominant totalement ses adversaires – Toronto et Chicago – au chapitre des buts marqués, avec 38 contre 12.

Jack Adams (au centre) donne l'accolade de la victoire à Harry Lumley (à gauche) et à Mud Bruneteau, après la victoire de 1-0 acquise par Lumley en prolongation dans la finale de 1945. Bruneteau marqua après quarante-cinq minutes de prolongation.

Frank «Ulcers» McCool établit un record de la LNH lorsqu'il empêcha les Red Wings de Détroit de s'inscrire au tableau pendant une période de 188 minutes 35 secondes, au début de la finale de 1945.

Elwyn Morris, Bob Davidson, Sweeney Schriner, Lorne Carr, Nick Metz, Art Jackson, Mel Hill et Walter «Babe» Pratt.

La finale entre Toronto et Détroit fut insipide, comparativement aux rencontres précédentes et futures entre les deux équipes. Seulement 17 pénalités furent imposées, dont une majeure à Lorne Carr.

On crut, pendant un moment, que les *Wings* allaient venger l'échec qu'ils avaient subi en 1942. Cette fois, Toronto gagna les trois premiers affrontements par les marques de 1-0, 2-0 et 1-0, donnant trois blanchissages à McCool.

Détroit gagna les trois parties suivantes, dont deux par jeu blanc, 5-3, 2-0 et 1-0 en prolongation. Mais Babe Pratt de Toronto, sans doute le hockeyeur au caractère le plus flamboyant de l'époque, enleva tout espoir de victoire à Détroit lorsque, à 12 min 14 de la troisième période du dernier match, il marqua le but qui couronnait les *Leafs* et leur procurait la coupe Stanley.

Toronto connut moins de succès en 1945-1946. Les champions de la coupe Stanley glissèrent au cinquième rang, cinq points derrière Détroit, dernière équipe à se qualifier pour les séries, et 16 derrière l'équipe de tête, le *Canadien*, qui remporta la Coupe pour la deuxième fois en trois ans.

Montréal écrasa Chicago en quatre matchs consécutifs en demi-finale et se prépara à affronter les *Bruins*, vainqueurs de Détroit en cinq matchs. Le trio des Boches de Boston, qui avait été reformé, marqua 46 buts pendant la saison régulière. En finale, il fut opposé au productif trio du *Canadien* qui avait enfilé pas moins de 69 buts. Boston alignait Frank «M. Zero» Brimsek devant le filet, Pat Egan, Johnny Crawford et l'astucieux Bill Cowley.

Le *Canadien* dut disputer cinq parties contre Boston, dont trois en prolongation, avant de remporter la Coupe. Les membres du puissant trio du *Canadien* régnèrent en maîtres, finissant aux premier, deuxième et troisième rangs des marqueurs durant les séries de la coupe Stanley, avec 19 buts. Le trio des Boches avait récolté onze buts en deux séries.

Dès la fin de la Deuxième Guerre mondiale, Toronto entreprit la reconstruction de l'équipe qui, très rapidement, rafla trois coupes Stanley de suite. De profonds changements furent apportés à l'équipe, mais le directeur Conn Smythe, même en adoptant une attitude très optimiste, ne croyait pas son équipe capable de s'emparer de la coupe Stanley avant un an ou deux.

En 1945-1946, Turk Broda, l'enfant chéri, quitta l'armée canadienne et vint reprendre son poste devant le filet de Toronto. Les *Leafs* avaient embauché Jim Thomson et Gus Mortson, un duo de défenseurs de l'équipe junior du collège St. Michaels de Toronto, qui furent plus tard connus comme les «Gold Dust Twins».

Garth Boesch, homme fort et silencieux parmi les jeunes, quitta également l'armée et obtint un poste à la ligne bleue. Plus tard dans l'année, Bill Barilko, fougueuse recrue des *Wolves* de Hollywood de la ligue mineure professionnelle, joua avec Boesch pour former un autre duo de défenseurs. L'ailier droit Howie Meeker gagna, en 1946-1947, le trophée Calder remis à la meilleure recrue. «Wild Bill» Ezinicki, ailier droit doté d'une constitution de fer et qui devint le spécialiste des mises en échec, se joignit également à l'équipe et forma un trio avec le centre Syl Apps et l'ailier gauche Harry Watson. De plus, Ted Kennedy était maintenant reconnu comme l'un des meilleurs travailleurs et meneurs de la Ligue.

Les frères Don et Nick Metz étaient aussi présents, de même que Norman «Bud» Poile, dont le lancer passait pour l'un des plus durs, ainsi que Joe Klukay et Bob Goldham, tous deux récemment libérés par la marine, sans oublier Gus Bodnar et Vic Lynn. Ces joueurs constituèrent le noyau des *Maple Leafs* durant leur première série de succès.

La fin des années 1940 marqua le réveil de la féroce rivalité entre Détroit et Toronto, qui devait durer six ans. Cette rivalité avait atteint une telle intensité que le capitaine de Détroit, Sid Abel, avait déclaré : «Nous sommes payés pour jouer contre les autres équipes, mais nous jouerions gratuitement contre les *Leafs*.»

En 1947, au deuxième match de la demi-finale contre Détroit, les *Leafs* subirent une cuisante défaite de 9 à 1, et Broda semblait avoir la tremblote. Mais ce revers donna des ailes aux *Leafs*, car ils gagnèrent les deux matchs suivants à Détroit et mirent fin à la série dès la cinquième partie à Toronto. Apps fut le meilleur marqueur de la série chez les *Leafs*, récoltant quatre buts.

Montréal, après une poussée finale qui lui permit de gagner le championnat pour une quatrième année consécutive, élimina les *Bruins* en cinq parties lors d'une demi-finale sans éclat, ponctuée par les quatre buts de Bill Reay, du *Canadien*, au quatrième match.

En finale, les *Leafs* étaient encore donnés perdants contre le *Canadien*. Ils risquaient peu de gagner, après leur défaite de 6-0 au premier match de la série. Le gardien de but de Montréal, Bill Durnan, avait même demandé : «Comment ces gars-là ont-ils pu se rendre jusqu'aux séries?» Les *Leafs* lui donnèrent la réponse au match suivant, en blanchissant le *Canadien* 4 à 0; les quatre buts

Elmer Lach fut le meilleur marqueur avec 17 points, lors des éliminatoires de 1946.

Syl Apps tient une longue et mince coupe Stanley après la victoire des Leafs, en 1947. La saison suivante, la Coupe prit la forme d'une colonne formée de deux parties.

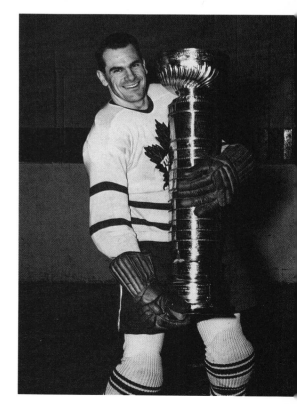

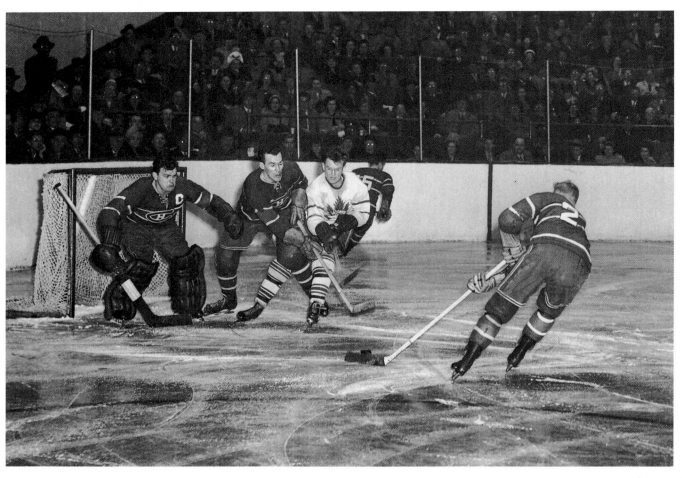

Ted Kennedy de Toronto est entouré par trois joueurs de Montréal, le gardien Bill Durnan, Butch Bouchard et Frankie Eddolls, durant la finale de 1947.

de la rencontre, qui furent tous marqués avec avantage numérique, permirent à Toronto de niveler la série.

De retour à Toronto, on s'attendait à voir des étincelles au troisième match, mais il n'en fut rien; les *Leafs* battirent le *Canadien* 4 à 2 à l'issue d'un match terne. Au match suivant, Syl Apps marqua un but en prolongation, donnant à Toronto une victoire de 2 à 1, ainsi qu'une avance de 3 à 1 dans la série.

De retour au Forum, Rocket Richard enfila deux buts lors de la victoire de 3 à 1 du *Canadien*, mais les *Leafs* s'emparèrent de la Coupe à Toronto grâce à un gain de 2 à 1. Le but vainqueur fut marqué par Ted Kennedy à 14 min 39 de la troisième partie. Bien qu'il ait raté un match de la finale, Richard termina en tête des marqueurs des séries éliminatoires avec six buts et cinq passes, pour un total de onze points. Il termina également au premier rang au chapitre des pénalités, avec 45 minutes à son actif.

L'équipe des *Leafs* fut la plus jeune à remporter la coupe Stanley. Chaque joueur toucha la prime offerte par la LNH aux gagnants des séries éliminatoires; cette prime, qui venait d'être augmentée, s'élevait maintenant à 2 500 $.

(suite p. 122)

Arbitrer dans les séries

par Bill Chadwick

Pendant seize ans, de 1939 à 1955, je fus officiel dans la Ligue nationale de hockey. À l'exception de la première année, 1939-1940, où j'étais juge de lignes, j'ai toujours été arbitre en chef. Ce furent les plus belles années de ma vie.

Alors, quand on annonça la célébration du centenaire de la coupe Stanley, un flot de souvenirs jaillit de ma mémoire. Certains étaient bons, d'autres mauvais, mais chacun me rappelait nettement l'émotion ressentie lorsque le plus prestigieux trophée du sport professionnel est en jeu.

Comment je suis devenu arbitre, moi qui suis né et qui ai grandi à New York, c'est une histoire à part, à peine reliée à la coupe Stanley.

La coupe Stanley! Ces trois mots produisent un son particulier. Ils avivent les émotions et accélèrent le rythme cardiaque, surtout lorsqu'on est l'arbitre et que le match dépend du coup de sifflet qu'on donne... ou qu'on ne donne pas.

Lester Patrick, le célèbre «Renard argenté» du hockey, m'enseigna beaucoup de choses sur l'arbitrage, et surtout sur les coups de sifflet. «Bill, dit-il, tu as toute la soirée pour souffler là-dedans, mais une fois que c'est fait, tu ne peux plus le rattraper. Un coup de sifflet rapide pénalise souvent la mauvaise équipe.» L'expérience m'apprit combien c'était vrai, particulièrement durant les éliminatoires.

J'ai tant de souvenirs des éliminatoires.

Il y a la coupe Stanley, le trophée lui-même, bien sûr. Une année, au début de ma carrière, la Coupe m'avait été confiée pendant une si longue période que j'avais l'impression qu'elle m'appartenait. C'était un peu comme voyager avec une relique, une œuvre d'art d'une valeur inestimable et, en fait, c'est ce que la Coupe est devenue.

Il y a les patinoires, foyer des six équipes originales : le Forum de Montréal, le Maple Leaf Gardens, le Madison Square Garden, l'Olympia de Détroit, le Stadium de Chicago et le Garden de Boston. Chacune possède sa propre personnalité et se distingue des autres par l'atmosphère, l'odeur et les caractéristiques de la surface de jeu.

Puis il y avait les joueurs, et les autres arbitres, mes collègues de travail, les entraîneurs, les directeurs et les partisans.

Tant de souvenirs. Tant de choses à raconter. Et puis après tout, on ne fête pas de centenaire tous les jours...

Une chose que j'ai très vite apprise dans ma carrière, c'est de garder mon sang-froid en toutes circonstances. C'est Mickey Ion, arbitre membre du Temple de la renommée comme moi, qui me l'a enseigné. Durant ma première saison comme juge de ligne, j'ai travaillé en compagnie de Mickey, au Madison Square Garden.

Tout au long du match, les fans étaient en furie et critiquaient presque toutes les décisions. Il y avait un vacarme terrible, mais Ion ne semblait pas le moins du monde affecté par le bruit. Après la partie, je lui demandai comment il avait gardé son calme.

«Bill, dit-il, dans une situation pareille, je me dis tout simplement qu'il y a 14 000 personnes dans l'édifice et que je suis la seule qui soit saine d'esprit.» Voilà une philosophie qui me servit bien au fil des ans, particulièrement quand j'ai commencé à arbitrer.

Arbitre pendant 15 ans dans la LNH, Bill Chadwick élabora des signaux gestuels à l'intention des officiels durant les matchs.

Si un jour j'avais eu à perdre mon sang-froid, cela aurait probablement été envers Maurice «Rocket» Richard, le plus grand des grands parmi les joueurs du *Canadien*; jusqu'à présent, je n'ai jamais vu de combattant aussi féroce et jouant avec autant d'intensité.

Maurice Richard m'a laissé un souvenir marquant dans un incident en particulier. C'était en 1947, lors du deuxième match de la finale opposant le *Canadien* de Montréal aux *Maple Leafs* de Toronto. Montréal avait facilement eu raison des *Leafs* 6 à 0.

Toronto avait désigné Vic Lynn, un joueur empoisonnant, pour suivre pas à pas le Rocket. Lynn était du style fauteur de troubles et il tapa rapidement sur les nerfs de Richard, qui lui porta un coup de bâton à la tête. Je vis parfaitement le jeu; c'était une pénalité majeure de cinq minutes pour Richard.

Il faut dire que Rocket Richard n'était pas le joueur le plus indulgent de la LNH, et on pouvait presque voir la vapeur lui sortir des oreilles quand il prit place au banc des punitions. Je sus, lorsque je l'ai regardé, que je n'avais pas fini d'entendre parler du Rocket ce soir-là.

Comme je m'y attendais, dès la deuxième période, Richard eut maille à partir avec une vieille connaissance, Bill Ezinicki des *Leafs*. Je réussis à séparer les deux antagonistes, mais Richard passa son bâton par-dessus mon épaule et assena à Ezinicki un coup encore plus fort que celui qu'il avait donné à Lynn.

Richard ne me laissa pas le choix. C'était une pénalité de match évidente puisqu'il avait délibérément tenté de blesser et, à cette époque, cela signifiait, pour l'équipe pénalisée, 20 minutes de jeu en désavantage numérique.

Même le puissant *Canadien* ne pouvait tenir aussi longtemps en infériorité numérique sans subir de dégât. Les *Leafs* marquèrent deux buts durant ces 20 minutes et s'envolèrent avec une victoire de 4-0, égalisant la série avec une victoire chacun.

Mon patron, Clarence Campbell, président de la LNH et ancien arbitre, appuya entièrement ma décision et imposa à Richard une suspension d'un match, prenant effet immédiatement, ainsi qu'une amende de 250 $.

Il faut bien comprendre que Maurice Richard, en ce temps-là, aurait pu être élu premier ministre du Canada. Il jouissait d'une grande popularité, particulièrement auprès des partisans canadiens-français. Quand Toronto gagna la rencontre suivante, et plus tard la série, la rage des montréalais ne fit qu'augmenter. Je fus très surpris de constater que les fans étaient en colère contre Campbell et non contre moi. À partir de ce jour, Campbell ne fut plus aimé à Montréal. Quant à moi, plusieurs de mes plus beaux souvenirs viennent de cette grande ville.

Trois ans auparavant, en 1944, Rocket Richard, encore lui, avait accompli la plus fantastique performance individuelle de l'époque, et l'une des plus belles de tous les temps. L'action se déroulait au vénérable Forum de Montréal.

C'était la deuxième saison du Rocket et moi, j'avais cinq ans d'expérience. C'était durant la deuxième partie d'une demi-finale, encore une fois entre le *Canadien* et les *Leafs*, au Forum de Montréal.

La tâche de couvrir le Rocket fut confiée à Bob Davidson des *Leafs*, et celui-ci empêcha Richard de s'inscrire au pointage lors d'une période où aucun but ne fut marqué.

Moins de deux minutes s'étaient écoulées en deuxième période lorsque le Rocket se mit en marche et marqua deux fois en l'espace de 17 secondes, en battant le gardien des *Leafs*, Paul Bibeault. Peu avant la dix-septième minute, Richard marqua de nouveau «un tour du chapeau» de la coupe Stanley : trois buts non pas en un match, mais en une seule période!

À partir de ce moment, les partisans canadiens-français étaient dans un état de frénésie et hurlaient à chaque mouvement que Richard faisait. Le quatrième but survint à une minute de la troisième période et le cinquième, à 8 min 54. Le compte final : Richard 5, Toronto 1.

Comme on le fait encore de nos jours, c'était habituellement un journaliste ou un reporter radiophonique (la télévision en était à ses débuts) qui choisissait les trois étoiles du match. On annonçait d'abord la troisième étoile, puis la deuxième et enfin la première afin de créer un crescendo d'applaudissements. Comme je quittais la glace, l'annonceur commença :

«La troisième étoile de ce soir... le numéro neuf, Maurice Richard.» Un silence enveloppa la foule. Je me rappelle de ce calme parce qu'il me figea sur place dans le couloir.

«Est-ce une farce?» me suis-je demandé.

L'annonceur continua. «La deuxième étoile de ce soir... le numéro neuf, Maurice Richard.»

En entendant cela, l'assistance commença à comprendre, et un rugissement prit naissance en haut du Forum et se répandit vers le bas. Bientôt, le tonnerre envahit l'édifice au complet et envoya des frissons dans tout le corps de l'arbitre du match.

«La première étoile de ce soir... le numéro neuf, Maurice Richard.» Je ne l'oublierai jamais.

La coupe Stanley, telle que nous la connaissons aujourd'hui, mesure un peu moins de 90 cm et pèse 15 kg. «Ma Coupe», comme j'aime l'appeler, était fort différente, plus plate, mesurant environ 50 cm, avec beaucoup moins de noms gravés dessus.

Je l'appelle «ma Coupe» parce que, pendant huit jours, du 10 au 18 avril 1942, lorsqu'elle fut enfin décernée, elle fut mienne. Pour être plus précis, elle appartenait aussi à mon confrère et meilleur ami, l'arbitre Francis Michael «King» Clancy. Mais comme je la possédais aux neuf-dixièmes, elle était en fait à moi seul, au sens de la loi. Clancy avait plus d'ancienneté que moi (comme tout le monde…), alors je devais transporter la Coupe. Je me souviens du coffre en bois brun, un peu fatigué par les années, avec une poignée écornée sur le dessus.

C'était l'année de la «remontée incomparable du hockey», le réveil miraculeux en dernière ronde des *Maple Leafs* de Toronto qui, après avoir perdu trois matchs à zéro contre les *Red Wings* de Détroit, gagnèrent la coupe Stanley. Il y a 50 ans de cela et cette prouesse n'a jamais été répétée en finale.

Étant donné que Détroit menait trois matchs à zéro, la Coupe aurait pu être remportée après le quatrième match, le cinquième, le sixième ou le septième.

Le président de la Ligue, Frank Calder, nous remit la Coupe en nous avertissant. «Surtout, ne la perdez pas». Le jour, elle restait dans notre chambre d'hôtel, soit le King Edward à Toronto ou le Cadillac à Détroit. Le soir, on l'apportait au Maple Leaf Gardens ou à l'Olympia et on attendait de pouvoir la remettre.

Lorsque nous prenions le train de nuit pour aller d'une ville à l'autre, la Coupe restait dans notre couchette du Canadien Pacifique. Une nuit, Clancy et moi jouions aux cartes et les jetons étaient placés dans la Coupe. Je vais vous raconter une histoire que, j'en suis sûr, vous n'avez jamais entendue.

De nos jours, la Coupe est placée sous bonne garde durant les déplacements, ainsi que chaque fois qu'elle est exposée. Clancy et moi n'avions aucun dispositif de sécurité, à l'exception de nos sifflets, et c'était suffisant. Nous n'avons jamais perdu la Coupe non plus.

Le Maple Leaf Gardens et le Forum de Montréal furent probablement mes deux endroits préférés. Quand j'étais arbitre, il ne faisait aucun doute que les fans de Toronto et de Montréal connaissaient toutes les subtilités du hockey mieux que tous ceux des autres villes de la LNH; ils savaient donc si je faisais mon boulot correctement.

Le Forum, avec son histoire et ses gradins fortement inclinés, me fit toujours penser à une cathédrale, mais à une cathédrale qui risquait d'exploser de délire en un clin d'œil, et je pèse mes mots.

Le Maple Leaf Gardens… Je me souviens du majestueux portrait de la Reine, de l'orchestre complet à l'extrémité de l'immeuble donnant sur la rue Wood, des magnifiques tableaux qui décorèrent plus tard les couloirs et, bien sûr, du merveilleux Connie Smythe, qui commandait comme un sévère petit major.

C'est également à Toronto que j'ai connu le moment le plus embarrassant et le plus douloureux de ma carrière d'officiel. À cette époque, il n'y avait ni vitre ni grillage protecteur le long des bandes latérales du Maple Leaf Gardens. Un écran protecteur avait été érigé derrière les buts afin de protéger les fans contre les rondelles perdues; mais sur les côtés, rien.

Lorsque deux joueurs allaient entrer en collision à une extrémité de la patinoire, les officiels avaient l'habitude de se hisser le long du grillage afin d'éviter l'impact. Le long des bandes latérales, ils n'avaient d'autre choix que de s'asseoir sur le rebord, littéralement sur les genoux des spectateurs.

Un soir, à Toronto, un partisan, assis sur un des côtés, me houspilla tout au long de la première période. Au deuxième engagement, pendant que j'étais assis sur la bande pour éviter une collision, il m'attrapa par mon chandail afin de m'empêcher de retourner rapidement sur la glace.

Le même scénario se produisit plus tard pendant la période. Je ne pus sauter sur la patinoire parce que cet idiot tirait sur mon chandail. D'un geste de pure frustration, j'envoyai ma main vers l'arrière, celle qui tenait le sifflet, et je frappai durement mon persécuteur en pleine bouche, avec mon outil de travail. Du sang jaillit de la coupure, et le pauvre type eut besoin de quelques points de suture.

Ce que je ne savais pas à ce moment-là, c'est que le gars que j'avais cogné était handicapé et circulait en chaise roulante! Connie Smythe réservait habituellement cet espace le long des bandes aux spectateurs handicapés, car ils ne pouvaient circuler en chaise roulante dans les rangées ordinaires.

Vous ne pouvez pas savoir combien je me sentais mal quand je me suis aperçu que j'avais frappé un handicapé. Vous savez, je n'ai plus jamais revu ce type, mais je suis toujours mal à l'aise en repensant à cet incident.

Pendant toutes ces années dans la Ligue nationale de hockey, je n'ai pas endossé une seule fois un chandail

rayé, comme ceux que les arbitres d'aujourd'hui portent depuis 40 ans. J'ai eu trois uniformes différents, mais aucun n'était rayé.

Le premier se composait d'un chandail de laine décolleté en pointe. Il était blanc uni, avec des bordures oranges et noires à l'encolure et un grand sigle de la LNH sur la poitrine, à gauche. Dessous, nous portions une chemise à col et une cravate noire. Je vous assure qu'il faisait très chaud dans cet uniforme. On pouvait facilement perdre 5 kg en une soirée de travail avec ces vêtements sur le dos.

Vers 1950, les choses se sont améliorées. Nous avons troqué les chemises, les cravates et les chandails de laine contre un chandail léger; il était du même orange que la LNH, avec le sigle à gauche, sur la poitrine, et un col à fermeture-éclair bordé de noir.

Une fois, au milieu des années 1940, la Ligue avait mis à l'essai un épais chandail bleu qui était encore plus chaud que la chemise et la cravate. Il ne dura que le temps d'un match, car personne ne l'aimait.

Je n'ai porté un chandail rayé que très longtemps après l'annonce de ma retraite. Je crois bien que c'était à St. Louis, à un match des Anciens; mais je l'ai porté plusieurs fois par la suite.

Le Maple Leaf Gardens au début des années 1950. Le tableau de la reine, situé à l'extrémité nord de l'édifice, fut plus tard enlevé pour permettre l'installation de sièges supplémentaires (et améliorer les recettes) parce que, comme disait le propriétaire des Leafs, Harold Ballard : «Elle n'achète jamais de billet, non ?»

Je me rappelle parfaitement le chandail orange que je portais lors de la fermeture de l'ancien Madison Square Garden, en 1968. Pour la partie, je m'étais habillé aux côtés de Frank Udvari, qui portait un chandail rayé, et de Cooper Smeaton, qui avait revêtu le chandail blanc, la chemise et la cravate. En fait, une photo de nous trois se trouve dans le livre des règlements de la LNH de 1991-1992.

Aux quatre autres patinoires – le Madison Square Garden, l'Olympia, le Garden de Boston et le Stadium de Chicago – la plupart des fans n'avaient pas suivi l'évolution du hockey et ne s'y connaissaient tout simplement pas. Pour beaucoup d'entre eux, les joueurs n'étaient qu'une bande de gars sur patins, virevoltant dans de jolis uniformes. Un peu comme un spectacle sur glace, mais avec des bâtons.

Chicago pouvait être sauvage, car les fans ne furent jamais vraiment maîtrisés, et ils faisaient l'impossible pour nous énerver. Nous étions aussi des cibles faciles à Chicago, particulièrement quand on passait près des sièges pour atteindre l'escalier tortueux, situé derrière la bande, qui menait au vestiaire des officiels. Bien que les *Black Hawks* n'aient jamais gagné la Coupe durant ma carrière, j'ai travaillé durant de nombreuses et mémorables parties au Stadium.

Je n'oublierai jamais le bruit du puissant orgue, dont les tuyaux étaient encastrés dans les chevrons du Stadium. L'organiste, Al Melgard, entamait «Three Blind Mice» lorsque les officiels sautaient sur la patinoire, et répétait sa rengaine chaque fois qu'il jugeait qu'une décision n'était pas favorable aux *Hawks*. Melgard joua ses rengaines jusque dans les années 1960, quand le président de la Ligue, Clarence Campbell, interdit cette pratique qui était fort humiliante pour les officiels.

Il y a un fait que je veux éclaircir à propos de Détroit. Les partisans de cette ville ont, depuis longtemps, cultivé la tradition de lancer des «pieuvres» sur la glace durant les éliminatoires. J'arbitrais mon tout premier match lorsqu'ils lancèrent ces mollusques et je peux vous assurer d'une chose : ce ne sont pas des pieuvres qu'ils jettent la plupart du temps, mais bien de véritables calmars, comme ceux que l'on trouve dans les poissonneries. Je le sais, j'en ai ramassé quelques-uns déjà, et j'en ai fait ramasser de nombreux autres à ma place.

Cette année encore, je l'ai vu à la télévision. Deux fois à vrai dire, lors du premier match des *Red Wings* contre Minnesota, au Joe Louis Arena. Il ne me reste peut-être qu'un œil, mais je sais reconnaître un calmar d'une pieuvre!

En fait, du point de vue d'un officiel, les partisans de Chicago surpassèrent ceux de Détroit durant une série contre les *Maple Leafs*. La rencontre était assez banale jusque vers le milieu de la deuxième période, quand quelqu'un lança une boîte à chaussures sur la glace. Un lapin sortit alors de la boîte, en gambadant. Le juge de ligne était Sammy Babcock, et je vous assure qu'il eut un mal fou à acculer le lapin dans un coin. Évidemment, les 20 000 spectateurs qui hurlaient et la douzaine de joueurs qui se promenaient sur la patinoire ne simplifiaient pas la tâche!

Le lapin finit par trouver refuge dans le filet de Toronto, derrière Turk Broda. Le lapin s'avéra être la seule chose que Broda n'arrêta pas ce soir-là, car l'animal repartit de plus belle et la chasse se poursuivit. Le lapin trottina jusqu'au banc des pénalités de Chicago, et c'est

là que Babcock réussit enfin à l'attraper.

«Pour quelle raison l'as-tu puni, Bill?» demanda un des joueurs avec humour.

«Port d'équipement non réglementaire, ai-je répliqué sans hésiter. Il n'avait pas chaussé ses patins.»

En comparaison, les calmars de Détroit n'étaient rien. Ils étaient inertes. On avait qu'à prendre une pelle et les pousser hors de la patinoire.

Les animaux ne furent pas les seuls projectiles lancés sur la patinoire durant ma carrière. Les spectateurs jetaient ce qu'ils avaient acheté dans les magasins de l'immeuble et tout autour : soda, tasses, cacahuètes, maïs soufflé, etc. J'ai aussi pris ma part de bières sur la tête.

Mais on me lança deux objets encore plus étranges que des pieuvres et un lapin. Une grappe de pétards allumés me tomba sur la tête durant un match de la coupe Stanley, à Boston. Je crus qu'on m'avait tiré dessus lorsqu'ils explosèrent. Il y eut beaucoup de fumée, mais pas de dégât. Une autre fois, à Chicago, un type me lança sa fausse dent. Elle ne devait pas lui aller très bien, car on ne se débarrasse pas ainsi d'une fausse dent!

Le fait de servir de cible avait tout de même son bon côté. De nombreux spectateurs, surtout à Boston, à New York, à Détroit et à Chicago, lançaient des pièces de monnaie. Jamais des pièces de vingt-cinq cents, ni même de dix cents. Mais beaucoup de pièces d'un cent et parfois de cinq cents. Disons que les tirelires de mes deux enfants, Barbara et Billy, étaient parmi les plus lourdes de Long

Les représentants de trois générations d'arbitres de la LNH, (de gauche à droite) Frank Udvari, Chadwick et Cooper Smeaton, montrent les uniformes portés par les officiels depuis 1917. Cette photo fut prise en 1968, à la fermeture du Madison Square Garden.

Island. Mais je peux vous dire que j'avais un féroce concurrent dans ce domaine. L'un des juges de ligne avec qui je travaillais souvent était un grand gaillard du nom de George Hayes, qui, plus tard, fut admis au Temple de la renommée. George mérite d'être membre du Temple non seulement pour ses capacités en tant qu'officiel, mais aussi pour son adresse à repérer une pièce et à la sortir d'un amoncellement de détritus.

De nos jours, les fans ne lancent des projectiles sur la glace que pour célébrer un événement, un «tour du chapeau» par exemple. Quand j'étais arbitre, il n'était pas rare de voir les spectateurs recouvrir la patinoire de détritus avant le début du match. Je faisais donc souvent appel aux préposés à la patinoire, une équipe de deux ou trois gars armés de pelles et de grattoirs, pour nettoyer la glace avant même que le match ne commence. Durant les éliminatoires, les préposés au nettoyage étaient particulièrement occupés.

Il n'y a rien de tel que la pression des séries éliminatoires de la coupe Stanley, surtout celle des finales. La pression existe pour les joueurs, mais aussi pour les officiels. On travaille toute la saison pour arriver à cette apogée et, quand le moment arrive, on fait tout ce qu'on peut pour être à la hauteur de ce qu'on attend de nous pendant les séries.

Les finales de la coupe Stanley n'avaient pas d'égales. J'en sais quelque chose. J'ai arbitré 41 matchs des finales durant mes 14 saisons, y compris la rencontre décisive, treize fois en quatorze ans. La seule année que j'aie ratée fut 1946, lorsque Montréal battit Détroit en cinq rencontres.

La réalisation dont je suis le plus fier est mon record de 41 parties pendant les finales de la coupe Stanley. Aujourd'hui, avec le nombre d'arbitres qu'il y a dans la LNH, jamais personne ne battra ce record. De mon temps, évidemment, le nombre d'arbitres était moindre et il n'était pas rare de voir seulement deux arbitres assignés à une finale.

Mon partenaire habituel était King Clancy, et nous devinrent très bons amis. Je parlerai de King plus tard.

En plus d'avoir été élu au Temple de la renommée du hockey et de détenir le record du plus grand nombre de matchs de la coupe Stanley auxquels un arbitre ait participé, je suis particulièrement fier d'avoir élaboré et imposé les signaux manuels qui sont maintenant utilisés partout dans le monde.

Je ne me souviens pas précisément du moment où tout cela a commencé; c'est probablement vers 1943 ou 1944.

Le juge de ligne, Ray Scapinello, ramasse ce spécimen des céphalopodes que les partisans de Détroit lancent sur la glace de l'Olympia durant les séries de la coupe Stanley, depuis 1952.

Je me rappelle que c'était durant les éliminatoires de la coupe Stanley, certainement durant les finales, car il y avait beaucoup de bruit dans l'édifice au cours de ces parties. Je n'ai jamais très bien su quoi faire de mes mains lorsque je signalais une punition, alors j'ai pris l'habitude de pointer du doigt le joueur qui venait de commettre la faute. Voilà comment ça a commencé. Le reste suivit.

J'essayais de communiquer avec le préposé à l'horloge à l'aide de gestes; le fait de toucher mes patins, par exemple, indiquait une pénalité pour avoir fait trébucher; le fait de toucher mon coude indiquait une pénalité pour avoir donné du coude et ainsi de suite. La rotation des poings fermés signifiait un assaut; c'est moi qui ai inventé ce geste, plus connu au basket-ball pour indiquer une faute de marche; mais l'Association nationale de basket-ball n'existait pas encore lorsque je l'ai inventé.

Par ailleurs, le geste que j'avais créé pour signaler une charge au bâton (bras croisés sur la poitrine) fut bientôt remplacé par un autre plus approprié : les deux mains tenant un bâton imaginaire et mimant une charge au bâton. Les bras croisés sur la poitrine furent bientôt utilisés pour signaler une obstruction.

Non seulement le système de gestes était-il bon pour moi, mais il permettait aussi aux fans de mieux suivre le déroulement du match, en les renseignant mieux. Je suis très fier de moi.

Durant presque toute ma carrière dans la LNH, il n'y eut que trois arbitres, moi, King Clancy et George Gravel. Nous avions tous un style particulier; aussi, d'un point de vue philosophique, les parties étaient-elles arbitrées de façon très différente.

Clancy laissait jouer les joueurs comme ils le voulaient. Il s'ajustait au tempo et ne signalait que les punitions de base les plus évidentes.

Gravel faisait exactement le contraire. Il appliquait le règlement à la lettre et signalait à peu près tout. C'était un arbitre vraiment très rigoureux.

Quant à moi, je me situais plutôt entre les deux. Les équipes semblaient s'ajuster au style de chaque arbitre. Tout allait bien, je crois, et les parties étaient certainement excitantes.

Clancy et moi étions proches, et nous nous appelions souvent pour comparer nos notes et pour échanger des anecdotes. Souvenez-vous qu'il n'y avait que six équipes à l'époque, alors Clancy et moi n'étions jamais très éloignés l'un de l'autre. Je racontais mes problèmes à King et lui me racontait les siens. Si certains joueurs lui donnaient des difficultés, je les surveillais durant les matchs où je travaillais et il me rendait la pareille. À la longue, les joueurs s'en rendirent compte; ils surent que quand ils avaient énervé Chadwick ou Clancy, c'était non pas un, mais deux arbitres qui les surveillaient.

J'avais, pour ma part, une bonne intuition, presque un «sixième sens», et je savais s'il allait y avoir du grabuge durant un match. J'avais une méthode que j'utilisais quand deux équipes sautaient sur la glace avec une intention autre que celle de jouer au hockey. Ces soirs-là, le premier qui clignait de l'œil après la mise au jeu était expulsé et je gardais le contrôle de la rencontre.

Mon style avait aussi été influencé par une caractéristique physique. Étant donné que je n'avais qu'un œil valide, je sentais toujours que je devais travailler davantage pour surmonter ce handicap. Je ne m'en suis jamais aperçu, mais je me rappelle que j'étais toujours dans le feu de l'action, plus près du jeu que les autres. Je crois que ça a fait de moi un meilleur arbitre.

Beaucoup de gens me demandent si le hockey était meilleur à l'époque que maintenant. La réaction normale, sentimentale, serait de dire oui. Mais la vraie réponse est non.

King Clancy, un arbitre de la LNH pendant plus de dix ans, avait une philosophie simple, mais efficace : «Je ne juge que ce que je vois. Je ne peux pas juger ce qui se passe derrière mon dos.»

Comme je l'ai dit, il n'y avait que six équipes; aujourd'hui, il y en a 22, et bientôt 24. C'est bon pour le sport et même meilleur pour les amateurs.

Les athlètes sont aussi plus forts de nos jours. L'équipement est meilleur, les méthodes d'entraînement sont meilleures, les régimes alimentaires sont meilleurs, tout est meilleur. Personne, encore moins un vieil arbitre, ne doit entraver le progrès.

Alors, le hockey est-il meilleur aujourd'hui? Vous pouvez en être sûr. Mais pas quand on parle de souvenirs.

Ted Kennedy de Toronto propulse une passe de Howie Meeker derrière le gardien des Bruins de Boston, Frankie Brimsek, donnant à Toronto une victoire de 3-2 dans la cinquième et décisive partie de la demi-finale de 1948. Kennedy, qui enfila quatre buts lors du deuxième match de la série, fut le meilleur marqueur des séries avec quatorze points en neuf matchs.

Le prêtre le mieux connu

Les Costello, un membre des *Maple Leafs* de Toronto, l'équipe gagnante de la Coupe, en 1948, quitta le hockey professionnel pour la prêtrise. On le retrouve plus tard à la tête des *Flying Fathers*, une équipe de prêtres qui joue des matchs de hockey de charité à travers le monde.

Parmi les prédictions précédant la saison 1947-1948 qui se sont réalisées, on trouve celle de Conn Smythe : «Si cette équipe gagne la coupe Stanley, ce sera la meilleure que l'organisation de Toronto aura connue.» Smythe, qui était l'un des plus grands hommes d'affaires du hockey, ne se contenta pas de félicitations après avoir gagné la Coupe, en 1947. Il effectua, le 4 novembre 1947, le plus important échange jamais réalisé à l'époque, une transaction concernant sept joueurs. Smythe échangea Bob Goldham, Ernie Dickens, Bud Poile, Gaye Stewart et Gus Bodnar aux *Black Hawks* de Chicago, en échange de Max Bentley et Cy Thomas. Smythe voulait mettre la main sur Bentley, un patineur incroyablement rapide, pour confirmer sa théorie; selon lui, une équipe possédant d'excellents joueurs de centre pouvait remporter les honneurs. Avec Bentley, Apps et Kennedy, en plus de Nick Metz comme réserviste et pour écouler le temps durant les infériorités numériques, les *Leafs* étaient extrêmement puissants au centre.

Les *Leafs* durent lire les commentaires de Smythe dans les journaux, car ils gagnèrent facilement la coupe Stanley. Dirigés par Hap Day, ils eurent raison des *Bruins* de Boston en cinq matchs durant la demi-finale.

Les *Red Wings* ne constituèrent pas des adversaires valables pour les *Leafs*, en finale. On sortit Gus Mortson de la série pendant le premier match, lorsqu'il se cassa la jambe. Les *Leafs* accordèrent un but à Détroit, mais Toronto gagna facilement le match 5-3, puis la série. Le superbe trio productif de Détroit, formé de Sid Abel, Ted Lindsay et Gordie Howe, ne réussit qu'à inscrire un point, un but de Lindsay contre les *Leafs*, dont la capacité offensive était uniformément distribuée entre les joueurs.

Les *Maple Leafs* et les *Red Wings* semblaient avoir fait, de la finale de la coupe Stanley leur sortie annuelle, car ils se faisaient encore face en 1948-1949. Pour remplacer Syl Apps qui avait pris sa retraite après les éliminatoires de 1948,

Smythe avait conclu une autre transaction, cette fois avec les *Rangers*, et avait obtenu le centre Cal Gardner et le défenseur Bill Juzda, le «Pompier de fer». Le directeur des *Red Wings*, Jack Adams, avait apporté quelques changements à son alignement; il avait échangé le défenseur-étoile Bill Quackenbush et l'ailier gauche Pete Horeck à Boston, en échange des ailiers Jimmy Peters et Pete Babando ainsi que du défenseur Clare Martin.

À la demi-finale, les *Leafs* disposèrent des *Bruins* en cinq matchs, alors que les *Red Wings* eurent besoin de sept parties âprement disputées pour vaincre le *Canadien*. Les *Wings* se présentèrent donc pour la finale quelque peu fatigués.

Le trio productif fonctionnait à pleine vapeur, ayant marqué 66 buts pour aider Détroit à gagner le championnat de la LNH. Pendant la demi-finale contre le *Canadien*, ils marquèrent 12 des 17 buts des *Wings*, dont huit appartinrent au sensationnel Gordie Howe.

Ray Timgren, qui ne fut jamais un très bon marqueur, mit fin au premier match en effectuant une passe à l'embouchure du filet à Joe Klukay, son ailier droit qui, avec Max Bentley, formait un trio que les chroniqueurs de sport avaient baptisé Plume. Le but de Klukay, qui survint à 17 min 31 de prolongation, donna à Toronto une victoire de 3 à 2. Au second match, Sid Smith, l'un des plus talentueux marqueurs de la Ligue, prit la vedette et marqua les trois buts des *Leafs*, qui battirent Détroit 3 à 1.

Les Maple Leafs de Toronto de 1948, photographiés avec la coupe Stanley nouvellement remodelée, après avoir balayé la série contre Détroit, ce qui leur assurait un deuxième championnat de suite. Cette photo montre le capitaine Syl Apps portant le chandail des Maple Leafs pour la dernière fois avant sa retraite.

L'un des meilleurs gardiens à s'accroupir devant le filet durant les matchs importants, Walter «Turkey Eyes» Broda; il mena pendant sept ans une lutte contre Bill Durnan de Montréal, pour obtenir le statut de meilleur gardien. Les deux combattants, qui avaient à eux deux remporté sept fois le trophée Vézina et cinq fois la coupe Stanley de 1944 à 1950, sont décédés à deux semaines d'intervalle, en octobre 1972.

De retour à Toronto, les *Leafs* s'inspirèrent de l'excellente performance de Turk Broda durant les éliminatoires; Bill Ezinicki mit fin à une longue période de léthargie, en marquant un but qui venait compenser celui marqué par le défenseur de Détroit, Jack Stewart. Ted Kennedy inscrivit le but gagnant et Gus Mortson le but d'assurance, le tout en cinq minutes, donnant à Toronto l'avance de 3-1.

Au quatrième match, les *Red Wings*, fatigués mais courageux, respirèrent de l'oxygène au bord de la patinoire pour se stimuler. Ted Lindsay ouvrit la marque, le premier de la série pour le trio prolifique. Mais Broda, encore une fois, aida les *Leafs* à rester dans le match. Timgren saisit le retour d'un lancer de Max Bentley pour marquer; Cal Gardner donna l'avance aux *Leafs* grâce à un tir à la hauteur des chevilles, que le gardien de Détroit Harry Lumley ne vit jamais; enfin, cinq minutes avant la fin de la rencontre, Bentley marqua le but d'assurance.

Les *Leafs* devenaient ainsi la première équipe de la LNH à gagner trois fois de suite la coupe Stanley. Ils remportèrent leur quatrième victoire de suite contre Détroit, en balayant la série pour la deuxième fois d'affilée. Leur série de victoires en finale s'élevait à neuf, la dernière défaite remontant au sixième match de la finale de 1947 contre Montréal.

Les *Maple Leafs* se classèrent au troisième rang en 1949-1950, et entreprirent les éliminatoires en tentant de réaliser l'exploit sans précédent de remporter la coupe Stanley quatre fois de suite, mais les *Red Wings*, champions de la Ligue, les stoppèrent dans une série âprement disputée qui nécessita sept rencontres. Au cours du premier match de la demi-finale, que les *Leafs* remportèrent 5-0, Gordie Howe se blessa grièvement et fut emmené à l'hôpital. Les *Wings* jurèrent de se venger de celui qu'ils croyaient être le responsable, Ted Kennedy, des *Leafs*.

L'accident fut si soudain que même ceux qui étaient à proximité ne purent décrire la scène avec précision. Howe se dirigeait à toute vapeur pour mettre en échec Kennedy qui s'infiltrait dans la zone de Détroit, du côté du banc des *Red Wings*. Kennedy s'esquiva soudainement et Howe heurta la bande la tête la première; celui-ci eut une commotion cérébrale, se brisa le nez et l'os de la joue droite et s'égratigna le globe oculaire.

L'entraîneur Tommy Ivan des *Wings* et plusieurs de ses joueurs, dont le coéquipier de trio de Howe, Ted Lindsay, accusèrent Kennedy d'avoir donné un 15 cm au joueur de Détroit. Le président de la Ligue, Clarence Campbell, revit le film de l'accident avant le deuxième match et exonéra Kennedy de tout blâme, mais les *Red Wings* ne l'entendaient pas de cette oreille.

La deuxième partie, ponctuée de nombreuses pénalités, fut l'une des plus affolantes qui ait jamais été présentée à l'Olympia de Détroit. Le moment critique eut lieu vers la fin du deuxième engagement lorsque Kennedy, fauché par Lindsay, reçut un coup de bâton à la tête. En un rien de temps, les joueurs présents sur la glace s'empoignèrent deux par deux, pendant que les officiels tentaient de rétablir l'ordre. À la fin de ce long match, la marque était de 3-1, en faveur de Détroit.

Résumant le comportement de l'arbitre Butch Keeling durant le match, Conn Smythe confia : «Je crois qu'il a bien agi. Le Seigneur et ses 12 apôtres n'auraient pas pu contenir les *Wings* ce soir.»

De retour à Toronto, les *Leafs* gagnèrent 2-0 grâce à des buts de Max Bentley et de Joe Klukay, puis perdirent 2 à 1 en prolongation sur un tir de la ligne bleue de Leo Reise, qui ricocha sur plusieurs joueurs avant de déjouer Broda.

Les *Leafs* remportèrent 2-0 le match suivant à Détroit, grâce à des buts de Kennedy et Bentley; de retour à Toronto, les *Wings* égalisèrent la série à trois matchs chacun en gagnant 4-0. Pendant le dernier match à Détroit, Reise marqua son deuxième but des éliminatoires et son sixième de l'année, donnant une victoire de 1-0 à son équipe, en prolongation, et mettant fin au règne de Toronto.

Après la spectaculaire demi-finale entre Détroit et Toronto, la finale de la coupe Stanley – mettant aux prises les *Red Wings* et les *Rangers* – aurait pu sembler un peu terne pour tout le monde, sauf pour les joueurs de New York. Mais la série se révéla être du même calibre que la première ronde. C'était la

Au bon endroit au bon moment

Doug McKay ne disputa qu'un match au cours de sa carrière dans la LNH; il jouait alors pour les *Red Wings* de Détroit lors des finales de la coupe Stanley de 1950. McKay est le seul joueur n'ayant participé qu'à un seul match d'une série des finales de la coupe Stanley à faire partie de l'équipe gagnante.

Le gardien de Détroit, Harry Lumley, repousse du pied la rondelle lancée par Ted Kennedy de Toronto pendant que Ted Lindsay et Red Kelly de Détroit neutralisaient Howie Meeker durant la finale de la coupe Stanley de 1949.

première présence des *Rangers* en finale depuis dix ans, et ils s'étaient quali-fiés en éliminant le *Canadien* de Montréal en cinq parties. Les partisans de Toronto, qui n'avaient plus grand chose pour se divertir, accordèrent leur cœur à l'équipe-cendrillon de Lynn Patrick, après que les *Rangers* eurent choisi de disputer deux de leurs matchs à domicile, au Maple Leaf Gardens. Un cirque occupant le Madison Square Garden forçait l'équipe à jouer à l'extérieur.

Le match d'ouverture à Détroit fut facilement remporté 4-1 par les *Wings*. L'entraîneur de Détroit, Tommy Ivan, mit Ted Lindsay au repos, puis Sid Abel lorsque le match fut hors de portée des *Rangers*. Au deuxième match, New York nivela la série grâce à une victoire de 3-1. Les *Wings* gagnèrent 4-0 le troisième match, mais les *Rangers* n'avaient pas dit leur dernier mot. Le maigre joueur de centre Don Raleigh mit les *Rangers* dans la course lors de la partie suivante, marquant un but en prolongation, ce qui donnait à New York une victoire de 4 à 3. Il sauva encore son équipe au cinquième match, en marquant un autre but en prolongation, ce qui permit aux *Rangers* de remporter le match 2-1 et de mener trois parties à deux dans la série.

Seulement 16 minutes séparaient New York de la coupe Stanley lorsque Lindsay marqua à la sixième partie, pour porter la marque 4 à 4. Sid Abel obtint

le but gagnant pour Détroit six minutes plus tard, lors d'un des plus beaux jeux jamais vus par les observateurs.

Les vaillants *Rangers* continrent les puissants *Red Wings* jusqu'à la deuxième période de prolongation du septième match, où Pete Babando – l'un des rares joueurs américains de la LNH – marqua le but qui procurait à Détroit la victoire de 4-3 ainsi que la Coupe.

La grimace du gardien de Détroit, Harry Lumley, se changera bientôt en sourire, quand il aura aidé les Wings à éliminer les Rangers lors de la finale de la Coupe de 1950.

(suite p. 136)

La coupe Stanley de 1950 et la malédiction des Rangers

par Stan Saplin

En avril 1992, je ressentis un pressant besoin de partager le souvenir d'un épisode cocasse auquel avaient participé Don «Bones» Raleigh, Chuck Rayner et leurs coéquipiers des *Rangers* de New York durant la finale de la coupe Stanley, en 1950. Pères et mères, avec des enfants dans leur sillage, s'étaient amassés devant les portes du Madison Square Garden, le dimanche de Pâques de 1992, pour voir le «plus fantastique spectacle au monde» – le cirque des frères Ringling, Barnum et Bailey. Ils apprirent alors que le spectacle avait été annulé parce qu'on présentait le premier match de la ronde initiale des éliminatoires de la coupe Stanley, opposant les *Rangers* de New York aux *Devils* du New Jersey. Les parents étaient furieux et les enfants pleuraient; la plupart des billets avaient été achetés des semaines à l'avance, et l'annulation les prenait de court. Elle avait été annoncée à la hâte dans les journaux deux jours plus tôt, mais peu de gens étaient au courant.

Pour Bones, Chuck et les autres héros des *Rangers* des séries de 1950, sans doute le mot cocasse est-il trop faible pour décrire la réaction à cet entrefilet. Il en est de même pour l'auteur de ces lignes. J'étais directeur des relations publiques et j'accompagnais l'équipe pendant les 21 jours consécutifs passés sur la route durant les éliminatoires; cela voulait dire 21 jours dans des chambres d'hôtel et des wagons-lits parce que nous ne pouvions retourner chez nous : les éléphants et les clowns du cirque des frères Ringling étaient à New York. À cette époque, lorsque les éléphants arrivaient, les *Rangers* (s'il leur restait des matchs à disputer) déguerpissaient, et vite.

Si on avait suggéré, cette année-là, à New York, de repousser ou d'annuler les représentations du cirque parce que les *Rangers* avaient besoin de la patinoire pour disputer leurs matchs des séries éliminatoires, on aurait trouvé cela absurde. Au début du long périple à l'étranger des *Rangers*, Bob Cooke – l'éditeur des sports du *Herald Tribune* de New York et le plus enthousiaste amateur de hockey parmi les journalistes de la ville – écrivit avec tristesse que le «plus fantastique spectacle au monde quitte la ville au lieu d'y entrer».

En dépit des épreuves et des désagréments qu'ils subirent, les *Blueshirts* de 1950 réussirent miraculeusement à tenir jusqu'à la deuxième période de prolongation de la septième partie en finale de la coupe Stanley, avant de céder aux *Red Wings* de Détroit le grand trophée tant convoité. Durant ce septième match, point culminant de leur long et épuisant séjour loin de New York, les *Rangers* menaient 2-0 à un moment donné. Puis ils menèrent 3-2, mais les *Wings* nivelèrent la marque à 16 minutes du deuxième engagement, grâce à un but de Jimmy McFadden. Le match prit fin abruptement, après 28 minutes 31 secondes de prolongation, lorsqu'à minuit dix, Pete Babando décocha un tir d'une distance de 10 mètres sur le gardien Chuck Rayner. Un quart de siècle plus tard, Chuck se souvient du but comme s'il avait été marqué hier. «La rondelle avait été mise au jeu à ma gauche, dit-il; Babando reçut une passe arrière et son tir passa à ma droite à la hauteur du genou.» La partie et la Coupe venaient de s'envoler.

Ce qu'il y eut de plus pénible, c'est qu'il y avait et qu'il y a toujours une raison de croire que les *Rangers* auraient gagné la Coupe en moins de sept parties, s'ils avaient eu les avantages physique et psychologique de jouer leurs matchs à New York. S'ils avaient pu vivre chez eux normalement, ne serait-ce que quelques jours, dormir dans leur lit, bénéficier de l'énorme avantage de jouer sur leur patinoire et d'entendre leurs partisans crier des encouragements et les soutenir durant l'effort, l'issue de la série aurait pu être différente. Dans ces conditions, dit Rayner avec conviction, «nous aurions remporté la coupe.»

Le premier match eut lieu à Détroit, et les *Red Wings* le gagnèrent aisément. Les deuxième et troisième matchs devaient avoir lieu à New York, mais ils furent disputés à Toronto, et chaque équipe gagna un match. Les quatrième et cinquième matchs furent joués à Détroit (ce furent les parties à domicile des *Red Wings*), mais les *Rangers*, qui avaient le vent dans les voiles, remportèrent deux victoires en prolongation, deux fois grâce à des buts de Bones

Raleigh. New York, détenant une avance de trois matchs à deux, devait jouer la sixième partie «à domicile», c'est-à-dire à Toronto (elle aurait dû être disputée à New York, mais il y avait les éléphants), mais un règlement bizarre interdisait d'utiliser la patinoire d'une autre équipe. Ce règlement stipule qu'un match décisif de la coupe Stanley ne peut être joué sur une patinoire neutre. Une victoire des *Rangers* aurait constitué un résultat «décisif».

Le Maple Leaf Gardens ne fut donc pas retenu, et l'Olympia de Détroit devint la patinoire de l'«équipe-hôte», les *Rangers*. Les visiteurs étaient les *Red Wings*, que 13 000 spectateurs enthousiastes encourageaient ! «Peu importe que nous n'ayons pu jouer à New York», se rappelle Raleigh. Nous aurions pu tout achever si nous avions pu jouer à Toronto.» Les joueurs des *Rangers* pensaient que les partisans de Toronto étaient de leur côté, car ceux-ci les avaient encouragés avec enthousiasme durant les deuxième et troisième rencontres. Le directeur des *Rangers*, Frank Boucher, pensait pour sa part que ce n'était pas que les fans de Toronto aimaient les *Rangers*, mais plutôt qu'ils haïssaient les *Red Wings*. Néanmoins, ils accordèrent un certain soutien aux *Rangers*, pas aussi

Les Rangers de New York, obligés de disputer sur la route tous les matchs de la finale de 1950 contre Détroit, sauf un, gagnèrent une des deux parties dans un amphithéâtre neutre, le Maple Leaf Gardens.

solide que celui des fans du Madison Square Garden, mais cela aida tout de même.

Les fans de Toronto, par amour pour les *Rangers* ou par haine pour les *Red Wings*, appréciaient les matchs au Maple Leaf Gardens. Tous les billets étaient vendus 45 minutes après l'ouverture des guichets. Le désir des *Rangers* de jouer à Toronto ajouta du piquant à cette rencontre : en 22 rencontres, c'est-à-dire plus de deux saisons, New York n'avait pas remporté une seule victoire contre Toronto au Maple Leaf Gardens.

Les «visiteurs», les *Red Wings*, prirent leur revanche en remportant la sixième partie 5-4, grâce à deux buts en troisième période, puis disposèrent de New York à la septième partie, grâce à un but en prolongation, de Babando.

Après une saison très modeste, au cours de laquelle ils marquèrent le plus petit nombre de buts de la LNH et perdirent sept matchs à trois reprises, les *Rangers* de 1949-1950 participèrent pour la quatrième et dernière fois aux éliminatoires. Détroit s'était classé en tête, tandis que Montréal et Toronto se disputaient toujours les deuxième et troisième places du classement de la Ligue comptant six équipes. L'équipe de tête, Détroit, jouerait contre l'équipe de troisième place, et celle qui aurait la chance de finir au second rang aurait New York comme adversaire au premier tour.

La chance? Arthur Daley, chroniqueur de sport à New York et gagnant du prix Pulitzer publia dans le *Times* : «Tous voulaient jouer contre les *Rangers* et personne ne désirait vraiment jouer contre une autre équipe. Tout le monde voulait jouer contre les *Rangers* parce que c'était presque comme obtenir un laissez-passer pour la ronde suivante, une solide garantie d'atteindre la finale. Les *Blues* de Broadway étaient une formation faible, une équipe de pigeons, une proie facile.»

Les joueurs du *Canadien* furent les gagnants, comme ils le croyaient. Les *Rangers* sortirent leurs armes et massacrèrent le *Canadien* en cinq matchs, marquant quinze buts contre six. Deux parties de cette série furent jouées au Madison Square Garden, mais après ce fut : «Déguerpissez, les *Rangers*! Le cirque arrive.»

Menant le *Canadien* trois matchs à un, les *Rangers* quittèrent la ville le 3 avril dans un wagon de la Central Railroad de New York, portant la désignation R-1 et identifié comme un «12-1 couchettes» pouvant accueillir 23 passagers; de toute évidence, les couchettes étaient superposées. À cette époque, une équipe de sport voyageait rarement en avion. C'était la dernière fois que les joueurs voyaient leurs fans; plus jamais au cours de la saison ils n'entendraient les spectateurs du Garden les encourager.

New York perdit le quatrième match en prolongation, mais blanchit le *Canadien* en cinquième rencontre et gagna la série. Les *Rangers* attendirent ensuite à l'hôtel Mont-Royal de Montréal que la série Détroit-Toronto fasse un gagnant. Après le triomphe des *Red Wings*, les *Rangers* mirent le cap à l'ouest pour se rendre au Leland de Détroit disputer le premier match de la finale. À Toronto ensuite, ils descendirent au Royal York pour jouer leur match «à domicile» au Maple Leaf Gardens (deuxième et troisième parties). Ils retournèrent au Leland de Détroit pour disputer les quatrième et cinquième matchs; ils y restèrent pour jouer le sixième match «à domicile» et le septième «sur la route».

Pour l'histoire, mentionnons aussi qu'un autre wagon avait été assigné pour suivre la piste des joueurs. Selon la direction du trafic des passagers, ce wagon, qui comportait six chambres à deux lits et une salle à manger, était utilisé par les journalistes. Jack Sweeney, le cadre du New York Central qui suivit de près tous les événements sportifs de New York, me fit un grand honneur : il nomma le wagon le SS-1. Ce wagon servit de domicile aux huit journalistes qui voyagèrent avec nous durant la saga de 21 jours. Signalons que dans le SS-1 prirent place Bill Lauder du *Herald-Tribune*; Joseph C. Nichols du *New York Times*; Dana Mozley, du *Daily News*; Leonard Lewin du *Daily Mirror*; James A. Burchard du *World Telegram & Sun*; Al Jonal, du *Journal-American*; Leonard Cohen du *New York Post*; et Ralph Trost du *Brooklyn Eagle*. Carl Grothmann, assistant responsable des relations avec le public, contribua à prendre soin de ce sympathique groupe de journalistes.

Signalons également que M. Sweeney avait demandé que ces wagons, le R-1 et le SS-1, soient placés en queue de train, et que le SS-1 soit le tout dernier wagon. Un certain J.F. Carroll reçut de M. Sweeney l'ordre de toujours «bien approvisionner» le wagon SS-1; et il ne s'agissait pas de nourriture…

Un soir, ce groupe de journalistes de New York était rassemblé dans une salle de presse du Royal York Hotel de Toronto lorsqu'apparut, sur le seuil, une ravissante jeune femme offrant ses services.

«Combien?» lui demanda-t-on.

«Dix dollars», répondit-elle.

Les wagons-lits avaient une grande importance pour les joueurs de hockey, à l'époque où le chemin de fer était roi. Ce billet date du temps de la demi-finale de 1950 entre les Rangers et le Canadien.

«Mais nous sommes dix hommes», lui objecta-t-on.

En moins de temps qu'il n'en faut pour lire cette phrase, elle répliqua : «Ça fera cent dollars.»

Passons maintenant à la «malédiction des *Rangers*». Mais auparavant, je dois parler un peu de Lester Patrick, père de Lynn et de Muzz, grand-père de Craig, directeur général des *Penguins* de Pittsburgh, et de David, président des *Capitals* de Washington. Lester, en tant que joueur, entraîneur, directeur et innovateur, est certainement celui qui a le plus influencé le hockey et façonné le développement de la Ligue nationale de hockey. Parmi ses innovations, mentionnons la ligne bleue, la numérotation des joueurs et les changements de trio durant l'action. Il introduisit le système des éliminatoires au hockey, qui fut plus tard appliqué au baseball. Lester, surnommé le «renard argenté», et son frère Frank construisirent la première patinoire artificielle et fondèrent l'Association de hockey de la côte du Pacifique.

Red Dutton, ancien président de la LNH, dit de Lester Patrick qu'il était «le chef suprême de la famille royale du hockey sur glace». Il est peu probable qu'une figure aussi dominante ait influencé le développement, les réformes, les innovations et la présentation d'un autre sport.

Avec ce maître, j'eus l'immense chance d'en apprendre beaucoup sur le hockey des grandes ligues. Entraîneur et directeur général des *Rangers* de 1926 à 1939, il aida les *Blues* de Broadway à remporter deux fois la coupe Stanley. En 1939, il conserva son poste de directeur général, mais confia à Frank Boucher celui d'entraîneur, et sa chère équipe gagna encore la Coupe en 1940. À la fin de la Deuxième Guerre mondiale, Lester prit sa retraite, mais continua d'offrir ses services à titre d'expert-conseil.

Il était à son bureau de bonne heure tous les jours et, comme je venais de prendre en main les relations des *Rangers* avec le public, je profitai de la présence de Lester dans son rôle décontracté d'expert-conseil. Nous parlions presque tous les jours. Il parlait avec fierté de ses fils, tous les deux entraîneurs des équipes-écoles des *Rangers*. Lynn était à New Haven et Muzz, à St. Paul. Il parlait de la floraison des cerisiers chez lui à Victoria, en Colombie-Britannique. Il aimait raconter une histoire à qui voulait l'entendre, une histoire à propos d'un joueur déterminé, mais qui n'avait pas assez de talent pour se tailler une place au sein de l'équipe de Lester. Quand on l'informa qu'il n'avait pas été sélectionné, le hockeyeur demanda : «Pourquoi, Lester ? Je n'ai jamais été aussi en forme de ma vie.»

Lester affectionnait particulièrement discréditer la manière infantile, presque innocente, avec laquelle la haute direction et les propriétaires remplissaient leur rôle dans le monde du hockey (je parlerai bientôt de la «malédiction»). Ces hommes d'affaires sophistiqués réussissaient bien dans le monde du commerce, de l'industrie et des finances, mais Lester secouait la tête avec ce que j'appellerai une gentille incrédulité chaque fois qu'il racontait une histoire concernant les dirigeants de l'équipe.

Exemple : l'affaire Chabot-Chabotsky. En 1947, au cours de recherches dont les résultats devaient être publiés dans le premier cahier de presse des *Rangers* (ou plutôt de toute équipe de la LNH), j'avais remarqué dans des articles de journaux datant de la saison inaugurale des *Rangers*, 1926-1927, qu'il y avait trois gardiens de but au sein de l'équipe. L'un s'appelait Winkler, le second Chabot et le troisième Chabotsky. Je demandai des explications au Renard argenté. Quelqu'un de haut placé au Garden pensait que, pour attirer les gens de New York à un événement sportif, les équipes, et particulièrement les nouvelles équipes, devaient aligner un joueur juif et un joueur italien. Les *Rangers* n'en avaient pas, mais ce n'était pas grave. Lorne Chabot, un Canadien-Français de Montréal, fut rebaptisé Lorne Chabotsky, tandis qu'un défenseur d'origine norvégienne né à Shuswap, en Colombie-Britannique, Oliver Reinikka, devint Ollie Rocco de Yonkers, à New York. Chabotsky pouvait très bien être utilisé à New York, mais pas au Canada où Lorne Chabot était connu. Ainsi, pour les matchs à domicile, il s'appelait Chabotsky et pour les matchs à l'étranger, Chabot. Je crois que c'est Patrick qui exigea de mettre un terme à cette pratique ridicule.

Exemple : lorsque le colonel John S. Hammond était président du Madison Square Garden, vers la fin des années 1920, Eddie Shore se bâtissait la réputation de meilleur défenseur au hockey. En fait, il est discutable que Shore ne soit pas aujourd'hui choisi au sein de l'équipe d'étoiles de tous les temps. L'édition de 1928 des *Rangers* accueillit un Américain du nom de Myles Lane. Lane était devenu un héros populaire en Nouvelle-Angleterre, grâce à ses prouesses comme joueur de football au Dartmouth College et à ses talents de joueur de hockey. En 1927, il était le meilleur marqueur individuel du football collégial au pays. Maintenant que Lane appartenait aux *Rangers*, Hammond suggéra à Patrick d'échanger Lane, le «Superman de la Nouvelle-Angleterre», aux *Bruins* de Boston, en échange d'Eddie

Les Bruins prirent Myles Lane, natif de Nouvelle-Angleterre, en échange d'Eddie Shore. L'histoire ne dit pas clairement qui Boston céda finalement en retour de Lane, qui se joignit aux Bruins durant la saison 1928-1929.

Shore. Les partisans de Boston idolâtreraient cet enfant du pays, se disait Hammond.

Patrick fut stupéfié par ce raisonnement. N'était-ce pas suffisant que les *Red Sox* de Boston aient échangé Babe Ruth à New York? Qu'est-ce qui incitait Hammond à penser que les *Bruins* de Boston donneraient le Babe Ruth du hockey à New York contre un défenseur qui n'avait encore rien prouvé? Comme le colonel insistait, Lester le persuada que l'échange devait être proposé par lui-même, et non pas par Patrick. Hammond envoya donc un télégramme proposant d'échanger Lane contre Shore. La réponse ne se fit pas attendre. On ne se souvient pas si la réponse provenait de Charles Adams, président des *Bruins* ou, comme c'était plus probable, d'Art Ross, le rusé directeur général de l'équipe. La réponse disait : «Enfilez de bonnes chaussures. Vous devrez marcher de nombreux Myles avant d'atteindre Shore.»

Exemple : le général John Reed Kilpatrick fut le successeur du colonel Hammond au poste de président du Garden. Réussissant de brillante façon tout ce qu'il entreprenait, le général Kilpatrick avait été, pendant deux ans, ailier au sein de la meilleure équipe américaine, à Yale. Quelques années plus tard, il fut sélectionné au sein d'une équipe de football réunissant les meilleurs joueurs américains de tous les temps. Au collège, il avait aussi été capitaine de l'équipe d'athlétisme et membre de la société Phi Bêta Kappa. Au cours de la Deuxième Guerre mondiale, il était officier en charge du port d'embarquement militaire de Hampton Roads, en Virginie; il dirigeait plus de 25 officiers et engageait des recrues dans ses rangs. Mais en ce qui a trait au hockey, il se classait parfaitement dans la catégorie des grands enfants, selon Lester Patrick. Il se délectait des victoires des *Rangers*. En automne, durant les fins de semaine, le général assistait à tous les matchs de football de Yale le samedi, puis à ceux des *Rangers* le dimanche soir au Garden. Une petite précaution porte-bonheur du général : lorsque Yale gagnait le samedi, il demandait à sa femme, Stéphanie, de porter le même chapeau le dimanche. C'était un élément essentiel à la chance des *Rangers* (cela fonctionnait parfois).

Exemple : en 1940, les *Rangers* remportèrent la coupe Stanley, et la direction avait le trophée sacré en sa possession. En janvier 1941, la Société Madison Square Garden remboursa l'hypothèque du complexe, qui s'élevait à 3 millions de dollars. Les membres de la Société célébrèrent l'événement. Au cours de la joyeuse cérémonie, le général Kilpatrick plaça le certificat d'hypothèque dans la Coupe et y mit le feu, sous les regards joyeux du président du conseil et d'autres directeurs de la Société.

Lester Patrick me racontait cette histoire en dodelinant de la tête. On boit du champagne à même la coupe Stanley, on l'embrasse, on la tient dans ses bras, on en prend soin, on la transporte fièrement autour de la patinoire. Des années plus tard, je me souviens avoir lu que Bryan Trottier des *Islanders* de New York avait couché avec la coupe Stanley. Mais, dit Patrick, on ne la profane pas en l'utilisant comme chaudière. On ne gagne rien de bon à agir de la sorte, dit-il. Il n'employa pas le mot «malédiction», mais c'était là le principal motif de sa réaction, comme il me le raconta. J'aurais voulu pouvoir le citer, mais il est juste de dire qu'effectivement, il croyait que les *Rangers* avaient été punis et qu'ils n'auraient plus la coupe Stanley en leur possession.

D'où est venu le mot «malédiction»? Il m'est venu à l'esprit durant les éliminatoires de 1950 lorsque les vaillants *Rangers*, qui menaient trois parties à deux, s'étaient donné durant le sixième match, une avance de 2-0, puis plus tard de 3-2, et enfin de 4-3 en troisième période, avant de s'incliner 5-4.

Cette terrible pensée continua de se développer lors de la septième partie, où des avances de 2-0 et de 3-2 furent effacées. Rarement la tension avait été aussi élevée que durant la prolongation. Les *Rangers*, qui avaient été considérés comme une équipe de pigeons, étaient passés à deux doigts de remporter le plus convoité des trophées, une première fois lors du sixième match et maintenant au septième, mais ils semblaient incapables de saisir les anses de la coupe sans les lâcher. J'avais en mémoire l'image de Patrick dodelinant tristement de la tête. Je n'osais pas partager ma conviction cauchemardesque avec quiconque; certainement pas avec mes huit collègues journalistes et encore moins avec Carl Grothmann. Lynn Patrick, notre entraîneur doué, et Frank Boucher, notre directeur, m'auraient envoyé en cour martiale. Le général Kilpatrick m'aurait fait fusiller sur le champ par un peloton d'exécution, sans entendre ma défense.

Depuis que j'ai laissé le poste d'agent de relations publiques des *Rangers*, je n'ai plus jamais parlé de la malédiction des *Rangers* à qui que ce soit pendant au moins 40 ans, sauf en 1972 et en 1979, quand j'ai prononcé quelques remarques mutines et laconiques parce que les *Blues* avaient atteint la finale; j'avais dit : «Ils ne gagneront pas, je vous assure.» J'en ai fait part un jour à un vieil ami, qui le répéta environ un an plus tard à Filip Bondy du *New York Times*. Bondy me rechercha pour obtenir une entrevue peu avant le début des éliminatoires de 1992, et écrivit un article sur la «malédiction des Rangers».

Légende ou mythe, c'est au choix. De nombreuses histoires écrites plus tard sur la spectaculaire série *Rangers-Red Wings* avaient insisté sur le fait que les joueurs de New York avaient frappé le poteau à de nombreuses reprises, la première fois à la troisième période de la septième partie, quand la marque était nulle, puis en deuxième période de prolongation.

Je ne vis jamais la rondelle frapper les poteaux du but de Détroit à ces moments du match. De plus, j'ai récemment relu les articles signés par chacun des huit journalistes de New York sur la partie. Ces articles furent rédigés par des as du journalisme, qui décrivirent le match; leurs articles auraient certainement mentionné que les *Rangers* avaient frappé le poteau à plusieurs reprises, mais ce ne fut pas le cas.

La cause de la malédiction des Rangers? Cette coupure du Times de New York montre le général John Reed Kilpatrick et des amis officiers de la société Madison Square Garden : (de gauche à droite) Hamilton Bail, Kilpatrick, Bernard Gimbal et Jansen Noyles, faisant brûler le certificat d'hypothèque de trois millions de dollars dans le bol de la coupe Stanley.

Selon la légende (ou le mythe), Bones Raleigh fut le dernier joueur qui aurait lancé la rondelle sur le poteau. Bones, dont les buts en prolongation aux quatrième et cinquième matchs procurèrent la victoire aux *Blues*, se serait rappelé avoir «presque» gagné cette partie, également en prolongation, mais il ne se souvient pas d'avoir frappé le poteau. Cependant, Raleigh assure avoir reçu une passe durant la prolongation, pendant que le gardien de Détroit Harry Lumley était à sa merci; malheureusement, la rondelle passa par-dessus son bâton. «Ce fut comme frapper un poteau», raconte Don. «C'était un but assuré.» Nick Mickoski se remémore également l'incident. «J'étais sur la glace à ce moment-là, dit-il; le gardien Lumley était battu, mais la rondelle glissa par-dessus le bâton de Don.»

Chuck Rayner affirme également que Raleigh tenait le gardien Lumley à sa merci, mais ne frappa pas le poteau. «Avec la puissance qu'il possédait, le poteau se serait plié sous l'impact», dit Chuck en riant. Pour ceux qui n'eurent pas la chance de voir à l'œuvre le talentueux Raleigh : Bones aurait eu de la difficulté à plier un cure-dent. Jim Burchard, exubérant journaliste du *World Telegram*, décrivit Bones de la façon suivante : «Un frêle jeune homme édenté de 68 kg, qui ne projette pas d'ombre lorsqu'il se tient de côté».

Il y eut de nombreux héros dans la défaite des *Rangers* : Raleigh, Rayner et le défenseur Allan Stanley en particulier; Edgar Laprade, en l'honneur de qui de nombreuses personnes estiment que le trophée Lady Byng devrait être renommé; et son coéquipier de trio, Tony Leswick.

Les huit chroniqueurs de sport choisirent à l'unanimité le récipiendaire du trophée Macbeth, remis au joueur le plus utile des *Rangers* durant les éliminatoires. Ce fut Raleigh, et le commentaire de Don lorsqu'il reçut le trophée vaut la peine d'être rappelé : «Plusieurs joueurs de l'équipe méritent cette récompense, dit-il, mais comme il faut le donner à quelqu'un, aussi bien que ce soit à moi.»

Lynn Patrick, qui dirigea l'équipe de brillante façon durant les éliminatoires, fut assailli par les journalistes après le troisième match de la finale que les *Rangers* avaient perdu 4-0, battus deux parties à une dans la série. Rappellerait-il des joueurs de ses équipes-écoles? Jack Adams, le directeur général de Détroit, semblait ramener des réservistes par camions entiers.

L'entraîneur répondit, en fait, qu'il allait s'arranger avec ce que ses gars lui fourniraient. «J'ai vu ces gars-là à l'œuvre pendant 78 matchs, et je sais de quoi ils sont capa-

Don «Bones» Raleigh fut le premier joueur de la LNH à marquer un but en avantage numérique en deux matchs consécutifs de finale de la coupe Stanley. Raleigh, dont les buts opportuns permirent aux Rangers de remporter les quatrième et cinquième matchs de la finale opposant Détroit à New York, ne marqua plus aucun but au cours des séries éliminatoires.

bles», déclara Patrick. Il n'utilisa que ses joueurs réguliers, et leur performance, sous sa direction, était exceptionnelle, comme durant la demi-finale contre Montréal.

Lynn confessa toutefois n'avoir pas suivi son intuition à la deuxième période de prolongation du septième match. «Juste avant la dernière mise au jeu, dit-il à Leonard Cohen du *New York Post*, j'avais l'impression que [Buddy] O'Connor était très fatigué. J'allais envoyer [Fred] Shero à sa place devant [George] Gee, mais je me suis ravisé et j'ai laissé Buddy prendre la mise au jeu, en pensant le remplacer à la prochaine occasion.» Gee s'empara de la rondelle, fit une passe à Babando; celui-ci lança la rondelle, la lumière rouge s'alluma et il n'y eut plus de prochaine occasion.

Un souvenir de Chuck Rayner fut gravé dans ma mémoire à l'époque où j'étais lobbyiste à Détroit durant la finale. Ce type avait beaucoup d'importance dans les championnats, autant comme personne que comme athlète. Il s'était distingué pendant toute la saison, et on le considérait comme un bon candidat au trophée Hart, remis au meilleur joueur de la Ligue, bien que ce trophée ne fût gagné qu'une seule fois par un gardien de but.

Étant donné que tous les journalistes et reporters radiophoniques étaient en ville, j'avais une belle occasion de mousser la candidature de Rayner. Un matin, je me rendis compte qu'il gagnerait certainement plus de la moitié des votes nécessaires (au moins 28). J'étais tout excité.

De retour à l'hôtel, je repérai Chuck parmi un groupe de joueurs dans le hall, je fonçai dans sa direction et lui dit : «Chuck, c'est dans la poche!»

«Qu'est-ce qui est dans la poche?» demanda-t-il.

Il savait de quoi je voulais parler, mais cette étoile, calme et bourrée de talent, ne s'intéressait qu'au succès de l'équipe, et ne voulait pas qu'on fasse mention devant ses coéquipiers d'un prix qu'il pourrait gagner personnellement. Rayner gagna le trophée, aisément, récoltant les deux-tiers des voix.

Le 2 avril fut la date de la dernière partie de l'année jouée à New York. C'était la troisième partie de la demi-finale opposant les *Rangers* au *Canadien*. De toute évidence, il restait encore des billets pour le match, car le Garden fit paraître une annonce ce jour-là dans les journaux. Voici le texte de l'annonce; veuillez prendre note du prix des billets pour un match de la coupe Stanley il y a 40 ans.

Éliminatoires de la coupe Stanley
Ce soir 8 h 30
Rangers* contre *Canadien
Admission générale 70 ¢
Réservations 1,50 $ à 5 $ taxe incluse
Madison Square Garden

Il n'y avait pas de glace disponible pour les *Rangers* à New York, le 14 avril, alors que l'équipe se trouvait à Toronto pour disputer ses parties de finale «à domicile» contre Détroit, mais il y eut de la neige en cette journée de printemps. Tellement de neige, en fait, qu'on dut annuler un match amical de baseball entre les *Yankees* et les *Dodgers* (c'étaient les *Dodgers* de Brooklyn à l'époque), qui devait avoir lieu à Ebbets Field. Pas de hockey, pas de baseball; c'était un jour sombre pour New York.

Je vais maintenant révéler un secret qui délivrerait les *Rangers* du sort qui leur a été jeté et qui leur permettrait de gagner la coupe Stanley pour la première fois depuis 1940.

«Neil Smith, il faut avoir des frères au sein de l'équipe!» Chaque fois que les *Rangers* remportèrent la Coupe, il y avait des frères dans l'alignement. Les frères Bun et Bill Cook en 1927 et 1933, les frères Neil et Mac Colville, ainsi que les frères Lynn et Muzz Patrick en 1940.

«Et, les *Rangers*, quand vous aurez mis la main sur la Coupe, rappelez aux grosses légumes du Garden que la coupe Stanley n'est ni un foyer, ni une chaudière.»

Maurice Richard, qui avait la réputation d'être l'un des plus grands joueurs des séries éliminatoires de tous les temps, confirma cette réputation en battant les *Red Wings* pratiquement avec une seule main, durant la demi-finale de 1951 opposant Détroit à Montréal.

Les membres des *Red Wings* et du *Canadien* intriguèrent en présentant un «match dans un match» qui opposait leurs ailiers droits super-étoiles, Richard et Howe. En saison régulière, Howe, qui venait à peine d'atteindre son plein potentiel, avait marqué 43 buts; Richard en avait enfilé 42. Les *Red Wings* terminèrent la saison, qui fut allongée à 70 rencontres en 1949-1950, avec 101 points, un record dans la Ligue, six devant les *Maple Leafs* et 36 devant le *Canadien* qui avait terminé au troisième rang.

Les *Red Wings* ne donnèrent pas beaucoup de chances au *Canadien*, mais rien ne pouvait arrêter Richard. Après avoir obtenu une marque de 2-2 lors du premier match à Détroit, le *Canadien* tint bon pendant 61 minutes de prolongation, jusqu'à ce que le Rocket soutire la rondelle à Leo Reise et batte Terry Sawchuk d'un lancer haut, dirigé vers le côté extérieur du filet.

Pendant le second match, les équipes étaient dans l'impasse après le temps réglementaire et deux périodes de prolongation. L'explosif Richard, après avoir reçu une passe de Billy Reay, déjoua Sawchuck d'un tir du revers, donnant au *Canadien* une avance de deux matchs.

À Montréal, Sawchuck s'illustra, et Howe et Sid Abel marquèrent chacun un but, ce qui donna la victoire à Détroit, 2-0. Les *Red Wings* poursuivirent sur leur lancée en gagnant un autre match à Montréal, cette fois 4 à 1.

Le *Canadien*, qui avait besoin d'une autre victoire à l'Olympia s'il voulait remporter la série, eut raison des *Wings* à la cinquième partie, par la marque de 5-2. De retour à Montréal, l'équipe acheva ses adversaires 3 à 2. Notons qu'au cours de ce match, aucune pénalité ne fut annoncée et que tous les buts survinrent au dernier engagement.

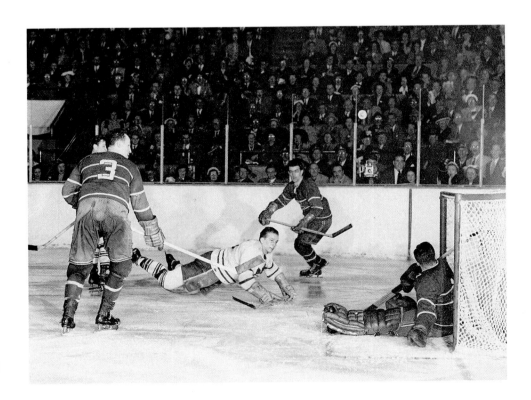

Bill Barilko, de Toronto, et Rocket Richard, de Montréal, regardent le tir du revers du défenseur des Leafs, qui déjoue le gardien de Montréal, Gerry McNeil, ce qui donna la victoire à Toronto, en cinq matchs chaudement disputés, au cours de cette finale de la coupe Stanley de 1951.

Howe et Richard marquèrent chacun quatre buts dans la série, laissant sans réponse la question : «Lequel est le meilleur?»

Dans l'autre série demi-finale, Toronto eut raison des *Bruins*. Les *Maple Leafs* gagnèrent la série quatre matchs à un, et une rencontre se termina par un verdict nul, aussi étrange que cela puisse paraître. Les activités sportives étaient interdites le dimanche à Toronto; si on avait poursuivi la période de prolongation du deuxième match, on aurait dépassé le couvre-feu que la Ville avait fixé à minuit, le samedi soir.

Al Rollins, qui avait remplacé le vénérable Broda pendant la majeure partie de la saison, fut blessé durant la première rencontre, et Broda prit la relève. Les *Bruins* gagnèrent le premier match 2-0, le second prit fin sur une marque de 1-1 à cause du couvre-feu, puis Toronto remporta quatre parties de suite et semblait devenir plus puissant à mesure que la série progressait. Les *Maple Leafs* obtinrent leur laissez-passer pour la finale grâce à une victoire de 6-0 au sixième match.

Lors de la finale entre le *Canadien* et les *Leafs*, tous les matchs furent gagnés en prolongation; c'était la première et l'unique fois que tous les matchs d'une série de la coupe Stanley nécessitaient une prolongation. Le 11 avril, à Toronto, les *Leafs* remportèrent une victoire de 3-2 grâce à un but marqué en prolongation par Sid Smith. Trois jours plus tard, Richard marqua son troisième but des séries en prolongation et donna la victoire 3-2 au *Canadien*. Le Rocket saisit une passe de Doug Harvey à la ligne bleue, contourna le défenseur Gus Mortson et décocha un tir du revers dans le filet abandonné par Broda, qui avait tenté de contrer Richard. À Montréal, Ted Kennedy mit fin au troisième match grâce à un but marqué à 4 min 41 de la prolongation, donnant la victoire aux *Leafs* 2-1. Dans le match suivant, que les *Leafs* remportèrent 3-2, Harry Watson fut le héros de la prolongation.

En 1951, les Maple Leafs de Toronto obtenaient la coupe Stanley pour la dernière fois. Il fallut attendre 1962 avant que la troupe de Punch Imlach ne renouvelle l'exploit.

Les tournées à la campagne

Dans les années 1950, il n'était pas rare que les équipes n'ayant pu participer aux éliminatoires entreprennent des tournées dans les provinces de l'est ou de l'ouest du Canada pour jouer des matchs amicaux contre les étoiles locales, afin de renflouer leurs coffres. Durant l'une de ces tournées, en 1956, Terry Sawchuk, alors gardien de but des *Bruins* de Boston, traversa la patinoire et marqua un but dans la victoire des *Bruins* contre les étoiles du comté de Pictou, en Nouvelle-Écosse, par la marque de 11-6.

Même s'il était mieux connu pour ses exploits sur la glace, le trio prospère composé (de gauche à droite) de Gordie Howe, de Sid Abel et de Ted Lindsay, formait également un groupe élégant à l'extérieur de la patinoire, comme le prouve cette photo.

Toute l'excitation et les frissons de cette série palpitante furent concentrés dans les quelques dernières minutes de la cinquième et dernière rencontre présentée à Toronto. L'entraîneur Joe Primeau, dont l'équipe perdait 2-1 quand il ne restait que quelques secondes à jouer, retira son gardien de but et envoya dans la mêlée un attaquant supplémentaire, Max Bentley. À 32 secondes de la fin, Bentley et Kennedy alimentèrent Tod Sloan, qui déjoua le gardien Berry McNeil, égalisant la marque et forçant la prolongation.

Le match prit fin de façon tout à fait inattendue à 2 min 53 de la prolongation. Bill Barilko, le trépidant défenseur blond, reçut une passe de Howie Meeker à la ligne bleue de Montréal et, se projetant complètement en l'air en tirant, marqua, contre McNeil, le but qui permit de remporter la Coupe.

Ce fut le dernier but et la dernière partie de Barilko. Quelques semaines après avoir bu le champagne à même la Coupe durant les festivités, après le match, Barilko mourut au cours d'un voyage de pêche au nord de l'Ontario. L'avion dans lequel il avait pris place avec un ami décolla malgré le mauvais temps et se perdit.

En 1951-1952, les *Wings* remportèrent la coupe Stanley en huit parties, soit le minimum possible. Ils éliminèrent Toronto en quatre matchs en demi-finale et le *Canadien*, en finale, également en quatre parties. Le *Canadien* avait connu des difficultés en demi-finale et avait eu besoin de sept rencontres pour vaincre la courageuse équipe des *Bruins* de Boston, qui ne tenait debout qu'à l'aide de ruban adhésif et jouait uniquement avec ses tripes.

Maurice Richard, encore lui, sonna la charge pour le *Canadien*. Il avait reçu un sévère placage de Léo Labine des *Bruins* pendant le deuxième engagement de la septième partie, et fut complètement sonné après avoir été frappé à la tête par le genou du défenseur bostonien, Bill Quackenbush. Il fut transporté à la clinique du Forum pour y recevoir des soins, mais il réapparut au banc du

Une longue finale

Les cinq matchs de la finale de 1951 entre Montréal et Toronto nécessitèrent une prolongation; c'était l'unique fois dans l'histoire de la LNH qu'une période de prolongation était nécessaire dans toutes les parties d'une série finale. Quatre joueurs différents des *Leafs*, Sid Smith, Ted Kennedy, Harry Watson et Bill Barilko, marquèrent le seul but de leur carrière, en prolongation. Rocket Richard inscrivit le *Canadien* au pointage.

Canadien à la troisième période, portant un bandage au-dessus de l'œil gauche. Encore un peu étourdi, il assura Dick Irvin qu'il était prêt à reprendre l'action, à quatre minutes de la fin du match et avec une marque de 1-1.

Richard reçut une passe près du but du *Canadien* et, prenant de la vitesse, coupa vers le centre de la patinoire. Il fonça vers le défenseur Bob Armstrong, prit un élan à gauche et le contourna. Il contourna également Quackenbush, puis coupa vers le devant du but, et logea la rondelle dans le filet après avoir trébuché sur les bâtons d'Armstrong et du gardien Sugar Jim Henry. Bill Reay marqua un autre but dans un filet désert à la dernière minute, mais cette soirée, comme beaucoup d'autres, appartenait au Rocket.

La formation de Détroit que le *Canadien* affronta dans la finale cette année-là était, selon le directeur Jack Adams, la meilleure édition des *Red Wings* de tous les temps, y compris les grandes équipes du milieu des années 1930, qui comptaient des joueurs-étoiles comme Larry Aurie, Martie Barry et Herbie Lewis, secondés par Ebbie Goodfellow et Johnny Sorel. Les *Red Wings* de 1952 possédaient une attaque parfaitement bien équilibrée. En plus de la contribution du fameux trio, les *Wings* pouvaient compter sur les marqueurs Marty Pavelich, Tony Leswick, Glen Skov, Metro Prystai et Alex Delvecchio. Ils étaient aidés des défenseurs Leonard «Red» Kelly, Bob Goldham (excellents pour bloquer les tirs), Leo Reise et Marcel Pronovost. Le gagnant du trophée Vézina, Terry Sawchuk, était devant le filet.

Détroit gagna la série finale avec des marques de 3-1, 2-1, 3-0 et 3-0 et Richard, qui avait éliminé les *Red Wings* l'année précédente, n'obtint aucun but. Lindsay enfila trois buts dans la finale tandis que Howe, Leswick et Prystai en marquèrent chacun deux.

La belle performance des *Bruins* de Boston, lors de la demi-finale de 1952, fut un avertissement que l'équipe, bâtie autour de l'indomptable esprit de Milt

L'une des équipes dominantes dans l'histoire de la LNH, cette édition de 1952 des Red Wings de Détroit amassa 100 points durant la saison régulière, et ne subit aucune défaite en séries éliminatoires, n'accordant que cinq buts en huit matchs.

Calmars sur glace

Les spectateurs jetèrent des calmars sur la glace de l'Olympia de Détroit pour la première fois durant le dernier match de la finale de 1952, entre Montréal et Détroit. L'apparition de ce mollusque, qui représentait les huit parties dont eut besoin Détroit pour balayer les éliminatoires, incita l'annonceur à passer le message suivant : «Les calmars n'ont pas leur place sur la glace. Veuillez vous abstenir d'en lancer.»

Woody Dumart (à gauche) et Milt Schmidt (à droite) s'entretiennent avec l'entraîneur Lynn Patrick avant de sauter sur la patinoire durant la finale de la coupe Stanley de 1953.

L'entraîneur de Montréal, Dick Irvin, qui gagna le nombre record de 16 championnats avec trois équipes différentes, célèbre la conquête de la coupe Stanley de 1953 par son équipe, aux dépens des Bruins de Boston.

Schmidt, était prête à occuper le rôle principal dans les spectaculaires séries de 1953. Les *Bruins* se rendirent en finale pour la première fois depuis 1946 et, même s'ils ne gagnèrent pas, ils donnèrent au *Canadien* énormément de fil à retordre.

Boston avait surpris tout le monde en défaisant les *Red Wings* quatre matchs à deux en demi-finale. L'entraîneur Lynn Patrick demanda à Woody Dumart qui, avec Schmidt, célébrait son dix-septième anniversaire dans la LNH, de couvrir Gordie Howe. Dumart se tira bien d'affaire, car Howe n'obtint que deux buts, dont l'un fut marqué pendant que Dumart ne se trouvait pas sur la glace.

Les *Bruins*, corrigés 7-0 dans le match d'ouverture, revinrent en force pour gagner les trois parties suivantes 5-3, 2-1 et 6-2. Détroit parvint à gagner son dernier match 6-4, mais les *Bruins* battirent les champions de la coupe Stanley, 4-2.

Entre temps, Montréal n'avait pas la tâche facile en affrontant les *Black Hawks* de Chicago, qui participaient aux éliminatoires pour la première fois depuis 1946. En plus, le gardien du *Canadien*, Gerry McNeil, comme son prédécesseur Bill Durnan, souffrait de crises de nervosité. McNeil demanda à être retiré de l'alignement pour «le bien de l'équipe» et fut remplacé par Jacques Plante, après le cinquième match de la série, mené par Chicago deux parties à une. Cette stratégie sembla fonctionner, car Plante joua brillamment; le *Canadien* réagit et remporta les deux matchs suivants ainsi que la série.

Lors de la finale, Boston ne réussit à vaincre le *Canadien* que dans le deuxième match de la série, par la marque de 4-1. Les *Bruins* étaient privés des services du gardien Sugar Jim Henry, blessé et malade, et durent le remplacer en deuxième période par Gordon «Red» Henry, de Hershey, une équipe de la ligue mineure professionnelle des États-Unis.

Sugar Jim Henry reprit son poste devant le filet de Boston au cinquième match, disputé au Forum de Montréal, mais le rêve des *Bruins* de remporter la Coupe s'évanouit à l'issue de ce match intense et serré, aucun but n'ayant été marqué durant le temps réglementaire. Après seulement 1 min 22 de prolongation, Elmer Lach reçut une passe de Richard et marqua contre Sugar Jim Henry le but procurant la Coupe, pendant que Schmidt, laissé en plan sur la patinoire, vit disparaître sa dernière chance de gagner la coupe Stanley comme joueur.

Les champions de la coupe Stanley luttèrent avec acharnement pour conserver le trophée en 1954, mais les *Red Wings* finirent par se l'approprier. Montréal s'était classé au deuxième rang derrière Détroit pendant la saison, et avait accédé à la finale, en battant les *Bruins* de Boston à la première demi-finale. Pendant ce temps, les puissants *Wings* ne firent qu'une bouchée des *Maple Leafs* de Toronto.

Les *Leafs* entamèrent leur demi-finale à Détroit avec un record peu enviable. Ils n'avaient pas gagné à Détroit au cours des onze derniers matchs et ils perdirent la première rencontre de la série 5-0. Grâce aux hurlements de leur entraîneur King Clancy, qui pouvait crier plus fort que n'importe quel entraîneur de la Ligue et qui dirigeait sa première équipe durant les éliminatoires de la coupe Stanley, les *Maple Leafs* parvinrent à gagner 3 à 1 le deuxième match de la série, et à se placer à égalité avec les *Wings*. Malheureusement, ils perdirent les deux matchs suivants à domicile 3-1 et 2-1, et furent éliminés de la course lors du match suivant à Détroit, après avoir tenu bon jusqu'à la deuxième période de prolongation. Ted Lindsay mit fin à la rencontre après 21 min 01 de prolongation, donnant la victoire aux *Red Wings*, 4-3. Ce fut une soirée spéciale pour Gordie Howe qui marqua deux fois et établit un record des séries éliminatoires de la coupe Stanley, qui ne devait pas être brisé avant une vingtaine d'années, en marquant seulement neuf secondes après le début du match.

Dans l'autre demi-finale, le *Canadien* battit Boston 2-0 à Montréal, puis corriga les *Bruins* 8-1 au second. L'ailier gauche, Dickie Moore, établit un record des séries de la LNH, qui devait durer jusqu'en 1983, en inscrivant six points au cours du même match, dont deux buts et quatre passes. Le *Canadien* continua son balayage en remportant des victoires de 4-3 et 2-0 dans les troisième et quatrième matchs.

Le trio de Détroit formé de Howe, Lindsay et Delvecchio s'illustra lors du premier match, que les *Wings* remportèrent 3-1. Les gros marqueurs du *Canadien*, Richard, Ken Mosdell et Bert Olmstead, étaient dans une période de léthargie et n'avaient pas obtenu de but au cours des cinq dernières rencontres.

Mais leur léthargie ne devait pas se prolonger bien longtemps. Ils explosèrent en deuxième partie, pendant que les *Wings* recevaient de nombreuses pénalités. Richard marqua deux fois et Moore, qui accumula l'impressionnant total de cinq buts et huit passes en six matchs, marqua le troisième but du *Canadien* qui gagna la partie 3-1, et égalisa la série. Le directeur de Détroit, Jack Adams, qui protestait contre les punitions imposées à son équipe, suscita la controverse lorsqu'il annonça son départ de la Ligue.

De retour à Montréal, le *Canadien* était privé des services de son étoile montante, Jean Béliveau, et du défenseur Doug Harvey; tous deux avaient été blessés

Un cadeau d'anniversaire pour Bonny

Après la victoire du *Canadien* contre les *Bruins* de Boston pendant les finales de 1953, le joueur de centre de Montréal, Kenny Mosdell, fit le tour de la patinoire en portant son trophée à bout de bras. Mais, à cette occasion seulement, le trophée n'était pas la coupe Stanley, mais plutôt sa fille de quatre ans, Bonny, qui devait célébrer son anniversaire le lendemain.

Terry Sawchuk. Cette image, l'une des rares photos en couleurs du début des années 1950, le montre en train de voler un but à Kenny Mosdell de Montréal. Il enregistra en séries 12 blanchissages durant sa carrière, le quatrième total en importance dans toute l'histoire de la Ligue.

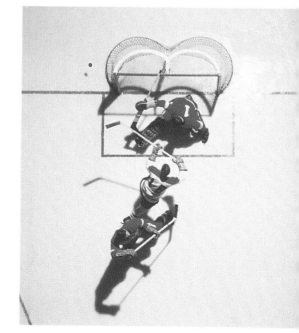

lors du deuxième match. Les *Wings* se déchaînèrent et gagnèrent la troisième partie 5-2, pendant que Plante était mal à l'aise devant le filet. Delvecchio, Lindsay, Johnny Wilson, Metro Prystai et Howe marquèrent pour Détroit, tandis que Tom Johnson et Dollard Saint-Laurent évitèrent un blanchissage au *Canadien*.

Plante continuait de montrer des signes de nervosité, et les *Wings* remportèrent 2-0 le match suivant, Red Kelly marquant dans un filet désert. Gerry McNeil, rappelé de l'équipe *Senior Royals* de Montréal, remplaça Plante dans le match suivant, au cours duquel Ken Mosdell, un joueur du *Canadien* âgé de 31 ans, marqua l'unique but de la rencontre et sauva son équipe.

Toujours avec McNeil devant le filet, le *Canadien* gagna 4-1 au Forum, mais sa poussée fut stoppée par Tony Leswick dans le match décisif. Floyd Curry du *Canadien* ouvrit la marque, mais le défenseur Red Kelly égalisa et força la prolongation. La partie prit fin de façon fort abrupte. Leswick, plus connu pour ses solides mises en échec que pour ses talents de marqueur, projeta la rondelle dans la zone du *Canadien*, à 4 min 29 de la période supplémentaire. Le défenseur-étoile Doug Harvey leva la main pour rabattre la rondelle sur la glace, mais la fit plutôt dévier par-dessus l'épaule de Gerry McNeil. Ce but de Leswick fut son troisième des séries éliminatoires; c'était aussi le but le plus opportun de sa carrière dans la LNH.

Peut-être à cause du goût amer laissé par cette défaite soudaine, le *Canadien* se conduisit de façon très inhabituelle après le match. Après chaque série, les équipes qui s'étaient affrontées avaient coutume d'échanger une poignée de main sur la patinoire, l'une pour présenter ses félicitations, l'autre pour offrir ses condoléances. Mais après cette rencontre, aucune poignée de main ne fut échangée. Les joueurs du *Canadien*, à l'exception de Gaye Stewart, un ancien joueur des *Red Wings*, filèrent tout droit au vestiaire.

La presse, les auditeurs et les téléspectateurs furent outrés par le manque d'esprit sportif du *Canadien*. L'entraîneur Dick Irvin donna une brève explication : «Si je leur avais serré la main, ç'aurait été à contrecœur. Je refuse d'être un hypocrite», commenta-t-il honnêtement. C'était seulement la deuxième fois dans l'histoire de la coupe Stanley que le septième et dernier match d'une série avait nécessité une prolongation.

En 1955, Détroit gagna la Coupe, mais c'est la tumultueuse équipe du *Canadien* qui fit la manchette. Ce fut l'année de la fameuse émeute, le jour de la Saint-Patrick.

Tout avait commencé à Boston, le 13 mars 1955. Le Rocket s'était mis en colère, avait donné un coup de bâton à Hal Laycoe des *Bruins* et bousculé le juge de ligne, Cliff Thompson. À la suite de cet incident, le président de la Ligue, Clarence Campbell, suspendit Richard, considéré comme un héros partout au Québec, pour le reste de la saison, y compris pendant les éliminatoires.

Le 17 mars, le *Canadien* affrontait les *Red Wings* de Détroit au Forum de Montréal. Les deux équipes avaient terminé ex æquo en tête du classement à la fin du calendrier régulier. Il y avait beaucoup de tension dans l'air ainsi qu'un grand ressentiment causé par la suspension de Richard, mais rien ne laissait présager la panique qui allait suivre.

Peu après l'explosion de cette bombe fumigène à l'intérieur du Forum de Montréal, le capitaine des pompiers de Montréal, Armand Paré, ordonna l'évacuation de l'édifice, forçant le Canadien à perdre par défaut contre Détroit. C'était la deuxième partie perdue par défaut dans l'histoire de la Ligue. La première avait eu lieu le 26 janvier 1921, lorsque les Senators d'Ottawa refusèrent de poursuivre un match contre le Canadien de Montréal.

Le soulèvement débuta lorsque des fans lancèrent une volée de cacahuètes et de programmes en direction de Clarence Campbell, au moment où il prenait place dans sa loge. Puis la loi de la jungle se mit à régner. Les spectateurs forcèrent les barrages de police. Une bombe lacrymogène, lancée derrière un des filets, provoqua une bousculade à l'intérieur de l'édifice, ce qui aurait pu tourner à la tragédie. Le président de la Ligue, qui n'avait pas bougé, fut approché par un voyou qui lui offrit amicalement son bras; après quoi Campbell, surpris, reçut un coup de poing.

À l'extérieur, la manifestation prenait de l'ampleur. La foule, entraînée par un groupe d'adolescents, se contenait au bord de la violence. Des coups de feu tirés par une arme de petit calibre firent voler en éclat une fenêtre sur la façade du Forum et la foule, maintenant complètement déchaînée, se déplaça le long de la rue Sainte-Catherine, principale artère est-ouest du centre-ville de Montréal. Les gens brisèrent les vitrines des magasins, endommagèrent les voitures et pillèrent les commerces.

L'émeute se calma petit à petit. Campbell, qui avait quitté les lieux comme par enchantement, reçut des lettres de menace de certains excentriques qui lui promirent de s'en prendre à lui dans les jours à venir. Il n'en tint pas compte. Le maire de Montréal, Jean Drapeau, conseilla publiquement à Campbell de ne pas venir au Forum assister au prochain match du *Canadien.* Campbell était décidé à ce que son bureau ne se laisse pas intimider, mais afin de prévenir de nouveaux soulèvements, il s'abstint de venir.

Richard tenta également de réprimer tout nouveau sursaut de violence. D'un poste de radio francophone, il pressa les gens «d'appuyer l'équipe afin d'empêcher d'autres malheurs».

Comme la plupart des grands artistes, Jack Adams était clairvoyant et réussissait des coups de maître. Dans le cas d'Adams, cependant, sa touche particulière s'effectuait avec un crayon. C'était en effet lui qui était responsable de la mise sous contrat de la majeure partie des talents qui amenèrent sept coupes Stanley à Détroit durant son mandat à titre d'entraîneur et de directeur général.

Avec les moyens du bord

À la suite de la conquête de la coupe Stanley en 1955, par les *Red Wings* de Détroit, les joueurs se réunirent au centre de la patinoire pour la cérémonie de remise du trophée. Ce soir-là, l'Olympia était bondé et le microphone, que devait utiliser Clarence Campbell, président de la LNH, s'entortilla dans son fil durant sa descente à partir du toit de l'édifice. Glen Skov, l'un des plus grands joueurs des *Wings* avec son 1,80 m, fut soulevé par deux coéquipiers et réussit à ramener le micro au sol.

«Je servirai ma punition, dit-il, et je serai de retour l'an prochain pour aider l'équipe et les jeunes à gagner la Coupe.»

Peu de gens se rendirent compte que les paroles de Richard étaient prophétiques : le *Canadien* gagna bel et bien la Coupe l'année suivante. Mais les séries de 1955 étaient perdues pour l'équipe.

Les joueurs battirent les *Bruins* quatre matchs à un, et accédèrent à la finale pour la cinquième année de suite. Durant la deuxième partie contre les *Bruins*, l'esprit inventif de Dick Irvin fut encore mis à profit. En 1931, alors qu'il était entraîneur des *Black Hawks* de Chicago, il fut le premier à effectuer une rotation complète de trois trios durant une partie. Les autres équipes, qui ne faisaient pas de rotation en masse, pliaient sous l'attaque des troupes fraîches de Chicago, et l'idée d'Irvin devint rapidement la norme. En 1955, Irvin remplaçait ses gardiens de but, Jacques Plante et Charlie Hodge, durant le match, en espérant que ces fréquentes substitutions préviendraient la fatigue que ressent un gardien en fin de rencontre.

Les *Leafs* et Détroit se rencontrèrent de nouveau à l'autre demi-finale. Les *Wings* expédièrent la série en quatre matchs; ils s'imposèrent 7-4 au premier, puis obtinrent deux victoires de 2-1, avant d'achever Toronto, 3-0.

Dans le premier match opposant Montréal à Détroit, le *Canadien* menait 2-1 au milieu de la troisième période, mais s'inclina 4-2. Floyd Curry marqua les deux buts du *Canadien*, mais Marty Pavelich donna l'avance à Détroit vers la fin du match, pendant une infériorité numérique, et Ted Lindsay scella l'issue de la rencontre à 18 secondes de la fin.

Lindsay fut encore une fois le héros de la deuxième partie, marquant quatre buts lors de la victoire des *Wings* (7-1). Marcel Pronovost, Gordie Howe et Alex Delvecchio marquèrent également pour Détroit.

Les joueurs du *Canadien*, soudainement réanimés, remportèrent le troisième match, 4-2, et Bernard «Boum-Boum» Geoffrion fit temporairement oublier aux fans de Montréal la perte de leur cher Rocket, en marquant deux buts. L'entraîneur-recrue des *Red Wings*, Jimmy Skinner, expliqua que son équipe avait été vaincue parce qu'elle avait perdu la tête.

Le *Canadien* remporta le quatrième match, 5-3, ce qui incita plusieurs journalistes à dire que les matchs de la série seraient tous gagnés à domicile. Parmi les marqueurs du *Canadien*, on retrouvait Calum MacKay, Jean Béliveau, Tom Johnson, Geoffrion et Floyd Curry. De l'autre côté, Earl «Dutch» Reibel enfila deux buts pour l'équipe perdante. Au cours du cinquième match, Détroit gagna encore à domicile, 5-1, grâce à trois buts de Gordie Howe, qui porta sa récolte à huit buts et onze passes, un record des séries de fin de saison.

Jusqu'à la fin de la série, les équipes-hôtes devaient gagner tous leurs matchs. Le *Canadien* nivela la série à trois matchs grâce à une victoire de 6-3, et grâce au travail acharné de Curry et MacKay, qui secondèrent Geoffrion et Béliveau. Mais les *Red Wings* n'avaient pas perdu un match à Détroit depuis près de quatre mois, et ils n'allaient certainement pas céder au septième match de la finale. Ils maîtrisèrent le *Canadien* 3 à 1, et mirent la main sur la Coupe, donnant à Jack Adams sa septième coupe Stanley à titre de directeur général. Alex Delvecchio marqua deux buts, et l'indomptable Howe ajouta l'autre.

*Un groupe de Red Wings –
comprenant Red Kelly,
Johnny Wilson et Gordie
Howe – suit de près le
déroulement de l'action
depuis le banc de Détroit.*

Ce fut aussi une heureuse victoire pour Jimmy Skinner qui, après avoir laissé les *Cubs* de Hamilton, équipe junior A de l'Association de hockey de l'Ontario, était venu remplacer Tommy Ivan au poste d'entraîneur, à Détroit.

Équipe dominante de la première moitié des années 1950, les *Red Wings* avaient atteint leur apogée après leur conquête de la coupe Stanley de 1955. Les piliers de l'équipe, à l'exception de l'infatigable Howe et de l'irrésistible Lindsay, montraient des signes de fatigue. Au même moment, la jeune équipe de Montréal était prête à occuper le sommet de la LNH.

Les «Flying Frenchmen»

1956-1967

Le classement général à l'issue du calendrier régulier de 1956 indiquait clairement la montée du *Canadien* vers le pouvoir, et l'inévitable affaiblissement de la formidable machine de Détroit. Les *Wings*, qui avaient remporté sept années de suite le championnat de la LNH, ne purent gagner une huitième fois, ayant été stoppés vers la fin de février par le *Canadien*, qui prouva alors sa supériorité en les battant 5-1, à Montréal. Le *Canadien* poursuivit sa lancée et gagna son premier championnat de la Ligue depuis 1947.

Ils gagnèrent d'autres honneurs. Le puissant joueur de centre, Jean Béliveau, avec 47 buts, remporta le trophée Art Ross remis au meilleur marqueur; le gardien, Jacques Plante, qui sortait volontiers de son filet, gagna le trophée Vézina tant convoité, accordé au gardien de l'équipe qui accorde le moins de buts. Bert Olmstead, avec ses 56 passes, établit un record avec Béliveau, le centre ayant obtenu le plus de buts et de passes.

Le *Canadien* termina la saison avec une confortable avance de 24 points sur les *Red Wings*, et s'attendait à disputer une demi-finale relativement facile contre les *Rangers* de New York. Ceux-ci, fouettés par l'entraîneur Phil Watson, s'étaient emparés de la troisième place. Pour venir à bout des *Rangers*, le *Canadien* eut besoin de cinq matchs, dont une victoire écrasante de 7-0 à la dernière rencontre. Tous les éléments étaient donc en place pour une autre confrontation en finale, Montréal-Détroit.

La série débuta à Montréal, et le *Canadien* mit la machine en marche, défaisant Détroit 6-4. Pendant deux périodes, Détroit avait eu l'avantage; le *Canadien*, à la surprise générale, semblait surclassé. Mais en cinq minutes de la troisième période, le match bascula et les *Red Wings* ne purent qu'encaisser les buts de Béliveau, de Geoffrion et de la recrue Claude Provost. L'intensité de l'avalanche ne décrut pas pendant la deuxième rencontre, et le *Canadien* massacra les *Wings*, 5 à 1.

La formule habituelle semblait vouloir se répéter. En onze matchs consécutifs de ronde finale de la coupe Stanley entre ces deux formations, l'équipe

En 1956, Jean Béliveau (à gauche) mena la LNH quant au nombre de buts, et Bert Olmstead dominait la Ligue quant au nombre de passes. Ensemble, ils donnaient au Canadien une formidable rapidité offensive.

jouant à domicile remporta toujours la victoire. À domicile, les *Red Wings* portèrent à douze le nombre de victoires acquises sur leur patinoire, grâce aux dommages causés par Kelly, Lindsay et Howe, qui eurent raison du *Canadien*, 3-1. Mais Montréal gagna à Détroit, au quatrième match, grâce à deux buts de Jean Béliveau, qui était décidément trop bon pour Détroit. Floyd Curry, un spécialiste des séries éliminatoires, en ajouta un autre, et le *Canadien* blanchit les *Wings*, 3-0. Le 10 avril, de retour à Montréal, le *Canadien* remporta 3 à 1 le cinquième match, pour ravir la coupe Stanley à Détroit, qui la détenait depuis deux ans.

Les trois meilleurs marqueurs du *Canadien* participèrent à l'achèvement des *Wings*; en effet, Béliveau, Geoffrion et le Rocket marquèrent chacun un but. Béliveau fut l'homme de la situation, marquant le premier but de la dernière rencontre, ce but qui compte tant. Il avait donc inscrit 12 buts au cours des éliminatoires, et un total de 59 durant toute la saison.

Cette victoire marqua la fin de six années de frustration pour le *Canadien*. Les joueurs avaient chaque fois atteint la finale, mais n'avaient obtenu la Coupe qu'en deux occasions.

À partir de ce moment, la rivalité entre le *Canadien* et les *Red Wings* s'éteignit, du moins pendant quelque temps. En 1957, les puissants *Wings* n'accédèrent pas à la finale, car la rude équipe des *Bruins* de Boston les avait éliminés en demi-finale.

Détroit avait remporté le championnat de la LNH et se qualifia pour les éliminatoires, pour la vingt-septième fois de son histoire. Howe et Lindsay

Ted le Terrible

Durant la demi-finale entre les *Red Wings* et les *Maple Leafs* en 1956, on menaça d'abattre Ted Lindsay s'il osait sauter sur la patinoire pour disputer le troisième match de la série. Non seulement Lindsay joua-t-il ce soir-là, mais il marqua un but vers la fin du troisième engagement pour forcer la prolongation, puis enfila le but de la victoire à 4:22 de la période supplémentaire.

terminèrent en tête des marqueurs, amassant 174 points, le plus haut total inscrit en une saison par deux joueurs de la même équipe. Howe en eut 89 et Lindsay, 85. C'était la cinquième fois en onze ans que Howe remportait le championnat des marqueurs.

Forts de ces statistiques, les experts s'empressèrent de favoriser les *Red Wings* et de prédire la capitulation rapide des *Bruins*, en demi-finale. Mais l'entraîneur de Détroit, le rusé Jack Adams, ne voyait pas sa propre équipe remporter la Coupe. «Ce sont les séries les plus étranges auxquelles je puisse penser, dit-il. Boston possède plus de joueurs affamés. Ils sont combatifs et n'arrêtent jamais de travailler. Montréal et Détroit ont un bon noyau de joueurs, mais ils devront redoubler d'ardeur.»

Les vaillants *Bruins* éliminèrent les *Red Wings* en cinq rencontres. Pendant le cinquième match, les *Bruins*, qui tiraient de l'arrière, enfilèrent trois buts en troisième période, battirent les *Wings* 4-3 et gagnèrent la demi-finale. C'était la deuxième fois, en dix ans, que Boston atteignait la finale de la coupe Stanley. Cal Gardner marqua le but gagnant des *Bruins*.

Entre temps, le *Canadien* disposa des *Rangers*. Le point tournant de la série survint au troisième match, lorsque Geoffrion, menant une campagne

Le Canadien de Montréal, en 1956, était formé de 12 futurs membres du Temple de la renommée, dont le directeur, Frank Selke, et l'entraîneur, Toe Blake.

MONTREAL CANADIENS
WORLD HOCKEY CHAMPIONS
STANLEY CUP AND PRINCE OF WALES CUP WINNERS
1955-1956

Front row, left to right: Jean-Guy Talbot, Tom Johnson, Ken Reardon (Assistant Manager), William Northey, Emile "Butch" Bouchard (Captain), Hector "Toe" Blake (Coach), Frank J. Selke (Managing Director), Doug Harvey, Dollard St. Laurent.
Second row: Camil DesRoches (Associate Publicity Director), Henri Richard, Dickie Moore, Maurice Richard, Jacques Plante, Jean Beliveau, Bert Olmstead, Bernie Geoffrion, Frank D. Selke (Associate Publicity Director).
Third row: Gaston Bettez (Assistant Trainer), Claude Provost, Bob Turner, Jackie Leclair, Ken Mosdell, Floyd Curry, Don Marshall, Hector Dubois (Trainer).

Jean Béliveau contourna difficilement le capitaine des Bruins, Fernie Flaman, mais son tir frappa le poteau, à la grande satisfaction du gardien de Boston, Don Simmons. Simmons et ses coéquipiers empêchèrent le Canadien de s'inscrire au pointage, enregistrant une victoire de 2-0, leur seul gain au cours de la finale de la coupe Stanley de 1957.

solitaire contre les *Blues*, logea trois rondelles derrière Lorne «Gump» Worsley. Jean Béliveau marqua deux buts, pendant que Dickie Moore et Rocket Richard en marquèrent chacun un, ce qui aida le *Canadien* à enterrer les *Rangers*, 8-3.

Les *Rangers*, résistant désespérément, gardèrent une avance d'un but au quatrième match, mais durent s'incliner 3-1, lorsqu'ils furent bombardés par Henri Richard, Phil Goyette et Geoffrion. Au cinquième match, les *Rangers*, toujours combatifs, forcèrent le *Canadien* à jouer une prolongation en marquant trois buts au dernier engagement. Mais à deux minutes onze secondes de prolongation, Rocket Richard, l'as des as, donnait la victoire aux siens.

L'incomparable Richard anéantit les *Bruins* dès le match d'ouverture à Montréal. Il marqua quatre buts lors de la victoire de 5-1 du *Canadien*. Les deux entraîneurs, Toe Blake du *Canadien* et Milt Schmidt des *Bruins*, acclamaient les prouesses de Richard. Le gardien-recrue des *Bruins*, Don Simmons, n'était pas aussi enthousiaste. «C'était humiliant», confessa-t-il aux journalistes.

Richard réussit trois buts en deuxième période, égalant ainsi le record de Busher Jackson enregistré durant les séries éliminatoires de l'ère moderne. Ce record devait être brisé en 1985 par Tim Kerr, des *Flyers* de Philadelphie, qui marqua quatre buts en une période. Les *Bruins*, essoufflés à la suite de leur série contre les *Wings*, furent bombardés de 41 tirs alors qu'ils n'en réussirent que 21 en direction de Jacques Plante.

Boston resserra sa défense pendant le deuxième match. Jean Béliveau fut l'auteur de l'unique but de la rencontre, et le *Canadien* prit une avance de deux matchs à zéro, grâce à cette victoire de 1-0. Richard, suivi de près par Fleming Mackell des *Bruins*, ne marqua aucun but contre Simmons.

Les deux catalyseurs du Canadien de Montréal au cours des séries de la coupe Stanley de 1957 : l'entraîneur Toe Blake et Maurice Richard. Les tactiques géniales de Blake derrière le banc menèrent le Canadien à son second titre, tandis que le but marqué en prolongation par Richard, contre les Rangers de New York – le cinquième but en prolongation de sa carrière – permit au Canadien d'accéder à la finale pour la huitième fois de suite.

Le puissant *Canadien* se rendit à Boston pour la troisième partie, au cours de laquelle Bernie Geoffrion obtint deux buts. Montréal gagna le match 4-2, et prit une sérieuse avance de trois matchs à zéro dans la série. Geoffrion porta à dix, le nombre de buts marqués en huit matchs des séries.

Les *Bruins* opposèrent une farouche résistance à la quatrième partie. Ils distribuèrent généreusement les mises en échec et le gardien-recrue, Simmons, fut éblouissant devant le filet. Mackell inscrivit les deux buts de la rencontre pour permettre à Boston de blanchir le *Canadien*, 2-0. Mais l'avance des *Bruins* devait s'arrêter net. Le 16 avril, de retour au Forum de Montréal, le *Canadien* épuisa l'équipe des *Bruins* en lui infligeant un revers de 5-1, et gagna la Coupe en cinq rencontres.

Le Forum était en délire ce soir-là. Richard reçut la Coupe des mains de l'administrateur, Cooper Smeaton, au centre de la patinoire, acclamé par une foule en liesse. À ce moment-là, il devint le symbole vivant de la Coupe, avec tout ce qu'elle représente.

(suite p. 157)

Maurice et Henri Richard

par Réjean Tremblay

Tous les pays ont leurs héros. Tous les pays tiennent des fêtes nationales. Tous les pays ont connu de grands moments et leurs peuples se souviennent de ces événements marquants.

Maurice Richard est plus qu'un joueur de hockey. Il est un héros pour le peuple québécois, tout comme Muhammed Ali est, dans le monde entier, le héros du peuple noir.

Les historiens soutiennent que l'élection de Jean Lesage à la tête du Parti libéral, en 1960, marqua le début de ce qu'on appelle, au Québec, la Révolution tranquille. Cependant, les Québécois savent bien que la vraie révolution débuta le 17 mars 1955, lorsque les Montréalais se rebellèrent contre une décision de Clarence Campbell, président de la Ligue nationale de Hockey, et envahirent les rues de l'Ouest de la ville en brisant les vitrines des grands magasins.

On ne trouve nulle part ailleurs au Canada, que ce soit hier ou aujourd'hui, une personnalité de la trempe de Maurice «Rocket» Richard. De tous les duos de frères qui jouèrent dans la LNH, aucun ne marqua le hockey des éliminatoires de la coupe Stanley avec autant d'éclat que Maurice et Henri Richard. Henri, le frère cadet de Maurice, remporta onze fois la coupe Stanley, fut capitaine du *Canadien* et fut le seul responsable du renvoi de l'entraîneur Al McNeil, après la victoire du *Canadien* en 1971.

Au Québec, le hockey, les éliminatoires, la passion, la vraie passion, s'épellent R-I-C-H-A-R-D. La profondeur de ce sentiment est indiscutable pour ceux qui, durant leur jeunesse, écoutaient – tard le soir et à l'insu de leurs parents – les commentaires de Michel Normandin sur la partie. Il l'est aussi pour ceux qui, dans une cour d'école, ont déjà essayé d'échanger (en vain) trois cartes de Gordie Howe contre une de Maurice Richard. Il en est de même pour tous ceux d'entre nous, jeunes et adultes, qui prirent conscience subitement, le jour où Clarence Campbell suspendit le Rocket, des grandes et petites injustices que les Québécois subissaient dans leur vie quotidienne.

Ce jour-là, ma mère jeta toutes les conserves de soupe Campbell que nous avions à la maison pour les remplacer par une autre marque, malgré le fait que Clarence Campbell n'avait rien à voir avec la soupe Campbell et que la nouvelle marque n'était pas aussi bonne que l'autre. C'est à ce moment-là que j'ai pris la décision de mettre du ketchup Heinz sur mes frites.

Il est nécessaire de comprendre que le Québec de cette époque était très catholique, que les gens vivaient en milieu rural et que le monde des affaires et de l'argent étaient réservé aux anglophones. Nous écoutions le prêtre de notre paroisse nous répéter qu'un chameau passe plus facilement par le chas d'une aiguille qu'un homme riche ne pénètre dans le Royaume de Dieu. Nous donnions donc généreusement aux pauvres afin de nous garantir un séjour au paradis. Et nous étions gâtés avec Maurice Richard.

Il était le seul. René Lévesque était toujours un jeune journaliste, Félix Leclerc n'était pas encore devenu un grand poète national, tous ces Québécois dont les chansons et les danses traduiraient plus tard l'émergence d'un sentiment nationaliste se trouvaient encore sur les bancs des écoles, et les hommes et les femmes qui devaient former l'élite politique du Québec ne faisaient qu'entreprendre leur cours classique. Leurs mères devaient sans doute espérer les voir devenir prêtres ou religieuses.

Rocket Richard était notre symbole. Quand il marqua 50 buts en 50 parties, les Canadiens français (comme on nous appelait à l'époque) furent très fiers. Les chanteurs entonnaient : «C'est Maurice Richard qui compte, qui compte. C'est Maurice Richard qui compte tout le temps.» Et nos oncles riaient et se claquaient les cuisses.

Et quand Maurice marqua deux buts en prolongation aux petites heures du matin en se ruant, fatigué mais assoiffé de victoire, vers le filet de Sawchuk pour battre Détroit dans la demi-finale de 1951, c'est tout le Québec qu'il portait sur ses épaules. Il faut comprendre pourquoi il fut si important. Le Rocket fit rapidement partie de la culture québécoise.

L'écrivain Roch Carrier écrivit une nouvelle qui exprime fort bien l'essence même de la relation existant entre Maurice Richard et le Québec. Dans cette nouvelle, il mentionne que sa mère avait un jour commandé un chandail portant le numéro neuf, qu'elle avait vu dans le catalogue du grand magasin Eaton. À cette époque, l'arrivée du catalogue d'hiver était un grand événement dans les paroisses rurales du Québec. Les garçons rêvaient durant des heures à la vue de patins et de chandails du *Canadien*, de camions et d'autres jouets. Leurs rêves comptaient beaucoup, car ils savaient très bien qu'ils ne recevraient pas de tels cadeaux. L'argent était rare, et feuilleter le catalogue constituait une merveilleuse façon de passer la soirée.

Quand elle fit sa commande, Mme Carrier ne sentit pas le besoin de préciser le nom de l'équipe dont elle voulait le chandail : le numéro neuf, c'était de toute évidence le chandail du Rocket. Par contre, elle n'oublia pas de mentionner que son fils avait dix ans pour être certaine de recevoir la bonne taille. Mais le commis de chez Eaton à Toronto ignorait la passion de Mme Carrier pour le Rocket et pour le *Canadien*; aussi lui envoya-t-il un chandail d'un bleu éclatant, celui des *Maple Leafs*. Le chandail ne pouvait être échangé, car Noël approchait; alors le jeune Roch dut porter son chandail des *Maple Leafs* pour aller à l'école avec ses amis. Ce fut une expérience enrichissante pour le garçon. Johnny Cash, dans sa chanson intitulée «A Boy Named Sue» raconte une histoire semblable. Mais lui ne parle pas de M. Eaton...

Claude Clément est l'un des médecins du *Canadien* de Montréal. C'est un homme d'une cinquantaine d'années, instruit, vice-président de l'Opéra du Montréal métropolitain et grand amateur de hockey. Maurice Richard influença fortement sa vie. Le Docteur Clément grandit dans Côte-Saint-Paul, quartier ouvrier de Montréal. Sa famille n'avait pas beaucoup d'argent, alors il n'avait jamais la chance d'aller au Forum voir une partie et encourager Maurice Richard.

«Je montais toujours la côte qui reliait le pauvre district de Saint-Henri au riche quartier de Westmount. Je passais des heures devant le magasin d'Hector Dubois. Il était l'entraîneur du *Canadien* et son commerce était situé là où se trouve aujourd'hui la boutique de souvenirs du Forum. J'observais les patins qu'il aiguisait. Sur le côté de chaque patin était collé un numéro, et j'attendais qu'il aiguise le numéro neuf. Les battements de mon cœur d'enfant s'accéléraient lorsque je le voyais saisir les patins du Rocket; je n'osais plus cligner des yeux. Les patins de

Maurice Richard !» se remémore le Docteur Clément, qui maintenant soigne les coupures et les ecchymoses de la nouvelle génération du *Canadien*.

Tom Johnson, maintenant membre du Temple de la renommée et vice-président des *Bruins* de Boston, était à la ligne bleue du *Canadien* le soir de la fameuse émeute. Plus de 40 ans plus tard, Johnson n'a toujours pas oublié : «L'atmosphère du Forum était explosive. À la fin de la première période, la marque était de 4-1 pour les *Red Wings*. Puis les bombes fumigènes explosèrent. On nous dit alors que la partie était terminée et que la victoire avait été accordée aux *Red Wings*. J'avais prévu rejoindre quelques amis dans le hall du Forum après la rencontre, alors j'étais un peu préoccupé. Enfin, j'ai quitté la patinoire en compagnie d'un agent de police du poste 25. C'était un géant impressionnant; c'est lui aussi qui escorta M. Campbell et sa secrétaire. La rue Sainte-Catherine grouillait de monde, mais personne ne fit attention à nous.»

Le reporter Dick Irvin, fils de l'entraîneur du *Canadien* (lui aussi nommé Dick Irvin), était également présent au match. «En ce temps-là, la galerie de presse se trouvait à l'extrémité du Forum donnant sur la rue Sainte-Catherine, et toute l'action se déroula juste en face de moi. Il y avait tant de fumée que je ne pouvais voir ce qui se passait. Plus tard au cours de la soirée, mon père me

Rocket Richard glissa adroitement la rondelle entre les jambières du gardien de Boston, Gordon «Red» Henry. Excellent durant les séries, Richard détient toujours trois records individuels des éliminatoires, dont celui du plus grand nombre de buts (six) marqués en prolongation durant les séries.

DAVID BIER

confia, et je me rappellerai toujours ses mots : «Mon fils, j'ai déjà vu le Rocket remplir des patinoires, et c'est la première fois que je le vois en vider une.»

Le Rocket était plus qu'un joueur de hockey. Sa fureur, son désir de vaincre et son intensité au jeu motivaient les joueurs du *Canadien*.

Cette année-là, le Rocket, meilleur marqueur durant les éliminatoires depuis de nombreuses saisons, ne put donner la coupe Stanley au *Canadien*. Il devint un martyr. «J'en rêve encore le soir, dit Richard après toutes ces années. Je suis convaincu que je ne méritais pas une telle suspension. Hal Laycoe fut l'instigateur de l'incident et profita de ce que le juge de ligne me retenait pour me frapper. J'ai poussé cet officiel pour me libérer de son emprise. Il est intéressant de constater que ce juge de ligne ne travailla dans aucun autre match de la LNH. J'aurais pu accepter que ma suspension soit repoussée au

Maurice Richard, durant une conférence radiophonique, lance un appel au calme aux citoyens de Montréal, après «l'Émeute Richard».

début de la saison suivante, mais je ne trouvais pas juste de m'interdire de jouer pendant les éliminatoires. Les gens pensèrent la même chose», dit Richard.

Par une étrange coïncidence, le Rocket prit sa retraite au printemps de 1960, quelques mois avant que Jean Lesage ne devienne premier ministre du Québec et ne déclenche la Révolution tranquille. En quelques années, le Québec devait effectuer un pas de géant en direction du présent et devenir une société plus ouverte au reste du monde. Les années s'écoulèrent. René Lévesque, Pierre Elliott Trudeau, Brian Mulroney, Paul Desmarais, Pierre Péladeau, Jean Chrétien, Lucien Bouchard, Robert

Charlebois, Céline Dion, Ginette Reno et Jean-Paul Riopelle firent leur marque dans les domaines de la politique, des affaires et de la culture. Toutefois, Maurice Richard reste sans aucun doute le Québécois le plus populaire, même parmi les jeunes qui naquirent après sa retraite.

En février dernier, les anciens du *Canadien* et des *Maple Leafs* disputèrent un match amical au Forum. Tous les joueurs furent présentés aux milliers de spectateurs qui remplissaient les estrades.

Qui, d'après vous, reçut le plus d'applaudissements ?

«Et c'était mérité», dit Brian O'Neill, vice-président exécutif de la Ligue nationale de hockey.

O'Neill était étudiant quand il vit le Rocket pour la première fois. Et il se rappelle toujours l'excitation de la foule soulevée par Richard lorsqu'il passait la ligne bleue à toute vapeur : «Les partisans devenaient fous. De la ligne bleue jusqu'au filet adverse, Richard était le joueur le plus excitant. Il aurait pu parler n'importe quelle langue, il aurait quand même été l'idole des fans du *Canadien*. Je ne crois pas qu'une raison politique se cache derrière son immense popularité. Il était tellement bon et tellement excitant à voir.»

Il y avait le Rocket et il y avait le Pocket Rocket. À 17 ans, Henri Richard était déjà célèbre au Québec. Avec Claude Provost et André Vinet, ils formaient un sensationnel trio offensif du *Canadien* junior de Montréal. J'avais environ dix ans lorsqu'ils vinrent au Colisée de Chicoutimi disputer un match contre les *Saguenéens* de la Ligue senior du Québec, aujourd'hui disparue. À cette époque, Henri était surnommé «Flash».

Les *Saguenéens* constituaient une bonne équipe professionnelle. Avec Marcel Gauthier devant le filet, Georges Roy et Gerry Claude à la ligne bleue, Sherman White, Ralph «Bucky» Buchanan et Jimmy Moore à l'attaque, ils auraient pu battre les équipes de la LNH les plus faibles du temps, les *Black Hawks* de Chicago ou les *Rangers* de New York. C'était du moins ce que nous, les élèves de l'école Saint-Jean-Baptiste située à Chicoutimi-Nord, soutenions vigoureusement durant les récréations.

Un soir, après une partie excitante, je revoyais constamment le jeune Richard dans ma tête. Je n'avais encore jamais vu de match de hockey à la télévision parce que le réseau de Radio-Canada ne s'étendait pas jusqu'aux régions éloignées, mais je m'aperçus rapidement qu'Henri Richard était devenu mon héros.

«Henri et Maurice ne s'adressaient pas souvent la parole», se rappelle Tom Johnson. «La différence d'âge était grande entre les deux frères et, de toute façon, aucun des deux n'était loquace. Ils préféraient donner l'exemple sur la glace.»

«Beaucoup de gens croyaient que nous étions fâchés Maurice et moi parce que nous ne nous parlions pas beaucoup, dit Henri. Mais il n'en était rien. En 50 ans, nous n'avons jamais été en désaccord. C'est juste que les Richard ne sont pas des bavards.»

Lorsqu'Henri allait à l'école, il devait grandir dans l'ombre d'un géant : «J'étais très timide. Quand j'étais enfant, je ne voulais pas que les gens sachent que j'étais le frère du Rocket. Lorsque le surveillant de l'école me demandait ce que je voulais faire plus tard, je ne répondais jamais que je voulais devenir un joueur de hockey. Je disais plutôt que je voulais être maçon, de façon à ce qu'il ignore mon lien de parenté avec le Rocket.

«Mais dans mes rêves, j'étais Maurice Richard et je jouais pour le *Canadien* de Montréal. À partir de l'âge de six ans, je n'ai pas raté beaucoup de parties au Forum. Maurice était mon idole. À cause de la différence d'âge de 15 ans, je ne croyais pas avoir un jour la chance de jouer à ses côtés. Mais lorsque j'ai atteint les rangs juniors, je me suis rendu compte que c'était possible. Je crois que le fait que nous jouions ensemble aida Maurice à prolonger sa carrière de joueur.»

Henri arriva chez le *Canadien* en 1955-1956; Maurice et lui accomplirent de grandes choses durant les cinq années où ils jouèrent dans le même trio. La plupart du temps, Dickie Moore complétait l'attaque sur le flanc gauche. La puissance offensive de ce trio était meurtrière,

Ensemble, les frères Richard marquèrent 902 buts et gagnèrent 19 coupes Stanley durant leur carrière avec le Canadien.

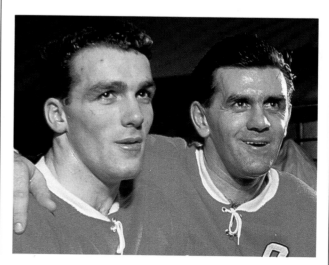

et avec un autre trio formé de Jean Béliveau, Bernard Geoffrion et Bert Olmstead, ils constituaient le cœur de la grande dynastie du *Canadien*.

Maurice était l'idole du Québec et pour lui, les gens descendirent dans la rue; Henri aussi pouvait faire preuve d'une grande force de caractère. Il avait le même tempérament fougueux que son frère aîné et, lorsque le Rocket prit sa retraite, Henri continua de marquer l'histoire du hockey de la coupe Stanley au Québec.

Jamais cet aspect ne fut plus évident qu'en 1971, durant la finale de la coupe Stanley contre Chicago, qui avait une bonne équipe construite autour de Tony Esposito, Stan Mikita et Bobby Hull. Le *Canadien* venait de perdre la cinquième partie au Stadium de Chicago et pendant de longs moments, l'entraîneur Al McNeil avait fait moisir Henri sur le banc.

Bertrand Raymond, un jeune journaliste au *Journal de Montréal* qui couvrait alors la saison du *Canadien* pour la première fois, arriva au vestiaire avant tous ses collègues.

«Je m'assis près de Richard en espérant tout au plus recevoir les déclarations habituelles. Je lui demandai simplement ses impressions après cette défaite. Henri était blanc de rage. En pesant lentement chaque mot, il lâcha : «Al McNeil est le pire entraîneur que j'aie jamais connu.» Puis il continua de vider son sac», se rappelle Raymond

Imitant les exploits de son frère, Henri Richard soulève la rondelle par-dessus Tony Esposito, étendu sur la glace, pour donner au Canadien une victoire de 3-2 contre Chicago, au septième match de la finale de la coupe Stanley de 1971.

qui, depuis, a été honoré par le Temple de la renommée du hockey pour ses textes. «À ce moment-là, si un joueur avait osé dire quoi que ce soit à Richard, il aurait reçu une claque en pleine figure. C'est à ce moment-là que je mesurai le grand respect qu'on accordait à Jean Béliveau : sortant de la douche, Jean posa la main sur l'épaule de Richard et lui demanda tranquillement de se calmer. Henri n'ajouta pas un mot.»

Mais c'était trop tard. Le lendemain, l'histoire de Raymond parut sous un titre sensationnel : «Al McNeil est le pire entraîneur que j'aie jamais connu !!!»

Lorsque l'équipe arriva à l'aéroport de Dorval, le lendemain, les douaniers avaient laissé traîner des journaux un peu partout aux points de contrôle. McNeil dut remplir sa déclaration de douane sous les regards froids et irrités des agents.

La passion des amateurs de hockey de Montréal était si forte que, lors de la sixième rencontre au Forum, McNeil dut recevoir la protection de policiers en civil, postés derrière le banc du *Canadien*. Trop de menaces de mort avaient été proférées pour qu'on prenne la situation à la légère. Encore une fois, un Richard avait soulevé les passions.

Mais comme le Rocket, Henri Richard faisait plus que parler. Au septième match, les *Hawks* prirent très rapidement une avance de 2-0 et semblaient se diriger vers une conquête de la coupe Stanley. Jacques Lemaire, d'un lancer de la ligne bleue, déjoua Tony Esposito. Ce but réveilla le *Canadien* et, quelques minutes plus tard, Henri marqua le but égalisateur.

Et qui, pensez-vous, marqua le but de la victoire?

Le *Canadien* remporta une autre coupe Stanley et Al McNeil, l'entraîneur gagnant, se retrouva la saison suivante à Halifax pour diriger l'équipe-école du *Canadien*. Aujourd'hui, Henri Richard a très peu changé. Les quelques cheveux d'argent qu'il arborait même durant ses dernières années à titre de capitaine du *Canadien* sont devenus entièrement gris. Depuis qu'il n'est plus une étoile de la LNH, Richard excelle au tennis et préférerait mourir plutôt que de céder un set.

Lorsque le *Canadien* fut éliminé par les *Bruins* de Boston en quatre matchs d'affilée en 1992, les deux frères préférèrent ne pas trop parler.

Voyez-vous, ils sont devenus des citoyens ordinaires et, malheureusement, il n'y a plus de Richard pour soulever la colère et la passion des Québécois !

Ce sont deux excellents marqueurs du *Canadien* de Montréal qui étaient en tête du classement en 1957-1958. En amassant 84 points, Dickie Moore délogea Gordie Howe au titre de champion des marqueurs de la Ligue, tandis que le frère cadet de Maurice Richard, Henri (le Pocket Rocket), connut la meilleure saison chez les professionnels en inscrivant 80 points, pour terminer au deuxième rang derrière Moore, son coéquipier de trio. Pour la troisième année de suite, le *Canadien* domina la Ligue, tant en défensive qu'en attaque; ses joueurs marquèrent le nombre record de 250 buts durant le calendrier de 70 matchs.

En demi-finale, le *Canadien* affronta son principal adversaire, les *Red Wings* de Détroit, qui avaient glissé au troisième rang après avoir enregistré 29 gains, 29 défaites et 12 parties nulles. Le *Canadien* entreprit la série au Forum avec deux victoires écrasantes de 8-1 et 5-1. Les *Wings* se défendirent avec acharnement à l'Olympia, mais un but d'André Pronovost en prolongation du troisième match donna la victoire 2-1 au *Canadien*. Lors du quatrième match, Détroit menait 3-1 au début du troisième engagement, mais Rocket Richard explosa et marqua trois buts, dont le but gagnant, pour mettre un terme à la saison des *Wings*.

Les *Rangers* de New York, menés par une super-étoile grandissante, Andy Bathgate, se hissèrent au deuxième rang du classement avec 77 points, le plus haut total jamais atteint par l'équipe. Pendant la demi-finale, cependant, les *Blues* de Broadway furent la proie des *Bruins* de Boston qui effacèrent, en six matchs, les gains des *Rangers* durant la saison régulière. Grâce à cette victoire, les *Bruins* remportèrent un second laissez-passer pour la finale.

Durant le premier match, pas moins de 14 pénalités furent signalées, seulement au premier engagement. Le *Canadien* prit une avance de 1-0, profitant

La super-étoile des Rangers, Andy Bathgate, dégage une rondelle repoussée par le gardien Gump Worsley, pendant que Bill Gadsby et Léo Labine de Boston observent le déroulement de l'action durant la demi-finale de 1958 entre les Bruins et les Rangers. Boston remporta ce match 6-1 et la série, en six rencontres.

Bernard «Boum-Boum» Geoffrion (à gauche) fut le meilleur marqueur des séries de 1957, avec onze buts et sept passes, tandis que Fleming Mackell réalisa la meilleure performance de sa carrière et domina la Ligue durant les séries de 1958, en inscrivant cinq buts et 14 passes pour 19 points, le deuxième plus haut total de l'histoire des séries de la LNH, à l'époque.

d'une pénalité infligée aux *Bruins* pour avoir eu trop de joueurs sur la patinoire. Allan Stanley des *Bruins* nivela la marque au début de la deuxième période, mais le *Canadien* reprit l'avance 2-1 pendant que Léo Labine se trouvait au banc des punitions pour avoir fait trébucher; l'équipe conserva cette avance jusqu'à la fin de la rencontre. Seul l'effort herculéen fourni par le gardien des *Bruins*, Don Simmons (qui reçut 44 tirs), permit de garder le match serré. Inébranlables, les *Bruins* passèrent à l'attaque au deuxième match et ouvrirent le pointage seulement 20 secondes après le début de la partie. Joseph «Bronco» Horvath fut le héros offensif de Boston; il réussit à glisser deux rondelles derrière Jacques Plante, et les *Bruins* égalisèrent la série.

Les frères Richard prirent le troisième match en main et participèrent à tous les buts du *Canadien* qui avait resserré sa défense et qui remporta le match, 3-0. Les *Bruins* revinrent encore une fois de l'arrière au quatrième match, grâce à deux buts de Don McKenney, ce qui permit à l'équipe de niveler la série avec un gain de 3-1.

Les deux équipes revinrent au Forum de Montréal disputer la cinquième rencontre au cours de laquelle le Rocket offrit un spectacle éblouissant. Les *Bruins* prirent une avance de 1-0 en deuxième période, grâce à Don Simmons qui obtint 18 tirs, et à Fleming Mackell qui inscrivit un but en avantage numérique pendant le premier match. Le *Canadien* répliqua rapidement; Geoffrion et Béliveau s'inscrivirent au tableau avec deux buts à 42 secondes d'intervalle. Le *Canadien* garda son avance jusqu'à mi-chemin en troisième période, quand Horvath marqua le but égalisateur contre Plante pour forcer la prolongation.

Durant la période supplémentaire, l'attention allait au banc du *Canadien*, et particulièrement à Rocket Richard qui, une fois de plus, se montra à la hauteur. Après cinq minutes de jeu, le Rocket reçut une passe de Dickie Moore, pénétra en zone offensive et décocha un tir voilé, ce qui déjoua Simmons et donna au *Canadien* une avance de trois matchs à deux. C'était le sixième et dernier but vainqueur de la carrière du Rocket en prolongation dans les séries éliminatoires. Le mystérieux pouvoir dont disposait Richard pour préparer ces moments magiques incita Jerry Nason, journaliste au *Globe* de Boston, à écrire : «Richard est un athlète dont les exploits saisissants n'ont pas d'égal, dans aucun sport.»

Même si les *Bruins* déclarèrent que la défaite en prolongation ne les avait pas dérangés, leur jeu fut plutôt léthargique au début de la sixième partie, et le *Canadien* se jeta sur son adversaire affaibli. Geoffrion et le Rocket donnèrent au *Canadien* une rapide avance de 2-0 pendant les deux premières minutes de jeu. Après un but de Boston, le *Canadien* bombarda Simmons de 20 tirs en deuxième période et remporta la série, 5-3. Le *Canadien* devenait ainsi la deuxième équipe de la LNH à obtenir trois fois de suite la coupe Stanley. Simmons reçut de nombreuses félicitations pour ses exploits d'après-saison, mais l'attention était principalement dirigée vers le Rocket qui dépassait tous les autres joueurs avec ses 11 buts en séries éliminatoires.

À la fin de la décennie, le *Canadien* de Montréal dominait toujours le classement général, le classement des marqueurs et l'équipe d'étoiles. Le règne de Dickie Moore à titre de gagnant du trophée Art Ross se poursuivit, l'élégant ailier droit ayant marqué 96 points, un record dans la LNH. Le directeur général de Détroit, Jack Adams, qui disait qu'une bonne équipe de hockey se désintégrait après cinq ans, fut témoin de la descente des *Wings* vers les bas-fonds du classement, pour la première fois en 21 saisons.

La surprise de 1958 fut causée pas les *Maple Leafs* de Toronto qui, partis de la sixième place, remontèrent le classement pour se tailler une place dans les séries. Les *Leafs*, avec George «Punch» Imlach qui menait la barque derrière le banc et au deuxième étage, devancèrent les *Rangers* de justesse pour obtenir une place en série, en remportant six de leurs huit derniers matchs. Imlach, qui avait hardiment prédit que la chance des *Leafs* tournerait, assura que les *Leafs* disposeraient des *Bruins*, qui terminèrent au second rang, en six matchs pendant la demi-finale. Celui qui avait fait le pronostic avait vu juste à un match près, mais les *Leafs* se rendirent tout de même en finale pour la première fois depuis 1951, après avoir gagné la série de sept matchs contre Boston. Les *Leafs* remportèrent trois matchs par un seul but, dont deux victoires de suite en prolongation pendant les deuxième et troisième parties.

Le *Canadien* de Montréal sortit victorieux d'une lutte contre les *Black Hawks* de Chicago, et atteignit la finale pour la neuvième fois de suite. Les *Leafs* se défendirent vigoureusement en première partie, et la marque était de 3-3 au début du troisième engagement. Le *Canadien* tira parti de quelques jeux bâclés des *Leafs* dans sa zone, pour marquer deux buts en quatre minutes, et terminer avec un triomphe de 5-3. Le deuxième match fut à l'image du premier; les *Leafs*

Bernard Geoffrion perce la défensive de Boston pour faire dévier une passe de Jean Béliveau derrière le gardien, Don Simmons, 46 secondes après le début du sixième match de la finale de la coupe Stanley de 1958. Le but de Geoffrion donna au Canadien une avance qu'il ne devait jamais perdre, et Montréal battit les Bruins 5-3, remportant ainsi sa troisième coupe Stanley de suite.

entreprirent de nouveau la troisième période avec un pointage nul. Cependant, la puissante machine du *Canadien* brisa les reins des *Leafs* : Montréal, grâce à deux buts marqués par Claude Provost, gagna le match 3-1 à domicile, pour mener la série deux matchs à zéro.

Les fidèles du Maple Leaf Gardens, qui n'avaient pas vu une série finale de la coupe Stanley depuis le spectaculaire but marqué en prolongation en 1951, assistèrent à un effort respectable des *Leafs* au troisième match. Les deux équipes avaient offert un jeu en dents de scie pendant les trois périodes réglementaires, mais Dick Duff perça la défense du *Canadien* à 10 minutes six secondes de la prolongation et ramena les *Leafs* dans la série. Les deux équipes présentèrent un jeu hésitant durant les deux premières périodes de la quatrième rencontre, puis le *Canadien* enfila trois buts en six minutes et remporta une victoire de 3-2. Bernard «Boum-Boum» Geoffrion prépara deux buts en plus de marquer lui-même le but gagnant, ce qui aida le *Canadien* à s'approcher à un match de sa quatrième conquête.

Le *Canadien* entreprit en lion le cinquième match, déjouant Johnny Bower à trois reprises au cours des 16 premières minutes. Encore une fois, Geoffrion joua le rôle de catalyseur, préparant le premier but et marquant le second. Les *Leafs* se ressaisirent en troisième, mais Montréal tint bon et remporta le match, 5-3, pour offrir à ses fans une quatrième coupe Stanley d'affilée, un record dans la LNH. Rocket Richard, qui ne participa qu'à quatre séries d'après-saison, ne marqua aucun but pendant toutes les séries, ce qui arrivait pour la première fois dans sa carrière. Au cours des festivités euphoriques du *Canadien*, une rumeur circulait selon laquelle le Rocket mettrait fin à sa remarquable carrière.

En 1959-1960, la course au championnat des marqueurs fut la plus serrée depuis 1954-1955; Bobby Hull de Chicago devança l'ailier de Boston, Bronco Horvath, par un seul point, remportant ainsi le trophée Art Ross. Le *Canadien* de Montréal, avec une fiche de 40-18-12, se maintint en tête du classement tout au long de la saison, tandis que les *Leafs* se classèrent au deuxième rang avec une fiche de 35-26-9, leur meilleure depuis 1951.

Le *Canadien* rencontra encore en demi-finale l'équipe améliorée des *Black Hawks* et, même si les matchs étaient passablement serrés, le *Canadien* disposa des *Hawks* en quatre matchs d'affilée. Le gardien Jacques Plante, qui portait un masque protecteur depuis qu'il avait été blessé sérieusement au visage, en novembre, ne laissa passer que six buts pendant toute la série et enregistra deux blanchissages de suite au cours des deux derniers matchs de la série, emportée haut la main par le *Canadien*.

Dans l'autre série demi-finale, les *Leafs* de Toronto sortirent vainqueurs d'un rude combat contre Détroit. La série fut marquée par une rencontre-marathon au troisième match, que les *Leafs* gagnèrent 5-4 grâce à un but de Frank

Le défenseur du Canadien, Doug Harvey, suivi de près par Dick Duff de Toronto, entreprend une sortie de zone durant la finale de 1959. Harvey, six fois récipiendaire du trophée Norris avec Montréal, fut le premier défenseur de la LNH à dépasser le cap des 40 passes en une saison lorsqu'il participa à 43 buts, en 1954-1955.

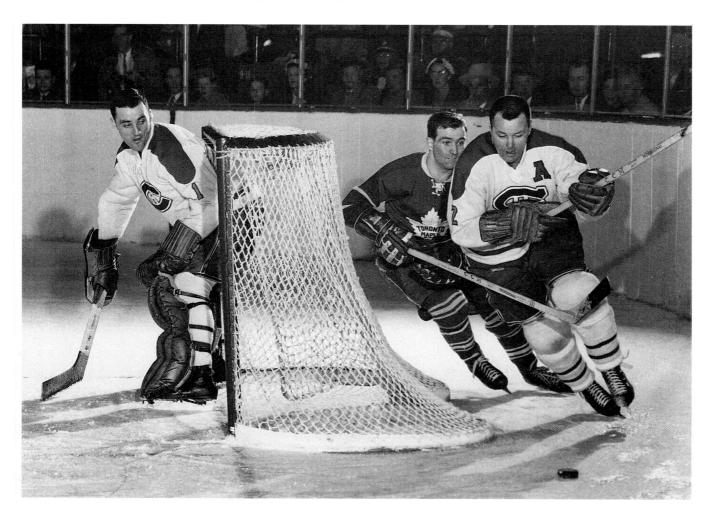

Un peu d'air frais

Durant leur demi-finale contre Toronto en 1960, les *Red Wings* de Détroit utilisèrent de l'oxygène afin d'obtenir un regain d'énergie au cours du troisième match qui s'étira jusqu'à la troisième période de prolongation. L'entraîneur des *Leafs*, Punch Imlach, écarta cette idée qu'il considérait comme une trouvaille inutile, et les *Leafs* gagnèrent la série en six rencontres.

La régularité était la clé de l'incroyable succès du Canadien dans la deuxième moitié des années 1950. Onze joueurs furent membres de la formation qui remporta cinq fois la Coupe : Geoffrion, Talbot, Provost, Plante, Béliveau, Moore, Harvey, Johnson, Marshall et les frères Richard.

Mahovlich, après 45 minutes supplémentaires de jeu. La victoire des *Leafs* leur fournit l'occasion de disputer le match-revanche en finale contre le *Canadien*.

Pour le *Canadien*, l'objectif était bien défini : on voulait une cinquième coupe Stanley d'affilée. L'entraîneur de Toronto, Punch Imlach, qui connaissait la force de ses adversaires et leurs ruses en séries éliminatoires, ne se hasarda pas à faire de prédiction. Le *Canadien* commença la première partie en lion et fusilla les *Leafs* de trois buts en moins de 12 minutes de jeu. Henri Richard récolta une passe à chacun des buts. Les *Leafs* réduisirent la marque avec deux buts en deuxième période, mais le Pocket Rocket termina la saison en beauté avec un but à une minute et demie de la troisième période, pour remporter 4-2 le match d'ouverture.

Les joueurs du *Canadien*, grâce à leurs mises en échec, maîtrisèrent la rondelle dès le début du deuxième match : les résultats étaient prévisibles. Dickie Moore ne mit pas de temps à marquer un premier but, et Jean Béliveau en ajouta un autre pour donner au *Canadien* une avance de 2-0 avant même que les *Leafs* ne puissent donner un coup de patin. Un but de Larry Regan, à la toute fin du deuxième engagement, réduisit l'écart à 2-1, mais la remontée des *Leafs* s'arrêta là. Johnny Bower défendit sa forteresse avec succès, stoppant les 26 derniers tirs du *Canadien*, mais les *Leafs* ne purent déjouer Jacques Plante, et Toronto retourna au Maple Leaf Gardens avec un retard de deux parties à zéro.

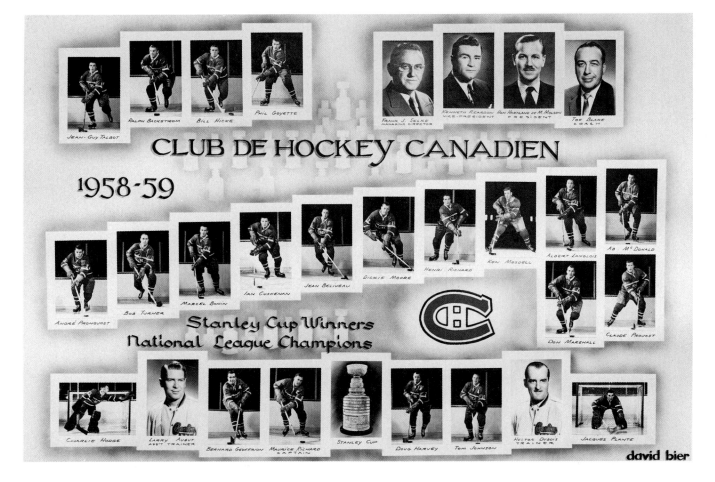

Avant la troisième rencontre, le président des *Leafs*, Stafford Smythe, observa : «On ne peut lui accorder une priorité de deux buts [au *Canadien*] et espérer le battre.» Les *Leafs*, qui avaient permis au *Canadien* de prendre une telle avance dans chacun des deux premiers matchs, n'écoutèrent pas leur patron, car le *Canadien* détenait trois buts d'avance à mi-chemin du deuxième engagement. Johnny Wilson inscrivit les *Leafs* au tableau en fin de période, mais le *Canadien* enfila deux buts de plus en deux minutes, s'assurant d'un gain de 5-2. Le cinquième but du *Canadien* fut marqué par Maurice Richard, le trente-quatrième but de sa carrière en séries de la coupe Stanley. Richard ramassa la rondelle dans le filet et la garda en souvenir, alimentant ainsi les conjectures selon lesquelles il prendrait sa retraite à la fin des séries.

Le *Canadien* et Jacques Plante dominèrent complètement le quatrième match. Jean Béliveau et Doug Harvey marquèrent deux buts à 28 secondes d'intervalle en première période, et le *Canadien*, à partir de ce moment-là, résista à tout et blanchit les *Leafs*, 4-0, remportant ainsi sa cinquième coupe Stanley d'affilée. En cinq ans, le *Canadien* avait gagné 20 matchs sur 25 au cours des séries éliminatoires.

Le dangereux ailier des Leafs, Frank Mahovlich, ne faisait que passer sur les épaules de l'arrière-garde du Canadien, Jean-Guy Talbot, durant la finale de la coupe Stanley de 1960.

(suite p. 171)

Les géants qui façonnèrent la LNH dans les années 1940 et 1950

par Milt Dunnell

L es combatifs fondateurs de la Ligue nationale de hockey sentaient peut-être qu'une prospérité sans précédent approchait – ainsi que des problèmes du même ordre – lorsqu'ils tinrent leur dernière rencontre semi-annuelle des ternes années trente, à l'aube de deux décennies fortement mouvementées, au cours desquelles ils allaient tout faire pour obtenir le trophée le plus convoité du hockey : la coupe Stanley.

Les *Maroons* avaient disparu, ce qui signifiait que la Ligue se réduisait à sept équipes, et déjà certaines rumeurs couraient à l'effet que le Madison Square Garden ne renouvellerait pas le bail des *Americans* de New York. Il n'était donc plus nécessaire de séparer les équipes en deux divisions. L'époque de la ligue à six équipes approchait, celle dont on se souvient le plus volontiers; il suffisait alors d'une nuit en train pour se rendre d'une ville à l'autre.

Il est un peu moins facile pour les observateurs d'évoquer le décor brumeux qui entourait alors les joueurs. Ces pionniers du hockey professionnel moderne avaient pratiqué leur sport, en avaient assuré la promotion et s'étaient battus pour lui; désormais, ils passeraient leurs vieux jours dans le monde du hockey. Au cours des deux décennies suivantes, un grand nombre d'entre eux disparaîtraient, plusieurs prendraient leur retraite, certains seraient congédiés et d'autres mourraient, comme Frank Calder, le premier président de la Ligue.

Voilà ce qu'ils étaient, ceux qui se battaient pour un nom ou pour une rondelle. Toutefois, quand le groupe en arrivait à un consensus, ses membres sentaient toujours qu'ils avaient raison.

C'est Art Ross, le gérant un peu bourru des *Bruins* de Boston et l'ennemi par excellence du gérant des *Leafs*, Conn Smythe, qui semblait le plus conscient du fait que la concurrence deviendrait bientôt féroce. Ross, qui n'avait pas adressé la parole à Smythe depuis des années (il parlait toujours de Smythe comme du «Grand vent du lac Ontario»), était mécontent car son équipe – qui avait facilement remporté le championnat de sa division la saison précédente – avait constitué une proie facile durant les éliminatoires de la coupe Stanley.

Ross secoua donc le monde du hockey en vendant le célèbre gardien Cecil «Tiny» Thompson à Jack Adams, celui qui dirigeait les *Red Wings* de Détroit pour James Norris, cet homme déjà âgé, dont les finances et l'amour du hockey avaient permis à la LNH de traverser des années difficiles.

Ross fut souvent critiqué pour avoir échangé Tiny Thompson. Quelques-uns de ses collègues laissèrent même entendre qu'il perdait ses moyens. Ce qu'ils ne savaient pas, c'est que Ross avait repéré un jeune gardien du nom de Frank Brimsek et que le temps de «Mister Zero» allait bientôt commencer au Garden de Boston. Jack Adams mit peu de temps à se rendre compte que Tiny Thompson n'était pas non plus la solution à ses problèmes.

Smythe et Ross ne s'aimaient pas beaucoup; c'est pourquoi ils prenaient plaisir à se montrer plus malin l'un que l'autre dans une transaction. C'était souvent ces transactions qui alimentaient leurs querelles. Smythe, par exemple, pensait que Ross l'avait roulé lors de l'achat d'un joueur nommé Jimmy «Sailor» Herberts, pour qui Smythe avait payé 12 500 $, une somme substantielle en 1927. Estimant s'être fait avoir par un soi-disant collègue qui lui avait vendu un joueur dont les meilleurs jours étaient passés, Smythe considéra qu'il était juste d'utiliser tous les moyens pour obtenir compensation.

«Nous allions disputer un match amical à Détroit», révéla Smythe beaucoup plus tard. «Je rassemblai les joueurs et je leur dis franchement que nous étions sur le point de faire faillite et que nous devions vendre Sailor Herberts. Pratiquement tout le monde qui reçut la rondelle ce soir-là fit une passe à Herberts. Il semblait avoir été en possession du disque toute la soirée. Après le match, Herberts fut vendu à Détroit pour 15 000 $.»

C'était évidemment avant que Jack Adams ne devienne le grand patron à Détroit. Sinon, Smythe n'aurait pas eu la partie aussi facile. Même si Adams et Smythe n'étaient pas non plus à proprement parler manchots, ils faisaient affaire ensemble en cette période de construction, en prévision des batailles des années 1940. En 1938-1939, Adams échangea aux *Leafs,* Bucko McDonald, un joueur de crosse que Smythe voulait obtenir.

La plus habile transaction de Smythe fut réalisée aux dépens des *Americans* de New York, dont les jours au sein de la Ligue étaient comptés. En échange de la quantité, Smythe obtint la qualité. Avant l'ouverture de la saison 1939-1940, il échangea Harvey «Busher» Jackson, qui fit une fois partie du célèbre trio des jeunes en compagnie de Jimmy Fowler, et Buzz Boll – tous deux populaires auprès des fans de Toronto – contre Sweeney Schriner qui se remettait d'une intervention chirurgicale. La presse critiqua la transaction, mais Smythe eut raison, comme d'habitude. Avec les *Leafs*, Schriner devint membre du Temple de la renommée.

La saison 1939-1940 devait devenir la préférée des amateurs de détails. Quelle équipe ne participa pas aux séries? Le *Canadien*. Même les *Americans* furent meilleurs qu'eux, bien qu'orphelins. Et qui battit les *Maple Leafs* en finale? Les *Rangers* de New York. Ce fut une saison mémorable. Il convient toutefois de souligner un beau geste de Smythe. Celui-ci accepta de disputer les deux premières parties de la finale deux soirs d'affilée à New York parce que le Madison Square Garden avait été réservé pour le cirque Barnum et Bailey. Les fidèles de New York n'auraient donc pas l'occasion d'assister à la cérémonie de remise de la coupe Stanley pendant plus d'un demi-siècle. Tous les autres matchs de la série furent joués à Toronto, et les *Rangers* conquirent la Coupe au Maple Leaf Gardens.

Tout photographe qui aimait son travail se devait de prendre, à la fin du match, un cliché du directeur, Lester Patrick, en compagnie de ses fils Lynn et Muzz, qui faisaient partie de l'alignement. Un peu plus tôt, Smythe avait offert à Lester 20 000 $ en échange du contrat de Lynn. Lester, qui connaissait bien les campagnes publicitaires, répondit qu'il étudierait attentivement la proposition. Ce qu'il fit probablement.

Après avoir montré aux *Rangers* son comportement généreux, Smythe commença à leur taper sur les nerfs dès le début de la saison suivante. Du moins, Bill Stewart pensait que Smythe harcelait les *Rangers* en paradant derrière leur banc durant un match disputé au Maple Leaf Gardens. Stewart avait été longtemps arbitre de baseball dans la ligue nationale, ensuite arbitre de hockey et entraîneur de hockey; il avait mené les *Black Hawks* de Chicago à la coupe Stanley grâce à une victoire contre Toronto au printemps de 1938. C'est lui qui arbitrait la rencontre en question et il menaça de faire évincer Smythe de son propre amphithéâtre.

Bien sûr, les relations entre Smythe et «Bald Bill» manquaient de cordialité. D'une part, Smythe parlait en bien du major Frederic McLaughlin, propriétaire des *Black Hawks* (à cette époque, le nom ne s'écrivait pas encore en un seul mot). McLaughlin avait congédié Stewart alors que celui-ci parlait encore de sa conquête de la coupe Stanley.

D'autre part, Stewart et Smythe en étaient presque venus aux poings avant la première partie de la finale, chaudement disputée, de 1938. L'équipe de Chicago s'était retrouvée sans gardien de but, car leur joueur régulier, Mike Karakas, s'était cassé le gros orteil.

Voilà ce qui motivait probablement la malveillance de Stewart à l'égard de Smythe. Mais Stewart avait raison de croire que Smythe cherchait les ennuis. Dès le lendemain soir, après l'incident qui s'était produit au banc des *Rangers*, Smythe sauta par-dessus la bande du Madison Square Garden durant un combat entre Wally Stanowski des *Leafs* et le farouche Phil Watson des *Rangers*. Le lendemain, des photos montraient un enchevêtrement de corps duquel on voyait très bien sortir les demi-guêtres de marque que portait Smythe (qui d'autre?); on reconnaissait aussi, au milieu de la mêlée, l'arbitre Mickey Ion. Quand on apprit à Smythe qu'il avait reçu l'amende habituelle de 100 $, il répondit qu'il ne la payerait pas.

En septembre 1942, tandis que le Canada et les États-Unis participaient à la Deuxième Guerre mondiale, une question surgit : la Ligue pouvait-elle poursuivre ses activités? De nombreux joueurs avaient déjà joint les rangs de

Ancien joueur des Bruins, l'excellent Cooney Weiland (à gauche) réussit à passer de meneur sur la glace à dirigeant derrière le banc, en guidant les Bruins vers la conquête de la coupe Stanley, en 1941; il discute ici stratégie avec le directeur général de Boston, Art Ross.

Le directeur général de Toronto, Conn Smythe, félicite l'entraîneur des Leafs, Hap Day, un autre joueur remarquable qui connut beaucoup de succès derrière le banc.

l'armée et d'autres devaient assurément suivre. Smythe lui-même fut l'un des premiers à partir. C'était sa deuxième Guerre mondiale. Au cours de la première, on lui avait tiré dessus et on l'avait fait prisonnier.

Frank Calder fit enfin une déclaration dont voici un extrait:

> La Ligue, qui amorce sa quatrième saison en temps de guerre, est confrontée à plus de difficultés de fonctionnement qu'au cours des trois années précédentes. En 1943-1944, lorsque le service militaire a été rendu obligatoire, on a craint tout d'abord que la Ligue ne doive interrompre ses activités. Cependant, les autorités ont reconnu que la Ligue occupait une grande place dans l'intérêt du public et elles ont approuvé la poursuite de ses activités.

Il y a toujours eu beaucoup de hasards dans le monde du hockey; mais qui aurait pu deviner que la tumultueuse finale de la coupe Stanley du printemps précédent influencerait tant la décision du gouvernement?

C'est au cours de cette série entre les *Leafs* et les *Red Wings* que les *Leafs* ressuscitèrent. Tous ceux qui connaissaient la différence entre une rondelle et une pomme de terre congelée pensaient que cette équipe était finie. Après avoir perdu les trois premières rencontres, les *Leafs* étaient prêts à être enterrés, et Jack Adams de Détroit, qui ne buvait pas, avait fait sabler le champagne pour ceux qui ne détestaient pas prendre une gorgée de ce vin mousseux.

Les *Leafs*, comme on l'a souvent répété, effectuèrent une remontée miraculeuse et gagnèrent quatre matchs remplis d'émotions. Lorsque les *Leafs* obtinrent enfin la Coupe, grâce à une victoire de 3-1 à domicile, la foule de 16 218 spectateurs était la plus nombreuse qui ait jamais assisté à un match de hockey au Canada. Les gens du gouvernement l'avaient certainement remarqué.

Durant toutes les années de la guerre, les équipes situées aux États-Unis se trouvèrent dans une situation contradictoire. La demande pour leur produit augmentait, mais elles étaient incapables de maintenir la qualité. Elles vendaient les billets sans difficulté, mais c'était autre chose de trouver des joueurs assez talentueux pour porter l'uniforme de l'équipe. Même les *Black Hawks*, qui avaient toujours été à court de talents, établirent un record lorsque 20 004 personnes assistèrent à la défaite de Chicago aux mains des *Bruins*, en février 1946.

Ce sont des événements qui ont été remarqués par le nouveau président de la Ligue, Clarence Campbell, bénéficiaire de la prestigieuse bourse d'études de la fondation Cecil Rhodes, avocat et ancien arbitre, qui était revenu d'outre-mer pour occuper le poste. Red Dutton avait assuré la présidence par intérim depuis la mort de Frank Calder, qui avait eu une crise cardiaque pendant une réunion de la Ligue, en janvier 1943.

Vers la fin des années 1940, de nouveaux talents apparurent; grâce à eux, la décennie suivante allait voir se dérouler quelques-uns des meilleurs matchs des séries de la coupe Stanley. Newsy Lalonde, membre du Temple de la renommée du hockey, avait repéré Maurice Richard avant qu'il ne se joigne au *Canadien*, en 1942. Newsy prédit que le Rocket deviendrait l'une des plus grandes étoiles du hockey, et le terme se révéla même assez faible.

Doug Harvey, une jeune recrue, fit également son apparition cinq ans plus tard. À Détroit, Jack Adams proclama qu'un jeune joueur timide aux épaules voûtées, venant de l'Ouest canadien et appelé Gordie Howe était déjà le meilleur joueur de la Ligue.

Jim Norris et son associé, Arthur Wirtz, avait racheté de Frederic McLaughlin l'équipe de Chicago, et Norris avait pris une position très nette. Il avait dit: «Nous sommes prêts à investir de l'argent pour obtenir des joueurs capables de donner à notre équipe une image respectable et ce, jusqu'à ce que nous puissions former nous-mêmes nos joueurs.» Norris ne pouvait pas encore savoir que Bobby Hull et Stan Mikita s'en venaient. Des joueurs furent mis à la disposition des *Black Hawks* dans l'une des meilleures transactions jamais effectuée par de vieux maquignons tels que Smythe et Frank Selke, ancien assistant de Smythe qui devint gérant du *Canadien* au retour de Smythe, en 1946.

Smythe sentait que l'heure de la retraite approchait pour Syl Apps, le grand joueur de centre des *Leafs*; c'est pourquoi il conclut avec Bill Tobin l'un des marchés les plus inusités dans l'histoire du hockey. Tobin était responsable de l'équipe de Chicago durant la période comprise entre la mort du major McLaughlin et la prise en charge de l'équipe par Jim Norris. Pour acquérir Max Bentley, Smythe céda une équipe complète sans le gardien, c'est-à-dire cinq joueurs : Bob Goldham, Ernie Dickens, Bud Poile, Gus Bodnar et Gaye Stewart. Bentley, l'un des meilleurs à la crosse, joua un grand rôle dans les conquêtes de la coupe Stanley par les *Leafs* en 1947-1948 et en 1948-1949.

Les *Leafs* dominèrent les séries de la coupe Stanley dans les années 1940; ils remportèrent le trophée cinq fois, dont trois de suite à partir de 1946-1947. C'était la première fois qu'une équipe réalisait l'exploit depuis la fondation de la LNH en 1917.

La rivalité entre les *Bruins* et les *Maple Leafs* ne perdit pas d'intensité durant les années 1940. Pendant la demi-finale de 1948, l'entraîneur des *Leafs*, Hap Day, et le joueur Garth Boesch furent bousculés par des fans du Garden de Boston pendant qu'ils se rendaient au vestiaire. Même l'arbitre King Clancy, qui n'a jamais gagné un combat lorsqu'il était joueur, fut accusé d'agression; mais ces accusations furent retirées par la suite. Le propriétaire des *Bruins*, Weston Adams, se rendit au vestiaire des *Leafs*, probablement pour présenter ses excuses. Smythe lui intima l'ordre de sortir.

À l'aube des années 1950, la coupe Stanley n'avait jamais connu pareille renommée. Jamais autant de gens n'avaient été au fait des rituels qui se produisent tous les printemps, à la remise de la Coupe. Jamais tant de monde n'avait payé pour voir à l'œuvre les étoiles de la Ligue.

Maintenant que la situation à Chicago s'était stabilisée, la Ligue était formée de six équipes bien solides. Les vieux joueurs, conseillés par leur nouveau gérant, se rendirent compte qu'ils devaient protéger les avantages incroyables qui avaient été accumulés, malgré les difficultés engendrées par le conflit mondial.

Plusieurs joueurs, revenus au sein de leur équipe après leur service militaire, avaient pris un coup de vieux, mais le système qui fit éclore de nouveaux talents dans la LNH avait subi une restructuration et allait bientôt rapporter des dividendes. Les dépisteurs étaient plus nombreux. Plus jamais un joueur comme le grand Howie Morentz ne serait découvert par un arbitre durant un match d'une ligue d'employés de chemins de fer. Morentz jouait pour une équipe d'apprentis de Stratford, en Ontario, lorsqu'il fut remarqué pour la première fois durant un match à Montréal, au début des années 1920.

Les équipes juniors amateurs, dont beaucoup sont parrainées par des formations de la LNH, jouaient plus de matchs en saison régulière et en séries éliminatoires. Les joueurs provenant de ces équipes avaient été dirigés par des entraîneurs qui connaissaient le système utilisé par l'équipe-mère. Dans la LNH, les joueurs étaient en bien meilleure condition et devaient disputer plus de matchs. Les salaires grimpaient donc, faisant en sorte que désormais, le hockey professionnel offrait aux jeunes une carrière fort enviable.

Ce que personne ne pouvait prévoir au début des années 1950, c'était la façon dont deux équipes, le *Canadien* de Montréal et les *Red Wings* de Détroit, allaient totalement dominer les séries de la coupe Stanley. Le *Canadien* et les *Wings* s'accaparèrent de la coupe rosée de Lord Stanley pendant toute la décennie, à une exception près, qu'il faut d'ailleurs souligner. En 1951, les *Maple Leafs*, dirigés par l'entraîneur-recrue Joe Primeau, disposèrent du *Canadien* dans la série finale la plus serrée jusqu'alors. Les *Leafs* l'emportèrent quatre parties à une, et l'issue de chaque rencontre fut décidée en prolongation.

Jack Adams, dont les querelles avec Conn Smythe étaient légendaires, fait connaître à Smythe son opinion, bien protégé derrière le banc de Détroit, au Maple Leaf Gardens.

La comparaison entre les fabuleuses équipes de Montréal et de Détroit, qui conservèrent la coupe Stanley pratiquement pour eux seuls dans les années 1950, devint une obsession nationale et engendra des débats qui dureront sûrement tant que le hockey existera.

La montée du *Canadien* débuta avec l'embauche de Frank Selke, l'ancien assistant de Smythe à Toronto. Selke, durant la Crise, avait joué un grand rôle dans la construction du Maple Leaf Gardens en persuadant les membres du syndicat d'accepter une partie de leur paye en actions du Gardens. Dès son entrée en fonction, il entreprit l'exigeant travail d'élaborer un système de formation afin de remettre l'équipe sur pied. Vers le milieu des années 1950, son équipe était l'une des meilleures que le sport ait connue. Comme par hasard, à la même période, le vieux rival de Selke, Jack Adams, effectuait lui aussi un travail de reconstruction avec les *Red Wings*.

Jusqu'à son départ pour Chicago, avant le début de la saison 1955-1956, Dick Irvin était l'entraîneur de Selke. Irvin était un homme taciturne qui se consacrait entièrement au hockey. Il se rappelle que son premier contrat à titre de joueur avec l'équipe de Portland de l'AHCP lui avait rapporté 700 $. Le salaire le plus élevé de la ligue, à cette époque, s'élevait à 1 250 $. Irvin se joignit à la LNH en 1926 lorsque l'équipe de Portland transporta tous ses biens à Chicago. Lorsqu'il était entraîneur, Irvin était intraitable au chapitre de la condition physique. Il disait qu'il pouvait ordonner à son exceptionnel joueur de centre Elmer Lach : «Tu pèses une livre de trop. Brûle-la.»

Après six vaines participations aux séries finales, Conn Smythe gagna enfin sa deuxième coupe Stanley après l'incroyable remontée des Leafs, en 1942.

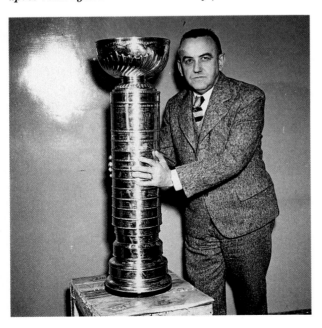

Tommy Ivan, avant de quitter son emploi pour participer à l'exercice de réhabilitation à Chicago, était l'entraîneur d'Adams. Il avait une brillante fiche de trois conquêtes de la coupe Stanley en cinq saisons derrière le banc.

Quand les *Red Wings* gagnèrent la coupe en 1951-1952, sans perdre un seul match et sans accorder de but à l'adversaire à domicile, Adams se dépêcha de déclarer que son équipe était la meilleure que la Ligue ait connue. Selke reconnaissait les qualités des *Red Wings*, mais il déclarait tranquillement à ceux qui voulaient l'entendre : «D'après les résultats qu'obtient notre équipe-école, dans peu de temps nous aurons une formation qui forcera Jack à modifier ses paroles.» Étant donné que le *Canadien* n'avait pas gagné la coupe Stanley depuis 1946, cette déclaration semblait plutôt effrontée, surtout de la part d'un dirigeant qui n'était pas reconnu pour avoir la langue bien pendue.

Mais Selke avait parfaitement évalué les talents accumulés dans les équipes du *Canadien* junior et du *Royals* de Montréal, deux équipes de la Ligue de hockey senior du Québec dont s'occupait «Sad Sam» Pollack, celui qui allait devenir une légende dans la Ligue.

Selke ne perdit pas de temps à rappeler à Jack Adams que Jean Béliveau avait marqué 45 buts durant la saison de 1951-1952 pour les As de Québec, et que ce joueur pourrait faire partie du *Canadien* dès qu'il le voudrait. Pour le moment, il était bien là où il était. En cinq ans, il gagnerait le trophée Art Ross, remis au champion des marqueurs de la LNH, ainsi que le trophée Hart accordé au joueur le plus utile de la Ligue. Dans les éliminatoires de 1956, il devait marquer 12 buts et renouveler le record déjà existant.

Bernard Geoffrion, autre élève de Pollack, venait de se joindre au *Canadien*. Il se faisait appeler «Boum-Boum», et il justifia son titre en gagnant le trophée Calder qui récompense la meilleure recrue. De plus, Dickie Moore, envoyé à l'essai chez les *Royals*, marqua 15 buts en 26 matchs, ce qui représentait toute une démonstration.

Toujours avec le *Canadien* junior, on trouvait Henri Richard, qui plus tard fut connu sous le nom de «Pocket Rocket» et qui prit sa retraite avec 11 bagues de la coupe Stanley. Ensuite, il y avait un attaquant dégingandé, Bert Olmstead, que Selke avait soutiré à l'équipe de Chicago.

La prévision de Selke à l'effet qu'une surprise attendait Adams se vérifia plus tôt que prévu, mais le *Canadien* n'en était nullement responsable. Les *Red Wings*, trop sûrs d'eux, furent vaincus par les *Bruins* de Boston dans la première série des éliminatoires de la coupe Stanley de 1952-1953. Ce fut une défaite amère pour les fiers champions en titre.

Ils avaient terminé la saison régulière avec 21 points d'avance sur les *Bruins*, gagnant 10 des 14 affrontements entre les deux équipes. Les *Wings* avaient pratiqué le même jeu durant le premier match, qu'ils remportèrent facilement 7-0. Puis ils se dégonflèrent et perdirent finalement la série en six matchs. Lynn Patrick, alors entraîneur des *Bruins*, reconnut l'apport de son joueur expérimenté, Woody Dumart. Tommy Ivan, l'entraîneur de Détroit, n'approuva pas. Il soutenait au contraire que le gardien de Boston, Sugar Jim Henry, avait anéanti les *Red Wings*.

En finale de la coupe Stanley, les *Bruins* n'arrivèrent pas à la cheville du *Canadien* et perdirent la série, 4-1. Une foule de 14 450 spectateurs fit une ovation monstre au capitaine Butch Bouchard, lorsqu'il reçut la Coupe des mains de Clarence Campbell. Les fans de Montréal n'avaient pas vu la coupe Stanley depuis sept ans. Pour les montréalais, cette période parut durer une génération.

De toute évidence, Détroit bénéficia du revirement car, avec pratiquement la même formation, seuls Bill Dineen et Earl Reibel avaient été acquis. Les *Red Wings* reprirent possession de la coupe Stanley 12 mois plus tard, défaisant le *Canadien* en sept matchs. Deux aspects du match final fournirent de la matière première aux amateurs de statistiques. La foule de 15 791 personnes était la plus nombreuse de l'histoire de Détroit et, pour la première fois, le récipiendaire du trophée était une femme, Marguerite Norris, présidente des *Red Wings*.

C'était la dernière coupe Stanley d'Ivan, à titre d'entraîneur. Au printemps de 1955, Jimmy Skinner dirigerait les *Red Wings* vers leur quatrième conquête de la coupe Stanley en six ans, encore une fois aux dépens du *Canadien*. Personne ne désira en faire une prédiction, mais cette victoire mettait un terme à une période historique des séries de la coupe Stanley. Des décennies devaient s'écouler avant que les *Wings* ne gagnent de nouveau le trophée qu'ils avaient tenu pour acquis pendant si longtemps.

C'était la meilleure équipe d'Adams. Et puisque c'était sa dernière grande formation, l'alignement qui est inscrit sur la coupe Stanley mérite d'être cité, ne serait-ce que pour stimuler les débats dans les salons et les cafés : il y avait là Terry Sawchuk, Red Kelly, Bob Goldham, Marcel Pronovost, Benny Woit, Jim Hay, Larry Hillman, Ted Lindsay, Tony Leswick, Gordie Howe, Alex Delvecchio, Marty Pavelich, Glen Skov, Earl Reibel, Johnny Wilson, Bill Dineen, Vic Stasiuk et Marcel Bonin. Six membres de cette formation figurent parmi les membres du Temple de la renommée du hockey.

Juste avant le départ d'Ivan et d'Irvin pour Chicago, on espérait, dans les villes rivales, que la compétition dans les finales de la coupe Stanley s'élargirait pour inclure d'autres équipes que Détroit ou Montréal. Ce ne fut pas le cas. C'était le début d'une période de frustration encore plus intense pour ces villes.

Toe Blake succéda à Dick Irvin au poste d'entraîneur pour la saison 1955-1956. Blake avait joué pour les *Maroons* de Montréal, champions de la coupe Stanley en 1934-1935, et pour le *Canadien*, deux fois champion au milieu des années 1940. On entendit les prévisions habituelles à l'effet que Blake connaîtrait une saison médiocre. «Le jeu a changé, disait-on, depuis les beaux jours du Old Lamplighter formant un trio prospère avec Rocket Richard et Elmer Lach.»

Le jeu avait effectivement évolué, mais Toe avait suivi la parade. Le *Canadien* aussi avait changé : l'équipe était bourrée de talents et de jeunes. Blake montra qu'il savait comment utiliser ces ressources. Le *Canadien* termina la saison avec 100 points, 24 de plus que Détroit et 50 de plus que les *Hawks* en période de restructuration.

Les éliminatoires furent une réplique de la saison régulière : le *Canadien* enleva facilement les honneurs. L'équipe balaya d'abord les *Rangers* de New York puis les *Red Wings*, ne perdant que deux parties. Lorsqu'ils mirent la main sur la Coupe pour la deuxième fois depuis que Blake était à la barre, les joueurs hissèrent leur entraîneur sur leurs épaules et le trimballèrent jusqu'au centre de la patinoire pour la cérémonie de remise du trophée. Toe Blake l'entraîneur était vraiment à la hauteur de Toe Blake le joueur.

Maintenant la question était : qui et quand arrêtera-t-on le bulldozer de Blake ? Adams, impressionné, déclara qu'on pouvait s'attendre à ce qu'une équipe fonctionnant à plein régime – comme c'était le cas du *Canadien* et de sa propre équipe – s'épuise en trois ans. Mais l'astucieux Lynn Patrick avait vu juste. Le *Canadien*, dit-il d'un ton un peu rêveur, pourrait poursuivre sa charge pendant cinq ans.

En 1960, le *Canadien* remporta sa cinquième coupe Stanley d'affilée, exploit qu'aucune autre équipe de la LNH n'avait réalisé, expédiant les séries éliminatoires sans perdre un seul match, comme l'avaient fait les *Red Wings* en 1951-1952. Parmi les joueurs du *Canadien*, huit furent intronisés au Temple de la renommée, mais tous méritent d'être acclamés : Jacques Plante, Charlie Hodge, Doug Harvey, Tom Johnson, Bob Turner, Jean-Guy Talbot, Albert Langlois, Ralph Backstrom, Jean Béliveau, Marcel Bonin, Bernard Geoffrion, Phil Goyette, Bill Hicke, Don Marshall, Ab McDonald, Dickie Moore, André Pronovost, Claude Provost, Henri Richard et Rocket Richard. Le directeur était bien sûr Frank Selke, qui avait vu sa prédiction se réaliser.

À l'aube des années 1960, ce sont les *Black Hawks* de Chicago qui allaient faire dérailler l'express de Montréal. Ils étaient maintenant dirigés par Rudy Pilous qui avait permis à plusieurs de ses meilleures étoiles des rangs juniors de se développer. Les joueurs de Chicago servirent un avertissement à ceux du *Canadien* durant la demi-finale, ardemment disputée, de 1959. Le sixième match et la série se terminèrent à Chicago par une manifestation qui provoqua la chute de l'arbitre le plus coloré de la Ligue, Red Storey.

Plus de 18 000 fans, la deuxième foule en importance à Chicago, firent pleuvoir sur la glace des boîtes de bière, des fruits, des programmes et d'autres déchets parce que Storey ne signalait pas d'infraction alors qu'ils étaient convaincus qu'Eddie Litzenberger et Bobby Hull des *Black Hawks* s'étaient fait faucher les patins. Plusieurs fans sautèrent sur la glace et l'un d'eux reçut un coup de bâton de Doug Harvey, qui le blessa à la tête.

Selon Bill Westwick, un journaliste de sport à Ottawa, le président de la Ligue Campbell – qui assistait au match – aurait dit qu'il lui avait semblé que Storey avait eu «un moment d'hésitation» pendant l'un des jeux. Storey, qui pensait avoir arbitré un bon match compte tenu des conditions difficiles, annonça promptement sa démission lorsque le commentaire de Campbell fut rendu public. Il jura de ne plus jamais arbitrer un match tant que Campbell serait président. Et il tint parole.

Toe Blake, qu'on surnommait le «Old Lamplighter» lorsqu'il était joueur, guida le Canadien de Montréal vers la conquête de huit coupes Stanley, en treize ans derrière le banc de Montréal.

Campbell, qui fut fortement critiqué pour ses commentaires – notamment par Red Dutton, son prédécesseur – , ne déclara pas que ses paroles avaient été incorrectement rapportées. Il affirma cependant que ses remarques avaient été faites à titre purement confidentiel, mais comme il connaissait Westwick et sa profession, il n'avait aucune excuse et n'en donna pas, bien qu'il pressât Storey de continuer à arbitrer. À la réunion suivante, les gouverneurs de la Ligue décidèrent de ne pas imposer de sanction.

Ainsi les années 1940 et 1950 s'achevaient comme les pères de la ligue l'avaient probablement prévu. Il y aurait toujours de la controverse. On se traiterait toujours de tous les noms. Il y aurait toujours des vendettas. C'est ainsi que ça se passe depuis que Lord Stanley de Preston fit don de sa coupe rosée. Mais les gens sont plus au courant maintenant parce que les médias rapportent ces incidents. Des millions de nouveaux fans ont été réunis par l'entremise de la radio d'abord et de la télé ensuite.

En 1960, un bon nombre de ces impitoyables pionniers qui participèrent à la création du spectacle avaient disparu. McLaughlin, Calder, Norris père et Irvin étaient décédés. Ross avait annoncé sa retraite aux Bruins tandis que son plus coriace adversaire, Smythe, avait attendu à la réunion des gouverneurs suivante pour annoncer la sienne. Dutton, le président intérimaire, était retourné à Calgary, où il s'occupait avec succès de son entreprise de construction. Adams en était à ses dernières saisons avec Détroit.

En novembre 1961, Smythe vendit sa participation majoritaire dans le Maple Leaf Gardens à son fils, Stafford, ainsi qu'à Harold Ballard et John Basset. Hap Day était parti plus tôt. À Montréal, Selke remettrait bientôt à Sam Pollack les rênes du poste de directeur général, en 1964.

Ces vingt années tumultueuses constituèrent sans aucun doute une période brumeuse pour le hockey. Elle ne fut jamais ennuyeuse et ne le sera jamais. C'est ça le secret du trophée de Lord Stanley. Chaque spectacle est différent et il n'y a jamais de reprise.

Durant la saison 1960-1961, presque toute l'attention fut monopolisée par deux excellents ailiers. Frank Mahovlich, de Toronto, et Bernard Geoffrion, de Montréal, tentèrent d'égaler le record de 50 buts marqués en une saison, un record établi par le Rocket. Mahovlich s'arrêta à 48, mais Geoffrion atteignit le plateau magique au dernier match du calendrier et devint ainsi le deuxième joueur à marquer 50 buts en une saison.

Durant toute la saison, une spectaculaire course au championnat opposa le *Canadien*, privé du Rocket – il avait pris sa retraite durant le camp d'entraînement – et les *Leafs*. Finalement, le *Canadien* devança les *Leafs* de deux points. À la demi-finale, Chicago élimina le *Canadien* en six matchs, empêchant l'équipe de participer une onzième fois de suite à la finale. Les *Hawks*, avec Glenn Hall devant le filet, blanchirent le *Canadien*, 3-0, dans les deux derniers matchs, et reçurent leur premier laissez-passer pour la finale en 17 saisons. L'autre demi-finale opposa une nouvelle fois les *Leafs* et les *Red Wings*. Toronto

Rocket Richard reçoit pour la dernière fois la coupe Stanley du président de la LNH, Clarence Campbell, le 14 avril 1960, après la victoire du Canadien contre les Leafs, en finale de la coupe Stanley. Richard prit sa retraite durant le camp d'entraînement de septembre 1960.

Bobby Hull, populaire durant les années 1960 grâce à sa chevelure blonde et à ses traits ciselés, partage ici la vedette avec «M. Goalie» Glenn Hall, au cours de la saison 1960-1961 où les Hawks remportèrent la coupe Stanley.

Une panne de blanchissage

Depuis la fondation de la LNH en 1917, au moins un blanchissage a été enregistré durant chacune des séries de fin de saison, sauf en 1959 où toutes les équipes se sont inscrites au tableau dans les 18 rencontres qui ont été disputées.

remporta le premier match, 3-2, en prolongation, mais les *Wings* gagnèrent les quatre rencontres suivantes. Une finale toute américaine allait être présentée pour la première fois depuis 1950.

La finale débuta le 6 avril, au Stadium de Chicago. La foule de Chicago encourageait ses joueurs et les *Hawks* dominèrent rapidement le match. Ken Wharram marqua un but entre deux de Bobby Hull et les *Hawks* retournèrent au vestiaire forts d'une avance de 3-0. Terry Sawchuk de Détroit se blessa à l'épaule durant le premier engagement et fut remplacé par Hank Bassen lorsque les équipes sautèrent sur la glace, au début de la deuxième période. Les *Wings* travaillèrent d'arrache-pied et réduisirent la marque grâce à des buts de Len Lunde et Al Johnson, mais ils ne purent déjouer Hall une troisième fois, et les *Hawks* remportèrent le premier match de la série, 3-2. Sawchuk resta à l'écart durant la deuxième partie, forçant les *Wings* à resserrer leur défensive afin de protéger Bassen. L'attaque produisit deux buts, marqués par Howie Young et Alex Delvecchio, et les défenseurs n'accordèrent aux *Hawks* que deux tirs inoffensifs en direction du filet; les *Red Wings* purent donc savourer une avance de 2-0 durant le premier entracte. Pierre Pilote inscrivit le premier but de Chicago au début du deuxième engagement, mais par la suite, Bassen n'accorda plus aucun but. Le but de Delvecchio durant la dernière minute de jeu mit fin aux espoirs des *Hawks*, et les *Wings* égalisèrent la série quatre-de-sept grâce à une victoire de 3-1. Pendant le troisième match, Chicago marqua trois buts en deuxième période et obtint une victoire de 3-1, mais Détroit répliqua au quatrième match en gagnant de justesse 2-1, grâce au premier but de Bruce McGregor dans la LNH, à six minutes de la fin du match.

Les deux équipes prirent alternativement l'avantage au cinquième match, et totalisèrent 80 tirs au but. Deux buts furent marqués de chaque côté en première période; Léo Labine et Howie Glover marquèrent pour Détroit tandis que Murray Balfour et Ron Murphy répliquèrent pour Chicago, qui recevait. Un but de Balfour donna de nouveau l'avance au *Hawks* à 16 min 23 de la deuxième période, mais Vic Stasiuk de Détroit égalisa la marque un peu plus tard. La troisième période fut complètement dominée par les *Black Hawks* qui bombardèrent Sawchuk de 24 tirs. Stan Mikita glissa deux rondelles derrière Sawchuk et participa à un troisième but, amenant Chicago à s'approcher de la victoire d'une troisième coupe Stanley.

Hank Bassen revint devant le filet des *Wings* au sixième match, mais il ne put freiner la marche des *Hawks* vers la coupe Stanley. Détroit prit rapidement l'avance 1-0, grâce à un but marqué en avantage numérique par Parker MacDonald, puis les *Hawks* envahirent le territoire des Wings; cinq joueurs différents marquèrent cinq buts sans riposte et les *Hawks* s'emparèrent de la Coupe. Le but qui fit vraiment mal à Détroit fut marqué en désavantage numérique, sans aide, par Reggie Fleming. Il subtilisa la rondelle à Len Lundle et décocha un puissant tir qui déjoua Bassen. Bobby Hull fit le commentaire suivant : «Le but égalisateur de Reg encouragea tout le monde et nous prîmes les choses en main à partir de là.» Pierre Pilote, avec 12 passes et 15 points, fut le meilleur marqueur des *Hawks* tandis que Gordie Howe, qui amassa également 15 points, termina en tête des marqueurs, chez les *Wings*.

Pour la deuxième fois en trois saisons, un joueur réussit à marquer 50 buts. En 1961-1962, ce fut au tour du dynamique attaquant des *Black Hawks* de Chicago, Bobby Hull, le «Golden Jet». Hull inscrivit 34 buts pendant les 30 dernières rencontres du calendrier, pour atteindre le plateau des 50 buts. Mais malgré cet exploit, il ne put distancer Andy Bathgate des *Rangers* qui termina aussi en tête des marqueurs, ex-æquo avec lui.

Le *Canadien* remporta son cinquième championnat d'affilée, accumulant ainsi le plus grand nombre de victoires, soit 42. L'équipe affronta en demi-finale les *Black Hawks*, les champions en titre, et, pour la deuxième fois de suite, le *Canadien* s'inclina devant l'équipe de Chicago, en six matchs. Montréal entreprit la série en lion, gagnant les deux premières parties à domicile 2-1 et 4-3. Les *Hawks* remportèrent les quatre matchs suivants, le dernier sur la marque de 2-0.

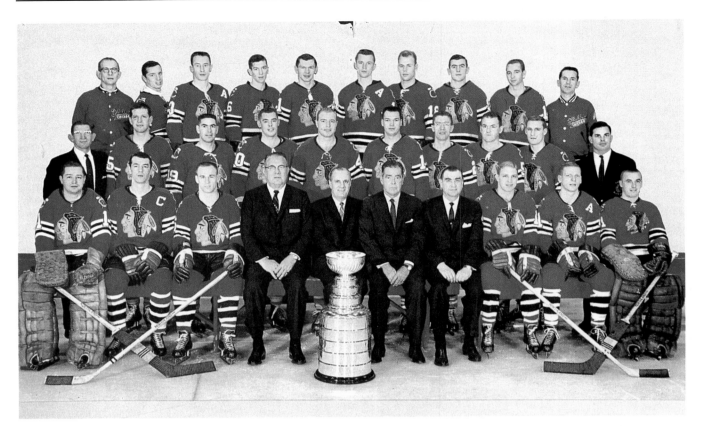

En 1961, les Black Hawks gagnèrent leur troisième coupe Stanley, la première de cette équipe depuis 1938, avec une formation solide réunissant des joueurs expérimentés, Ed Litzenberger, Tod Sloan, Jack Evans et Al Arbour, et quelques-uns des meilleurs jeunes talents de la Ligue : Bobby Hull, Stan Mikita, Pierre Pilote et Kenny Wharram.

Les *Rangers* de New York réapparurent dans les séries et même s'ils s'étaient classés 21 points derrière la deuxième équipe, les *Leafs*, ils en mirent plein la vue à Toronto, en demi-finale. Les deux équipes gagnèrent leurs matchs à domicile, puis les *Leafs* s'imposèrent grâce à un but de Red Kelly marqué en deuxième période de prolongation du cinquième match. De retour à Toronto, où les *Rangers* n'avaient pas remporté de victoire au cours des 16 derniers affrontements, les *Leafs* achevèrent les *Rangers* en les assommant, 7-1.

Toronto et Chicago se rencontraient en finale pour la première fois depuis la victoire des *Hawks* en 1938. Les *Leafs* avaient passé onze ans sans remporter la Coupe; ce fut la plus longue période de léthargie de l'équipe jusqu'alors. Dans le premier match, Chicago ouvrit la marque, Bobby Hull marquant en double supériorité numérique. Mais les *Leafs* réussirent à contenir les *Hawks* jusqu'à la fin du match, tout en marquant quatre buts. George Armstrong obtint un but et deux passes, et les *Leafs* gagnèrent, 4-1.

Le second match fut très serré. Stan Mikita marqua deux buts en troisième période, donnant l'avance à Chicago, mais les *Leafs* comblèrent ce déficit, remportèrent le match, 3-2, et prirent une avance de deux matchs à zéro dans la série. George Armstrong tint une fois de plus le rôle de catalyseur, marquant le but gagnant moins de quatre minutes avant la fin de la troisième période. Chicago éleva un mur défensif devant les *Leafs* dans les troisième et quatrième parties; ils ne concédèrent à Toronto qu'un but durant les deux rencontres; des victoires de 3-0 et 4-1 leur permirent d'égaliser la série.

Un des problèmes des *Leafs*, lorsqu'ils sautèrent sur la patinoire au début du cinquième match, fut de trouver le moyen de percer la solide défensive des *Hawks*. Le gardien, Johnny Bower, qui s'était étiré un muscle de la cuisse pendant

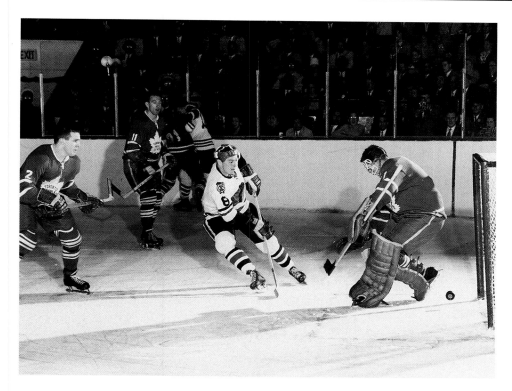

Les défenseurs des Leafs, Bob Nevin (11) et Carl Brewer (2), ne peuvent que regarder Murray Balfour de Chicago (8) trouver une ouverture entre les jambières du gardien des Leafs, Don Simmons, durant la première période du cinquième match de la finale de la coupe Stanley de 1962. Les Leafs gagnèrent finalement le match 8-4 et, trois jours plus tard, s'appropriaient la coupe Stanley pour la huitième fois.

le quatrième match, ne put revêtir l'uniforme, forçant les *Leafs* à faire appel au réserviste Don Simmons. Bien que Simmons eut fait une excellente impression lors des deux visites des *Bruins* de Boston dans les années 1950, il ne participa qu'à neuf rencontres durant la saison. Au lieu de se replier pour protéger Simmons, les *Leafs* présentèrent le jeu le plus offensif des séries d'après-saison depuis les neufs buts qu'ils avaient marqués contre Détroit, en 1942. Toronto refila huit buts à Glenn Hall et corriga les *Hawks*, 8-4, s'approchant à une victoire de la coupe Stanley.

Comme on s'y attendait, le spectacle offensif auquel on avait assisté au cinquième match fit place à du jeu hésitant durant les deux premières périodes et les *Leafs*, même s'ils tirèrent 27 fois au but contre 12 pour les *Hawks*, se heurtèrent à Glenn Hall. Les *Hawks* brisèrent l'égalité à 8 min 56 de la troisième période lorsque Bobby Hull, après avoir reçu une passe de Balfour, poussa la rondelle derrière Simmons. Le but de Hull fut salué par une pluie de débris lancés par les fans, et il fallut attendre un long moment avant que le jeu ne puisse reprendre. Ce temps d'arrêt imprévu permit aux *Leafs* de reprendre leur souffle et, moins de deux minutes après la reprise du jeu, Bob Nevin des *Leafs* marqua le but égalisateur.

Lentement, mais sûrement, Toronto prit le contrôle du match. À six minutes de la fin du match, Dick Duff reçut une passe de Tim Horton et, tandis que Dave Keon faisait de l'obstruction devant le filet, il décocha un tir des poignets, ce qui déjoua Glenn Hall. Pendant les dernières minutes, les *Hawks* bourdonnèrent autour du filet des *Leafs*, mais Simmons fut à la hauteur et, lorsque la sirène sonna la fin du match, les *Leafs* avaient remporté leur première coupe Stanley depuis 1951, grâce à une victoire de 2-1. Stan Mikita établit un nouveau record de la LNH en inscrivant 15 passes et 21 points en séries d'après-saison, brisant le record de 20 points établi par Gordie Howe, en 1955. Tim Horton établit lui

Différentes équipes, mais un pointage identique

Ed Litzenberger et Al Arbour étaient coéquipiers en 1961, lorsque les *Black Hawks* de Chicago gagnèrent leur première coupe Stanley depuis 1938. L'année suivante, ils jouaient encore ensemble, mais cette fois pour les *Maple Leafs* de Toronto, champions de 1962. Ce sont les deux derniers joueurs à avoir gagné deux coupes Stanley de suite avec des équipes différentes.

Dave Keon, ici aux prises avec le policier des Black Hawks, Reg Fleming, et le gardien, Glenn Hall, jette un coup d'œil par-dessus son épaule pour voir Dick Duff donner à Toronto une avance de 2-1 dans la finale de 1962. Cette avance ne fut jamais comblée, et les Leafs gagnèrent le championnat pour la première fois en onze ans.

aussi une nouvelle marque pour un défenseur, avec 12 passes en 13 matchs des séries éliminatoires.

Pendant la saison 1962-1963, l'obtention du premier rang fut l'objet d'une lutte de tous les instants; ce fut la course la plus serrée de la LNH, depuis l'adoption du format à une division en 1938. Cinq points seulement séparaient les quatre premières équipes. Les champions en titre, les *Maple Leafs* de Toronto, gagnèrent leur premier championnat de la saison régulière en quinze ans, avec une fiche de 35-23-12, devançant les *Black Hawks* d'un seul point. Gordie Howe se hissa au sommet du classement des marqueurs pour la première fois en six ans, remportant son sixième trophée Art Ross.

Les *Leafs* défendirent leur titre de champion en affrontant le *Canadien* de Montréal en demi-finale. Johnny Bower anéantit complètement la plus puissante attaque de la Ligue, et inscrivit deux blanchissages; les *Leafs* éliminèrent le *Canadien* de façon convaincante, en cinq rencontres. Le point tournant de la série survint sans doute au troisième match lorsque Montréal, disposant d'un avantage numérique de cinq minutes, n'obtint pas une seule occasion de marquer. À la deuxième demi-finale, Détroit perdit les deux premières parties contre les *Black Hawks* avant d'aligner quatre victoires de suite, donnant à l'entraîneur Sid Abel son deuxième laissez-passer pour la finale de la coupe Stanley.

Pendant le premier match de la finale, les *Leafs* montrèrent tout de suite qu'ils défendraient la Coupe avec acharnement. Dick Duff établit un record de la LNH, qui tient toujours, en marquant deux buts en 68 secondes, après le début du match. Les *Leafs* connurent un match facile et remportèrent une victoire de 4-2. La deuxième rencontre ressembla beaucoup à la première; Eddie Litzenberger, Ron Stewart et Bob Nevin marquèrent pour Toronto avant que les *Wings* ne puissent s'inscrire au tableau. Howe marqua deux buts pour Détroit, mais Stewart en ajouta un autre pour les *Leafs* qui gagnèrent 4-2, menant la série deux matchs à zéro. À l'Olympia, les *Wings* se montrèrent enfin à la hauteur de leur talent et gagnèrent le match, 3-2. Vic Stasiuk marqua un but pendant la première minute de jeu, tandis qu'Alex Faulkner en ajouta deux autres au deuxième engagement. Pendant ce temps, Terry Sawchuk stoppa 30 tirs des *Leafs*, et garda les *Red Wings* dans la course.

Détroit entama également le quatrième match en force, Gordie Howe marquant en début de première période. Pendant le deuxième engagement, Eddie Joyal augmenta l'avance des *Wings*, mais Armstrong et Kelly des *Leafs* ramenèrent la marque 2 à 2. Bien que les *Wings* eurent dominé les *Leafs*, ils ne purent percer le «China Wall», le vénérable gardien de Toronto, Johnny Bower, qui bloqua 17 tirs en deuxième période seulement, et neuf de plus, en troisième. L'issue de la rencontre fut très incertaine jusqu'à la moitié de la troisième période, lorsque Dave Keon intercepta une passe et marqua, contre Sawchuk, un but sans aide. Red Kelly en ajouta un autre et donna aux *Leafs* une troisième victoire

Treize membres de l'équipe championne des Maple Leafs de Toronto de 1962 faisaient toujours partie de cette formation trois ans plus tard, lorsque les Leafs entrèrent pour la troisième fois dans le cénacle des gagnants de la coupe Stanley.

de 4-2; les *Leafs* n'étaient plus qu'à un match d'une deuxième conquête de la coupe Stanley.

Pendant le cinquième match, Toronto resserra sa défensive, n'accordant que cinq tirs au but au premier engagement. Dave Keon ouvrit la marque pour les *Leafs* vers la fin de la période lorsque, sur une feinte formidable, il déjoua Sawchuk, alors qu'il manquait un joueur à son équipe. Alex Delvecchio égalisa la marque au début du deuxième engagement, mais les *Wings* ne purent percer la défense des *Leafs* et reprendre l'avantage. À un peu plus de sept minutes de la fin du match, Eddie Shack marqua pour les *Leafs*, obligeant les *Wings* à se surpasser pour égaliser. Ils obtinrent une occasion en or lorsque Bob Pulford reçut une pénalité pour obstruction, à deux minutes de la fin. Sawchuk fut immédiatement remplacé par un attaquant, mais Keon, après avoir reçu une passe de George Armstrong, logea calmement la rondelle dans le filet abandonné, permettant aux *Leafs* de vaincre Détroit et de remporter la coupe Stanley avec une victoire de 3-1. Keon fut le premier joueur à marquer deux buts en infériorité numérique dans un match de finale de la coupe Stanley. Cinq joueurs différents des *Leafs* marquèrent plus d'un but dans le même match au cours de la série, ce qui amena Gordie Howe à constater : «Il n'y a pas une seule pomme pourrie dans le panier.»

Pendant le championnat, une belle rivalité entre deux équipes caractérisa la saison régulière de 1963-1964, et Montréal battit Chicago par un seul point. Devant se contenter d'une troisième place, les *Leafs* renforcèrent leur alignement pour les séries de fin de saison en cédant cinq joueurs aux *Rangers*, en échange

Johnny Bower se prépare à faire perdre la rondelle au grand Gordie Howe des Red Wings, en la harponnant durant la finale de la coupe Stanley de 1963. Les trois buts et les trois passes de Howe dans cette série ne suffirent pas et, en cinq rencontres, les Leafs eurent raison des Red Wings .

Le capitaine des Leafs, George Armstrong, serre la main à Nathan Phillip, maire de Toronto, après une réception donnée à l'hôtel de ville en l'honneur des champions de la LNH.

Le «tour du chapeau» de Dave Keon, lors du septième match de la demi-finale entre Toronto et Montréal, permit aux Leafs d'accéder à la finale pour la cinquième fois en six ans.

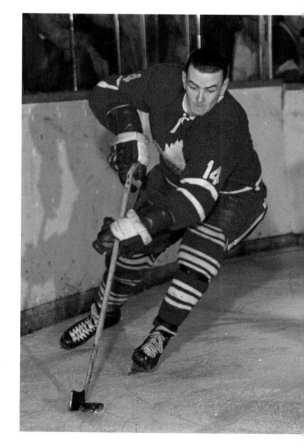

d'Andy Bathgate. C'était seulement la septième fois dans l'histoire de la Ligue que l'un des dix meilleurs marqueurs changeait d'équipe durant la saison.

Pour la première fois depuis que la Ligue avait six équipes, en 1943, les deux demi-finales se prolongèrent jusqu'au septième match. La série entre le *Canadien* et les *Leafs* fut disputée avec ardeur. Au premier affrontement, gagné 2-0 par le *Canadien*, un record fut établi : celui du nombre de punitions; l'arbitre, Frank Udvari, signala 31 infractions séparées. Au cours des quatre matchs suivants, chaque équipe gagna deux fois, et le *Canadien* menait par trois matchs à deux. Pendant la sixième rencontre, les *Leafs* se montrèrent à la hauteur et blanchirent le *Canadien*, 3-0, égalisant la série. Au dernier match, Dave Keon inscrivit les trois buts des *Leafs* et donna la victoire aux siens avec une marque de 3-1. L'un de ses buts fut marqué en désavantage numérique, un autre à forces égales et le troisième, dans un filet désert. Les *Leafs* étaient prêts à participer à leur cinquième finale de la coupe Stanley en six ans.

La série opposant les *Red Wings* aux *Black Hawks* se déroula de façon semblable. Détroit remporta les sixième et septième rencontres, et se qualifia pour la finale afin de disputer une série-revanche contre les *Maple Leafs*.

La finale de 1964 fut la première série de championnat qui nécessita sept rencontres depuis l'affrontement entre le *Canadien* et les *Wings*, en 1955. Détroit détenait une avance de 2-1 lorsque débuta la troisième période du premier match, mais George Armstrong égalisa la marque peu après le début de l'engagement. Les deux équipes semblaient devoir jouer une prolongation, mais Bob Pulford intercepta une passe en diagonale de Norm Ullman et s'échappa seul vers Sawchuk. Son tir des poignets trouva le fond du filet alors que le tableau n'indiquait plus que deux secondes de jeu.

Le même scénario eut lieu lors du deuxième match. Les *Wings*, grâce à des buts d'Ullman, de Joyal et de Floyd Smith, entamèrent la troisième période avec une avance de 3-1. Cependant, Red Kelly marqua pour les *Leafs*; ensuite le but

En 1964, Terry Sawchuk sortit de l'hôpital, où il avait reçu des soins pour le pincement d'un nerf de l'épaule. Il conduisit alors les Red Wings à leur troisième série de championnat de suite, en défaisant les Black Hawks en sept matchs âprement disputés.

de Gerry Ehman, à la dernière minute de jeu – à peine deux secondes après la fin d'une pénalité infligée à Détroit – obligea les équipes à disputer une prolongation. Les *Red Wings*, qui avaient tiré 41 fois au but, contre 28 pour la troupe d'Imlach durant le temps réglementaire, se regroupèrent et se lancèrent à l'attaque en première période de prolongation. Ullman racheta la bévue qu'il avait commise au premier match de la série en évitant deux défenseurs des *Leafs* à la ligne bleue, et en refilant la rondelle à Gordie Howe qui se tenait près du filet des *Leafs*. En voyant Horton et Stanley se diriger vers lui, Howe fit une passe de l'autre côté du filet à Larry Jeffrey, qui glissa tranquillement le disque dans le filet, égalisant la série.

Deux jours plus tard, à Détroit, les *Wings* imposèrent leur rythme dès la mise au jeu initiale, se forgeant une avance de 3-0 pendant le premier vingt. Mais, comme ce fut le cas aux matchs précédents, les *Leafs* reprirent du poil de la bête et comblèrent leur retard, Don McKenny marquant le but égalisateur à seulement 73 secondes de la fin. Toutefois, alors que l'horloge n'indiquait plus que 17 secondes de jeu, Gordie Howe joua une fois de plus au magicien; il vola la rondelle à Frank Mahovlich et la passa à Alex Delvecchio, posté devant le filet des *Leafs*. Le capitaine des *Wings* redirigea habilement la passe derrière Bower, et c'est Détroit qui mena la série. Le quatrième match fut caractérisé par de nouveaux exploits des *Leafs* en troisième période; Bathgate et Mahovlich trouvèrent le fond du filet pendant les 20 dernières minutes de jeu, et égalisèrent la série grâce à un triomphe de 4-2.

Pendant le cinquième match, Sawchuk fut dans une forme irréprochable, bloquant 33 tirs des *Leafs*. Leur victoire de 2-1 en poche, les *Wings* revinrent chez eux à un seul match d'une première conquête de la Coupe depuis 1955.

L'un des exploits le plus souvent cité en exemple eut lieu durant le sixième match. La marque était de 3 à 3 en troisième période, lorsque Bob Baun, le défenseur des *Leafs*, fut atteint à la cheville par un lancer frappé et dut quitter le match en civière. La rencontre, et peut-être même aussi la série, semblait terminée pour lui. Le match nécessita une période de prolongation et, après un peu plus d'une minute, Baun reprit son poste régulier et sauta sur la patinoire. Après une mise au jeu en zone des *Wings*, Bob Pulford dirigea la rondelle le long de la

D'heureux membres des Maple Leafs de Toronto, réunis autour de la coupe Stanley après avoir blanchi les Red Wings, 4-0, au septième match de la confrontation de 1964. On peut reconnaître, entre autres (de gauche à droite) : Harris, Stewart, Bower, Stanley, Bathgate, Shack, Pulford et Baun.

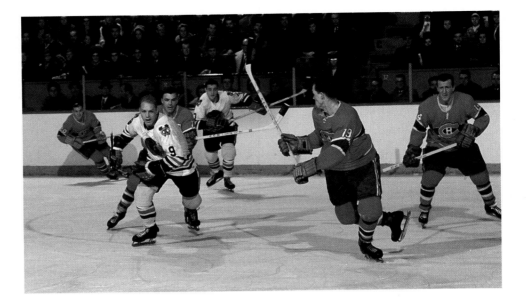

Les avants des Black Hawks, Bobby Hull et Phil Esposito, tentent de s'emparer d'une rondelle libre pendant que Terry Harper et Claude Provost essaient de les en empêcher, durant la finale de 1965 entre Montréal et Chicago. Le Canadien gagna la bataille, mais le combat fut long.

En 1965, Jean Béliveau gagna le premier trophée Conn Smythe, remis au joueur le plus utile durant les séries éliminatoires de la LNH.

bande, et Baun, qui attendait la rondelle à la pointe, décocha un puissant lancer qui dévia sur le bâton de Bill Gadsby et battit Sawchuk, abasourdi. Ce n'est qu'après la fin de la série qu'on apprit que la cheville fracturée de Baun avait été solidement maintenue à l'aide de ruban adhésif.

Forts de cette victoire décisive, les *Leafs* disposèrent facilement des *Red Wings* au septième match. Andy Bathgate ouvrit la marque pour Toronto à la quatrième minute de jeu, grâce à un tir des poignets placé dans le haut du filet. Johnny Bower fut intraitable et, avec un blanchissage de 4-0, les *Leafs* mirent en poche leur troisième coupe Stanley d'affilée.

Dans l'euphorie des célébrations qui eurent lieu dans le vestiaire des *Leafs*, Punch Imlach prit le temps d'analyser les efforts de sa troupe. «Ils ont été de grands champions ce soir. Baun, Brewer et Kelly se sont fait donner des injections pour apaiser la douleur dans les jambes... et ils ont été à la hauteur, non ?» Andy Bathgate s'installa confortablement, content de voir la Coupe de près. «Non seulement je gagne la Coupe pour la première fois, mais c'est aussi la première fois que je participe à la finale.»

Les *Red Wings* de Détroit passèrent de la quatrième à la première place en 1964-1965, gagnant dix rencontres de plus que la saison précédente. Malgré leur remarquable fin de saison, les *Red Wings* furent éliminés par Chicago à l'issue d'une demi-finale excitante qui dura sept matchs. L'autre demi-finale fut une nouvelle confrontation entre les *Leafs* et le *Canadien*. Cette fois, le *Canadien* obtint la victoire, remportant la série grâce à un but marqué en prolongation par Claude Pronovost, au sixième match.

La première finale Montréal-Chicago en 21 ans débuta à Montréal, le 17 avril; jamais la série finale n'avait commencé si tard. Gump Worsley fut désigné pour garder la cage du *Canadien*; ce fut sa première participation en finale de la coupe Stanley depuis son entrée dans la Ligue, 12 ans auparavant. Les *Hawks* commencèrent le premier match sans les services de Pilote et de Wharram, deux éléments importants en attaque, qui allaient être tenus à l'écart du jeu jusqu'à la troisième partie, en raison de blessures. Deux buts furent marqués de chaque

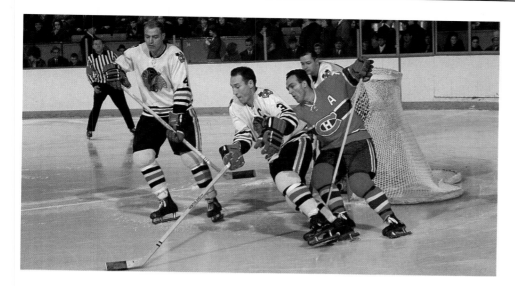

côté, avant qu'Yvan Cournoyer n'obtienne le premier but de sa carrière dans les séries éliminatoires, procurant à Montréal un triomphe de 3-2.

À la deuxième rencontre, la défensive et les unités spéciales furent les principaux éléments de la victoire de 2-0 du *Canadien*. L'équipe n'avait accordé à Chicago que 18 tirs au but en 60 minutes, tandis que Jean Béliveau et Dick Duff s'inscrivirent au pointage durant un avantage numérique; Montréal prit une avance de deux matchs dans la série.

Le troisième match fut disputé avec prudence. John Ferguson donna l'avance au *Canadien* durant le deuxième engagement, mais Phil Esposito répliqua pour Chicago moins d'une minute plus tard. Ken Wharram, qui était de retour malgré une blessure au genou droit, marqua le but gagnant après avoir reçu une passe de Stan Mikita. Un tir de Chico Maki dans un filet désert scella l'issue de la rencontre, et procura à Chicago une victoire de 3-1.

Charlie Hodge remplaça Worsley devant le filet de Montréal, mais cette stratégie ne profita pas à Toe Blake, car les *Hawks* marquèrent quatre buts en huit lancers dans la troisième période; ils gagnèrent la partie 5-1. Bobby Hull mena l'attaque des *Hawks* en marquant deux buts, dont le but gagnant, un tir de 21 mètres qui prit Hodge par surprise; les *Hawks* et le *Canadien* étaient donc de retour à la case départ.

Le *Canadien* se reprit de belle façon au cinquième match, envoyant Glenn Hall aux douches après avoir administré aux *Leafs* une raclée de 6-0. Toe Blake fit de nouveau appel à Hodge, et l'expérimenté joueur de 32 ans remercia son entraîneur en effectuant 23 arrêts; ce fut son deuxième blanchissage pendant les séries. Jean Béliveau amassa quatre points, deux buts et deux passes, alors que J.C. Tremblay en inscrivit trois. Denis DeJordy remplaça Hall au troisième engagement, mais le *Canadien* enfila trois buts et s'approcha à un match du titre de champion. De retour à domicile pour la sixième partie, les *Hawks* marquèrent deux buts en deux minutes lors de la troisième période, grâce à Elmer Vasko et Doug Mohns, et s'assurèrent d'une victoire de 2-1, étirant la série à la limite.

Bien que Chicago ait remporté tous les honneurs en 1961, ce fut la première série de sept matchs de l'équipe. Les joueurs du *Canadien*, peut-être conscients

Bill Gadsby (à droite),
qui met en échec
Stan Mikita de Chicago,
joua dans la LNH pendant
20 saisons, sans jamais
gagner la coupe Stanley.

Longues carrières sans Coupe

Trois défenseurs membres du temple de la Renommée détiennent le record de la plus longue carrière sans conquête de la coupe Stanley. Bill Gadsby joua pendant 20 saisons, mais jamais pour une équipe gagnante, tandis que Harry Howell participa à I 411 matchs sans atteindre la finale. Brad Park, qui participa aux éliminatoires à chacune de ses 17 années dans la LNH, n'a jamais remporté la Coupe.

de la puissance des *Hawks*, pressèrent le pas dès le début du match, et Jean Béliveau marqua après seulement 14 secondes de jeu. Le *Canadien* ajouta trois buts dans la même période, et conserva son avance pour l'emporter 4-0 et gagner sa douzième coupe Stanley. Béliveau, qui enfila trois buts en plus de préparer le quatrième, fut le premier à recevoir le trophée Conn Smythe, nouvelle pièce d'argenterie accordée au joueur le plus utile des séries éliminatoires.

En 1965-1966, le monde du hockey eut les yeux rivés sur Bobby Hull, observant le «Golden Jet» pour voir s'il allait être le premier à marquer plus de 50 buts en une saison. À la fin de la campagne, Hull avait accumulé le nombre record de 54 buts, et il gagna le trophée Art Ross grâce à ses 97 points, également un record de la LNH.

Les demi-finales furent des séries revanches pour les *Leafs* et le *Canadien*, ainsi que pour les *Red Wings* et les *Black Hawks*. Montréal écarta les *Leafs* de la course, et Détroit remporta les trois derniers matchs contre Chicago, gagnant la série en six matchs.

Les *Red Wings*, qui avaient obtenu 16 points de moins que Montréal en saison régulière, n'étaient pas favoris pour arracher la Coupe des mains du *Canadien*. Cependant, les *Wings* confondirent les parieurs en disputant le match d'ouverture de façon impeccable. Bathgate, Paul Henderson – maintenant avec Détroit – et le joueur de 37 ans, Bill Gadsby, marquèrent chacun un but et Détroit s'imposa, 3-2. Détroit continua d'émerveiller ses partisans pendant la deuxième rencontre, profitant de buts marqués par cinq joueurs différents, dont quatre en troisième période; Détroit gagna 5-2 au Forum, et prit une avance de deux matchs dans la série. Après la victoire, une grande partie des honneurs du coup d'éclat des *Wings* sur la glace du Forum revint au gardien Roger Crozier, qui fit des arrêts époustouflants, empêchant Montréal de marquer à plusieurs occasions.

Le *Canadien* était bien décidé lorsque les joueurs sautèrent sur la glace de l'Olympia, au troisième match. Ils accordèrent un but à Norm Ullman dès le début de la rencontre, mais ils avaient repris les devants 2-1 quand débuta le deuxième engagement. Après un deuxième vingt minutes sans buts, Gilles Tremblay procura une victoire de 4-2 au *Canadien* en enfilant deux buts en moins de deux minutes.

Le vent tourna pour les partisans de Détroit au début du quatrième match. Crozier se tordit la jambe contre le poteau gauche et fut forcé de quitter la patinoire. Bien que son remplaçant ne pût être tenu responsable des deux buts accordés, les *Wings* semblèrent perdre toute confiance après le départ de Crozier, ne tirant que 23 fois vers le filet de Montréal. Bassen marqua pour les *Wings*, mais Ralph Backstrom réussit le but gagnant pour Montréal, en fin de troisième période, égalisant la série.

Crozier revint devant le filet au cinquième match, mais ne fut pas à son meilleur, et Détroit encaissa un revers de 5-1. Sid Abel refusa de blâmer son gardien pour la défaite des *Wings*, faisant remarquer : «Nous avons laissé le jeune homme sans protection. Avec le genou solidement maintenu en place par du ruban adhésif, il pouvait à peine se déplacer.»

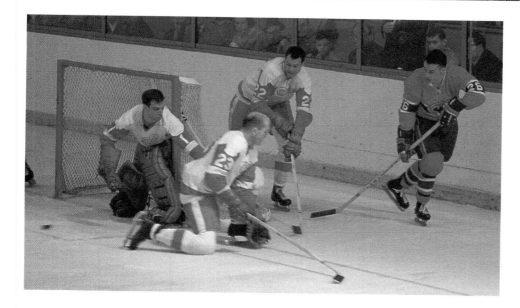

Jimmy Roberts effectue une passe du revers hors de portée de Gary Bergman et d'Ab McDonald, de Détroit.

Lorsque les équipes retournèrent à Détroit pour disputer le sixième match, l'attention des médias était principalement portée sur Crozier, qui assurait être en mesure de participer au match. Des buts de Béliveau et de Léon Rochefort procurèrent au *Canadien* une avance de 2-0, après 30 minutes de jeu, mais les *Wings* ne lâchèrent pas; Ullman marqua en désavantage numérique, et Détroit n'accusait plus qu'un retard d'un but après la fin du deuxième engagement. À mi-chemin en troisième période, Floyd Smith reçut une passe d'Ab McDonald et réussit un but qui força la prolongation.

Deux minutes après le début de la période supplémentaire, Henri Richard, étroitement couvert par Gary Bergman, fonça vers le filet des *Wings*. Dave Balon dirigea une passe à Richard qui se laissait maintenant glisser sur la glace. Le Pocket Rocket réussit tant bien que mal à faire dévier le disque derrière Crozier, et marqua le but gagnant. Après le match, Crozier reçut le trophée Conn Smythe remis au joueur le plus utile des éliminatoires. Avec cette victoire du *Canadien* s'envola la dernière chance de Bill Gadsby de voir son nom gravé sur la coupe Stanley. Après une carrière de 17 saisons dans la Ligue, ce joueur, nommé sept fois au sein de l'équipe d'étoiles, annonça qu'il venait de disputer son dernier match.

Roger Crozier, de Détroit, fut le premier joueur d'une équipe perdante, et le premier gardien de but, à remporter le trophée Conn Smythe.

En 1967, le Canada célébra son centenaire, et une page de l'histoire de la LNH fut tournée. La ligue annonça son intention de doubler le nombre d'équipes en 1967-1968; la saison 1967 serait donc la dernière de l'époque des belles années où la Ligue ne comptait que six formations. Il était juste que la série finale mette aux prises le *Canadien* et les *Leafs*, puisque ces deux équipes canadiennes avaient gagné 18 fois la coupe Stanley en 24 saisons.

Au cours de la saison, les *Black Hawks* de Chicago avaient dominé sur tous les plans, à l'offensive et à la défensive. Toutefois, lors de la demi-finale contre les *Leafs*, les *Hawks* se heurtèrent à un groupe de vétérans qui s'étaient rendu compte que c'était probablement leur dernière occasion de conquérir la coupe Stanley.

*Le tir du revers de Pierre
Pilote, de Chicago, pénètre
dans le haut du filet gardé
par Terry Sawchuk,
dans la victoire de 4-3
contre les Leafs, lors du
quatrième match de la
demi-finale de 1967.
Ellis (8), Horton (7)
et Kelly (4), des Leafs,
n'y pouvaient rien.*

Terry Sawchuk, jouant maintenant pour Toronto, multiplia les exploits, faisant 49 arrêts en 40 minutes de jeu, après qu'il eut remplacé Bower blessé pendant le cinquième match. Les *Leafs*, faisant fi des paris, éliminèrent les champions de la Ligue en six matchs. Le *Canadien* de Montréal écarta facilement les *Rangers* en quatre matchs; la finale de la coupe Stanley allait être canadienne.

Le *Canadien* commença la série sans avoir subi aucune défaite au cours de ses 15 derniers matchs avec Rogatien Vachon devant le filet. L'expérimenté Terry Sawchuk des *Leafs* commença la première rencontre, mais il ne put contrer l'attaque du *Canadien* et dut céder sa place après avoir arrêté 30 tirs et accordé quatre buts en 40 minutes de jeu. Le *Canadien* enfila six buts et remporta le premier match 6-2. Imlach désigna Bower pour la seconde partie, et le joueur de 42 ans s'acquitta bien de sa tâche en bloquant les 31 tirs dirigés vers son filet. Les *Leafs*, grâce aux buts marqués en avantage numérique par Pete Stemkowski et Mike Walton, ainsi qu'au but d'assurance de Tim Horton, égalisèrent la série avec une victoire de 3-0.

Le troisième match, qui dura 88 minutes, fut ponctué de performances éblouissantes de Vachon et de Bower. Des 63 tirs qu'il reçut, Bower n'en laissa passer que deux, mais les *Leafs* remportèrent la victoire en deuxième période de prolongation lorsque Bob Pulford marqua durant une mêlée. Avant le début

du quatrième affrontement, Bower subit une élongation musculaire à la jambe, forçant Imlach à utiliser Sawchuk. Le *Canadien* salua ce vétéran – il avait joué 18 saisons – en décochant 19 tirs en sa direction. Sawchuk sembla hésitant presque toute la soirée, et accorda six buts; le *Canadien* égalisa la série sur cette victoire facile de 6-2 aux dépens de la troupe d'Imlach.

Les doutes à l'endroit de Sawchuk, que les fans des *Leafs* entretenaient encore, furent tous effacés au cours du cinquième match. Sawchuk fut sensationnel durant les deux premiers engagements, volant de brillante façon un but à Béliveau et un autre à Cournoyer. Les deux équipes marquèrent chacune un but en première période, mais les *Leafs* se déchaînèrent dans le deuxième vingt, marquant trois buts. Le point tournant du match survint lorsque Marcel Pronovost, qui avait arrêté une attaque du *Canadien*, s'échappa pour marquer un but en infériorité numérique. Au troisième engagement, les *Leafs* se replièrent en défense, forçant le *Canadien* à pousser le disque dans le coin et à tenter de le récupérer, style de jeu qui fit bien l'affaire des *Leafs*. Sawchuk resta intraitable jusqu'à la fin de la rencontre, et les *Leafs* signèrent une victoire de 4-1.

L'entraîneur du *Canadien*, Toe Blake, remplaça Vachon par Gump Worsley pour le sixième match, mais celui-ci ne parvint pas à contrer les attaques des *Leafs*. Durant la première période, le *Canadien* décocha 17 tirs sur Sawchuk,

Ted Harris, le défenseur de Montréal, pousse Brian Conacher dans le filet du Canadien pendant que Savard et Pappin cherchent à reprendre possession du disque, durant la finale de 1967, entre les Leafs et le Canadien. Après la victoire des Leafs, l'année du centenaire du Canada, presque toute l'attention était dirigée vers les anciens de l'équipe, mais les nouveau-venus comme Stemkowski, Pappin et Conacher jouèrent aussi un précieux rôle dans la victoire en six matchs de Toronto.

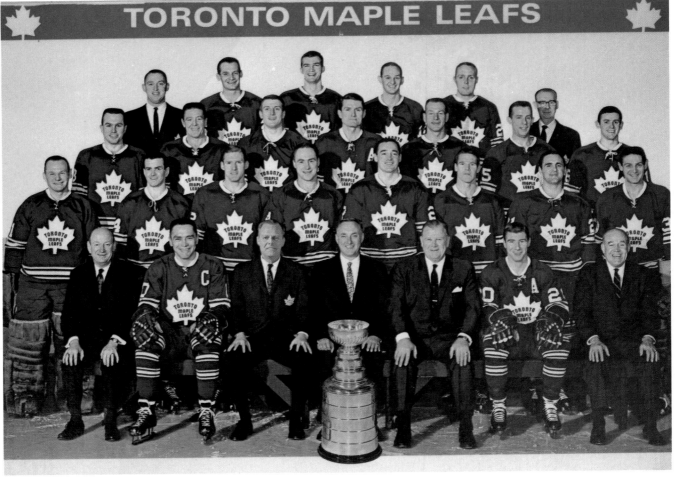

Description des Maple Leafs de 1966-1967 par Punch Imlach : «C'est un mélange de vieux papas avec un peu de sang frais.»

Au bon endroit au bon moment

Milan Marcetta et Aut Erickson étaient tous deux membres de l'équipe des *Maple Leafs* qui gagna la Coupe lors des éliminatoires de 1967, bien qu'ils n'aient pas joué en saison régulière avec cette équipe. Erickson participa à un match en séries éliminatoires et Marcetta, à trois matchs.

mais ce dernier fit du bon boulot, empêchant Montréal de s'inscrire au tableau avant que Toronto n'ouvre la marque au deuxième vingt. Ron Ellis réussit un but et Jim Pappin augmenta l'avance des *Leafs* lorsque sa passe en croisée dévia sur le patin du défenseur droit du *Canadien*, Terry Harper, et glissa derrière Gump Worsley.

Dick Duff se libéra de l'emprise d'Allan Stanley et réduisit l'écart à un but, grâce à un superbe effort individuel en début de troisième période. Le pointage demeura 2-1 jusqu'à la dernière minute, quand Montréal força une remise au jeu dans le territoire des *Leafs*, et remplaça Gump Worsley par un attaquant. Imlach prit une décision difficile en confiant à cinq vétérans la responsabilité d'écouler la dernière minute. Les *Leafs* gagnèrent la mise au jeu puis George Armstrong, qui avait reçu la rondelle, s'avança au centre de la patinoire et lança le disque dans le filet abandonné par le *Canadien*, donnant aux *Leafs* une treizième coupe Stanley. «C'était bon de gagner cette fois-ci, dit Imlach, tout le monde nous avait écarté de la course parce que nous n'étions qu'une équipe de vieux.» Ils étaient vieux, mais ils étaient aussi des gagnants.

(suite p. 195)

La finale de 1967

par George Gross
Rédacteur de sport au Toronto Sun

La coupe Stanley est perçue comme un trésor national par l'équipe qui l'a en sa possession durant l'année.

Mais la coupe Stanley de 1967 revêt un caractère particulier, car c'est le dernier trophée que se disputèrent les six équipes originales, comme on les nommait à tort. Cette dernière finale de la coupe Stanley avant l'expansion ne reçut aucun surnom, mais peut-être que la victoire presque choquante d'une bande de *Maple Leafs* âgés, aux dépens d'une formation montréalaise nettement favorite, bien rôdée et talentueuse, aurait pu être appelée la «Coupe des anciens».

Avec justesse, pourrais-je ajouter.

La parade des *Leafs*, gagnants de la coupe Stanley de 1967 en six matchs, présenta un alignement de joueurs d'aspect distingué, dont plusieurs passaient pour des «gens du troisième âge».

La finale aurait pu également être appelée «Coupe du gardien junior B». Encore une fois, ce nom serait justifié, car c'est de cette façon que George «Punch» Imlach qualifia le gardien-recrue de Montréal, Rogatien Vachon, qui remplaça Gump Worsley, blessé.

Enfin, la finale aurait pu être appelée «Le triomphe des vétérans gardiens de but», si on pense à la performance phénoménale du duo de gardiens très expérimentés des *Leafs*, composé de Terry Sawchuk et de Johnny Bower.

Les *Maple Leafs* de Toronto se classèrent au troisième rang du calendrier régulier, 19 points derrière les *Black Hawks* de Chicago, après avoir travaillé d'arrache-pied pour obtenir une place aux éliminatoires. Aussi ne leur accordait-on que très peu de chances d'atteindre la finale de la coupe Stanley.

En première ronde des séries, les *Leafs* firent face à la puissante attaque des *Black Hawks* dont les deux marqueurs-étoiles, Stan Mikita et Bobby Hull, avaient terminé aux premier et deuxième rangs du classement des marqueurs de la LNH. Les *Leafs* alignaient pour leur part des joueurs tels que Brian Conacher, qui n'avait jamais marqué de but contre la puissante équipe de Chicago.

Mais ça, c'était avant 1967. En effet, la petite peste de Conacher aida les *Leafs* à accéder à la finale en marquant deux buts lors d'un match contre les *Hawks*. Il dut se pincer pour croire qu'il n'avait pas rêvé.

Affronter le *Canadien* au Forum de Montréal semblait être une tâche insurmontable vers le milieu des années 1960. Ayant remporté la Coupe les deux saisons précédentes, le *Canadien* avait déjà mis les bouteilles de champagne au frais avant que ne commence la série. Et après tout, le *Canadien* comptait sur une kyrielle de joueurs-étoiles comme Jean Béliveau, Henri Richard, Yvan Cournoyer, Jean-Claude Tremblay, Serge Savard, Jacques Laperrière, John Ferguson, Dick Duff et de nombreux autres. «Terrible» aurait bien qualifié le talent de cette équipe.

«Old Guard» Terry Sawchuk (à gauche) et «China Wall» Johnny Bower, après avoir gagné le trophée Vézina, en 1967.

Premier match
le 20 avril 1967
Toronto 2 – Montréal 6

Le *Canadien* entreprit la série comme tout le monde s'y attendait, c'est-à-dire en humiliant les *Maple Leafs*. Henri Richard marqua trois buts, Yvan Cournoyer, deux, et Jean Béliveau, un autre. Pendant ce temps, Jim Pappin et Larry Hillman répliquaient pour Toronto.

Punch Imlach, alors grand général des *Maple Leafs*, excellent motivateur pour sa troupe et détracteur pour ses adversaires, avait joué, au cours de son illustre carrière, quelques bonnes cartes dont il fit bon usage la plupart du temps. Comme la fois où il commença un match en envoyant cinq défenseurs sur la patinoire, ce qui décontenança complètement l'adversaire.

Il savait qu'il devait inventer un nouveau truc pour la finale de 1967 contre Montréal, quelque chose qui motiverait ses joueurs et ralentirait ceux de l'autre formation. Il prononça alors une phrase devant quelques représentants des médias qui prenaient place dans la galerie de presse du Forum. Cette phrase est devenue célèbre : «Le *Canadien* ne gagnera jamais cette série avec un gardien de but du junior B.»

Il faisait référence à la recrue Rogatien Vachon, rappelé par le *Canadien* et jeté dans la mêlée contre les *Leafs*, qui joua raisonnablement bien au premier match.

Même avec 25 ans de recul, Rogie Vachon – qui occupe maintenant le somptueux bureau du directeur général des *Kings* de Los Angeles, situé dans le magnifique immeuble construit par Jack Kent Cooke – se souvient de ces événements avec une pointe d'excitation.

«Vous savez, cette phrase m'a suivi toute ma carrière, admet Rogie. Punch ne me l'a pas dite personnellement, mais des journalistes qui s'étaient entretenus avec lui me l'ont rapportée. Voyez-vous, j'étais encore un gosse à 21 ans et rien ne me dérangeait. Je ne ressentais pas de pression. Le seul fait de jouer avec une équipe disputant la finale de la coupe Stanley était une gratification.»

Les *Leafs* gagnèrent le troisième match, grâce à un tir déjouant Vachon après avoir dévié sur le patin d'un joueur du *Canadien*. À ce propos, l'ex-gardien de but raconte : «C'était gênant. Tout le monde se mit à me taquiner sur ce qu'Imlach avait dit. Toute la Ligue répétait ses paroles. Encore aujourd'hui, lorsque je vais au Canada, les gens me rappellent les paroles d'Imlach.»

«Ce fut une bonne série pour les *Leafs*. Ils avaient deux excellents gardiens, Sawchuk et Bower, et une équipe vieillissante qui pratiquait un style de jeu particulier. Ils nous accrochaient et nous retenaient pour nous ralentir. Nous ne pouvions imposer notre rythme et cela nous frustrait. Mais ils jouaient intelligemment et ils ont gagné.»

Deuxième match
le 22 avril 1967
Toronto 3 – Montréal 0

Ce fut la première d'une série de performances spectaculaires de la part du gardien des *Leafs*, Johnny Bower, qui frustrait les grandes étoiles de Montréal. Pete Stemkowski marqua pour les *Leafs* en première période; Tim Horton et Mike Walton firent de même au cours du deuxième engagement. Par la suite, c'est Bower qui maîtrisa le match. Allan Stanley, le plus âgé des *Maple Leafs* de 1967, garde de bons souvenirs de cette série, et rend hommage, encore aujourd'hui, à Terry Sawchuk et au toujours jeune Johnny Bower.

Ces deux gardiens de but connurent sans aucun doute une série sensationnelle, mais «Ol' Sam» – comme ses amis l'appelaient – se distingua par son jeu intelligent à la ligne bleue, qu'il ne quittait jamais.

«On ne gagne pas la coupe Stanley sans un bon gardien de but, dit Stanley. Et nous avions les deux meilleurs gardiens du tournoi : Sawchuk et Bower. Mais l'équipe entière joua de façon homogène.

«Punch était un bon meneur et nous disait quoi faire. Mais nous avons aussi pris des initiatives. Dans la demi-finale, les joueurs organisèrent une réunion pour discuter de la stratégie à utiliser contre les *Black Hawks*. Nous savions que Mikita et Hull étaient leurs meilleurs marqueurs, et nous nous sommes dit que celui d'entre nous qui serait le plus près de ces deux gros canons devrait faire l'impossible pour les empêcher de recevoir la rondelle. C'est un moment de l'année où les joueurs doivent faire preuve d'honnêteté envers les autres. Je veux dire les attaquants comme les défenseurs. Tout a bien fonctionné et nous avons éliminé Chicago.

«Avant la finale contre Montréal, nous avons tenu une autre réunion. Nous savions que si nous les laissions pénétrer dans notre territoire, nous étions perdus. Davey Keon suggéra que les défenseurs se tiennent sur la ligne bleue, mais cette tactique ne pouvait fonctionner que si les ailiers se repliaient. La plupart des matchs de la série se sont déroulés en zone neutre, parce que nous empêchions l'adversaire d'entrer dans notre territoire. À mon avis, c'est le genre d'effort collectif qu'on voudrait voir dans toutes les équipes.»

Troisième match
le 25 avril 1967
Montréal 2 – Toronto 3

Ce fut une bataille de gardiens de but. Vachon arrêta 62 tirs alors que Bower en reçut 54. En dépit des nombreux tirs au but, ce fut un vrai match des éliminatoires où tout le monde était suivi de près. Béliveau et Stemkowski marquèrent dans le premier vingt, puis Pappin et John

Ferguson portèrent la marque 2-2 après 40 minutes de jeu. Bobby Pulford inscrivit le but gagnant à 8 min 26 de la deuxième période de prolongation.

Bobby Baun fut l'un des plus solides défenseurs des *Leafs*. Il fut certainement le joueur qui distribua les plus solides mises en échec, et son seuil de tolérance à la douleur ne semblait pas exister. Sa prestation, lors de la conquête de la coupe Stanley par les *Leafs* en 1964, lorsqu'il marqua le but gagnant lors de la prolongation du sixième match, puis joua tout le septième avec une fracture à la cheville, reste l'une des histoires en sport que l'on a le plus souvent racontée. Mais trois ans plus tard, après un malentendu avec Punch Imlach, il ne fut plus utilisé que sporadiquement pendant la finale de 1967. Pourtant, il en conserve d'excellents souvenirs.

«Il ne fait aucun doute que Montréal aurait dû nous battre, dit-il. Nos joueurs étaient plus vieux, mais ils jouèrent bien au-dessus de leur talent. Comme gardiens, nous avions Sawchuk et Bower, qui étaient extraordinaires. Red Kelly connut également une bonne série, même si nous ne nous y attendions pas, car Red était aussi occupé qu'un député à Ottawa. Quant à moi, je me vantais de connaître la patinoire du Forum comme ma poche, ce qui était vrai. Mais après ma prise de bec avec Punch, j'ai appris à découvrir le banc des joueurs.»

Quatrième match
le 27 avril 1967
Montréal 6 – Toronto 2

Le gardien «junior B» de Montréal était dans une forme splendide, tout comme les francs-tireurs du *Canadien*, particulièrement Jean Béliveau et Ralph Backstrom; ils obtinrent chacun une paire de buts, les autres allant à Henri Richard et Jimmy Roberts. Johnny Bower se blessa durant la période de réchauffement et fut remplacé par Sawchuk.

Le «Gros Bill», comme les médias canadiens-français appelaient souvent Jean Béliveau, frémit encore aujourd'hui lorsqu'il se rappelle les deux gardiens de but de Toronto, Sawchuk et Bower, dont les exploits devant le filet des *Leafs* auraient pu entraîner des accusations de vol qualifié, en raison des nombreux buts assurés qu'ils ravirent aux meilleurs marqueurs du *Canadien*. Béliveau marqua quatre buts pendant les six rencontres, mais sa production aurait pu être doublée contre d'autres gardiens. Il se souvient en particulier d'un arrêt réalisé par Sawchuk.

«C'était la première période et je me suis présenté devant Sawchuk, raconte Béliveau. J'ai soulevé la rondelle lorsque, tout à coup, son gant sortit de nulle part et happa le disque; une belle occasion de marquer venait de s'envoler. Terry Sawchuk et Johnny Bower répétèrent ce geste tout au long de la série.»

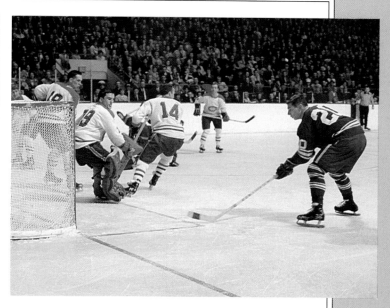

Bob Pulford propulse la rondelle dans le filet après avoir reçu un tir croisé de Pete Stemkowski, ce qui donna aux Leafs une victoire de 3-2 en prolongation, au troisième match de la finale de 1967.

Tous les joueurs des *Leafs* accordaient priorité au jeu défensif. «À mesure qu'on avançait dans la série, poursuit Béliveau, j'avais l'impression de plus en plus nette que chacun de leurs joueurs était chargé de couvrir un des nôtres. Cette couverture était si étroite que nous croyions avoir une ombre jumelle. Néanmoins, ce fut une belle série.»

Cinquième match
le 29 avril 1967
Toronto 4 – Montréal 1

Punch Imlach réunit ses joueurs avant la partie et leur dit qu'ils devaient absolument remporter la victoire. Ses raisons étaient simples : si la série se prolongeait jusqu'à sept matchs, les chances de battre le *Canadien* en dernière partie au Forum, seraient minces. Selon le raisonnement d'Imlach, si les *Leafs* voulaient gagner, ils devaient mettre un terme à la finale au sixième match, à Toronto. Et pour gagner en six parties, ils devaient prendre une avance de 3-2 dans la série, en remportant la cinquième rencontre. Les *Leafs*, avec Sawchuk devant le filet, répondirent à l'appel; Jimmy Pappin, Brian Conacher, Dave Keon et Marcel Pronovost répliquèrent au but de Léon Rochefort, en marquant chacun un point.

En général, les superstitions font partie des finales de championnat, mais lorsqu'elles touchent Punch Imlach, elles prennent une tout autre ampleur. Bobby Haggert, alors entraîneur-adjoint des *Leafs*, fut forcé d'aider Imlach à satisfaire ses petites manies.

Cette année-là, vers la fin du calendrier régulier, Punch acheta un nouveau complet à Chicago, mais il n'avait pas de cravate assortie. Il demanda donc à Haggert d'aller en chercher une. «Je ne voulais pas perdre trop de temps, alors je suis entré dans la première boutique et j'ai acheté une cravate, se rappelle Haggy. Malheureusement pour moi, nous avions gagné ce soir-là et Punch, étant superstitieux, me demanda dorénavant de lui acheter une cravate avant chaque match que nous disputions à l'étranger.

«Dans la série contre Montréal, Punch portait un complet brun. Lorsqu'il m'a demandé d'aller lui acheter sa cravate, je lui en ai rapportée une bariolée. Elle détonnait tellement avec son complet qu'il se passa un foulard autour du cou pour la cacher, et il dit à tout le monde qu'il était enrhumé. Nous avons perdu la partie à Montréal, et plus jamais il ne me demanda de lui acheter de cravate. «Crétin, j'ai l'air d'une enseigne lumineuse», me dit-il sans façon.»

«Roadrunner» Yvan Cournoyer, le rapide patineur de Montréal, est ralenti par un trio des Leafs, Hillman, Pronovost et Sawchuk, pendant qu'il tente de glisser la rondelle libre dans le but des Leafs.

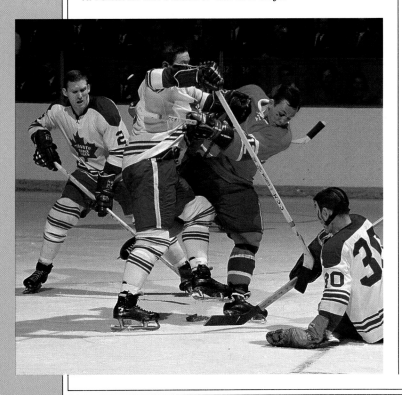

Sixième match
le 2 mai 1967
Montréal 1 – Toronto 2

Le scénario qu'Imlach avait imaginé se réalisa au sixième match de la série. Gump Worsley reprit son poste devant le filet du *Canadien* pour ce match décisif. Worsley et Sawchuk brillèrent en première période : aucune équipe ne s'inscrit au pointage. Au second vingt minutes, les fans de Toronto hurlèrent de joie lorsque les *Leafs* marquèrent à deux reprises. Le but de Ron Ellis ouvrit la marque, puis le tir de Jim Pappin, depuis le coin de la patinoire, dévia sur le défenseur du *Canadien*, Terry Harper, avant de déjouer Worsley, donnant l'avance de 2-0 aux *Leafs*. Par la suite, Dick Duff réduisit l'écart en inscrivant un but pour le *Canadien*. Dans la dernière minute de jeu réglementaire, Montréal avait toujours un but de retard et l'entraîneur du *Canadien*, Toe Blake, envoya dans la mêlée un attaquant supplémentaire à la place de son gardien.

«Ce furent des moments très excitants, dit Allan Stanley. Je me rappelle cette sixième et dernière partie : Punch faisait les cent pas derrière le banc, perdu dans ses pensées. Puis il envoya sur la glace [Bob] Pulford, [George] Armstrong, [Red] Kelly, [Tim] Horton et moi. Au moment où j'allais sauter sur la glace, Punch me rappela.

«Il planta son regard dans le mien et dit : «C'est toi qui te charges de la mise au jeu». J'ai continué de le regarder et il répéta, cette fois à l'intention des joueurs qui étaient sur le banc : «C'est toi qui te charges de la mise au jeu.» Je n'avais pas pris de mise au jeu depuis six ou sept ans. Je me rendis au cercle de mise au jeu où Béliveau m'attendait. Je pensais sans arrêt à ce que je devais faire. J'ai finalement opté pour ce que nos joueurs font toujours, c'est-à-dire balayer la rondelle, puis foncer vers le joueur de centre adverse.

«Je savais que mon geste serait une obstruction, mais il nous fallait jouer le tout pour le tout. Je refilai la rondelle à Kelly, frappai violemment le bâton de Béliveau et glissai le mien entre ses jambes. Kelly fit une passe à Pulford; celui-ci envoya le disque à Armstrong qui lança la rondelle dans le filet abandonné, tandis que Béliveau poursuivait l'arbitre qui avait signalé l'obstruction durant la mise au jeu. Il n'imposa cependant aucune pénalité.»

Les *Leafs* devenaient champions de la coupe Stanley.

La victoire de Toronto fut enrobée d'un soupçon d'ironie. Cette année-là, c'était à Montréal que devait se dérouler l'Exposition universelle et, comme geste de remerciement, le gouvernement de la Tchécoslovaquie remit au *Canadien* de Montréal une version en cristal de la coupe Stanley. Les *Leafs* ne furent pas invités à la cérémonie et n'eurent jamais de trophée en verre.

Lorsque tout fut terminé, les gens commencèrent à parler en coulisse de l'intense rivalité existant non seulement entre les joueurs et les dirigeants des équipes de Toronto et de Montréal, mais aussi entre les médias de ces deux grandes villes. Cette rivalité ne parut jamais plus évidente que durant la finale de la coupe Stanley de 1967.

Ralph Mellanby, le responsable des sports à la télévision qui a été le plus souvent honoré, venait, cette même année, d'être nommé producteur exécutif de l'émission *Hockey Night in Canada*; il put donc se rendre compte de l'intensité de cette rivalité.

«Tout d'abord, Punch me dit : «Les *Leafs* devront passer durant les trois premières minutes du premier entracte». Quelques secondes plus tard, Sammy Pollock s'approcha de moi et exigea le même temps d'antenne pour l'équipe du *Canadien*. C'était bizarre.» Les directeurs généraux des deux meilleures équipes de hockey de l'après-guerre se battaient pour tout, même pour obtenir la première entrevue télévisée pendant les entractes.

Les parties disputées à Montréal étaient commentées entre autres par Danny Gallivan, Dick Irvin fils et Frank Selke fils. La description des matchs à Toronto était assurée par Brian McFarlane, Jack Dennett et Ward Cornell. Il était impossible de les intervertir».

À plusieurs égards, la finale de 1967 ressembla à une querelle de famille. Aucune chaîne de télévision américaine ne couvrit la série; les matchs furent donc diffusés uniquement au Canada, par la Canadian Broadcasting Corporation en anglais et par la Société Radio-Canada en français. Les droits de diffusion d'un match de la finale de 1967 coûtèrent 5 000 $, soit moins que le prix d'un seul message publicitaire diffusé pendant les éliminatoires de 1992.

En 1966-1967, avec l'expansion de la LNH et l'apparition de la télévision en couleurs, les émissions de *Hockey Night in Canada* (HNIC) subirent d'importantes modifications. Pour la première fois, Foster Hewitt porta un veston et une cravate de HNIC et se fit maquiller avant d'aller en ondes pour annoncer les trois étoiles du match. Dick Irvin fit aussi ses débuts à HNIC cette même saison et, durant une entrevue, Imlach redit devant les téléspectateurs ce qu'il pensait de Rogatien Vachon.

Red Kelly, l'un des héros du «groupe des anciens» de Toronto, déclara : «Plusieurs joueurs sentaient confusément que nous n'aurions plus souvent la chance de remporter la Coupe. Pour plusieurs d'entre nous, effectivement, c'était une dernière tentative.»

En effet, les *Maple Leafs* ne gagnèrent plus la Coupe et ne participèrent même plus à la finale au cours des 25 années suivantes. Mais au printemps de 1967, aucun

scénariste d'Hollywood n'aurait pu concocter de meilleure histoire que celle de cette équipe de vieux joueurs qui se battirent pour gagner le plus convoité des trophées de hockey sur glace, le dernier de l'époque de la Ligue à six équipes.

La liste honorifique des Maple Leafs de Toronto de 1967 est fièrement inscrite sur la partie centrale de la coupe Stanley.

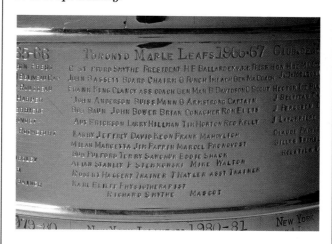

La grande expansion

1968-1979

L e 5 juin 1967, la LNH accorda officiellement de nouvelles franchises à Minnesota, Philadelphie, Oakland, Los Angeles, Pittsburgh et St-Louis. Ces six nouvelles équipes allaient former une nouvelle division, la division Ouest. Les équipes des deux divisions se rencontreraient durant le calendrier régulier mais pas dans les séries éliminatoires, à l'exception de la finale de la coupe Stanley où le champion de l'Est se mesurerait à celui de l'Ouest.

Pour la troisième fois seulement dans l'histoire de la LNH, les champions de la coupe Stanley ratèrent les éliminatoires : les *Leafs* ne se classèrent qu'au cinquième rang. Dans les séries de la division Est, le *Canadien* de Montréal eut raison des *Bruins* et des *Black Hawks* et ne perdit qu'un seul match. Les premiers champions de la division Ouest furent les *Blues* de St-Louis, qui durent disputer 14 rencontres, obtenant quatre victoires en prolongation, pour disposer de Philadelphie et de Minnesota.

L'équipe des *Blues* de St-Louis était nouvelle, mais elle alignait déjà des futurs membres du Temple de la renommée, dont plusieurs provenaient du *Canadien* de Montréal. L'entraîneur Scotty Bowman avait travaillé presque vingt ans avec le *Canadien*, et Dickie Moore ainsi que Doug Harvey avaient été des figures dominantes à Montréal lorsqu'ils gagnèrent la coupe Stanley cinq fois de suite dans les années 1950. Parmi les autres joueurs provenant de l'école de Montréal figuraient Red Berenson, le premier joueur de niveau collégial à faire directement le saut dans la LNH lorsqu'il se joignit au *Canadien*, en 1962, le spécialiste de la défensive Jim Roberts et le défenseur Jean-Guy Talbot. L'alignement comprenait aussi Glenn Hall, Al Arbour ainsi que les frères Barclay et Bob Plager, faisant d'une rencontre avec les *Blues* un formidable défi pour le *Canadien*.

Les joueurs du *Canadien*, s'ils pensaient devoir disputer une série facile, changèrent rapidement d'avis dès le premier match. St-Louis se défendit bien : chaque fois que le *Canadien* marqua un but, les *Blues* en firent autant et ce, jusqu'à la fin du match. Après 1 min 41 de prolongation, cependant, Jacques Lemaire donna la victoire aux siens. Au deuxième affrontement, Glenn Hall

Ci-contre : en 1975, du brouillard s'élevant de la glace retarda le match de la première finale entre deux équipes issues de la première expansion de la LNH : les Flyers de Philadelphie et les Sabres de Buffalo. Sur cette photo, Jim Watson pousse Jim Schoenfeld, de Buffalo, à la droite du gardien, Bernie Parent, gagnant du trophée Conn Smythe.

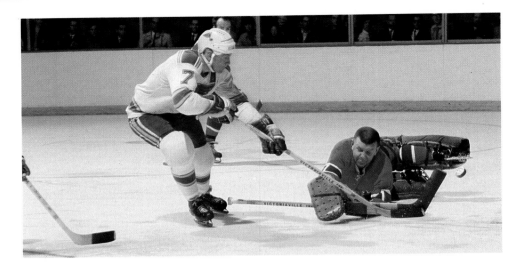

Gump Worsley prive Red Berenson d'un but durant une échappée qui s'est produite lors de la finale de 1968.

Dick Duff dépose la passe parfaite de Jacques Lemaire derrière Glenn Hall, donnant à Montréal une avance de 1-0 au quatrième match de la finale de 1968.

empêcha le *Canadien* de s'inscrire au tableau en effectuant de brillants arrêts. Au début de la troisième période, les *Blues* eurent l'occasion de prendre les devants lorsque l'arbitre John Ashley infligea une pénalité à Dick Duff pour avoir donné du coude. Mais à peine 22 secondes plus tard, Serge Savard, le joueur de défense de Montréal, retourna la situation en décochant un tir; la rondelle se fraya alors un chemin entre de nombreux patins avant de glisser au fond du but, Glenn Hall n'y voyant rien. À partir de ce moment, les arrières du *Canadien* annihilèrent les efforts des *Blues*, n'accordant que trois tirs au but. Montréal remporta la victoire 1-0.

Le troisième match fut caractérisé par une autre performance éblouissante de Hall, qui stoppa 46 tirs venant de l'équipe de Montréal. Le *Canadien* déjoua tout de même Hall à trois reprises tandis que les *Blues*, avec seulement 15 tirs à Worsley, répliquèrent quand Red Berenson marqua deux buts et quand Frank St-Marseille força la tenue d'une prolongation en marquant un but supplémentaire en supériorité numérique. Montréal domina la prolongation et obtint rapidement quatre tirs au but; Bobby Rousseau, du *Canadien*, mit fin au match après seulement une minute de prolongation.

St-Louis jouissait d'une avance de 2-1 dans la troisième période du quatrième match, mais Tremblay et Richard marquèrent chacun un but, procurant au *Canadien* une victoire de 3-2 ainsi qu'une quinzième coupe Stanley. Glenn Hall reçut le trophée Conn Smythe et devint le deuxième joueur d'une équipe perdante à recevoir cet honneur. Le *Canadien* célébrait encore la victoire dans le vestiaire quand Toe Blake annonça qu'il prenait sa retraite, après treize années passées à la barre du *Canadien*.

Claude Ruel succéda à Blake derrière le banc et le *Canadien* de Montréal termina en tête du classement de la division Est en 1968-1969, enregistrant le nombre record de 103 points en 76 matchs. Toutefois, l'attention des médias fut plutôt dirigée vers les *Bruins* de Boston qui, après une décennie de déboires, se classèrent au deuxième rang de la Ligue avec 42 victoires et 100 points, un sommet pour cette équipe. La renaissance de Boston, qui s'était amorcée avec la venue de Bobby Orr, le joueur le plus prometteur d'alors, devint plus évidente encore lorsque les *Bruins* obtinrent Ken Hodge, Phil Esposito et Fred Stanfield

Dick Duff, Claude Provost et l'entraîneur Toe Blake, réunis autour de la coupe Stanley, après que le Canadien eut balayé les Blues de St-Louis en 1968. C'était la dernière victoire de Blake à titre d'entraîneur, et la dernière partie disputée au Forum avant que l'édifice ne subisse des rénovations majeures visant à accroître le nombre de sièges et à éliminer les colonnes qu'on voit sur cette photo.

avant le début de la saison 1967-1968. Les *Blues* de St-Louis furent la première des nouvelles équipes à présenter une fiche gagnante de 88 points, obtenue après 37 victoires et 14 matchs nuls. Phil Esposito, le meneur des *Bruins* en attaque, devint le premier joueur à atteindre le plateau des cent points. L'exploit fut ensuite renouvelé par Bobby Hull et Gordie Howe pendant la même saison.

Dans les séries de la division Est, le *Canadien* balaya les *Rangers* en quatre rencontres, puis gagna la série en six matchs contre la formation déterminée des *Bruins* de Boston. Le *Canadien* eut besoin de trois matchs en prolongation, dont un de deux périodes, pour accéder à la finale. St-Louis eut la vie plus facile, écartant les *Flyers* et les *Kings* de son chemin, pour se retrouver contre le *Canadien* dans une série-revanche.

L'édition 1969 des *Blues* comptait un autre ex-*Canadien* dans ses rangs. Jacques Plante, qui avait pris sa retraite, revint au jeu, ce qui profita grandement à St-Louis, car avec Glenn Hall, il gagna le trophée Vézina. Le *Canadien* commença la série en inscrivant un but en avantage numérique pendant les cinq premières minutes de jeu, puis un autre au moment où il manquait un joueur, prenant ainsi une avance de 2-0 tôt dans le match. Malgré un but de Frank St-Marseille en fin de première période, les *Blues* ne purent résister et s'inclinèrent 3-1.

Pour la deuxième fois, le *Canadien* ne concéda aux *Blues* que cinq tirs au but durant la première période du second match, se donnant une avance de trois buts. Dick Duff marqua le but gagnant en avantage numérique et le *Canadien* l'emporta 3-1. Les *Blues* déployèrent une offensive mieux équilibrée dans le troisième match, mais ils furent continuellement frustrés par Rogatien Vachon, qui stoppa les 29 tirs dirigés vers lui et obtint son premier blanchissage en séries éliminatoires; la marque fut 4-0.

Dans la quatrième rencontre, l'arbitre Vern Buffey signala 20 pénalités au cours des deux premières périodes. Les *Blues*, qui faisaient pression en attaque, prirent rapidement une avance de 1 à 0, avance qu'ils conservèrent jusqu'à la fin

L'étoffe d'un champion

Toe Blake, qui gagna trois Coupes lorsqu'il était joueur, détient le record du plus grand nombre de conquêtes pour un entraîneur, menant le *Canadien* de Montréal à huit championnats. Blake gagna la Coupe dès sa première année derrière le banc, en 1955, et à sa dernière, en 1968.

Gerry Cheevers, dont le masque ne portait pas encore ses marques caractéristiques, entreprend une lutte avec l'homme fort du Canadien, John Ferguson, lors de la demi-finale de 1969.

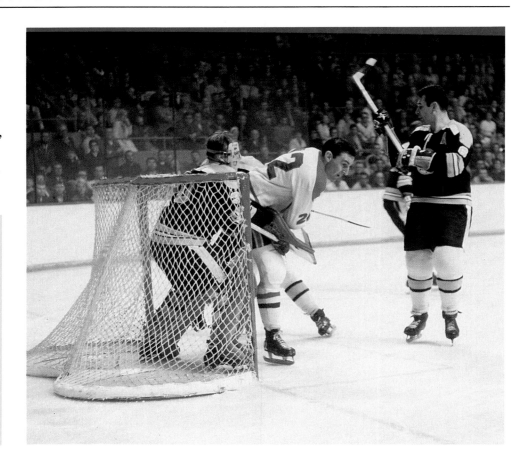

Report des éliminatoires

L'assassinat de Martin Luther King Jr. força le report de trois matchs de quart-de-finale aux éliminatoires de 1968. Les affrontements *Rangers*-Chicago, *St. Louis*-Philadelphie et *Minnesota*-Los Angeles furent retardés d'au moins deux jours.

Serge Savard fut le premier défenseur à gagner le trophée Conn Smythe.

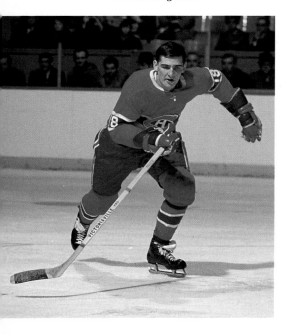

du deuxième engagement. Mais 43 secondes après le début du troisième tiers, Ted Harris déjoua Glenn Hall d'un tir de la pointe, et redonna au *Canadien* l'avantage psychologique. Deux minutes plus tard, sur une passe de Ralph Backstrom, l'ailier gauche de Montréal, John Ferguson marqua le but qui donnait le match au *Canadien*, ainsi que la coupe Stanley, la neuvième en quatorze saisons.

Serge Savard, dont l'excellent travail à la ligne bleue du *Canadien* contribua à limiter les adversaires à 28 buts en 14 matchs, pendant les éliminatoires, devint le premier joueur de défense à gagner le trophée Conn Smythe.

En 1969-1970, la lutte fut âpre pour gagner une place dans les séries. Sept points seulement séparèrent le premier du cinquième rang, et Montréal ne fut pas qualifiée, malgré une fiche de 92 points. Toronto fut également écartée, et ce fut la première fois que le Canada n'était pas représenté dans les éliminatoires. Bobby Orr fut le premier défenseur à remporter le championnat des marqueurs, avec 120 points dont 87 passes, un record de la LNH. Les *Blues* de St-Louis poursuivirent leur domination dans l'Ouest, devançant leur plus proche rival de 18 points. Dans les premières rondes éliminatoires, les *Bruins* disposèrent difficilement des *Rangers* en six matchs, puis écartèrent sans peine les *Black Hawks*, en quatre parties. Les *Blues*, qui éliminèrent les *North Stars* et les *Penguins* en gagnant les cinquième et sixième matchs des deux séries, participèrent à la finale une troisième fois d'affilée.

Les *Blues* firent piètre figure devant les *Bruins* dans le match d'ouverture, accordant quatre buts en troisième période à un quatuor de marqueurs de Boston qui signèrent une marque de 6-1. John Bucyk, qui n'avait pas joué dans une finale de la coupe Stanley depuis 1958, donna le ton à l'attaque des *Bruins* en marquant un but dans chacune des périodes, établissant un record personnel de trois buts dans un match éliminatoire. Dans la seconde partie, Eddie Westfall se comporta en héros en attaque, marquant deux buts en première période, ainsi que le but gagnant, menant Boston vers une victoire de 6-2 contre St-Louis.

Dans la troisième rencontre, Frank St-Marseille donna tout de suite l'avance aux *Blues* pendant que Don Awrey purgeait une punition pour avoir donné de la bande, mais les *Bruins* ne tardèrent pas à répliquer; Bucyk et John McKenzie s'inscrivirent au pointage et Boston menait 2-1 au moment d'entreprendre la troisième période. Wayne Cashman scella l'issue de la rencontre en marquant deux buts dans le dernier tiers; Boston n'était plus qu'à une victoire de sa première coupe Stanley en 29 ans.

En 1968-1969, le Canadien de Montréal ne perdit que deux matchs durant les séries qui devaient mener l'équipe à sa cinquième conquête de la coupe Stanley pendant la décennie.

Gagnants de la coupe Stanley et du trophée Prince de Galles
Stanley Cup and Prince of Wales Trophy winners

1ère rangée—1st row: Sam Pollock, vice-président & gérant général—Vice-President & General Manager; Jean Béliveau, capitaine—Captain; Peter Molson, vice-président—Vice-President; J. David Molson, président—President; William Molson, vice-président—Vice-President; Henri Richard, Claude Ruel, instructeur—Coach. 2ème rangée—2nd row: Lorne Worsley, Jacques Lemaire, Dick Duff, Ralph Backstrom, Robert Rousseau, Yvan Cournoyer, Gilles Tremblay, Rogatien Vachon. 3ème rangée—3rd row: Larry Aubut, entraîneur—Trainer; Ted Harris, Christian Bordeleau, Claude Provost, Mickey Redmond, Jean-Claude Tremblay, Eddy Palchak. 4ème rangée—4th row: Serge Savard, Larry Hillman, John Ferguson, Jacques Laperrière, Terry Harper.

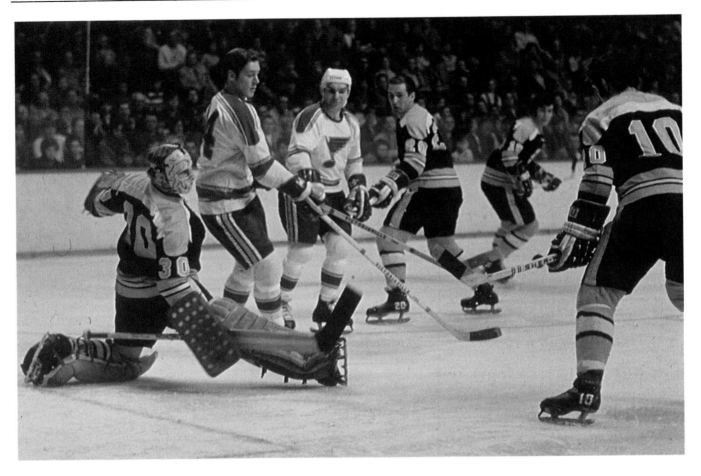

Gerry Cheevers effectue un bel arrêt avec le patin pendant que les défenseurs des Bruins, Dallas Smith (20) et Rick Smith (10), tentent de contrer les attaquants de St-Louis, Tim Ecclestone (14) et Larry Keenan.

Carrières encadrées de coupes Stanley

Claude Provost, qui joua 15 ans avec le *Canadien* de Montréal, et Cooney Weiland, dont la carrière de 11 saisons l'amena à Boston, Détroit et Ottawa, sont les seuls joueurs qui, au cours d'une carrière d'au moins dix ans, remportèrent la Coupe lors de leur première et dernière année dans la Ligue.

Si les *Bruins* croyaient que les *Blues* allaient obligeamment leur céder le titre, ils durent changer d'avis dès le début du quatrième match. Les *Blues* pratiquèrent un style de jeu très robuste, multipliant les mises en échec d'un coup de sifflet à l'autre, mais Boston marqua en premier : le défenseur Rick Smith trompa Glenn Hall de belle façon après avoir reçu une passe en croisée de Derek Sanderson. Cependant, un but obtenu par Red Berenson à la dernière minute de jeu du premier tiers suivi d'un autre de Gary Sabourin donnèrent l'avance à St-Louis pour la deuxième fois de la série. Esposito nivela la marque pour Boston, mais Larry Keenan redonna l'avantage aux *Blues* à 19 secondes du troisième engagement. Les *Bruins* intensifièrent leurs attaques et réussirent à marquer le but égalisateur à un peu plus de six minutes de la fin du match. La marque demeura égale jusqu'à la fin des trois périodes réglementaires, et on dut se préparer à disputer une prolongation.

Dès la mise au jeu, les *Bruins* imposèrent leur rythme, dans la première période supplémentaire, et ils transportèrent rapidement l'action en zone offensive. Bobby Orr, qui n'avait pas encore marqué durant cette finale, passa la rondelle à Derek Sanderson posté derrière le filet des *Blues*. Orr, qui devait recevoir la dernière passe du une-deux, capta la passe de Sanderson et envoya la rondelle par-dessus Glenn Hall qui était étendu sur la patinoire. Les *Bruins* gagnèrent le titre; Boston gagna enfin le championnat qui lui avait échappé pendant trois décennies. Au moment où la rondelle pénétrait dans le filet, Noël Picard – le défenseur des *Blues* – fit sauter les patins de Orr. La photo du défenseur des

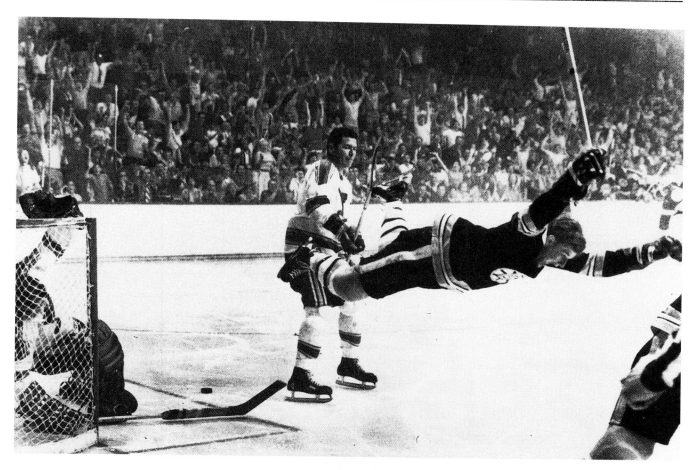

Bruins, suspendu en l'air et célébrant déjà son but, est l'une des images de l'histoire de la coupe Stanley qui durera le plus longtemps.

En 1970-1971, deux nouvelles équipes se joignirent à la LNH. On plaça les *Canucks* de Vancouver et les *Sabres* de Buffalo dans la division Est, tandis qu'on transférait Chicago dans la division Ouest. On modifia la formule des éliminatoires de façon à permettre des affrontements entre les divisions, lors de la deuxième ronde des séries.

Les *Hawks* dominèrent aisément leur nouvelle division, terminant avec 107 points au troisième rang de la Ligue. Mais l'équipe dominante de la LNH fut alors les «Big Bad Bruins». En 53 ans d'histoire de la Ligue, aucune équipe n'avait marqué plus de 303 buts en une saison. Les *Bruins* ne ratèrent la marque de 400 que par un seul but durant la campagne. Les *Bruins* alignaient les quatre meilleurs marqueurs de la Ligue et six parmi les huit premiers; le meneur, Phil Esposito, établit des records dans la LNH pour le nombre de buts (76) et de passes (76) en une saison. Les 57 victoires des *Bruins* et les 121 points qu'ils amassèrent constituèrent aussi des hauts faits dans la LNH, faisant des *Bruins* les grands favoris des éliminatoires de la coupe Stanley. Cependant, ces favoris allaient bientôt être victimes d'une surprise, lors de la première ronde éliminatoire.

Dans l'une des séries les plus spectaculaires de tous les temps, le *Canadien* de Montréal domina les puissants *Bruins* en sept matchs incroyables. Le *Canadien* causa ainsi une stupéfiante surprise en partie à cause de Ken Dryden,

Voici une des plus célèbres images dans l'histoire des séries de la coupe Stanley : le but marqué par Bobby Orr en 1970 pendant la finale, et qui valut la Coupe à son équipe. Le coéquipier de Orr à la ligne bleue, Dallas Smith, qui assiste à une poussée audacieuse du numéro 4 en zone des Blues, était particulièrement heureux des efforts de Orr, car si la tentative avait échoué, les Blues auraient contre-attaqué à quatre contre un; et comme le dit si bien Smith, «c'est moi qu'on aurait retiré».

*Le Chef, Johnny Bucyk,
accepte la première coupe
Stanley décernée à un
membre des Bruins
depuis que Dit Clapper
avait reçu le trophée
en 1941.*

cet excellent joueur qui était diplômé de l'Université Cornell et membre de l'équipe nationale du Canada. Vers la fin de la saison régulière, le *Canadien* l'avait rappelé de son équipe-école de Nouvelle-Écosse. Dryden frustra les *Bruins* par de nombreux arrêts remarquables, et les joueurs du *Canadien*, stimulés par ce revirement, dominèrent Minnesota pendant la demi-finale. Ils accédaient ainsi à la finale pour la seizième fois en 21 saisons. Les *Black Hawks* représentèrent la division Ouest en finale après avoir facilement battu les *Flyers* de Philadelphie et après une chaude lutte en sept matchs contre les *Rangers* de New York.

Ken Dryden reçut le trophée Conn Smythe à cause de son jeu remarquable durant les séries de 1971. Il est le seul joueur à avoir gagné l'un des grands prix de la LNH avant même d'avoir été élu recrue de l'année.

Les *Black Hawks*, appuyés par un Stadium plein à craquer, présentèrent une puissante offensive contre le jeune Dryden et ses coéquipiers du *Canadien* au cours du premier match de la finale. Les *Hawks* tirèrent 46 fois sur le filet du *Canadien* durant le temps réglementaire, mais il leur fallut un but marqué par Bobby Hull à la troisième période pour porter la marque 1 à 1 et forcer la prolongation. Aucun but ne fut marqué pendant cette période supplémentaire; on dut donc présenter une seconde période de jeu, ce qui arrivait pour la première fois depuis 1967. Deux minutes après la reprise du jeu, Jim Pappin, ayant reçu la rondelle de Bill White, déjoua Dryden et donna l'avance aux *Hawks*.

Chicago continua de forcer le jeu pendant le deuxième match; Lou Angotti marqua deux buts au troisième engagement, battant le *Canadien* 5-3. Le vent tourna pendant la troisième partie, au Forum de Montréal. Le *Canadien* obtint 40 tirs au but contre 18, et s'approcha à un match des *Hawks* grâce à une victoire de 4-2. Frank Mahovlich, jouant peut-être la meilleure partie de sa remarquable carrière, mena l'attaque avec deux buts. Montréal remporta également le deuxième match à domicile grâce à deux buts d'Yvan Cournoyer, dans un triomphe de 5-2 pour le *Canadien*.

L'arrière joua un rôle-clé dans le cinquième match où les *Hawks* profitèrent des 31 arrêts de Tony Esposito pour blanchir le *Canadien* 2-0. Le but de Dennis Hull en avantage numérique, vers le milieu de la deuxième période, se révéla être le but gagnant, ce qui permit à Chicago de s'approcher à un match de sa première coupe Stanley en dix saisons. Cependant, au cours du sixième affrontement, les frères Frank et Peter Mahovlich empêchèrent les *Hawks* de festoyer, car ils participèrent aux quatre buts du *Canadien* dans sa victoire de 4-3. Le point tournant du match – et peut-être même de toute la série – fut le but de

Stanley avant Calder

Tony Esposito et Danny Grant gagnèrent tous deux la coupe Stanley, puis le trophée Calder la saison suivante avec deux équipes différentes. Grant remporta la Coupe avec le *Canadien* de Montréal en 1968, avant de s'approprier le trophée Calder à titre de meilleure recrue de 1969 avec Minnesota. Tony Esposito gagna la Coupe avec le *Canadien* en 1969 puis, l'année suivante, le trophée Calder avec les *Black Hawks*. Un joueur peut recevoir le trophée Calder s'il a disputé 25 matchs ou moins au cours de la saison régulière de la LNH.

Frank Mahovlich, dont les prestations en séries de fin de saison firent souvent l'objet de critiques, joua le meilleur hockey de sa carrière durant les éliminatoires de 1971.

Le plus vieux gardien

Lorsque Johnny Bower participa à son dernier match des séries éliminatoires, le 6 avril 1969, à l'âge de 44 ans 4 mois 28 jours, il devint le plus vieux gardien dans l'histoire de la LNH à revêtir l'uniforme lors d'un match éliminatoire. Lester Patrick, à 44 ans 3 mois 8 jours, ainsi que Jacques Plante, à 44 ans 2 mois 19 jours, sont également dignes de mention.

Peter Mahovlich marqué en infériorité numérique, à peine dix secondes après le début de la punition infligée à Réjean Houle.

Une forte tension régnait à l'intérieur du Stadium de Chicago où les équipes se préparaient à disputer le dernier match de la finale; c'était la première fois depuis 1965 qu'une série nécessitait sept rencontres. Henri Richard, qui avait été tenu à l'écart au début de la série, se joignit à l'équipe pour le match décisif et, avec son style bien particulier, inspira le *Canadien* dans sa victoire de 3-2, ce qui donnait à son équipe la coupe Stanley. Chicago, grâce à des buts de Danny O'Shea et Dennis Hull, prit une avance de 2-0 dans les derniers instants de la deuxième période, mais Jacques Lemaire et Richard marquèrent à quatre minutes d'intervalle avant que les deux équipes ne rentrent au vestiaire avec une marque égale de 2 à 2. Richard revint en force à la troisième période; il marqua le but gagnant à 2 min 34, puis aida ses coéquipiers à écouler deux pénalités afin de conserver cette maigre avance. Frank Mahovlich établit un nouveau record en inscrivant 14 buts et 27 points, tandis que Ken Dryden remporta le trophée Conn Smythe, que l'on remettait pour la première fois à une recrue.

Les *Bruins* de Boston se classèrent de nouveau en tête du classement de la LNH en 1972, ne perdant que 13 matchs au cours d'une saison de 78 matchs. Phil Esposito gagna pour la deuxième fois de suite le trophée Art Ross pendant que son coéquipier Orr enregistrait une troisième fois d'affilée une campagne de plus de 100 points. Les *Rangers* de New York terminèrent au deuxième

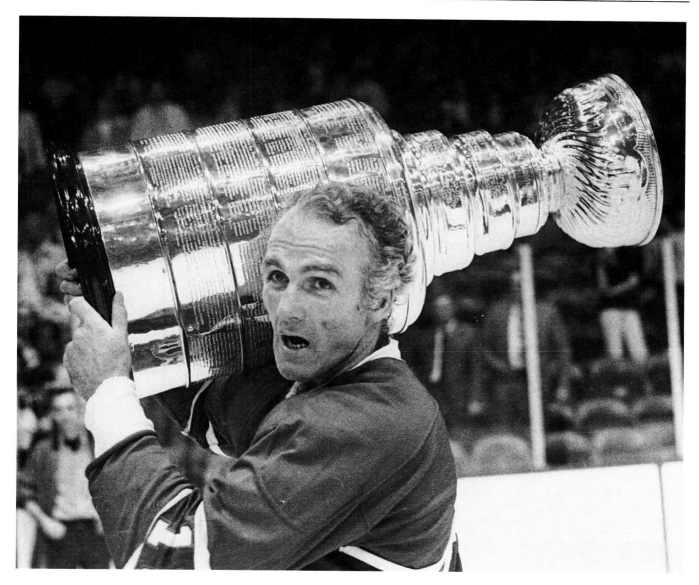

rang, amassant 109 points (un sommet pour cette équipe) tout en n'accordant que 192 buts, ce qui les plaçait au troisième rang dans la LNH pour le plus petit nombre de buts alloués. Les *Rangers* étaient les membres d'un trio appelé le «un but par match»; on y trouvait Rod Gilbert, Jean Ratelle et Vic Hadfield, qui se classèrent respectivement aux troisième, quatrième et cinquième rangs du tableau des marqueurs.

Les *Bruins*, qui conservaient de mauvais souvenirs de leur amère défaite subie en 1971, au cours des séries éliminatoires, écrasèrent les *Maple Leafs* de Toronto en cinq matchs, puis anéantirent St-Louis en quatre matchs, marquant 28 buts contre 8. Les *Rangers* de New York, qui surprirent de nombreux experts en disposant du *Canadien* en six matchs, n'eurent besoin que de quatre rencontres pour éliminer les *Black Hawks*, ce qui leur permit d'accéder à leur première série finale depuis 1950.

Les *Rangers* subirent l'attaque de Boston au cours du premier match de la finale. Après un but de Dale Rolfe au début de la rencontre, les *Bruins* répliquèrent en inscrivant quatre buts, dont deux marqués en infériorité

Assumant ses responsabilités, Henri Richard soulève la coupe Stanley et s'apprête à effectuer un tour d'honneur au Stadium de Chicago après la victoire du Canadien en sept parties contre les Hawks, en 1971.

Les défenseurs Bobby Orr et Brad Park dominaient la Ligue au début des années 1970, partageant la ligne bleue au sein de la première équipe d'étoiles, en trois occasions.

Bobby Rousseau, qui un jour marqua cinq buts au cours d'un match pour le Canadien, mena les Rangers de New York à la finale de 1972 en amassant 17 points durant les séries.

numérique durant la même pénalité, ce qui ne s'était jamais vu dans une série finale. Les deux équipes s'échangèrent un but, puis les *Rangers* frappèrent tôt en troisième, enfilant trois buts pour porter la marque à 5-5, à dix minutes de la fin. Tous croyaient qu'une période supplémentaire serait nécessaire, mais Garnet Bailey marqua le deuxième et dernier but de sa carrière en série, faisant gagner les *Bruins* 6-5. Au second match, le jeu fut très fermé et l'issue de la rencontre fut décidée lorsque Ken Hodge, aidé de Mike Walton et de Phil Esposito, déjoua Ed Giacomin d'un tir bas, du côté de la crosse, au cours d'un avantage numérique survenu au troisième engagement. Le but de Hodge permit à Boston de gagner 2-1.

De nombreux partisans circulaient encore dans les allées du Madison Square Garden lorsque Brad Park marqua en supériorité numérique pour donner l'avance aux *Rangers*, tôt au troisième match. À la treizième minute de jeu, les *Rangers* avaient ajouté deux autres buts avec l'avantage d'un joueur et menaient 3-0. Les *Bruins* réduisirent l'écart grâce à des buts de Orr et de Walton, mais Rod Gilbert et Pete Stemkowski répliquèrent pour assurer, aux *Rangers*, une victoire de 5-2.

Les deux équipes pratiquaient un style de jeu très fermé pendant la première période du quatrième match, mais Bobby Orr réussit à glisser derrière Ed Giacomin deux des cinq tirs des *Bruins*, pour prendre une avance que Boston

ne devait plus perdre. Don Marcotte élargit l'écart à trois buts, grâce à un but marqué pendant qu'il manquait un joueur, à la deuxième période, et avant que Ted Irvine inscrive enfin les *Rangers* au tableau, en fin de période. Rod Seiling, en avantage numérique, resserra la marge à la toute fin du match, mais les arrières des *Bruins* tinrent bon et Boston s'approcha très près de la coupe Stanley, grâce à une victoire de 3-2.

Au cours de la sixième rencontre, les «Big Bad Bruins» profitèrent comme jamais de toutes les occasions pour marquer. Durant une punition à Walt Tkaczuk pour avoir accroché, Bobby Orr marqua le but qui devait donner la Coupe aux *Bruins*. Wayne Cashman marqua deux buts en troisième période, ce qui scella l'issue du match : les *Bruins* gagnèrent 3-0. Ce blanchissage avait été réalisé grâce au gardien Gerry Cheevers. Bobby Orr, avec ses 24 points en séries éliminatoires, devint le premier joueur à gagner deux fois le trophée Conn Smythe, remis au joueur le plus utile des séries de fin de saison.

En 1972, une nouvelle ligue apparut dans le monde du hockey et fit concurrence à la LNH. Il s'agissait de l'Association mondiale de hockey (AMH). L'AMH avait réussi à convaincre un certain nombre d'étoiles de quitter la LNH et de se joindre à la ligue naissante. On retrouvait parmi eux Bobby Hull, Derek Sanderson, Gerry Cheevers, Bernie Parent et J.C. Tremblay.

En 1971-1972, les Bruins de Boston furent la dernière équipe à gagner la Coupe avant la création de l'AMH. En 1973, les Bruins perdirent les services de Derek Sanderson, Johnny McKenzie, Gerry Cheevers, Wayne Carleton et Ted Green, au profit de la ligue rivale, et ne purent défendre leur titre avec succès.

*Claude Larose (17)
marque le premier de
ses deux buts du match
d'ouverture de la finale
de 1973. Les défenseurs
de Chicago Bill White (2)
et Pat «Whitey» Stapleton
regardent la scène,
impuissants.*

En 1972-1973, la LNH s'enrichit de nouvelles équipes : les *Islanders* de New York et les *Flames* d'Atlanta. À la fin de la saison régulière, Montréal, Boston, Chicago et New York occupaient encore le haut du classement.

On adopta une nouvelle manière de procéder lors de la première ronde des éliminatoires. Selon l'ancienne formule, utilisée depuis 1943, l'équipe de tête affrontait celle de troisième place tandis que la deuxième rencontrait la quatrième. Selon la nouvelle formule, les premiers joueraient contre les quatrièmes et les deuxièmes contre les troisièmes.

Pendant les éliminatoires, le *Canadien* fit face à une équipe bien déterminée : *Buffalo*. L'équipe de Montréal écarta cet adversaire en six matchs avant d'affronter une formation tout aussi résolue, celle de Philadelphie. Montréal disposa des *Flyers* en cinq rencontres, mais tous les matchs furent gagnés par une avance très mince. Menés par Bobby Clarke (le gagnant du trophée Hart), les *Flyers* firent preuve de certaines qualités démontrant qu'ils allaient bientôt connaître du succès en séries éliminatoires.

Les champions en titre, les *Bruins* de Boston, amorcèrent les séries avec un sérieux handicap, car plusieurs joueurs étaient blessés, ce qui diminua l'efficacité de Phil Esposito et de Bobby Orr. Boston dut s'incliner en cinq matchs. Les *Rangers*, à leur tour, baissèrent rapidement pavillon devant Chicago. On organisa donc une série revanche entre les deux meilleurs gardiens de la Ligue : Tony Esposito et Ken Dryden.

On croyait que la série serait un duel de gardiens de but, mais on assista plutôt à une fête pour les marqueurs, qui établirent alors de nombreux records en attaque. Pendant la première période du match d'ouverture, pas moins de cinq buts furent marqués sur 18 tirs. Chicago possédait une avance de 3-2 à la fin du premier engagement, mais le *Canadien* répliqua en enfilant six buts sans riposte, remportant une victoire facile de 8-3. Chuck Lefley qui, de toute sa carrière, n'avait pas participé à la marque durant 31 matchs éliminatoires, marqua deux buts pour le *Canadien*.

Le second match fut caractérisé par un style de jeu défensif. Montréal prit la maîtrise du match à mi-chemin, grâce à trois buts en deuxième période, dont deux marqués par Yvan Cournoyer. L'équipe venait de remporter le match 4-1 et se donnait ainsi une avance de deux matchs dans la série. Pendant le troisième affrontement au Stadium de Chicago, les *Hawks* eurent un regain d'énergie grâce à leurs unités spéciales. En marquant tôt et souvent au cours de la première période, les *Hawks* se donnèrent une priorité de 4-0, grâce à deux buts marqués en avantage numérique et à deux autres marqués pendant qu'il manquait un joueur. Après le but de John Marks qui porta la marque à 5-0, le *Canadien* inscrivit quatre buts, mais les *Hawks* calmèrent la tempête en glissant la rondelle deux fois dans un filet abandonné, l'emportant finalement 7-4.

Comme pendant le second match, les joueurs de défense du *Canadien* furent solides au cours de la quatrième rencontre. Chicago ne réussit que 19 tirs, et Dryden blanchit les *Hawks* 4-0. Marc Tardif mena l'attaque du *Canadien* en obtenant une passe, en plus de marquer le but gagnant. Au cours du cinquième match, on oublia vite les avantages du jeu défensif utilisé lors de la rencontre précédente; les deux équipes oublièrent de faire des mises en échec (seulement deux punitions mineures furent signalées durant toute la partie) et entreprirent simplement de remplir les filets de rondelles, comme cela se faisait dans le bon vieux temps! Sur 45 tirs, douze buts furent marqués, et cela pendant les 40 premières minutes de jeu. Seulement en deuxième période, Chicago marqua cinq des huit buts, se donnant une avance de 7-5. Le *Canadien* réduisit cet écart à la troisième période, mais Lou Angotti marqua le but gagnant de ce match, qui se termina par 8-7.

La sixième rencontre donna lieu à du jeu offensif de même calibre, Pit Martin de Chicago enfilant deux buts. Les *Hawks* semblaient sûrs de retourner au vestiaire avec cet avantage, mais à peine quelques secondes avant la fin, Henri Richard reçut une passe de Frank Mahovlich et réduisit l'avance à 2-1. Le *Canadien* mit le paquet en deuxième période et prit ensuite les devants grâce à un but de Frank Mahovlich. Cependant, Pit Martin mit la touche finale à son «tour du chapeau», égalisant le pointage à la fin du deuxième engagement. À la troisième période, Montréal ferma la porte aux *Hawks*, ne leur allouant que quatre tirs en direction du filet. Entre temps, le *Canadien* enregistrait son dernier but de la saison 1972-1973 et se donnait une réelle avance, grâce à Yvan Cournoyer dont les 15 buts établirent une nouvelle marque en séries. Marc Tardif marqua le but d'assurance. Le *Canadien*, avec cette victoire de 6-4, venait de conquérir, pour la dix-huitième fois, la coupe Stanley. Cournoyer reçut le trophée Conn Smythe pour avoir terminé en tête des francs-tireurs avec 15 buts et 25 points.

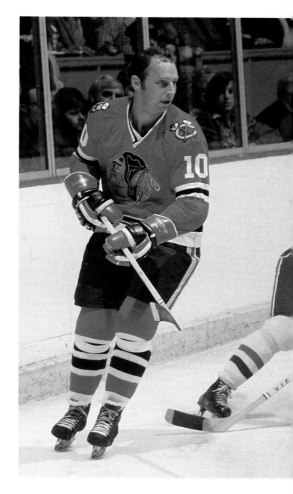

Bien qu'il ait joué presque toute sa carrière dans l'ombre de son célèbre frère, Dennis Hull fut enfin reconnu pour son talent après le départ de Chicago du «Golden Jet». Au cours des éliminatoires de 1973, le jeune Hull amassa 24 points, trois de moins que le record des séries détenu par Phil Esposito et Frank Mahovlich.

La saison 1973-1974 fut prise d'assaut par une nouvelle puissance de la LNH. Depuis 1968, année où ils étaient entrés dans la Ligue, les *Flyers* de Philadelphie n'avaient joué qu'une fois avec une moyenne de 500 points. Leur équipe fut toutefois la première des nouvelles équipes à atteindre le plateau des 100 points, terminant la saison avec 112 points et se classant au deuxième rang de la LNH.

Les *Flyers* étaient appelés les «Broad Street Bullies» parce qu'ils étaient déterminés à utiliser tous les moyens pour gagner. Ils étaient bien dirigés par Fred Shero, qui misait sur une solide défensive et sur une attaque active, ce qui permit à l'équipe de remporter 50 matchs durant la saison régulière. Poursuivant leur travail impressionnant au cours des éliminatoires, les *Flyers* disposèrent facilement des *Flames* d'Atlanta en quatre parties, puis sortirent vainqueurs d'une série marathon de sept matchs contre les *Rangers*. L'issue de cette série fut incertaine jusqu'aux derniers instants; les *Rangers* reçurent une pénalité pour avoir eu trop de joueurs sur la patinoire au moment où ils tentaient de remplacer leur gardien de but par un attaquant. Les *Flyers* conservèrent leur avance et remportèrent une victoire de 4-3.

Dans l'autre division, on vit de nouveau en finale les *Bruins* de Boston, qui avaient remporté d'éclatantes victoires au cours des séries contre Toronto et Chicago. La finale devait donc opposer les *Bruins* aux Flyers. Comme on l'avait prévu, les *Bruins* furent les grands favoris et remportèrent la Coupe; ils n'avaient encore jamais perdu de match éliminatoire contre une équipe de l'expansion.

On attendait un duel de gardiens de but entre Tony Esposito, de Chicago, et Ken Dryden, de Montréal, durant la finale de 1973, mais il n'eut jamais lieu. Les deux gardiens effectuèrent néanmoins de remarquables arrêts, dont celui-ci d'Esposito devant le meilleur marqueur des séries, Yvan Cournoyer.

La finale débuta au Garden de Boston où les *Flyers* n'avaient pas goûté à la victoire depuis leur première visite, en 1968. Hésitants au début du match, les *Flyers* semblèrent prendre peu à peu de l'assurance; mais les *Bruins* marquèrent alors deux buts à moins d'une minute d'intervalle. Wayne Cashman sauta sur le retour du tir de Carol Vadnais durant un avantage numérique, et Gregg Sheppard marqua au tour suivant, donnant aux *Bruins* une priorité de 2-0. Heureusement, les *Flyers* ne plièrent pas l'échine. Saisissant toutes les occasions de marquer, les *Flyers* répliquèrent grâce à des buts d'Orest Kindrachuk et de Bobby Clarke, et ils égalisèrent la marque. Mais au moment où on commençait à penser qu'une prolongation serait nécessaire, Bobby Orr reçut une passe de Wayne Cashman et battit Parent à 19 min 38, donnant l'avance aux *Bruins*.

Au début du match suivant, les *Flyers* semblaient encore affectés par le but marqué en fin de match par Orr. Les *Bruins* se donnèrent une nouvelle avance de deux buts au premier tiers. Indomptables, les *Flyers* maintinrent la pression et réussirent à égaliser la marque vers la fin de la rencontre, grâce à quelques tours de magie de leur cru. Il ne restait que 52 secondes de jeu et Parent avait déjà été remplacé par un attaquant, lorsqu'André «Moose» Dupont bondit sur

Grâce aux efforts de Bernie Parent et d'Ed Van Impe, les Flyers de Philadelphie sortirent vainqueurs d'une série marathon de sept matchs contre les Rangers de New York, remportant leur première participation à la finale de championnat. Cette année-là, les Rangers avaient fait coudre, pour la première fois, le nom des joueurs au dos de leurs chandails.

Meneur spirituel et offensif des Flyers, Bobby Clarke n'était nullement impressionné par le jeu robuste et saisissait toutes les occasions de mettre en pratique ce qu'il prêchait.

Kate Smith assène le coup décisif aux Bruins, en effectuant une vibrante interprétation de «God Bless America» avant le début du sixième match.

une rondelle libre durant une mêlée devant le filet. Si les *Flyers* voulaient gagner cette série-là, ils devaient gagner l'un des deux premiers matchs à Boston, et ils le savaient. C'est d'ailleurs ce qu'ils firent : Bobby Clarke s'empara d'un retour à la douzième minute de prolongation, ce qui permit à l'équipe de revenir au Spectrum. La série était devenue égale : un match de chaque côté.

Comme ils jouaient les troisième et quatrième matchs à domicile, les *Flyers* avaient l'avantage d'effectuer le dernier changement de joueurs à chaque arrêt de jeu. Cet avantage permit à la troupe de Shero d'exécuter son plan de match, qui consistait à neutraliser Bobby Orr et à empêcher Esposito, Hodge et Cashman de marquer. Au troisième match, les gars de Broad Street permirent à John Bucyk de s'inscrire au pointage avant de se mettre en marche, enfilant quatre buts, ce qui leur permettait de gagner 4-1. À la quatrième rencontre, les *Bruins* commirent une erreur en tentant de pratiquer le même style de jeu robuste que les *Flyers*. Les *Bruins* résistèrent pendant deux périodes, mais les *Flyers*, qui avaient de l'endurance, saisirent deux occasions de marquer au troisième tiers, remportant le match 4-2 et menant trois matchs à un dans la série. Une seule victoire séparait les *Flyers* de leur premier championnat.

Le cinquième match fut ponctué de 20 pénalités, infligées pour rudesse et pour diverses batailles. Il en découla des jeux à quatre contre quatre, ou à trois contre trois, ce qui dégagea la patinoire et permit à Bobby Orr d'enregistrer deux buts et une passe dans la victoire de son équipe 5-1. De retour à Philadelphie, les *Flyers* tentèrent de se stimuler davantage en faisant chanter «God Bless America» par Kate Smith au début du sixième match. Souvent déjà, l'équipe avait fait jouer la cassette contenant la vibrante interprétation de l'hymne national par Mme Smith. Chaque fois, ils avaient remporté un succès-monstre. On croyait que les joueurs seraient encore plus encouragés si la chanteuse venait en personne interpréter l'hymne. Mais le meilleur encouragement que pouvaient obtenir les *Flyers*, c'était celui que leur procura Bernie Parent en stoppant les 30 tirs dirigés contre lui. À un certain moment, Rick MacLeish fit dévier un tir de pointe de Moose Dupont : l'attaque des *Flyers* n'avait besoin que de cela, Parent se chargeant du reste. Une pénalité infligée à Bobby Orr à la fin de la troisième période neutralisa l'attaque des *Bruins* et, lorsque la sirène sonna la fin du match, la troupe des *Flyers* était devenue la première équipe de l'expansion à remporter la coupe Stanley. Après les exploits de Bernie Parent, plusieurs partisans fabriquèrent des pancartes sur lesquelles on pouvait lire : «Dieu seul fait plus de miracles que Parent.» Le gardien de but reçut le trophée Conn Smythe.

Deux autres équipes, les *Scouts* de Kansas City et les *Capitals* de Washington, vinrent se greffer à la LNH en 1974-1975, forçant la Ligue à séparer les 18 équipes en deux assemblées (de Galles et Campbell), et en quatre divisions (Norris, Smythe, Patrick et Adams). Cette réorganisation de la LNH se répercuta sur la formule des séries éliminatoires. Les champions des divisions accédaient directement aux quarts de finale, tandis que les équipes de deuxième et troisième places devaient d'abord disputer une série préliminaire deux-de-trois. À cette occasion, les huit équipes étaient classées selon le nombre de points obtenus durant la saison régulière; la première jouait contre la huitième, la deuxième contre la septième, la troisième contre la sixième et la quatrième contre la cinquième. Les quatre gagnants de cette ronde préliminaire ainsi que les quatre champions de division étaient classés de la même manière et se mesuraient selon la même formule dans un quart de finale en quatre-de-sept. La demi-finale était organisée de la même façon.

Philadelphie, Buffalo et Montréal terminèrent tous trois au sommet du classement avec 113 points, mais les *Flyers* furent déclarés champions en raison de leur plus grand nombre de victoires. Les *Flyers* accédèrent à la finale pour la deuxième fois de suite, mais pas sans avoir traversé des moments difficiles. Après avoir vaincu les *Leafs* en quatre matchs, ils se heurtèrent aux *Islanders* de New York qui venaient de surmonter, contre les *Penguins* de Pittsburgh, un déficit de trois matchs à zéro. Dans l'histoire de la LNH, c'était la deuxième fois qu'une équipe réalisait un tel exploit. Les *Flyers* remportèrent les trois premières rencontres, puis regardèrent les *Islanders* remonter la pente pour égaliser la série à trois matchs. Cependant, la foudre ne frappa pas deux fois et

L'édition 1973-1974 des Flyers de Philadelphie est la première équipe de l'expansion de l'ère moderne à inscrire son nom sur la coupe Stanley.

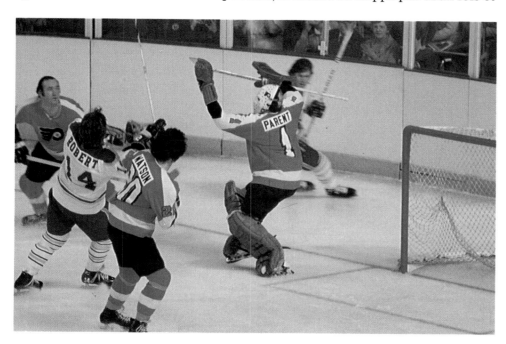

Bernie Parent et ses coéquipiers, Jimmy Watson et Ed Van Impe, se joignent à René Robert de Buffalo pour tenter de rabattre au sol une rondelle libre, durant la finale de 1975.

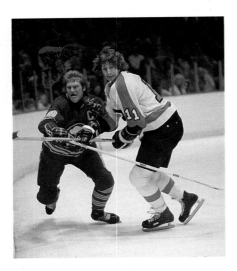

Jim Schoenfeld et Don Saleski bataillent le long de la rampe, durant la finale de 1975.

Philadelphie mit un terme au conte de fée des *Islanders* en les battant 4-1 au septième match.

Entre temps, les *Sabres* de Buffalo empochèrent leur premier laissez-passer pour la finale de la coupe Stanley en éliminant Chicago et Montréal. Ils préparaient ainsi un autre événement qui arrivait pour la première fois dans l'histoire de la Ligue : deux équipes de l'expansion allaient s'affronter en finale. Grâce à une offensive rapide et à une défensive stable, les *Sabres*, avec leur filière française formée de Gilbert Perreault, Rick Martin et René Robert, faisaient beaucoup penser à une jeune réplique du *Canadien*. Devant le filet, le duo des *Sabres*, composé de Gerry Desjardins et de Roger Crozier, était opposé à Bernie Parent des *Flyers*, qui s'avéra difficile à battre lors du premier match de la série. Les *Sabres* ne purent déjouer Parent, bien que Buffalo ait suivi les *Flyers* pas à pas durant les deux premiers engagements, obtenant 22 tirs contre 10. Au cours de la troisième période, les *Flyers* marquèrent quatre buts en douze tirs et gagnèrent le match 4-1, prenant ainsi l'avance dans la série.

Les deux équipes furent prudentes à la deuxième partie. Après une première période sans but, Reggie «The Rifle» Leach ouvrit la marque mais, au début de la troisième période, Gerry Korab l'égalisa. Bobby Clarke marqua le but gagnant vingt secondes après le début de la punition imposée à Don Luce des *Sabres*, pour avoir accroché. Les *Flyers* n'accordèrent qu'un tir aux *Sabres* après le but de Clarke, prenant une sérieuse avance de deux matchs dans la série.

Quand la série eut lieu à Buffalo, les *Sabres* étaient convaincus que la petite patinoire du Memorial Auditorium de Buffalo les avantagerait. Ils avaient bien raison. Les *Flyers* marquèrent deux buts dès les premiers instants du troisième match, mais les *Sabres* résistèrent et effectuèrent 46 tirs. Le but de René Robert en avantage numérique insuffla de nouveaux espoirs à Buffalo, et une solide performance au quatrième match permit à l'équipe de vaincre Philadelphie 4-2. Au cours des deux dernières rencontres, l'un des éléments-clés fut la capacité de l'entraîneur des *Sabres*, Floyd Smith, d'éloigner le trio de Perreault des implacables couvreurs de Fred Shero. En conséquence, Perreault récolta ses premiers points de la finale pour aider les *Sabres* à égaliser la série.

De retour à Philadelphie, les *Flyers* firent preuve de détermination et de sang-froid, ne subissant que quatre pénalités mineures au cinquième match. Les *Sabres* furent incapables de présenter une attaque valable et s'inclinèrent 5-1. Les cinq buts des *Flyers* furent marqués en 26 tirs. Pendant la sixième rencontre, Buffalo mitrailla Parent de 26 tirs, mais le futur membre du Temple de la renommée effectua les arrêts avec le patin ou le gant. Pendant que Parent accomplissait des miracles devant le filet, les *Flyers* pouvaient se permettre d'attendre patiemment les occasions. L'attaque de Philadelphie fut entreprise par «Hound Dog» Bob Kelly, qui se débarrassa d'un défenseur des *Sabres* dans le coin de la patinoire avant de foncer vers Crozier, qu'il déjoua 11 secondes à peine après le début du troisième engagement. Bill Clément ajouta le but d'assurance pour les *Flyers* qui s'emparèrent de la Coupe grâce à une victoire de 2-0. Bernie Parent fut le premier joueur à gagner deux fois d'affilée le trophée Conn Smythe, avec quatre blanchissages et une moyenne en éliminatoires de 1,89.

Le *Canadien* de Montréal se hissa de nouveau au sommet du classement de la LNH en 1975-1976. L'équipe établit un record dans la LNH en enregistrant 58 victoires et 127 points. Cet exploit était dû à deux joueurs surtout : Guy Lafleur, qui se chargeait de l'attaque (il fut récipiendaire du trophée Art Ross) et Ken Dryden, qui stabilisait la défensive (il fut gagnant du trophée Vézina). Les *Flyers*, les *Sabres*, les *Bruins* et les *Islanders* dépassèrent aussi le cap des 100 points, et Philadelphie accéda à la finale. Les *Flyers* sortirent vainqueurs d'une épuisante série de sept rencontres contre les *Leafs*, au cours de laquelle Darryl Sittler de Toronto et Reggie Leach de Philadelphie renouvelèrent le record établi par Newsy Lalonde et Maurice Richard en séries éliminatoires, marquant cinq buts en une seule rencontre. Les *Flyers* perdirent le premier match de demi-finale contre les *Bruins*, puis remportèrent les quatre suivants et participèrent à la finale pour la troisième fois de suite. Le *Canadien* eut la tâche plus facile : l'équipe balaya la série contre les *Hawks* avant d'éliminer les *Islanders* en cinq matchs.

Les Flyers de Philadelphie posent fièrement avec les trophées reçus pour la fructueuse saison de 1974-1975. De gauche à droite : le trophée Conn Smythe, le trophée Hart, la coupe Stanley, la coupe Clarence Campbell et le trophée Vézina.

Larry «Big Bird» Robinson contourne rapidement Joe Watson de Philadelphie durant la finale de la coupe Stanley de 1976.

Reggie «The Rifle» Leach signa le record de 19 buts durant les éliminatoires de 1976, marque répétée par Jari Kurri d'Edmonton, en 1985.

Pendant la finale qui débuta le 9 mai au Forum de Montréal, et que beaucoup considérèrent comme l'affrontement rêvé, les *Flyers* et le *Canadien* amorcèrent une chaude lutte pour conquérir la coupe Stanley. Les *Flyers* étaient sans doute plus âgés et plus rusés, mais le *Canadien* était plus jeune, plus rapide et plus talentueux. L'aspect le plus impressionnant de l'attaque du *Canadien* fut peut-être la mobilité de ses ailiers. Larry Robinson, Guy Lapointe et Serge Savard poursuivaient fréquemment leurs attaques jusqu'en zone offensive, et l'équipe détruisait sans arrêt les stratégies défensives de ses adversaires. Il faut dire qu'il manquait un élément essentiel dans l'attaque des *Flyers* : Bernie Parent était hésitant à cause d'une blessure qui l'avait empêché de jouer pendant presque toute la saison, et Shero avait été obligé de le remplacer par un gardien moins expérimenté, Wayne Stephenson.

Les *Flyers* entreprirent le match d'ouverture en lions, marquant un but 21 secondes à peine après la première mise au jeu. Quand Montréal égalisa la marque, Larry Doodenough donna aux *Flyers* une avance de 3-2 grâce à un but marqué en avantage numérique pendant la troisième période. Jacques Lemaire répliqua peu après, puis Guy Lapointe battit Stephenson à moins de deux minutes de la fin du jeu et le *Canadien* revint de l'arrière, l'emportant 4-3. Dans le deuxième match, Montréal continua de frustrer les *Flyers* en pratiquant un jeu très serré; Jacques Lemaire et Guy Lafleur marquèrent chacun un but sans aide, ce qui permit au *Canadien* d'obtenir une victoire de 2-1 et de s'assurer une priorité de deux matchs dans la série.

Les *Flyers* permirent à Steve Shutt de marquer un but en supériorité numérique au début du troisième match, mais Reggie Leach marqua deux fois, donnant à Philadelphie une priorité de 2-1. Malheureusement, Gary Dornhoefer reçut une punition pour avoir donné du coude en fin de période, et le *Canadien* profita de la situation à cinq contre quatre pour égaliser la marque dans les premières minutes de la deuxième période, grâce au deuxième but de la partie,

*Terry Crisp des Flyers,
qui ajoutera plus tard
à sa collection une bague
de la coupe Stanley gagnée
à titre d'entraîneur des
Flames de Calgary,
effectue une montée. Il est
suivi par Rick Chartraw
de Montréal.*

que Shutt marqua en avantage numérique. Les équipes poursuivirent leur lutte pendant 28 minutes sans parvenir à marquer, jusqu'à ce que Pierre Bouchard enfile le but gagnant, ce qui plaçait Montréal à une seule victoire de la coupe Stanley.

Le quatrième match fut disputé au Spectrum où régnait une chaleur étouffante, condition qui avantageait clairement Scotty Bowman dont la stratégie consistait à changer rapidement ses trios. À peine 41 secondes après le début de la première période et pour la troisième fois de la série, Reggie Leach marqua le premier but des *Flyers* après avoir reçu une passe de la recrue Mel Bridgman. Les deux équipes marquèrent en tout cinq buts en avantage numérique, et le tableau indiquait une marque de 3 à 3 après deux périodes. On était à moins de six minutes de la fin lorsque Guy Lafleur inscrivit le but qui devait donner la coupe au *Canadien*. Peter Mahovlich en ajouta un autre 58 secondes plus tard, et le *Canadien* de Montréal mit fin au règne des *Flyers* comme champions de la coupe Stanley. «Cette équipe possède les ailiers les plus forts et les plus mobiles du monde, admit Shero. Tous patinent et lancent la rondelle aussi bien que des avants.» Reggie Leach établit un nouveau record dans la LNH en marquant 19 buts durant les séries éliminatoires, et devint ainsi le premier joueur de l'équipe perdante à recevoir le trophée Conn Smythe (en faisant exception du gardien de but).

*Jean Ratelle de Boston,
qui passa aux Bruins
vers le milieu de la saison
1975-1976 dans le plus
important échange de la
décennie, attend l'occasion
de déjouer Larry Robinson
et Ken Dryden de Montréal.*

Jamais dans l'histoire de la LNH une équipe ne domina la Ligue comme le *Canadien* de Montréal en 1976-1977. L'équipe ne perdit qu'un match à domicile et seulement huit durant toute la saison, amassant 132 points grâce à 60 victoires et 12 matchs nuls. De plus, le *Canadien* marqua 54 buts de plus que son plus proche rival et n'alloua que 171 buts, le total le plus faible depuis l'introduction de la nouvelle formule, instaurée en 1973-1974, où il y avait 80 rencontres par saison. Cette machine bien huilée qu'était l'équipe de Montréal

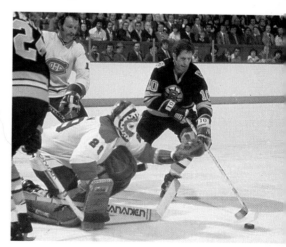

En 1977, Guy Lafleur ajouta le trophée Conn Smythe à sa collection déjà très bien garnie, devançant tous les marqueurs des séries avec 26 points.

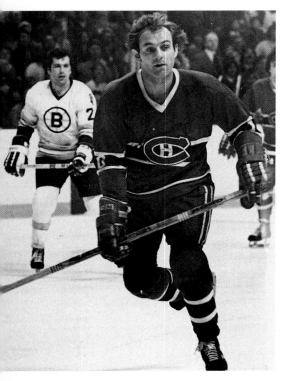

poursuivit sa route à pleine vapeur durant les éliminatoires; elle se débarrassa de St-Louis et des *Islanders* en ne leur accordant que 20 buts. Quant à la nouvelle édition des *Bruins* de Boston, dans laquelle Jean Ratelle et Brad Park avaient remplacé Orr et Esposito, eux aussi accédèrent facilement à la finale, n'ayant besoin que de dix rencontres pour éliminer les *Kings* de Los Angeles et les *Flyers* de Philadelphie.

Pendant le premier match de la finale, le *Canadien* imposa le rythme des séries en marquant deux buts dans les cinq premières minutes. Le *Canadien* n'obtint que 24 tirs au but durant la partie, mais profitant au maximum des occasions, il envoya sept fois la rondelle derrière Cheevers, remportant ainsi une victoire éclatante de 7-3. Yvon Lambert et Mario Tremblay dirigèrent l'attaque du *Canadien* en marquant chacun deux buts.

Montréal fut limité à 19 tirs au but pendant la deuxième rencontre, mais trois de ces tirs atteignirent le fond du filet de Cheevers, et le *Canadien* gagna 3-0. Steve Shutt, avec un but et deux passes, fut le héros en attaque tandis que Ken Dryden repoussa 22 tirs, ce qui permit à son équipe de blanchir l'adversaire. Pendant le troisième match, Montréal inscrivit trois buts en avantage numérique pendant la première période, en seulement six tirs, et triompha facilement 4-2. Guy Lafleur mena l'attaque des siens avec un but et trois passes.

Acculés au pied du mur, les *Bruins* jouèrent leur meilleur hockey de la série pendant le quatrième match. Bobby Schmautz donna l'avance à Boston pour la première fois au cours de la finale, puis Jacques Lemaire ramena la marque à 1-1 au deuxième engagement. Le temps réglementaire s'était écoulé et la marque était toujours nulle. Mais à la quatrième minute de prolongation, Jacques Lemaire se fit remarquer avec un but qui donna la coupe au *Canadien*. Bien qu'ils aient maîtrisé le jeu durant la période supplémentaire, les joueurs du *Canadien* durent patienter quatre minutes 32 secondes avant d'avoir une occasion de marquer. Mais dès qu'elle se présenta, ils la saisirent, comme ils l'avaient fait tout au long de la série. Lafleur pénétra dans la zone des *Bruins*, forçant le défenseur Gary Doak à s'éloigner de Lemaire, posté près du filet. Lafleur refila le disque à Lemaire laissé sans surveillance, et celui-ci renvoya la rondelle derrière Cheevers, donnant au *Canadien* sa vingtième coupe Stanley. Lafleur remporta le trophée Conn Smythe, car ses 26 points l'avaient placé en tête du classement des marqueurs de la LNH pendant les séries éliminatoires.

En 1977-1978 le *Canadien* dominait le classement de la Ligue ainsi que celui des marqueurs, pour la troisième année consécutive. L'équipe enregistra 59 victoires contre 10 défaites seulement et, pour la première fois de sa carrière, Guy Lafleur atteignit le plateau des 60 buts.

Montréal, tel un bélier mécanique, anéantit ses adversaires pendant les éliminatoires, disposant de Détroit en cinq matchs et des *Leafs*, en quatre. La série Montréal-Toronto fut le premier affrontement entre ces deux équipes depuis la finale de 1967, affrontement qui eut lieu grâce à la victoire-surprise des *Leafs* contre les *Islanders*. Ces derniers étaient les favoris, mais ils furent quand même battus en sept rencontres. Les *Bruins* de Boston, qui s'était classés au deuxième rang pendant la saison, eurent besoin de neuf matchs pour éliminer Chicago et Philadelphie au cours des deux premières rondes.

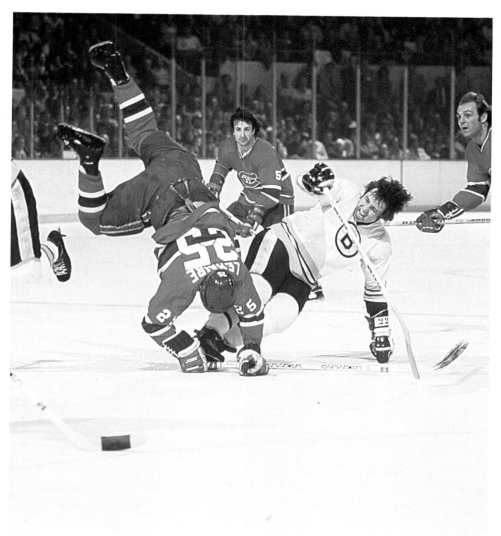

Brad Park, qui participa aux éliminatoires dans chacune de ses 17 saisons dans la LNH sans jamais gagner la coupe, s'arrête net, évitant de justesse un Jacques Lemaire chancelant, durant la finale de 1978.

Lemaire comptait parmi ceux qui marquaient le plus souvent dans la LNH, grâce à la précision de son tir. Il marqua, en prolongation, le point qui procura la Coupe au Canadien, en 1977.

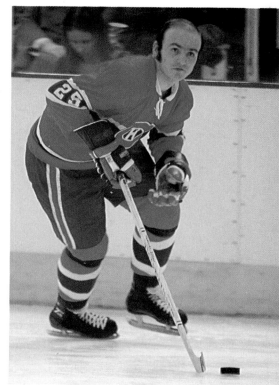

Les *Bruins* étaient certes déterminés à ne pas répéter l'erreur qui avait causé leur perte pendant la finale de 1977, mais ils durent néanmoins accrocher et retenir les rapides patineurs du *Canadien* afin de contenir son attaque. Malgré cela, le *Canadien* mit peu de temps à l'emporter : Lafleur et Yvon Lambert marquèrent deux buts en avantage numérique dès le début de la partie et prirent une avance qu'ils ne devaient plus perdre. Boston se tint loin du banc des pénalités jusqu'à la fin du match, mais ne réussit que 16 tirs sur Dryden et s'inclina 4-1. Dans l'ensemble, le deuxième match présenta du jeu bien discipliné et divertissant. Le but marqué en deuxième période par Brad Park fut annulé par celui de Steve Shutt, tandis que le but marqué au troisième engagement par Bob Gainey fut compensé par celui de Rick Smith; une prolongation fut donc nécessaire.

Les *Bruins*, qui avaient remporté trois victoires en prolongation dans les rondes précédentes, étaient sûrs que leurs succès pouvaient se poursuivre. Cependant, le *Canadien* domina la période supplémentaire, décochant 15 tirs sur Cheevers avant que Lafleur ne mette fin à la rencontre, à 13 min 09.

Les *Bruins* respectèrent à la perfection leur plan de match pendant la troisième partie; leurs attaques disciplinées et patientes leur permirent de

Bobby Schmautz, qui domina tous les marqueurs avec onze buts dans les séries de 1977, poursuivit son travail impressionnant durant les éliminatoires de 1978 en enregistrant sept buts et huit passes.

Bob Gainey, pour qui c'était un art que de tenir le rôle d'avant à caractère défensif, se libère de l'emprise de Walt Tkachuk et Ron Duguay avant de remporter le trophée Conn Smythe, en 1979.

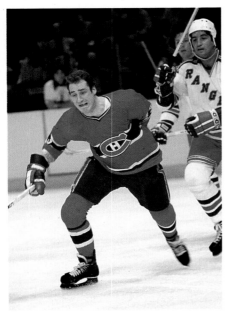

s'imposer 4-0. Le but de Gary Doak s'avéra le but gagnant, 59 secondes après le début du match, et le *Canadien* n'obtint que 16 tirs au but. Boston s'inscrivit au tableau encore plus tôt lors de la quatrième rencontre, Gregg Sheppard déjouant Dryden après seulement 25 secondes de jeu. Le *Canadien*, grâce à des buts de Robinson et Doug Risebrough, avait repris une avance de 2-1 en troisième période, mais Boston retrouva l'avantage grâce à des buts de Park et de Peter McNab. Boston s'accrocha à cette mince avance mais, à la dernière minute, au moment où Dryden était remplacé par un attaquant, le *Canadien* égalisa la marque par un tir de Guy Lafleur qui se fraya un chemin à travers une empilade de corps tombés devant Cheevers. Le *Canadien* semblait maîtriser le jeu en prolongation, mais ce fut Bobby Schmautz qui, après avoir reçu une passe de Sheppard et de Park, poussa la rondelle derrière Dryden, donnant la victoire à Boston par 4-3. La série était alors à égalité.

De retour au Forum pour la cinquième partie, le *Canadien* provoqua de nombreuses situations d'avantage numérique avec sa rapidité légendaire, de telle sorte qu'il ne restait plus à Boston qu'à retenir ou à faire tomber ses fulgurants adversaires. Pierre Mondou et Pierre Larouche marquèrent tous deux en supériorité numérique durant les 40 premières minutes de jeu, ce qui donna au *Canadien* une victoire de 4-1, et lui permit de s'approcher à un match de la coupe Stanley. Lors du sixième match, quelques joueurs plus anonymes du *Canadien* eurent l'occasion de montrer leur talent. Réjean Houle, Doug Jarvis et Brian Engblom unirent leurs efforts pour n'accorder à Boston que huit tirs au but en deux périodes, tout en participant activement à deux des quatre buts de leur équipe. Avec une défensive solidement en place, le *Canadien* ferma la porte aux *Bruins* durant la dernière période, et cette victoire de 4-1 donna la coupe Stanley à Montréal. Larry Robinson, qui termina en tête du classement des marqueurs ex-æquo avec Guy Lafleur, remporta le trophée Conn Smythe.

Pendant la dernière saison de la décennie, une nouvelle équipe se hissa au premier rang du classement de la LNH. Les *Islanders* de New York, une équipe jeune et offensive, bourrée de talent et bien dirigée, amassèrent 116 points et remportèrent le championnat de la Ligue. Menés par Bryan Trottier, le gagnant du trophée Hart, et Denis Potvin, deux fois titulaire du trophée Norris, les *Islanders* n'avaient cessé de s'améliorer depuis leur spectaculaire remontée contre les *Penguins* durant les éliminatoires de 1975. Un fait cocasse retient cependant l'attention; cette victoire obtenue après avoir tiré de l'arrière par trois matchs, fut le premier exploit qu'ils accomplirent en séries éliminatoires, mais ce fut aussi le dernier ! Après une amère défaite contre Toronto en 1978, les *Islanders* furent écartés des séries de 1979 par leurs adversaires situés à l'autre bout de la ville, les *Rangers* de New York, qui participaient à la finale pour la deuxième fois en six saisons. La présence des *Rangers* en ronde finale aurait pu paraître surprenante, mais celle de Montréal, par contre, était normale. En effet, le *Canadien* sortit vainqueur d'une excitante série de sept matchs contre Boston et accéda à la finale pour la quatrième année d'affilée.

Cette finale débuta le 13 mai à Montréal, trois jours après que le *Canadien* eut éliminé les *Bruins*. Au cours de ce match, on infligea à Boston une des pénalités les plus contestées de l'histoire de la LNH. Les *Bruins*, qui possédaient une

avance de 4-3 dans les derniers instants du match, reçurent une punition pour avoir eu trop de joueurs sur la patinoire. Tirant profit de cet ultime avantage numérique, Guy Lafleur, lancé à toute allure, décocha un superbe tir de l'aile droite qui nivela la marque. Pendant la période supplémentaire, Yvon Lambert, posté devant le filet, reçut une passe de Doug Risebrough et enfila le but vainqueur qui devait donner au *Canadien* sa quatrième participation d'affilée à la finale.

Les Rangers profitèrent pleinement de la fatigue du *Canadien* et remportèrent le premier match 4-1. Phil Esposito, passé à New York en 1976, et Anders Hedberg, un joueur sensationnel provenant de l'AMH, menèrent l'attaque des *Rangers*. Michel Larocque, auxiliaire de Dryden depuis 1974, fut plongé dans l'action des éliminatoires pour la première fois en cinq saisons quand il remplaça un Dryden vacillant au début du troisième engagement.

Le *Canadien* ne connut pas un début de deuxième match meilleur. Larocque fut désigné pour débuter la rencontre, mais il se blessa au cours de la période de réchauffement et Scotty Bowman fut obligé d'utiliser Dryden dont les performances variaient constamment. Les buts de Hedberg et Ron Duguay aux deux premiers tirs des *Rangers* paralysa les spectateurs du Forum, mais ils

Le Canadien de Montréal dominait la Ligue aux chapitres des victoires, des points, des buts pour, des buts contre et de l'efficacité en avantage numérique. En 1977-1978, ils étaient en route pour leur troisième coupe Stanley.

eurent aussi pour effet de réveiller le *Canadien* qui enfila alors une demi-douzaine de buts sans réplique, par six joueurs différents, s'assurant ainsi une victoire de 6-2. La série commençait à peine, mais l'avantage était déjà du côté du *Canadien*. À l'exception d'un court moment au quatrième match, les *Rangers* ne devaient jamais reprendre l'avance. «Quand on atteint la finale aussi souvent, on acquiert de l'expérience, remarqua l'avant des Rangers, Pat Hickey. L'expérience procure la confiance et avec la confiance vient la victoire», disait-il.

Dryden était en forme lors de la troisième rencontre, protégeant la cage du *Canadien* dans sa victoire de 4-1. Au cours du quatrième match, New York joua

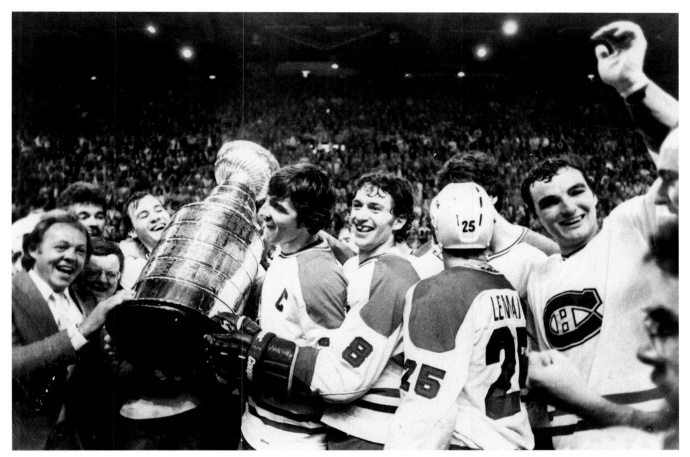

aussi bien qu'au cours du premier, forçant le *Canadien* à aller en prolongation. Le *Canadien* remporta tout de même le match, grâce au but de Serge Savard, et il ne manquait qu'une seule victoire pour que l'équipe conquière une quatrième fois la coupe. Les trois dernières fois, le *Canadien* avait remporté la grande victoire à l'extérieur, et les joueurs voulaient faire plaisir à leurs partisans en remportant le trophée au Forum. Les spécialistes de la défensive du *Canadien*, qui jouaient un rôle vital dans les succès de l'équipe, neutralisèrent les *Rangers* de façon spectaculaire, limitant New York à 15 tirs sur Dryden. Pour le quatrième match de suite, au moins quatre joueurs différents marquèrent les buts pour le *Canadien*, et à la fin de la décennie, Montréal remportait la coupe Stanley grâce à une éclatante victoire de 4-1.

En quatre conquêtes de suite de la coupe Stanley, de 1976 à 1979, le *Canadien* avait remporté 16 des 19 matchs disputés en rondes finales. Dans la finale de 1979, l'équipe de Montréal n'alloua aux *Rangers* pas plus de 25 tirs dans une partie et anéantit complètement l'attaque de New York après le premier match. Bob Gainey, le meilleur avant à caractère défensif chez le *Canadien*, reçut le trophée Conn Smythe, une récompense bien méritée.

Les derniers moments des années 1970 marquèrent la fin d'une époque pour la LNH et pour le *Canadien*. L'AMH avait cessé ses activités, et la LNH ajouta quatre équipes provenant de la défunte association, ce qui portait le nombre à 21. Le *Canadien* annonça le départ de quatre de ses piliers. Au début de la saison 1979-1980, l'équipe perdait Ken Dryden, Jacques Lemaire, Yvan Cournoyer et Scotty Bowman.

Serge Savard, le capitaine par intérim, remplace Yvan Cournoyer blessé; il tient la coupe Stanley en compagnie de ses coéquipiers Cournoyer (en tenue de ville), Doug Risebrough, Jacques Lemaire et Mario Tremblay, après la quatrième conquête de suite par le Canadien.

L'époque Gretzky

1980-1992

Au début des années 1980, quatre nouvelles équipes se joignaient à la LNH : les *Oilers* d'Edmonton, les *Nordiques* de Québec, les *Whalers* de Hartford et les *Jets* de Winnipeg. On assistait aussi à l'éclosion d'une grande étoile : Wayne Gretzky avait terminé la saison avec 51 buts et 86 passes, en tête des marqueurs de la Ligue, ex-æquo avec Marcel Dionne des *Kings* de Los Angeles. (Ce dernier avait marqué 53 buts et reçut le trophée Art Ross, remis au meilleur marqueur de la LNH.)

Au cours de la saison 1979-1980, on fut témoin d'un haut fait : la série de 35 matchs sans défaite des *Flyers* de Philadelphie. On avait encore modifié la formule des séries éliminatoires et, désormais, les 16 équipes devaient disputer une série préliminaire trois-de-cinq. Des défaites-surprises pouvaient certes se produire, mais les favoris franchirent tous cette épreuve. En quart de finale, cependant, le *Canadien* de Montréal fut éliminé en sept parties par Minnesota, ce qui assurait la consécration d'un nouveau champion. Les *North Stars* tombèrent ensuite aux mains des *Flyers* qui n'eurent pas trop de difficulté à se rendre en finale, gagnant onze parties contre deux défaites. Leurs adversaires en finale furent les *Islanders* de New York, qui avaient éliminé Los Angeles, Boston et Buffalo, atteignant la finale pour la première fois en huit ans d'existence.

Durant le premier match de la finale, les *Flyers* et les *Islanders* s'échangèrent des buts à chaque période, forçant la prolongation. Après deux minutes de période supplémentaire, le défenseur des *Flyers*, Jimmy Watson, reçut une pénalité pour avoir retenu, ce qui donnait aux *Islanders* un des rares avantages numériques accordés durant les prolongations. Les *Islanders* avaient aussi marqué un but au troisième engagement à la faveur d'un avantage numérique, et ils ne furent pas longs à tirer parti de la situation. John Tonelli avait remarqué que Denis Potvin s'amenait devant le filet et il lui servit une passe parfaite. Potvin poussa la rondelle derrière le gardien Pete Peeters, des *Flyers*, ce qui donnait aux *Islanders* l'avance dans la série. Pour la troisième fois dans l'histoire de la LNH, la prolongation d'un match de série finale se terminait par un but marqué en avantage numérique.

Pendant la deuxième partie, les *Flyers* marquèrent trois buts en avantage numérique et lorsque Billy Smith, le gardien des *Islanders*, regagna son banc, les *Flyers* avaient gagné 8 à 3. Paul Holmgren de Philadelphie fut le premier

Paul Holmgren était un élément important des Flyers de Philadelphie, un intrépide plombier et un attaquant qui savait profiter des occasions. Pendant les éliminatoires de 1980, il amassa dix buts et dix passes, et aida les Flyers à accéder à la finale pour la quatrième fois de leur histoire.

Américain à marquer trois buts dans un match des séries éliminatoires; il s'inscrivit au pointage dans chacune des périodes et effectua ainsi son «tour du chapeau». Les *Flyers* subirent de nombreuses punitions au cours du troisième match, qu'ils perdirent 6-2.

L'attaque des *Islanders* continua de tourner rondement pendant le quatrième match, l'équipe se forgeant des avances de 2-0 et de 3-1. Les *Flyers* réduisirent la marque à un but grâce au tir de revers de Ken Linseman, mais les *Islanders* reprirent leur avance grâce à Bob Bourne qui bloqua un tir provenant de Bob Dailey, passant ensuite le disque à Bob Nystrom qui battit Peeters. Clark Gillies, qui prépara les deux premiers buts de New York, marqua le dernier but des *Islanders*, ce qui permit à l'équipe de remporter 5-2.

Les *Flyers* se débattirent pour rester au Spectrum, et gagnèrent 6-3. Rick MacLeish et Bobby Clarke, un duo bien connu, menèrent l'attaque avec un jeu flamboyant qui évoquait les belles années 1970. Au sixième match, les deux équipes prirent l'avantage à tour de rôle et se partagèrent quatre buts en première période. Les *Islanders* marquèrent deux buts au deuxième engagement, mais les *Flyers* leur remirent la pareille au troisième tiers. Les *Flyers* pressèrent le jeu, obtenant 11 tirs au but contre 5, mais ne purent rompre l'égalité, et ils durent aller en prolongation.

Sept minutes après le début de la période supplémentaire, John Tonelli repéra Bob Nystrom, posté derrière le défenseur des *Flyers*, Bob Dailey. Tonelli effectua une passe en plein sur le bâton de Nystrom, qui s'en servit adroitement pour glisser la rondelle dans un but protégé par Peeters, marquant ainsi, pour la quatrième et dernière fois de sa carrière, un point en prolongation. Grâce à lui, l'équipe venait d'obtenir la Coupe. Bryan Trottier, qui établit un record en inscrivant 29 points dans les éliminatoires, remporta le trophée Conn Smythe remis au joueur le plus utile des séries.

Après seulement huit saisons dans la LNH, les Islanders de New York vinrent s'ajouter à la liste des champions de la coupe Stanley, en battant les Flyers de Philadelphie en six matchs.

En 1981, les *Islanders* de New York trônaient encore dans les sommets, suivis de près par les surprenants *Blues* de St-Louis. Au cours de la ronde préliminaire, les *Oilers* d'Edmonton éliminèrent en trois matchs le *Canadien* de Montréal, qui avait gagné 45 fois au cours de la saison régulière. Au cours de six matchs excitants, les *Oilers* menèrent la vie dure aux *Islanders*, mais finirent par s'incliner devant les champions en titre.

Les *Islanders* écartèrent ensuite les *Rangers* du revers de la main et accédèrent à la finale une deuxième fois d'affilée. Leurs adversaires furent les *North Stars* du Minnesota, qui participaient à la finale de 1981 grâce à leurs succès pendant les éliminatoires de 1980. Menés par Bobby Smith et Steve Payne, les *Stars* reçurent un coup de fouet supplémentaire de la part de Dino Ciccarelli, qui avait rejoint l'équipe peu après la mi-saison.

Bobby Nystrom est propulsé au second rang de la LNH grâce à quatre buts marqués en avantage numérique durant sa carrière. On le voit déjouer le gardien de Philadelphie, Pete Peeters, d'un puissant tir, procurant aux Islanders leur première coupe Stanley.

Dino Ciccarelli du Minnesota établit un record pour une recrue en inscrivant 21 points durant les éliminatoires de 1981.

Les *Stars* donnèrent l'impression d'être très nerveux lors du match d'ouverture de la finale. Au tout début du match, Anders Kallur procura aux *Islanders* une avance 1-0, et les *Stars* eurent ensuite une bonne occasion de niveler la marque, car Bob Bourne reçut une pénalité majeure pour avoir dardé. Cependant, Kallur et Trottier marquèrent durant ce désavantage numérique de cinq minutes, et les *Stars* perdirent leur sang-froid pendant le reste de la partie. À la troisième période, deux buts des *Islanders* sur trois tirs confirmèrent la victoire de 6-3 de New York. Minnesota fut la première équipe à s'inscrire au tableau pendant le second match, grâce au but en supériorité numérique marqué par Dino Ciccarelli. Mais exactement une minute plus tard, Mike Bossy nivela la marque, montrant ainsi le chemin du but à Potvin et Nystrom. Petit à petit, les *North Stars* reprirent confiance et réussirent à porter la marque à 3-3, grâce au but de Brad Palmer au deuxième tiers, et à celui de Steve Payne – après un bel effort – à 36 secondes du troisième. C'est là toutefois que devaient s'arrêter les *Stars*. Potvin, Ken Morrow et Bossy marquèrent tous en l'espace de huit minutes, ce qui donna aux *Islanders* une deuxième victoire de 6-3.

Lors de la troisième partie, les *Stars* semblaient vouloir améliorer leur sort, car ils s'étaient forgés une avance de 3-1 après vingt minutes de jeu. Mais Butch Goring enfila deux buts en deuxième période, permettant ainsi aux *Islanders* d'attaquer la troisième période avec une avance de 4-3. Goring était un travailleur infatigable et il pratiquait un échec-avant des plus efficaces. En 1980, les *Islanders* avaient acquis ce joueur qui les avait aidés à s'assurer du titre. Encore une fois, les *Stars* remontèrent la pente et égalisèrent le pointage à 1 min 11 pendant la troisième période. Mais les champions en titre frappèrent de nouveau, moins d'une minute plus tard. Puis Goring compléta son «tour du chapeau», en marquant le but gagnant à la sixième minute de jeu. Grâce à une marque de 7-5, il ne restait plus que 60 minutes de jeu avant que les *Islanders* ne détiennent la coupe Stanley.

Butch Goring, que les Islanders de New York ont obtenu de Los Angeles en 1980, s'avéra être l'élément qui manquait aux Islanders en séries éliminatoires.

Minnesota fournit un effort intense au quatrième match et retarda les festivités des *Islanders* d'au moins une journée. Les deux équipes s'échangèrent des buts pendant deux périodes, puis Minnesota prit les devants 3-2 avec le but de Steve Payne à 12 min 26 du troisième engagement. Cette fois, la défensive des *Stars* tint bon, et le gardien Don Beaupré fournit un très bel effort. Bobby Smith apporta la touche finale à la victoire de 4-2 en marquant en avantage numérique vers la fin de la période. Les deux équipes devaient donc revenir disputer un autre match sur la patinoire des *Islanders* à Uniondale, au Long Island.

Au cours de la cinquième partie, les *Islanders*, avec Butch Goring en tête, firent rapidement oublier leur piètre performance du match précédent. Goring ouvrit la marque et ajouta un autre but dans les dix premières minutes de jeu. Ainsi, les *Islanders* étaient en route pour une victoire de 5-1 qui leur procurerait la Coupe. Personne ne fut surpris de voir Goring recevoir le trophée Conn Smythe, ainsi que de nombreuses accolades de la part de ses coéquipiers.

Après seulement trois saisons dans la LNH, les *Oilers* d'Edmonton avaient pris le haut du pavé; ils terminèrent au deuxième rang du classement général, derrière les *Islanders*, et remportèrent leur premier championnat de la division Smythe en 1981-1982. Menés par Wayne Gretzky, qui força la réédition du livre des records en inscrivant 92 buts et 212 points en une saison, les *Oilers* furent

L'or olympique et l'argent de Stanley

En 1980, le défenseur Ken Morrow devint le seul joueur à gagner, au cours de la même année, une médaille d'or olympique et la coupe Stanley. Morrow était membre de l'équipe olympique des États-Unis qui s'empara de la médaille d'or aux jeux de Lake Placid; il se joignit ensuite aux *Islanders* de New York et les aida à conquérir leur première coupe Stanley.

Un pouvoir durable : seize joueurs des Islanders de New York participèrent aux quatre conquêtes de la Coupe, de 1980 à 1984.

THE NEW YORK ISLANDERS

Buts opportuns de Tonelli

En 1982, les *Islanders* de New York, champions en titre, accusaient un retard de 3-2 contre Pittsburgh au cinquième et décisif match de la première ronde. Ils s'apprêtaient à devenir victimes de la plus importante défaite surprise en séries éliminatoires lorsque John Tonelli nivela le pointage à deux minutes de la fin. En période de prolongation, il enfila également le but gagnant quelques secondes après que Mike Bullard des *Penguins* eut frappé le poteau. Les *Islanders* devaient par la suite remporter leur troisième coupe Stanley d'affilée.

la première équipe, et la seule dans l'histoire de la LNH, à marquer plus de 400 buts en une année.

On modifia encore la formule des éliminatoires afin d'encourager les matchs entre les équipes au sein d'une même division. Les deux premières rondes mettraient aux prises les équipes de la même division. Dans les demi-finales de divisions, l'équipe de tête jouerait contre la quatrième équipe tandis que la deuxième affronterait la troisième. Les gagnants se rencontreraient dans une finale de division quatre-de-sept. Les deux champions de division de chacune des assemblées disputeraient ensuite la finale d'assemblée, dans une série quatre-de-sept, afin de déterminer les champions des assemblées de Galles et Campbell ainsi que les finalistes de la coupe Stanley.

Malgré leurs succès retentissants durant l'année, les Oilers subirent l'élimination dès le premier tour des séries disputées selon cette nouvelle formule, s'inclinant contre les *Kings* de Los Angeles dans la demi-finale trois-de-cinq de la division Smythe. Deux autres équipes de premier rang, Montréal et Minnesota, durent également céder en ronde demi-finale de division. L'unique meneur de division à passer avec succès la première série fut la formation des *Islanders* de New York, qui gagna les deux premières rencontres contre Pittsburgh, perdit les deux suivantes, puis remporta la série grâce à un but marqué en prolongation par John Tonelli au cinquième match, décisif. Après s'être débarrassé des *Penguins*, les *Islanders* battirent à plate couture les *Rangers* et les *Nordiques* de Québec, s'assurant ainsi une troisième participation d'affilée à la finale.

L'assemblée Campbell présenta un champion-surprise. Les *Canucks* de Vancouver, qui avaient terminé la saison à trois matchs sous la barre des 500, battirent les *Kings* et les *Black Hawks*. C'était la première fois qu'une équipe avait besoin de moins de 80 points pour atteindre la finale, depuis St-Louis à l'époque de l'expansion de 1967-1968.

L'arrière Randy Carlyle, des Penguins de Pittsburgh, livre bataille à Butch Goring, pendant la demi-finale de la division Patrick de 1982.

Les *Islanders* étaient les grands favoris contre les *Canucks*. Mais la formation de Vancouver donna du fil à retordre aux *Islanders*, grâce au jeu solide du gardien «King» Richard Brodeur et au talent de meneur de Dave «Tiger» Williams, qui n'avait pas froid aux yeux. Les *Canucks* comblèrent des déficits de 2-1 et de 4-2, et menèrent 5-4 sept minutes avant la fin. Leur avance fut cependant de courte durée, car Mike Bossy égalisa la marque à moins de cinq minutes de la fin. En prolongation, Bossy se distingua (encore lui !). C'était au cours de la période supplémentaire, et le tableau n'indiquait plus que deux secondes de jeu lorsqu'il intercepta un dégagement, dans la zone des *Canucks*, et décocha un tir des poignets qui déjoua Brodeur, donnant aux *Islanders* la priorité dans la série.

Vancouver joua du très bon hockey pendant les deux premières périodes du second match et, grâce à des buts de Thomas Gradin, Ivan Boldirev et Lars Lindgren, les *Canucks* s'étaient forgés une avance de 3-2. Mais les *Islanders* ne perdirent pas confiance et, avant que 90 secondes de la troisième période ne se soient écoulées, New York avait repris une priorité d'un but. À la fin de l'engagement, les *Islanders* avaient déjoué Brodeur à deux autres reprises, obtenant ainsi une victoire de 6-4.

Les *Canucks* resserrèrent leur défensive au Pacific Coliseum, rempli à craquer par des fans bruyants qui agitaient des serviettes. Lors d'une série précédente, l'entraîneur Roger Neilson, furieux contre la décision d'un officiel, avait hissé un «drapeau blanc» en signe de capitulation, se servant d'une serviette attachée à l'extrémité d'un bâton. Les fans de Vancouver adoptèrent ce geste sur le champ, et agitèrent de petites serviettes blanches durant les dernières parties des *Canucks*. Malgré cet appui massif de la part de la foule, les *Canucks* n'obtinrent pas de succès, constamment frustrés par Billy Smith qui n'accorda qu'un but pendant le reste de la série. Clark Gillies, Bob Nystrom et Mike Bossy se chargèrent de l'attaque, et les *Islanders* remportèrent le troisième match 3-0.

Mike Bossy célèbre son but gagnant au quatrième match de la finale de 1982. Bossy avait également marqué en prolongation lors du premier match de la série.

Le défenseur Denis Potvin, qui marqua au moins 20 fois dans sept de ses neuf premières saisons dans la LNH, soulève la coupe Stanley pour la troisième fois, le 16 mai 1982.

Billy Smith avait réussi à frustrer les Oilers d'Edmonton au cours de la finale de 1983, car il réussissait à dégager constamment les alentours de son but. Il remporta le trophée Conn Smythe décerné au joueur le plus utile durant les éliminatoires.

Mike Bossy joua encore les héros au cours de la rencontre suivante en marquant deux buts dans la victoire de 3-1 des *Islanders*, ce qui leur conférait la Coupe. Bossy, qui domina tous les marqueurs en séries éliminatoires avec ses 17 buts, fut choisi à l'unanimité pour le trophée Conn Smythe.

En 1983, les *Islanders* cédèrent la première place aux *Bruins* de Boston dans le classement général, ayant accumulé 96 points, ce qui leur assurait le second rang de la division Patrick, derrière Philadelphie. Après avoir éliminé Washington et les *Rangers*, les *Islanders* prirent leur revanche contre les *Bruins*, les battant en six matchs au cours de la demi-finale, ce qui leur permettait d'accéder pour la quatrième fois d'affilée à la finale. Les *Oilers* d'Edmonton, qui établirent un nouveau record dans la LNH en marquant 424 buts pendant la saison, dominèrent la conférence Campbell. Jusque là, ils n'avaient perdu qu'un seul match des séries.

On attendait avec impatience la confrontation finale entre Edmonton et les *Islanders*. Les *Oilers* comptaient sur le meilleur marqueur, Wayne Gretzky, ainsi que sur plusieurs joueurs faisant partie des dix meilleurs joueurs de la ligue, comme Jari Kurri, Glenn Anderson et Mark Messier. On se demandait toutefois si l'attaque des *Oilers* aurait raison du style de jeu très fermé qui avait assuré la victoire aux *Islanders* lors des séries éliminatoires. On vit beaucoup les effets de ce style au cours du premier match de la finale. Les *Oilers* décochèrent 35 tirs sur Billy Smith, mais peu d'entre eux furent menaçants; ceux qui étaient vraiment dangereux furent stoppés par ce gardien expérimenté. Duane Sutter ouvrit la marque en première période; Smith et sa bande n'avaient besoin que de cela. Ken Morrow marqua ensuite dans un but désert, ce qui scella la victoire des *Islanders* 2 à 0.

Encore une fois, les *Oilers* lancèrent plus souvent que New York au deuxième match, mais les *Islanders* profitèrent au maximum de leurs 25 tirs, déjouant à six reprises le gardien des *Oilers*, Andy Moog. Les *Islanders* gagnèrent 6-3 et obtinrent l'avance dans la série grâce à trois buts marqués à moins de cinq minutes d'intervalle pendant le premier tiers, et à deux autres en 38 secondes pendant le deuxième.

À la troisième rencontre, Edmonton joua son meilleur jeu pendant les 40 premières minutes, mais ne réussit à marquer qu'une fois. La marque était de 1-1 en troisième période, et c'est alors que les *Islanders* explosèrent, marquant quatre buts sans réplique de la part des *Oilers*. Les frères Brent et Duane Sutter, récoltant chacun un but et une passe, jouèrent un grand rôle dans la victoire de New York. Avec une victoire de 5-1 en poche, les *Islanders* n'étaient plus qu'à un match de leur quatrième coupe Stanley d'affilée.

Les *Islanders*, expérimentés et sensés, frappèrent très tôt au cours du quatrième match, marquant trois buts en 90 secondes dès la première période et maîtrisant totalement la rencontre. Ces trois buts furent marqués par trois joueurs qui avaient aidé les *Islanders* à remporter leur première Coupe : Trottier, Tonelli et Bossy. Les *Oilers* se défendirent bien, s'approchant à un but des *Islanders*, mais ne purent déjouer le gardien Billy Smith pour niveler la marque.

En plus de limiter les *Oilers* à six buts dans la finale, les *Islanders* blanchirent complètement Gretzky; c'était la première fois de l'année qu'il était tenu en échec pendant quatre matchs. Glen Sather, l'entraîneur d'Edmonton, résuma bien la série en déclarant : «Les *Islanders* ne firent pas qu'éviter les erreurs. Ils résistèrent à la pression.» Le trophée Conn Smythe vint souligner le jeu de Billy Smith qui avait été à son meilleur lors de cette série.

Au fur et à mesure que le temps s'écoulait, après la défaite des *Oilers* en finale de la coupe Stanley de 1982-1983, Glen Sather disait à qui voulait l'entendre que les *Oilers* seraient de retour en 1984. Il affirmait volontiers : «Ils inscriront 100 points, gagneront le championnat de la division et remporteront la coupe Stanley.» À la fin de la saison régulière de 80 parties, les deux-tiers de ces prédictions s'étaient réalisées. Non seulement les *Oilers* se classèrent-ils en tête de la division Smythe, mais ils bondirent aussi au sommet du classement général, grâce à l'une des plus puissantes équipes de l'histoire de la LNH. Ils avaient gagné 57 matchs, marqué 446 buts et aligné trois joueurs de 50 buts : Gretzky, Jari Kurri et Glenn Anderson. Après avoir vaincu Calgary en sept matchs difficiles, puis balayé Minnesota, Edmonton vit s'approcher l'ultime objectif : atteindre la finale pour la deuxième année consécutive.

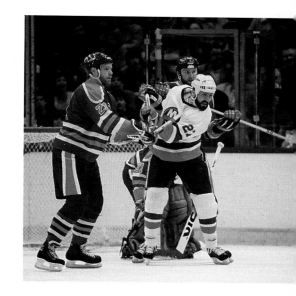

John Tonelli cause des dégâts aux dépens de Grant Fuhr et Randy Gregg d'Edmonton, durant la finale de 1983.

La Coupe actuelle

La coupe Stanley subit une transformation importante en 1958 lorsqu'on y ajouta un nouveau groupe de cinq bandes argentées qui procuraient de l'espace pour inscrire le nom des gagnants de chacune des années. Les *Penguins* de Pittsburgh remplirent le dernier espace disponible après leur conquête de la Coupe, en 1991. Afin de pouvoir inscrire les noms des futurs champions, la bande supérieure, qui porte les noms des gagnants de 1928 à 1940, a été retirée et remise au Temple de la renommée du hockey, permettant ainsi d'ajouter une nouvelle bande au bas du trophée.

Les *Islanders* de New York avaient bien sûr leur propre ambition. Seul le *Canadien* de Montréal avait accédé à la finale cinq fois de suite; le *Canadien* était aussi la seule équipe à avoir conquis la Coupe cinq fois d'affilée. Mais les *Islanders* s'offrirent le luxe de partager la vedette avec le *Canadien* dans le livre des records de la Ligue, le *NHL Guide & Record Book*, en disposant des *Rangers*, des *Capitals* et même du *Canadien*, atteignant ainsi la finale.

Dès le début de la série, il fut évident que les *Oilers* avaient l'intention de pratiquer un style défensif. Pendant le premier match, les deux équipes combattirent pendant 40 minutes, sans marquer de but. Grant Fuhr, devant le but des *Oilers*, et Smith, devant celui des *Islanders*, se distinguèrent par leur excellent travail. La troisième période n'était commencée que depuis deux minutes quand Dave Hunter, des *Oilers*, s'empara d'une rondelle libre dans la zone des *Islanders* et l'envoya à Brent Hughes qui, à son tour, la passa à Kevin McClelland. McClelland n'était pas reconnu comme un marqueur, mais il lança quand même d'un angle très serré, envoyant la rondelle dans le but, ce qui donnait l'avance aux *Oilers*. À partir de ce moment, la défensive d'Edmonton prit la relève, n'accordant que huit tirs au but jusqu'à la fin de la rencontre. Lorsque la

La détermination et la ténacité de Mark «Moose» Messier aidèrent les Oilers à obtenir une deuxième participation à la finale, et leur première coupe Stanley en 1984. Il pose ici avec le trophée Conn Smythe.

fin du match sonna, les *Oilers* avaient vaincu et blanchi les *Islanders* par la plus petite marque possible, 1 à 0.

Pendant le second match, les *Islanders* montrèrent aux *Oilers* de quel bois ils se chauffaient : ils s'imposèrent très tôt. Clark Gillies enregistra un «tour du chapeau», et il n'en fallait pas plus aux *Islanders* pour vaincre les *Oilers*, 6-1, et égaliser la série. Pendant le troisième match, Edmonton renversa la situation; les *Oilers* brisèrent finalement la barrière défensive de New York et refilèrent six buts à Smith, qui fut rappelé au banc des siens. L'issue du match fut décidée au cours de la dernière minute de la deuxième période, quand Anderson et Paul Coffey marquèrent à 17 secondes d'intervalle. À partir de ce moment, le match appartint aux *Oilers* qui ajoutèrent trois autres buts au troisième tiers, s'assurant une victoire de 7-2.

L'attaque des *Oilers* était toutefois bien rodée et les joueurs débordaient de confiance; Edmonton imposa donc sa domination sur les *Islanders* au cours du quatrième match. Wayne Gretzky, qui n'avait pas marqué contre New York en 12 parties d'après-saison (son dernier but remontait à 1981), fit enfin une percée en marquant deux buts dans la deuxième victoire facile d'Edmonton aux dépens des champions en titre. Gretzky continua de briller au cinquième match, recevant des passes de Jari Kurri et marquant les deux premiers buts de la rencontre. Après le remplacement de Billy Smith à la fin du premier vingt, Gretzky prépara un jeu en faveur de Ken Linseman, qui marqua en avantage numérique, puis Jari Kurri porta la marque à 4-0. Les *Oilers* ne devaient jamais perdre cette avance. Malgré deux buts de la recrue Pat Lafontaine pendant les 35 premières secondes de la troisième période, les *Oilers* menaient 5-2 à la fin du temps réglementaire; ils devenaient ainsi les nouveaux champions de la coupe Stanley.

Wayne Gretzky répéta souvent que l'un des meilleurs moments de sa carrière de joueur avait eu lieu quand Mark Messier avait reçu le trophée Conn Smythe, remis au joueur le plus utile des séries. Messier, originaire d'Edmonton, constitua le noyau et le moteur de la formation des *Oilers*, et on reconnut qu'il avait beaucoup contribué à ce que son équipe remporte la coupe Stanley, en 1984.

La première édition des Oilers d'Edmonton gagnante de la Coupe, telle qu'inscrite sur la Coupe Stanley. Le nom rayé est celui de Basil Pocklington, le frère du propriétaire de l'équipe.

(suite p. 243)

Les *Islanders* et les *Oilers*

par Pat Calabria

L e soir du 19 mai 1984, le flambeau passa d'une génération à l'autre, mais cela ne se fit pas sans heurts. Deux dynasties s'affrontaient, l'une naissante et l'autre à son déclin, au cours d'une grandiose et excitante série finale. La coupe Stanley fut défendue avec acharnement, on se battit même pour la garder, et on finit par la céder, après une confrontation spectaculaire. Le soir où les *Islanders* de New York livrèrent la coupe aux *Oilers* d'Edmonton, on n'assista pas seulement au couronnement d'un nouveau champion, mais aussi à l'introduction d'un nouveau style et au début d'une ère nouvelle.

Bien que personne n'en ait eu la certitude, on supposait que les *Oilers* répéteraient et même surpasseraient les exploits fantastiques des *Islanders*. On croyait que ce match, auquel assistaient 16 000 fans du Northlands Coliseum d'Edmonton, transférait de manière prévue et bien réglée les pouvoirs d'une puissance souveraine à une autre. Tout comme les *Islanders* qui avaient ravi la Coupe des mains du *Canadien* quatre ans plus tôt, les *Oilers* constituaient de dignes successeurs et devaient connaître beaucoup de succès après une série d'amères déceptions. Mais sous d'autres aspects, cette relève de la garde était sans précédent.

Tout d'abord, les *Islanders* n'avaient pas détrôné le *Canadien* au cours de la finale en 1980; Montréal, qui avait été éliminé en quart de finale, n'eut jamais l'occasion de défendre son titre dans une série. Quand on se tourne vers le passé, on s'aperçoit que la finale entre les *Islanders* et les *Oilers* fut un point tournant extrêmement important dans l'histoire de la LNH : deux grandes équipes de hockey se mesuraient alors, telles deux bêtes de race de forces égales.

En fait, il faut remonter jusqu'au milieu des années 1950, à l'époque des *Red Wings* de Détroit et du *Canadien*

de Montréal, pour retrouver, dans deux finales de suite, un pareil affrontement entre deux dynasties. En 1983, les *Islanders* balayèrent les *Oilers* en quatre matchs, mais Edmonton leur remit la monnaie de leur pièce en cinq rencontres dès l'année suivante. De 1980 à 1990, les *Islanders* et les *Oilers* remportèrent ensemble neuf fois la coupe Stanley. Depuis que Montréal et les *Maple Leafs* de Toronto avaient gagné 13 fois la coupe Stanley en 14 ans, de 1956 à 1969, il ne s'était jamais reproduit une telle domination de la part de deux équipes.

Mais la confrontation entre New York et Edmonton arriva aussi à un moment où le sport lui-même était dans une période de transition. D'une part, les *Islanders*, équipe vieillissante et de style conservateur, utilisaient beaucoup les violentes mises en échec; ils favorisaient la défensive et les contre-attaques rapides; de plus, leur puissance offensive reposait principalement sur un échec avant méthodique. D'autre part, les fougueux *Oilers*, menés par l'incomparable Wayne Gretzky, représentaient la nouvelle tendance qui favorisait des attaques plus rapides et moins prévisibles; les joueurs marquaient ainsi une quantité incroyable de buts. Les *Oilers* gardaient leur offensive pour contrer les attaques des adversaires qui cherchaient à détruire leur style flamboyant.

Les deux équipes étaient bâties différemment; elles étaient issues de milieux différents et utilisaient des stratégies complètement différentes. Les *Islanders*, même s'ils n'étaient pas des nouveaux venus dans la LNH, avaient tout de même débuté de façon traditionnelle; Long Island eut son équipe lors de l'expansion de 1972-1973 et entreprit sa lente et pénible montée. L'équipe fit appel à deux entraîneurs au cours de ses deux premières années d'existence, ne gagnant au total que 23 matchs, puis Al Arbour prit l'équipe en main à la troisième saison et lui fit rapidement atteindre un niveau respectable. À plusieurs reprises, l'équipe avait manqué de peu la coupe Stanley, même si elle alignait de nombreuses étoiles; malgré cela, le directeur général Bill Torrey avait patiemment poursuivi la structuration de l'équipe en repêchant des joueurs dans les ligues d'amateurs.

Edmonton, par contre, était considérée par la majorité des gens comme une équipe de bandits, autant pour son passé hors-la-loi que pour ses attaques-éclairs à la nouvelle mode. L'équipe n'avait pas débuté dans la LNH; elle avait commencé ses activités dans la ligue rivale, l'Association mondiale de hockey. Elle avait joint la LNH en 1979-1980, lorsqu'on avait ajouté les quatre équipes de la défunte AMH. À l'époque, la plupart de ces joueurs ne bénéficiaient d'aucune publicité et étaient tout simplement inconnus. On croyait même que le grand Gretzky serait incapable d'endurer le pilonnage qui s'exerce soir après soir dans la LNH et qu'il avait pu éviter dans l'AMH, dont le jeu était plus axé sur l'offensive.

Mais les *Islanders* et les *Oilers* avaient tout de même une chose en commun.

New York, à sa troisième année d'existence, rata une participation à la finale de 1975 par un match après avoir comblé, à deux reprises, un déficit de 0-3 dans les séries éliminatoires. Edmonton fut éliminé dès la ronde préliminaire des séries à sa première saison dans la LNH mais, après avoir terminé au quatorzième rang de la Ligue en 1980-1981, les *Oilers* éliminèrent le grand favori, Montréal classé troisième, avant de s'incliner en quart de finale devant les champions en titre, les *Islanders*. Deux ans plus tard, les *Oilers* accédèrent à la finale et trois années plus tard, ils gagnèrent leur première coupe Stanley.

La montée des deux équipes fut donc aussi rapide que surprenante. C'est sur cette toile de fond que New York se mesura à Edmonton dans la finale de 1983, série riche en coups de théâtre, ruses et animosités. De nombreux aspects de cette grande série des années 1980 rappellent l'époque où les gardiens jouaient sans masque protecteur, où les joueurs ne portaient pas de casque et où la pati-

noire était entourée de grillage au lieu de vitres, non pas à cause du style de jeu, mais plutôt en raison de l'intensité qui avait caractérisé cette remarquable et fascinante série, disputée chaudement.

La formation des *Islanders* était pratiquement la même que celle qui avait balayé Québec et Vancouver dans les deux dernières rondes éliminatoires de l'année précédente. Mais l'équipe, affaiblie par les blessures et devant aussi lutter contre une tendance à la complaisance, glissa au deuxième rang de la division Patrick, derrière Philadelphie, avec une fiche de 42-26-12, qui ne lui donna qu'une sixième place au classement général. Jusqu'en 1986 (année où le *Canadien* gagna la Coupe après avoir terminé en septième position), ce résultat fut le plus bas pour une équipe qui allait remporter les grands honneurs.

L'increvable joueur de centre Bryan Trottier joua sans marquer pendant dix matchs durant la saison régulière. Le marqueur de 60 buts, Mike Bossy, n'obtint aucun but

Les Oilers d'Edmonton commencèrent à goûter au succès durant les éliminatoires lorsqu'ils balayèrent Montréal en trois matchs durant une ronde préliminaire des séries de 1981.

pendant sept parties. Bill Smith, l'intrépide gardien, ne remporta aucune victoire entre le 30 novembre et le 18 janvier. Le défenseur recrue Paul Boutilier, stupéfait par les bouleversements qui affectaient les *Islanders* auxquels il venait de se joindre et qui avaient été trois fois champions, demanda : «Est-ce comme ça tous les ans?»

Néanmoins, les *Islanders* éliminèrent les coriaces *Capitals* de Washington en quatre matchs pendant la première ronde des éliminatoires, mais durent travailler ferme contre les *Rangers*, leurs solides et dangereux rivaux de Manhattan au cours de la série suivante. Mais ils gagnèrent en six rencontres, puis disposèrent des *Bruins* de Boston en six matchs pendant la finale de la conférence de Galles. Même à ce moment-là, les *Islanders* passaient pour être vulnérables, particulièrement contre les jeunes et fringants *Oilers* et leur dévastatrice offensive.

«Ce sont eux, les gars de la grande ville, contre nous, les gars d'une ville modeste», dit l'entraîneur Glen Sather, oubliant que leurs adversaires venaient des quartiers verts de l'île de Long Island, situés à 25 milles des gratteciel de la ville. «Nous sommes les nouveaux venus et nous sommes prêts à leur ravir les honneurs.»

Edmonton était mené par Gretzky dont les 71 buts et les 125 passes constituaient des sommets dans la Ligue. Trois autres joueurs, Mark Messier, Jari Kurri et Glenn Anderson, marquèrent au moins 45 buts. L'attaque des *Oilers* établit un nouveau record de la Ligue avec 424 buts, et leur fiche de 47-21-12 (pour un total de 126 points) leur assura le deuxième rang, dix points devant les *Islanders*. Les *Islanders* gagnèrent de façon convaincante les quatre rencontres entre les deux équipes durant la saison régulière. Mais les *Oilers*, quand ils entreprirent les éliminatoires, étaient bien décidés à venger la défaite qu'ils avaient subie l'année précédente contre les *Kings* de Los Angeles, dans la première ronde des séries.

De fait, Edmonton obtint une fiche de onze victoires et une défaite après trois rondes; les *Oilers* éliminèrent les *Jets* de Winnipeg en trois matchs dans la ronde préliminaire trois-de-cinq, disposèrent des *Flames* de Calgary en cinq rencontres, et balayèrent Chicago en quatre matchs dans la finale de l'assemblée Campbell, marquant 23 buts contre 11 dans la série les opposant aux faibles *Black Hawks*. Les dix buts marqués par les *Oilers* en désavantage numérique constituaient un record des séries de la coupe Stanley. Leur vitesse et leur témérité semblaient n'avoir d'égal que leur confiance, que beaucoup qualifiaient d'impertinente; cet aspect de leur jeu rendit furieux les champions en titre.

«Nous voulons les battre plus que tout au monde, confia l'ailier gauche des *Islanders*, Clark Gillies. Et savez-

vous pourquoi? Parce qu'ils croient être ce que l'humanité a eu de mieux depuis qu'on a inventé le pain tranché.»

Et son coéquipier Bob Bourne d'ajouter : «Ils pensent être les meilleurs. Ils sont tellement arrogants. Ce que je n'apprécie pas, c'est qu'ils ne nous respectent pas. Ce ne sont pas eux les champions de la coupe Stanley, c'est nous.»

Comme si la série ne contenait pas suffisamment d'ingrédients explosifs, le premier match à Edmonton fut marqué par deux faits qui alimentèrent le drame. Bossy, à la surprise de tous, ne participa pas au match à cause d'une mystérieuse et soudaine maladie, qui se révéla être une amygdalite. Et, après une dispute verbale, Glenn Anderson et Bill Smith s'échangèrent des coups de bâton, ceux de Smith attisant la colère des partisans et de Glen Sather. Mais Smith garda son sang-froid et protégea la fragile avance de 1-0 que Duane Sutter avait fournie aux *Islanders,* en première période. Le but de Ken Morrow dans un filet désert à la toute fin du match assura le blanchissage aux dépens des *Oilers*, complètement abasourdis.

Le deuxième match ne fut pas moins renversant. Les meilleurs marqueurs des *Oilers* furent tenus en échec et les *Islanders* enfilèrent trois buts au premier engagement, remportant une victoire de 6-3. Bossy était de retour au jeu, et son but donna à New York une avance de 3-1, mais on continuait d'être étonné de voir comment les *Islanders* réussissaient à passer les menottes à Gretzky. Celui-ci ne marqua encore aucun but et n'obtint que deux passes dans le match, ce qui était bien loin du jeu explosif auquel les *Oilers* et leurs partisans s'attendaient.

«On ne s'attend pas à gagner les deux premiers matchs de la finale sur la route, dit Brent Sutter des *Islanders*, le jeune frère de Duane. Évidemment, il s'est déjà produit bien des choses auxquelles nous ne nous attendions pas.»

Au cours de cette série, les deux matchs suivants furent disputés au Nassau Coliseum de Long Island et les *Oilers* se promirent de renverser la situation grâce à la puissance de feu qui les avait rendus célèbres. Seulement 19 secondes avant la fin du jeu en première période, Anders Kallur donna aux *Islanders* la priorité 1-0. Kurri égalisa la marque au deuxième tiers, mais des buts marqués au troisième engagement par Bourne, Morrow et les deux frères Sutter propulsèrent les *Islanders* vers une victoire de 5-1, au seuil d'une quatrième conquête de la coupe Stanley.

Le style de jeu défensif et prudent des *Islanders* déboussola les *Oilers* au début du quatrième match, de même qu'une attaque qui mettait toutes les occasions à profit. Les *Islanders* marquèrent trois fois en première période, puis les *Oilers* répliquèrent en inscrivant deux buts au deuxième vingt. Smith se chargea ensuite de

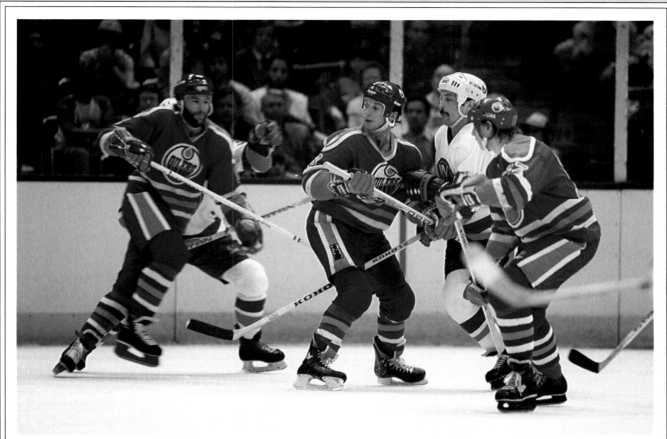

Trois joueurs des Oilers entourent Mike McEwen, laissé seul : Glenn Anderson, Jari Kurri et Ken «Rat» Linseman.

préserver l'avance grâce à des arrêts acrobatiques, et Morrow glissa la rondelle dans un filet désert, donnant aux *Islanders* une victoire de 4-2. Gretzky ne marqua aucun but et fit seulement quatre passes pendant toute la série, et Smith reçut le trophée Conn Smythe.

En quatre parties, les *Islanders* n'allouèrent que six buts aux puissants *Oilers*. Ils ne tirèrent de l'arrière que durant six minutes pendant toute la série. Leur série de victoires en finale de la coupe Stanley s'allongea à neuf matchs et ils affichèrent la remarquable fiche de seize victoires et trois défaites. Ils devinrent la deuxième équipe de l'histoire à gagner quatre Coupes consécutives, répétant l'exploit des équipes de Montréal qui en avaient remporté quatre, de 1976 à 1979, et cinq, de 1956 à 1960.

«Ils nous ont complètement dominés, confia le défenseur d'Edmonton, Kevin Lowe. Ils étaient toujours en avance, et c'est presque impossible de jouer du hockey de rattrapage contre eux.»

«Les *Oilers* sont une grande équipe de hockey, dit Bourne, magnanime, après avoir participé à la victoire de son équipe. Un jour, ils gagneront la coupe Stanley, mais pour l'instant, nous formons toujours la meilleure équipe. Pourquoi? Parce que nous avons peur de la défaite. Nous connaissons la sensation, nous nous en souvenons, et c'est ça qui nous donne de l'énergie. Nous aimons trop être les champions. Dites-leur, nous les reverrons l'an prochain.»

Les paroles de Bourne se révélèrent prophétiques. Les *Islanders* se hissèrent de nouveau au premier rang du classement de 1983-1984 avec une fiche impressionnante de 50-26-4, pour un total de 104 points. Seuls les *Oilers* les devançaient avec une fiche de 57-18-5, pour 119 points. Edmonton établit également un nouveau record avec 446 buts, Gretzky dominant son équipe grâce à ses 87 buts et ses 118 passes, pour un total de 205 points. Edmonton ne rencontra qu'un seul obstacle majeur en se rendant en finale, gagnant le septième match de la finale de division contre Calgary; pendant ce temps et durant toutes les séries, New York travaillait d'arrache-pied.

Les *Islanders* éliminèrent les *Rangers* en prolongation du cinquième et dernier match de la demi-finale de division; ils avaient perdu la première partie contre Washington, puis remporté les quatre suivantes et cédé les deux premiers matchs au *Canadien*, qui espérait empêcher les *Islanders* de renouveler leur record de cinq Coupes de suite, avant de gagner les quatre suivants dans la finale de l'assemblée.

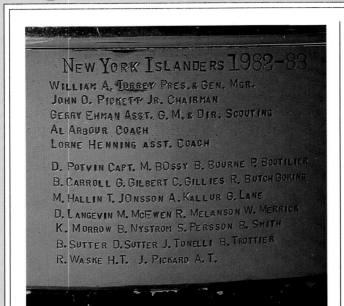

Le nom des joueurs des Islanders de New York de 1982-1983 est inscrit sur le corps de la Coupe. Ce sont eux qui éliminèrent les Capitals, les Rangers, les Bruins et les Oilers, remportant ainsi leur quatrième coupe Stanley d'affilée.

Cette victoire portait la série de victoires des *Islanders* durant les éliminatoires au total incroyable de 19, un record. Mais l'attaque était en perte de vitesse, la moyenne d'âge de l'équipe était l'une des plus élevées de la Ligue, et plusieurs joueurs clés étaient blessés, dont Pat Lafontaine, ce rapide joueur de centre qui s'était joint aux *Islanders* après les jeux olympiques d'hiver de 1984 et qui leur avait procuré le regain d'énergie dont ils avaient grand besoin. L'avantage des *Islanders* sur les *Oilers* n'était plus tellement marqué au chapitre de l'expérience, mais les *Oilers* qui voulaient encore remporter la Coupe ne s'émerveillaient plus devant l'occasion qui s'offrait à eux de la gagner.

Le point tournant survint après deux périodes au cours desquelles aucun but ne fut marqué. Deux travailleurs acharnés, Kevin McClelland et Pat Hughes, et non pas l'une des étoiles de la galaxie d'Edmonton, conjuguèrent leurs efforts en attaque pour déjouer Smith. Hughes, du coin de la patinoire, passa la rondelle à McClelland qui la redirigea vers le côté éloigné du filet à 1 min 55 du début de la troisième période. À l'autre extrémité de la glace, le gardien d'Edmonton, Grant Fuhr – qui remplaçait Moog devant le filet – protégea l'avance des siens malgré le mitraillage des *Islanders* au cours des dernières secondes.

«Aah! s'exclama Fuhr, c'était pas plus difficile que ça.»

Propulsés par un «tour du chapeau» de Gillies, les *Islanders* remportèrent le deuxième match 6-1, victoire

qui sembla remettre les champions dans la bonne voie, eux qui avaient été quatre fois grands vainqueurs. Après tout, ils avaient disputé deux rencontres, n'avaient accordé que deux buts et empêché Gretzky de s'inscrire au tableau; c'était seulement la septième fois de la saison que le fameux numéro 99 n'enregistrait pas de point. Maintenant, la série allait se poursuivre à Edmonton, non pas pendant les deux prochains matchs, comme on avait coutume de le faire en séries éliminatoires, mais pendant les trois prochains.

Ce fut l'unique fois dans l'histoire de la LNH que les séries furent présentées de cette façon, dans un effort visant à réduire les frais de voyage; et cette nouvelle formule profita aux *Oilers*. Fuhr effectua des arrêts formidables au cours du troisième match – un match qui compte toujours beaucoup –, et pour garder son équipe dans le match, il avait stoppé Bossy et Kallur qui s'étaient présentés seuls devant lui en première période. Le dangereux marqueur d'Edmonton, Mark Messier, marqua un but spectaculaire en deuxième période, faisant une feinte devant le défenseur Gord Dineen et déjouant Smith avec un tir frappé, portant la marque à 2-2. Puis Anderson et Coffey inscrivirent deux buts en 17 secondes pour Edmonton pendant la dernière minute de la période. Cette poussée encouragea les *Oilers* qui servirent à New York une raclée de 7-2, augmentant davantage leur confiance.

Les *Islanders* avaient subi l'une de leurs pires défaites en éliminatoires et ils le savaient. «Ils nous ont déjà fait le coup, se rappelle Gretzky. Je me suis toujours demandé comment ce serait de leur rendre la pareille.»

«Ce n'est pas l'équipe que nous avons battue l'an dernier, maugréa le défenseur des *Islanders* Stefan Persson. Ils sont meilleurs, bien meilleurs.»

Durant le repas de la coupe Stanley, le lendemain après-midi, les joueurs conversaient, puis une controverse survint concernant la période d'entraînement matinale, débutant à neuf heures, que les *Oilers* avaient réservée pour les *Islanders* ce matin-là. Sather, l'entraîneur d'Edmonton qui parlait souvent trop rapidement, révéla qu'il avait «découvert» la vulnérabilité de Smith sur les tirs bas. Smith, mettant en évidence la carrière médiocre qu'avait connue Sather comme joueur, répliqua: «Je ne savais pas que Glen Sather avait été un si bon marqueur.»

Au cours du quatrième match, la grande amélioration des *Oilers* parut encore plus évidente. Menés par Mark Messier, les joueurs d'Edmonton distribuèrent aux *Islanders* des mises en échec solides sans toutefois sacrifier l'attaque. Gretzky, d'un faible tir du revers, donna l'avance aux siens à peine 1 min 53 après le début de la rencontre. Le tonnerre éclata tout de suite après ce but.

Andy Moog, remplaçant Fuhr qui avait été écarté de l'alignement à cause de contusions à l'épaule, n'eut pas trop de mal à conserver l'avance d'Edmonton. Quelque 89 secondes après le premier but, Glenn Anderson contourna le filet des *Islanders*, perdit le contrôle de la rondelle et frôla Smith qui plongea pour s'emparer du disque.

Mais Willy Lindstrom des *Oilers* prit possession de la rondelle avant Smith et la glissa dans le fond du filet. Le deuxième but du match de Lindstrom augmenta l'avance des *Oilers* à 4-1 et, stimulés par le jeu solide de Moog, Edmonton s'approcha à une seule victoire de sa première conquête de la coupe Stanley, grâce à un gain de 7-2. Messier confia : «Le seul fait d'y penser m'empêche de dormir.»

Lorsque les équipes sautèrent sur la patinoire pour disputer le cinquième match, l'atmosphère du Northlands Coliseum était chargée d'émotion. On criait, on encourageait les joueurs, on huait à qui mieux mieux, on faisait des ovations monstres. La foule sentait bien que l'heure des *Oilers* allait enfin sonner. Si quelqu'un avait eu un doute, il se serait vite estompé, car Edmonton s'offrit une confortable avance de 4-0 après deux périodes. La belle assurance des *Islanders* s'évanouit assez vite. Les *Oilers* furent stimulés par deux buts que Gretzky marqua sur des échappées; puis, au deuxième tiers, Smith fut remplacé par Rollie Melanson. Gretzky prépara le but de Ken Linseman, qui survint 38 secondes après le début du deuxième engagement, et Kurri en ajouta un autre pour procurer aux *Oilers* une victoire de 5-2. Ils obtenaient du même coup leur première coupe Stanley.

«Nous avons obligé les *Islanders* à jouer du hockey de rattrapage, explique le défenseur d'Edmonton Kevin Lowe. Nous ne leur avons jamais permis de prendre l'avance. Nous les avons forcés à ouvrir le jeu contre nous.»

Mike Bossy (22) contourne Dave Hunter (12) à toute vitesse dans une des rares occasions où il put se défaire de l'étroite couverture des Oilers durant la finale de 1984.

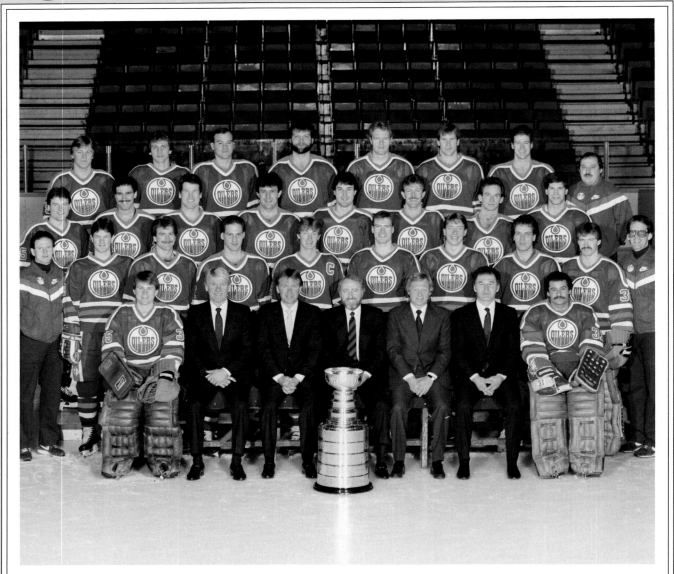

C'était la fin de la dynastie des *Islanders* et le commencement d'une autre, celle des *Oilers*. Edmonton connut un succès sans précédent avec une attaque fluide qui étourdissait ses adversaires. Les ailiers n'étaient plus confinés aux couloirs latéraux de la patinoire, mais plutôt encouragés à patiner librement et à se croiser. Les défenseurs devenaient partie prenante dans l'attaque. C'était le cas entre autres du dangereux Paul Coffey, qui se classa parmi les meilleurs marqueurs de la Ligue pendant des années. Messier, qui remporta le trophée Conn Smythe, était le prototype de la future génération d'attaquants; il était non seulement rapide, mais aussi fort et puissant, en plus d'être un meneur énergique et intimidant.

Contrairement aux champions précédents qui tentaient de remporter un match par une marque de 3-1, les *Oilers* étaient heureux de gagner 7-5. Ils étaient excitants, flamboyants et agréables à voir, et leur victoire contre les

Le commencement de la nouvelle dynastie de la LNH qui devait dominer jusqu'à la fin de la décennie : les Oilers d'Edmonton de 1984. Vers la fin des années 1980, quatre membres de cette formation (Gretzky, Messier, Kurri et Anderson) se classaient parmi les six meilleurs pointeurs de tous les temps de la LNH en séries éliminatoires.

Islanders, en 1984, promettait beaucoup. Les *Oilers* avaient montré une grande admiration pour le record établi par les *Islanders* de New York lorsqu'ils avaient gagné 19 séries; mais ils avaient aussi une bonne dose d'estime pour eux-mêmes. «Il y a eu beaucoup de grandes équipes, dit Messier, mais je ne crois pas qu'il y ait eu une formation aussi forte que la nôtre.»

En 1984-1985, les *Oilers* d'Edmonton conservèrent leur titre de champion de la division Smythe et ils dominaient encore la LNH, du moins en ce qui a trait au nombre de buts marqués, c'est-à-dire 401. Gretzky, qui marqua 200 points pour la seconde saison d'affilée, était assuré de remporter pour la cinquième fois de suite le trophée Art Ross décerné au meilleur marqueur de la Ligue, même s'il dut partager la vedette avec le défenseur Paul Coffey, qui devint pour sa part le troisième joueur de défense à enregistrer deux saisons de 200 points. Les *Flyers* de Philadelphie causèrent une agréable surprise cette année-là en amassant 53 victoires (le plus haut total de la Ligue) et 113 points, terminant en tête du classement général.

Depuis le tout début des éliminatoires, l'attaque des *Oilers* avait été dévastatrice. Ils battirent les *Jets* et les *Kings* à plate couture avant d'enterrer Chicago en déployant une puissance de feu comme on n'en avait jamais vue. Edmonton marqua 44 buts contre Chicago, établissant une nouvelle marque dans la LNH au cours d'une série de six matchs. Gretzky connut sa meilleure performance des séries éliminatoires contre les *Black Hawks* en inscrivant 18 points en une demi-douzaine de rencontres. Leurs adversaires en finale furent les *Flyers* de Philadelphie qui remportèrent autant de succès durant les éliminatoires que pendant la saison régulière. De grands noms étaient disparus, comme Parent, Clarke, Barber et MacLeash, mais la famille des *Flyers* se renouvelait; on avait maintenant affaire à des Pelle Lindbergh, Tim Kerr, Mark Howe et Brian Propp.

Les *Oilers* entreprirent peut-être la finale en prenant les *Flyers* à la légère, mais ils s'aperçurent assez vite de leur erreur. Utilisant une défensive fermée, les *Flyers* s'emparèrent du match d'ouverture 4-1. Un but marqué par Ilkka Sinisalo en avantage numérique, plus deux autres marqués à forces égales par Ron Sutter et Tim Kerr, et enfin un dernier dans un filet désert procurèrent la victoire aux *Flyers*. Les *Flyers* continuèrent d'impressionner dans le deuxième match; ils accordèrent un but à Wayne Gretzky au premier tiers, mais égalisèrent la marque dès la deuxième période grâce à Tim Kerr qui décocha un tir de l'enclave. Pourtant, les *Oilers* parvinrent à mater les attaquants des *Flyers* qui bourdonnaient en zone offensive et prirent petit à petit la maîtrise du match. Le trio d'Edmonton formé de Mike Krushelnyski, Wally Lindstrom et Kevin McClelland donna l'avance aux *Oilers* en fin de troisième période, permettant à la défensive de prendre la relève, et les *Oilers* égalisèrent la série grâce à une victoire de 3-1.

Wayne Gretzky dirigea le troisième match, s'offrant un «tour du chapeau» au premier engagement, et les *Oilers* mitraillèrent les gardiens des *Flyers*, Pelle Lindbergh et Bob Froese, de 20 tirs en 20 minutes. Même si les *Flyers* n'allouèrent que six tirs aux *Oilers* au cours des deux périodes suivantes, les dégâts étaient déjà faits, et Edmonton prit l'avance dans la série avec une victoire de 4-3. Quatre buts marqués en avantage numérique – dont deux par Wayne Gretzky – permirent aux *Oilers* de combler un retard de 3-1 pour gagner 5-3 et solidifier leur avance dans la série, trois matchs à un.

Le dernier match de la finale de 1985 appartint à l'attaque des *Oilers*. À l'œuvre devant leurs partisans du Northlands Coliseum, Gretzky et Coffey conjuguèrent leurs efforts et, après 40 minutes de jeu, ils avaient amassé huit points et les *Oilers* avaient acquis une avance de 7-1. Edmonton n'eut aucun mal à obtenir le second titre d'affilée grâce à une victoire à sens unique de 8-3. Il devenait évident que le Grand Gretzky allait obtenir pour la première fois le

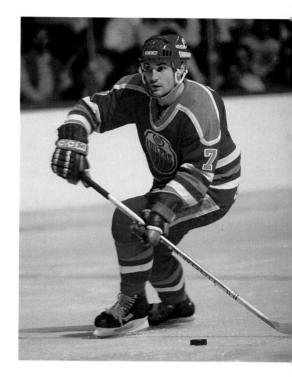

Paul Coffey établit un record de la LNH pour un défenseur en amassant 37 points durant les séries de 1985.

Charlie Huddy aplatit Rich Sutter des Flyers sur la clôture pendant la finale de 1985.

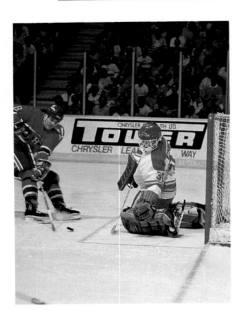

David Maley de Montréal pousse facilement la rondelle derrière Mike Vernon de Calgary pour niveler la marque à 2-2 lors du deuxième match de la finale de 1986.

Lanny McDonald contre Patrick Roy, en 1986.

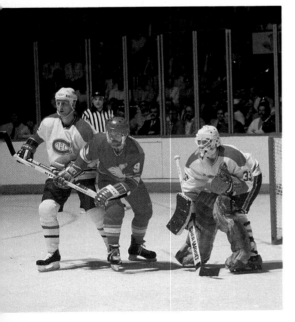

trophée Conn Smythe, car les 47 points qu'il avait marqués durant les séries éliminatoires constituaient un nouveau record dans la LNH.

En 1985-1986, Edmonton demeura au sommet de la division Smythe, enregistrant 56 victoires et 119 points, la meilleure fiche de la Ligue. Gretzky réalisa de belles performances durant la saison régulière, inscrivant 215 points, un nouveau record individuel dans la LNH. Paul Coffey fut le premier défenseur à marquer 48 buts en une saison et trois joueurs des *Oilers* (Anderson, Kurri et Gretzky) atteignirent le plateau des 50 buts. Malheureusement, les *Oilers* furent incapables de poursuivre en séries éliminatoires la série de succès qu'ils avaient connus durant la saison régulière. Les *Flames* de Calgary, puissance grandissante de la LNH, mirent fin aux espoirs que les *Oilers* entretenaient en vue d'obtenir une troisième Coupe d'affilée en éliminant les champions à l'issue d'une série de sept rencontres. Le but gagnant de Calgary survint lorsque le dégagement du défenseur des *Oilers*, Steve Smith, ricocha sur son gardien, Grant Fuhr, avant de pénétrer dans le filet. Les *Flames*, qui terminèrent la saison 30 points derrière les *Oilers*, continuèrent leur marche vers la finale, en éliminant les coriaces *Blues* de St-Louis dans un autre marathon de sept matchs.

Au sein de l'assemblée de Galles, les adversaires de Calgary étaient le *Canadien* de Montréal, qui atteignit la finale en faisant appel à de nombreuses recrues, éliminant ainsi les *Whalers*, les *Bruins* et les *Rangers*. Un grand nombre de ces nouveaux venus avaient été rappelés de l'équipe-école du *Canadien*. Cette équipe était située à Sherbrooke, au Québec, et avec elle, les joueurs avaient remporté, en 1985, la coupe Calder de la Ligue américaine de hockey. Deux de ces recrues, le gardien Patrick Roy et l'ailier droit Claude Lemieux, jouèrent un grand rôle dans la reprise du *Canadien*. Même s'il n'avait jamais pris part aux séries éliminatoires de la LNH, Roy tira son épingle du jeu de belle façon, affichant une moyenne de 1,92; Lemieux, quant à lui, marqua dix buts durant les éliminatoires.

Durant le premier match de la finale, Calgary prit l'avance 2-1 dès la première période grâce à des buts de Jim Peplinski et de l'ex-joueur des *Islanders*, John Tonelli. Après un deuxième tiers sans but, Dan Quinn et Lanny McDonald marquèrent en avantage numérique, portant l'avance des *Flames* à 4-1. La partie se termina en faveur des *Flames* avec une marque de 5 à 2. Calgary amorça le deuxième match en force, s'octroyant rapidement une avance de 2-0 dès la quinzième seconde de jeu au cours de la deuxième période. Les joueurs du *Canadien*, qui jouaient mieux que les *Flames*, refusèrent de céder et égalisèrent le pointage grâce à des buts de Gaston Gingras et de la recrue David Maley. La marque resta inchangé jusqu'à la fin du temps réglementaire, forçant la présentation de la première prolongation de la série. Brian Skrudland donna la victoire au *Canadien* à peine neuf secondes après le début de la période supplémentaire, le but le plus rapide marqué en prolongation depuis les débuts de la LNH.

Les deux clans adoptèrent un style vigoureux au cours de la troisième rencontre, qui était cruciale. Calgary prit une mince avance de 2-1 lorsque Joël Otto marqua un but, deux minutes avant la fin du premier engagement. Mais le *Canadien* enfila trois buts dans les 93 secondes qui suivirent, ce qui effaçait le déficit et donnait à l'équipe une avance de deux buts. Le Canadien remporta le match 5-3. Patrick Roy fut le héros du quatrième match; il devint le premier gardien-recrue à inscrire un blanchissage en finale depuis Harry Lumley, qui en

avait fait autant en 1945. Roy ne fit face qu'à 15 tirs, mais chaque arrêt revêtait une importance cruciale, car la marge de manœuvre n'était que de 1-0. Claude Lemieux, après avoir intercepté à la ligne bleue un dégagement de Doug Risebrough, marqua le but gagnant d'un tir frappé qui déjoua le gardien des *Flames*, Mike Vernon.

Dès le cinquième match, le *Canadien* mit fin aux espoirs des *Flames* de conquérir la Coupe. Après s'être forgé une avance de 4-1, le *Canadien* remporta le titre par la marque de 4-3. Les *Flames*, qui avaient déjà marqué un but après avoir remplacé leur gardien par un attaquant supplémentaire, passèrent à un cheveu de marquer le point égalisateur quand Roy effectua un arrêt difficile avec la jambière, aux dépens de Jamie Macoun. Grâce à cette victoire, le *Canadien* venait de remporter son vingt-troisième championnat. L'équipe de Montréal éclipsait ainsi le record de 22 titres qui existait déjà dans le sport professionnel et qu'elle partageait avec l'équipe de baseball des *Yankees* de New York. Patrick Roy devint la deuxième recrue, après Ken Dryden de Montréal, à recevoir le trophée Conn Smythe.

En 1986-1987, les équipes de la LNH étaient de force plus égale. L'équipe de tête, les *Oilers* d'Edmonton, ne récoltèrent que 106 points, le plus bas total

La recrue Claude Lemieux et la magie de la coupe Stanley, en 1986.

Une ville de champions

Six équipes représentant la ville de Montréal ont conquis la coupe Stanley: les AAA, les *Wanderers*, les *Victorias*, les *Shamrocks*, les *Maroons* et, bien sûr, le *Canadien*.

depuis 1970. Ce fut la première fois en cinq saisons que les *Oilers* amassèrent moins de 400 buts, mais ils dominèrent néanmoins la LNH pour la sixième année de suite, avec 372 buts.

On améliora la formule des éliminatoires en 1987; les demi-finales de division devinrent des séries quatre-de-sept au lieu de séries trois-de-cinq. La demi-finale de la division Patrick entre les *Capitals* de Washington et les *Islanders* de New York se rendit à la limite et même plus loin, car le septième match nécessita quatre périodes de prolongation avant que Pat Lafontaine, complètement épuisé, ne marque le but gagnant grâce à un tir dans la partie supérieure, décoché juste à l'intérieur de la zone des *Capitals*.

Après avoir subi l'élimination en 1986, Edmonton amorça les séries avec une seule idée en tête et après avoir éliminé Los Angeles, Winnipeg et Détroit, les joueurs accédèrent à la finale de la coupe Stanley pour la quatrième fois en huit ans de leur histoire. Les adversaires d'Edmonton, les *Flyers* de Philadelphie, étaient la seule équipe à avoir amassé 100 points durant la saison régulière. Les *Flyers* obtinrent leur laissez-passer pour la finale avec de grands efforts, car ils durent vaincre les *Rangers* et le *Canadien* en deux séries difficiles de six rencontres, puis en une série-marathon de sept matchs contre les *Islanders*. Alignant la recrue Ron Hextall devant le filet et deux joueurs aussi solides à l'attaque qu'en défensive, Rick Tocchet et Scott Mellanby, les *Flyers* s'étaient révélés des adversaires coriaces.

Wayne Gretzky, qui termina les séries avec 34 points en 1987, contourne par l'extérieur Mark Howe des Flyers.

Pour prendre l'avance dans la série, Edmonton utilisa une tactique qui lui était familière; les *Oilers* marquèrent trois buts en troisième période, grâce à Anderson, Kurri et Coffey, et gagnèrent le match 4-2. Ils augmentèrent leur avance dans la série en gagnant le deuxième match en prolongation. Glenn Anderson marqua un beau but qui comblait le déficit de 2-1, puis Jari Kurri donna la victoire aux siens en marquant à 3 min 16 de la première période supplémentaire.

Les *Flyers* prouvèrent qu'ils avaient plus d'un tour dans leur sac, marquant cinq buts sans réplique dans les derniers moments de la troisième rencontre, ce qui leur permettait de revenir dans la série. Des buts de Scott Mellanby et de Brad McCrimmon à seulement 17 secondes d'intervalle transformèrent un déficit de 3-0 en une victoire de 5-3. Au quatrième match, cependant, les *Oilers* s'approchèrent à une seule partie de leur troisième titre et gagnèrent le match 4-1, grâce à un but marqué par Kevin Lowe pendant qu'il manquait un homme, et à un autre but marqué par Randy Gregg avec l'avantage d'un joueur, deux buts préparés par Gretzky.

Tirant de l'arrière trois matchs à un, les *Flyers* pratiquèrent un jeu de grande qualité et égalisèrent la série. Même s'ils durent combler un déficit de 2-0 dans les cinquième et sixième matchs, les *Flyers* refusèrent d'abandonner. Ils savaient tirer leur épingle du jeu dans les situations délicates. En cinquième partie, Philadelphie – qui accusait un retard de 3-1 – sonna la charge. Hextall arrêta net les fins marqueurs des *Oilers* tandis que l'attaque des *Flyers*, menée par Brian Propp – qui obtint trois passes –, inscrivit trois buts pour enregistrer un gain de 4-3. Lors de la sixième rencontre, Kevin Lowe marqua un autre but en infériorité numérique, et les *Oilers* enfilèrent deux buts dans les vingt premières minutes de jeu. Puis Philadelphie déclencha contre Edmonton une tornade de trois buts, marqués par Lindsay Carson, Brian Propp et J.J. Daigneault, pour égaliser la série avec une victoire de 3-2. Il faut mentionner que, pendant toute la série, les *Flyers* prirent les devants uniquement lorsqu'ils marquèrent les buts gagnants de chacune de leurs victoires. Chaque triomphe marquait un remarquable effort de courage et de détermination.

Malheureusement pour Philadelphie, ce sont les *Oilers* qui préparèrent la plus grande remontée de la série, dans un match crucial. Après avoir alloué aux *Flyers* un but en avantage numérique au cours des deux premières minutes de la septième partie, les *Oilers* se regroupèrent. Mark Messier se démarqua de ses couvreurs pour égaliser la marque, et Jari Kurri reçut une passe en diagonale de Wayne Gretzky, avant d'enfiler le but gagnant. Mais ce sont les joueurs de défense des *Oilers* qui permirent à leur équipe de remporter le match 3-1, en ne laissant les *Flyers* tirer qu'à deux reprises en troisième période. Au moment où les joueurs se regroupaient autour de la Coupe, Gretzky prit le trophée et le donna au jeune Steve Smith, ce joueur de défense qui, en 1986, avait mal effectué une passe, faisant dévier la rondelle sur le gardien Fuhr avant qu'elle pénètre dans son propre filet, ce qui avait causé l'élimination des *Oilers*.

Ron Hextall, qui surpassa tous les gardiens de but aux chapitres des matchs, minutes et blanchissages, reçut le trophée Conn Smythe.

Après la série, on raconta une nouvelle anecdote concernant la coupe Stanley. Lorsque son équipe tirait de l'arrière trois matchs à un, l'entraîneur de Philadelphie Mike Keenan avait inspiré ses joueurs en leur montrant la coupe Stanley dans le vestiaire, avant les cinquième et sixième rencontres, toutes deux

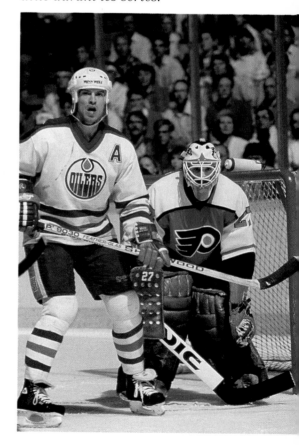

Mark Messier monte la garde près du gardien de Philadelphie, Ron Hextall, durant la finale de 1987. Les exploits de Hextall ne purent arrêter l'express d'Edmonton, mais ils lui valurent le trophée Conn Smythe décerné au joueur le plus utile durant les séries.

Le capitaine des Oilers, Wayne Gretzky, reçoit un coup de main de ses coéquipiers pour soulever la Coupe en guise de salut aux partisans d'Edmonton réunis au Northlands Coliseum, après la victoire des Oilers aux dépens des Flyers en sept matchs.

gagnées par les *Flyers*. Quand la septième partie arriva, il voulut poursuivre cette nouvelle habitude, mais la Coupe était introuvable. Les *Flyers* durent entreprendre le match décisif et sauter sur la patinoire sans avoir pu se recueillir devant le trophée. Peu après le début du match, on trouva la Coupe. Bien des années plus tard, on apprit que les *Oilers* avaient voulu rompre le rituel d'avant-match des *Flyers* et qu'ils avaient caché la Coupe dans le coffre d'une voiture appartenant à un de leurs instructeurs.

En 1987-1988, Mario Lemieux délogea Wayne Gretzky au premier rang du classement des marqueurs de la LNH, et les *Flames* de Calgary furent catapultés en tête de la division Smythe et de la Ligue. La course la plus serrée pour une place dans les éliminatoires eut lieu dans la division Patrick où seulement huit points séparaient les six équipes. Pour connaître l'identité du dernier participant aux séries, il fallut attendre le dernier but de la saison régulière, marqué en avantage numérique par John MacLean des *Devils* du New Jersey contre Chicago. Grâce à leur victoire, les *Devils* éliminèrent les *Rangers* et remportèrent leur premier laissez-passer pour les éliminatoires depuis la mise sur pied de l'équipe au New Jersey.

La série revanche tant attendue entre les deux puissances de l'Alberta eut finalement lieu lorsque les *Oilers* et les *Flames* s'affrontèrent en demi-finale de la division Smythe. L'issue de la série fut très décevante, car les *Oilers* balayèrent les *Flames* en quatre matchs, le but clé ayant été marqué en désavantage numérique par Wayne Gretzky, en deuxième partie. Edmonton disposa ensuite de Détroit en cinq rencontres, accédant ainsi à la finale. Leurs adversaires de l'assemblée de Galles furent les *Bruins* de Boston, qui avaient battu le *Canadien* de Montréal pour la première fois en série depuis 1929 avant de se débarrasser des *Devils* du New Jersey en sept matchs, obtenant une place dans la finale du championnat.

Le premier match se caractérisa par une lutte défensive au cours de laquelle les deux équipes ne totalisèrent que 36 tirs au but. Gretzky mit en marche l'express d'Edmonton durant une pénalité imposée aux *Bruins* pour avoir eu trop de joueurs sur la patinoire, marquant à 1 min 56 de la deuxième période. Cam Neely égalisa la marque avant la fin de l'engagement, mais Keith Acton inscrivit le but gagnant pour les *Oilers* dans les premières secondes de la troisième période. L'équipe de Boston, constamment frustrée par l'excellente prestation effectuée par la défense des *Oilers*, n'obtint que 14 tirs au but et s'inclina 2-1. Le «Big Four» des *Oilers* s'imposa dans le deuxième match. Messier, Gretzky, Anderson et Kurri marquèrent tous pour Edmonton, ce qui limita les *Bruins* à 12 tirs au but contre 32 en direction du gardien de Boston, Roger Lemelin. Malgré la grande différence dans le nombre de tirs, les *Bruins* avaient d'excellentes chances de remporter la victoire. En effet, après avoir concédé deux buts au moment où ils se défendaient à court d'un homme, les *Bruins* parvinrent à égaliser la marque grâce à des buts de Bob Joyce et de Ken Linseman au tout début du troisième engagement. Mais les *Bruins* ne purent aller plus loin; Gretzky et Kurri marquèrent pendant la deuxième moitié de la période, procurant à Edmonton un triomphe de 4-2.

Grant Fuhr, qui établit un record de la LNH en participant à 75 matchs durant la saison régulière 1987-1988, fut, en 1988, le premier gardien à remporter 16 matchs au cours de la même saison, menant ainsi les Oilers à leur quatrième coupe Stanley en cinq ans.

*Esa Tikkanen, spécialiste
du harcèlement chez les
Oilers, goûte à sa propre
médecine lorsque le
fringant Andy Brickley
le met en échec durant
la finale de 1988.*

L'offensive des *Bruins* se mit en marche au cours du troisième match, mais les joueurs ouvrirent le jeu afin de créer des chances de marquer; de cette manière, ils laissèrent aux attaquants des *Oilers* un champ de manœuvre beaucoup trop grand, et ils finirent par en payer le prix. Esa Tikkanen marqua à trois reprises, et Gretzky obtint quatre passes, ce qui aida les *Oilers* à vaincre les *Bruins* 6-3 au Garden de Boston, et à s'approcher à un match d'une quatrième coupe Stanley.

L'express d'Edmonton fut quelque peu retardé quand, pour la deuxième fois dans l'histoire moderne de la LNH, un match des séries éliminatoires dut être interrompu. La quatrième rencontre eut lieu le 24 mai; cette journée-là se révéla très chaude et humide. Dans un Garden de Boston étouffant, la partie avait déjà été arrêtée plusieurs fois en raison du brouillard qui s'élevait au-dessus de la glace. Les *Bruins* produirent leur meilleur jeu de la série et convertirent un déficit de 2-0 en une avance de 3-2, en marquant trois buts consécutifs dont deux par le défenseur Glen Wesley, au cours de la deuxième période. Mais peu après que Craig Simpson eut marqué le but égalisateur, toutes les lumières s'éteignirent à cause d'un transformateur surchargé; l'amphithéâtre fut plongé dans l'obscurité, les fans évacués et les joueurs renvoyés à Edmonton. On décida que la partie serait disputée de nouveau à la fin de la série, le cas échéant, mais les *Oilers* évitèrent cette situation en disposant facilement des *Bruins* 6-3. Wayne Gretzky, qui totalisa le nombre record de 13 points en quatre rencontres, remporta le trophée Conn Smythe.

Durant les célébrations d'après-match qui se déroulèrent sur la patinoire, on créa une nouvelle tradition dans l'histoire de la coupe Stanley. Après avoir fait le tour de la glace en portant la Coupe à bout de bras, Gretzky réunit autour de la Coupe tous les joueurs, instructeurs, entraîneurs et dirigeants pour faire une photo des gagnants sur la patinoire. Depuis cette finale de 1988, toutes les équipes gagnantes posent ainsi, fièrement.

L'échange de Wayne Gretzky aux *Kings* de Los Angeles durant la saison morte relégua au second plan la plupart des événements qui se produisirent durant la saison 1988-1989. Calgary termina en tête du classement général, deux points devant Montréal, grâce à ses 54 victoires et ses 117 points, un record pour l'équipe. Les deux meilleures équipes de la LNH accédèrent à la finale, mais pas avant d'avoir vécu plusieurs moments excitants. Le gardien de Philadelphie, Ron Hextall, marqua dans un but désert en propulsant la rondelle d'un bout à l'autre de la patinoire, pendant la demi-finale de la division Patrick contre les *Capitals* de Washington. Calgary eut besoin de sept matchs pour avoir raison de Vancouver, tandis que les champions en titre, les *Oilers* d'Edmonton, subirent l'élimination après un marathon de sept matchs, âprement disputé contre les

La photo de famille des Oilers, en 1988. Moins de trois mois plus tard, Wayne Gretzky fut échangé à Los Angeles. En 1992, on avait échangé les joueurs faisant partie du noyau qui s'était distingué durant la deuxième moitié des années 1980.

La magie de Mario

Le 25 avril 1989, contre les *Flyers* de Philadelphie, Mario Lemieux égala deux records de la LNH: le plus grand nombre de points en un match éliminatoire et le plus grand nombre de buts en une période. En effet, au cours de la soirée, il inscrivit huit points et marqua quatre buts en première période.

Jamie Macoun de Calgary envoie Mike Keane contre la rampe durant la finale de 1989 où les Flames rendirent au Canadien la monnaie de leur pièce.

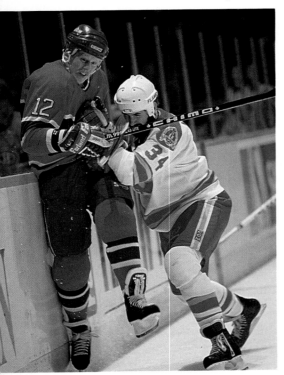

Kings de Los Angeles. Les *Kings* furent cependant une proie facile pour les *Flames* qui, en quatre rencontres, écrasèrent littéralement Los Angeles. Calgary élimina ensuite Chicago avant d'atteindre l'ultime série de la LNH pour la deuxième fois dans l'histoire de la franchise. Le *Canadien*, qui tentait d'établir un nouveau record de 24 titres, atteignit les finales sans mal; il écarta Hartford, Boston et Philadelphie en remportant 12 matchs, encaissant seulement trois revers.

On s'attendait à ce que la série Calgary-Montréal présente du jeu serré sans beaucoup de buts, mais à la dixième minute de jeu du match initial, quatre buts avaient déjà été marqués. La marque demeura 2-2 jusqu'à mi-chemin de la rencontre, quand Theoren Fleury, y allant d'un bel effort personnel, marqua le but gagnant. Au deuxième match, le *Canadien* concéda à Calgary une avance de 2-0, mais gagna le match 4-2, grâce à deux buts marqués en 90 secondes par Chris Chelios et Russ Courtnall, ce qui permettait à l'équipe d'égaliser la série.

Sur la glace du Forum, le *Canadien* entreprit le troisième match avec force, grâce au but marqué en infériorité numérique par Mike McPhee, à peine 90 secondes après la première mise au jeu. Joey Mullen rétablit la situation pour les *Flames* en égalisant la marque dans la première période, puis en donnant l'avance aux siens avec un but marqué en avantage numérique dans le deuxième tiers. Bobby Smith remit les équipes à égalité tôt en troisième période, mais Doug Gilmour redonna la priorité aux *Flames*, sept minutes avant la fin. Patrick Roy fut remplacé par un attaquant, et Mats Naslund en profita pour niveler la marque, ce qui obligeait à présenter une prolongation. Aucun but ne fut marqué dans la première période supplémentaire, et le même scénario semblait vouloir se répéter dans la deuxième lorsque le spécialiste de la défensive, Ryan Walter, posté sur le côté du filet, inscrivit le but qui procura la victoire 4-3 au *Canadien*. C'était la dernière fois que Montréal avait l'avance au cours de cette série.

Pendant le quatrième match, la défensive de Calgary n'accorda que 19 tirs au *Canadien* tandis que l'attaque, menée par Doug Gilmour et Joe Mullen, fournit aux *Flames* une victoire de 4-2. La défensive fermée de Calgary continua de frustrer le *Canadien* au cours du cinquième match. Quand Joel Otto, Al MacInnis et Mullen eurent porté la marque à 3-1 en première période, la défensive des *Flames* tint le coup et Calgary obtint une victoire de 3-2, la majorité des félicitations allant au défenseur, Al MacInnis, et au gardien, Mike Vernon.

Les équipes reprirent le chemin de Montréal où les *Flames* devaient d'abord surmonter un obstacle historique avant de pouvoir porter la Coupe à bout de bras. Au cours de sa longue histoire, le *Canadien* n'avait jamais permis à ses adversaires de remporter la coupe Stanley au Forum. Cette tradition allait bientôt être rompue. Le moment-clé de la rencontre survint au moment où la marque était de un à un. À ce moment Lanny McDonald, le capitaine des *Flames* qui était un joueur très respecté, sortit du banc des pénalités, capta une passe de Joe Nieuwendyk et fonça sur le gardien de Montréal, Patrick Roy. Son tir des poignets se logea dans le haut de la cible; ce but donnait aux *Flames* une avance qu'ils ne devaient jamais perdre. En troisième période, Doug Gilmour ajouta deux autres buts, et Calgary remporta sa première coupe Stanley grâce à une victoire de 4-2. Al MacInnis, premier défenseur à terminer en tête des marqueurs en séries éliminatoires, gagna le trophée Conn Smythe.

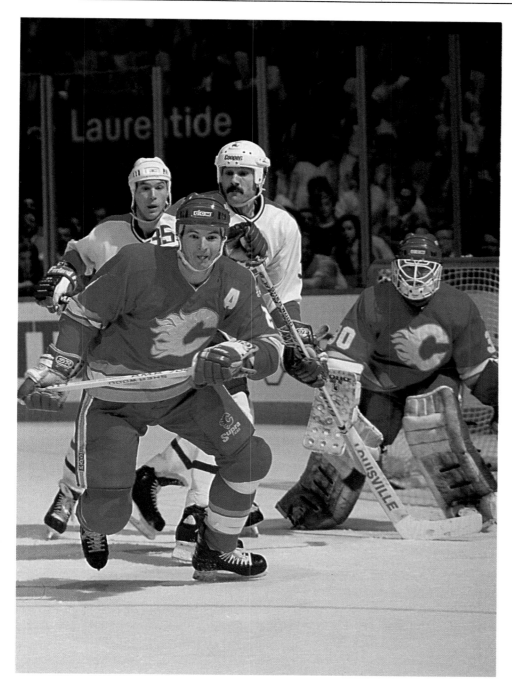

Al MacInnis, qui protège ici son gardien, Mike Vernon, contre Mike McPhee, de Montréal, durant la finale de 1989, fut le troisième défenseur à enregistrer 100 points en une saison, en 1991.

Lanny McDonald, savourant enfin le champagne, revoit en mémoire sa carrière de 16 années dans la LNH. La dernière saison de McDonald lui donna plusieurs satisfactions : 500 buts, 1 006 points et sa première coupe Stanley.

Les *Bruins* de Boston terminèrent au premier rang du classement général de 1989-1990, s'assurant de garder l'avantage de la glace durant les séries, grâce à une fiche de 46-25-9. Après avoir péniblement vaincu Hartford en sept matchs pendant la première ronde des séries, les *Bruins* éliminèrent Montréal et Washington, et accédèrent à la finale pour la deuxième fois en trois ans.

Cette fois encore, les adversaires des *Bruins* furent les *Oilers*. Même s'ils avaient échangé Paul Coffey et Wayne Gretzky, et qu'ils étaient privés des services du gardien blessé, Grant Fuhr, ils étaient plus puissants que jamais, grâce en grande partie à leur capitaine Mark Messier, à qui fut décerné le trophée Hart remis au joueur le plus utile de la Ligue. L'habileté, la puissance et le leadership dont fit preuve Messier expliquent la remontée des *Oilers* pendant la demi-finale

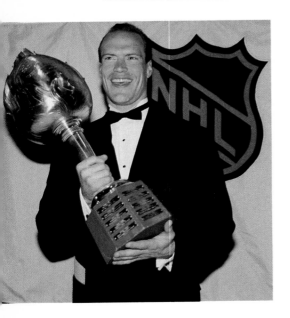

Mark Messier, qui prit plus de leadership au sein des Oilers après le départ de Wayne Gretzky, tient le trophée Hart qu'il a reçu à titre de joueur le plus utile, en 1989-1990.

Raymond Bourque fut membre de l'équipe des étoiles à chacune de ses treize saisons. Il marqua deux fois dans le premier match de la finale de 1990, ce qui força la prolongation. En 1992, Bourque devint le troisième défenseur, après Denis Potvin et Paul Coffey, à atteindre le plateau des 1 000 points.

de la division Smythe, alors qu'ils tiraient de l'arrière trois matchs à un contre Winnipeg. Edmonton poursuivit sa route en battant Los Angeles et disputa le championnat de l'assemblée Campbell à Chicago. Au cours de cette série, Messier domina la quatrième rencontre que les *Oilers* devaient absolument gagner, car Chicago, qui jouait à domicile, détenait une avance de deux matchs à un. Messier enregistra deux buts et deux passes dans la victoire des siens à 4-2, victoire qui leur permit de niveler la série qu'Edmonton gagna finalement en six rencontres.

Le premier match de la finale fut l'un des plus excitants de ces dernières années. Edmonton, grâce à des buts de Adam Graves et de Glenn Anderson, s'était forgé une avance de 2-0 après deux périodes. Mais Ray Bourque, le défenseur étoile des *Bruins*, marqua deux fois au cours de la troisième période, ce qui forçait la prolongation. Les deux équipes se livrèrent combat durant 55 minutes supplémentaires, puis Petr Klima d'Edmonton, à sa première présence sur la glace depuis le début de la prolongation, décocha un tir qui passa entre les jambières d'Andy Moog, ce qui mettait un terme au plus long match de finale. Klima partagea les honneurs de la victoire avec le gardien des *Oilers*, Bill Ranford, qui reçut 52 rondelles au cours de la rencontre.

Cette défaite sembla démoraliser les *Bruins* qui fournirent une prestation plutôt terne au cours du second match; ils accordèrent sept buts en 22 tirs seulement et furent écrasés 7-2. Adam Graves, Joe Murphy et Craig Simpson marquèrent chacun un but pour donner le ton à l'attaque des *Oilers*. Moog fit cadeau aux *Bruins* d'un jeu très solide pendant le troisième match, stoppant 28 tirs dans la victoire des siens 2 à 1. Un but marqué par Bob Joyce, à peine dix secondes après la première mise au jeu, avait procuré l'avance aux *Bruins*; grâce à cette victoire, ils risquaient fort de remporter la Coupe. Chez les *Oilers*, une des étoiles en attaque mit le paquet au quatrième match : Glenn Anderson marqua deux fois et prépara deux autres buts, amassant quatre points au total, ce qui permit à Edmonton d'obtenir une victoire de 5-1. Anderson joua un rôle clé dans la victoire des *Oilers* au cinquième match, ce qui leur donnait la Coupe. Après une première période sans but, Anderson inscrivit les *Oilers* au tableau en marquant sans aide, puis prépara le but de Craig Simpson, qui devait être celui qui procura la Coupe aux *Oilers*, à 9 min 31 de la deuxième période. Steve Smith et Joe Murphy ajoutèrent deux autres buts au troisième tiers avant que Lyndon Byers n'efface le blanchissage de Ranford, moins de quatre minutes avant la fin.

Deux saisons seulement après l'échange du meilleur joueur de l'histoire du hockey, le talent et le caractère des *Oilers* permirent au président de l'équipe, Glen Sather, de façonner une nouvelle formation qui remporta sa cinquième coupe Stanley en sept ans. Bill Ranford, qui renouvela un record grâce à ses seize victoires en séries éliminatoires, fut le choix de la majorité pour recevoir le trophée Conn Smythe.

Durant toute la saison 1990-1991, la division Norris avait les deux meilleures équipes de la Ligue, Chicago et St-Louis s'étant livrés la course au championnat. En 1986 , les *Blackhawks* avaient officiellement rassemblé leur nom en un seul mot, pour se conformer à l'orthographe qui figurait dans la première charte d'appartenance à la ligue de l'équipe; c'est sous ce nouveau nom qu'ils gagnèrent par un point le trophée du Président, remis à l'équipe possédant la meilleure fiche de la LNH. Pendant les éliminatoires, cependant, St-Louis et Chicago tombèrent contre les *North Stars* du Minnesota, qui plus tard causèrent une autre surprise en éliminant les champions en titre, les *Oilers* d'Edmonton, gagnant ainsi le championnat de l'assemblée Campbell. Les *Stars*, qui terminèrent la saison régulière au quatrième rang de la division Norris avec une fiche de 27-38-14, accédèrent à la finale pour la deuxième fois de leur histoire.

Les finalistes de l'assemblée de Galles furent les *Penguins* de Pittsburgh, qui ne participaient aux éliminatoires que pour la deuxième fois depuis que Mario Lemieux – deux fois récipiendaire du trophée Art Ross – s'était joint à l'équipe, en 1984. L'édition 1990-1991 des *Penguins* mettait en vedette Tom Barrasso devant le but, et rassemblait une équipe explosive en attaque, menée par Lemieux, Kevin Stevens, Mark Recchi et Jaromir Jagr. Paul Coffey, Bryan Trottier et Joe Mullen, qui avaient déjà gagné la coupe Stanley, ajoutèrent de la qualité et du caractère à l'équipe. Les *Penguins* semblaient décidés à offrir à l'entraîneur Bob «Badger» Johnson son premier championnat de la LNH.

Depuis la série entre Chicago et Détroit en 1934, c'était la première fois qu'aucun des deux finalistes n'avaient gagné la coupe Stanley. C'était également la première fois que deux équipes ayant raté les éliminatoires l'année précédente se frayaient un chemin jusqu'à la finale. Enfin, c'était la première fois que deux équipes nées de l'expansion de la LNH en 1967 s'affrontaient en série finale.

Si Minnesota avait connu autant de succès, c'était surtout grâce à son attaque à cinq, qui avait permis à l'équipe de marquer 31 buts au cours des trois premières rondes éliminatoires. Menés par Mark Tinordi, Bobby Smith – qui avait rejoint son ancienne équipe après un séjour à Montréal –, Neal Broten et Brian Bellows, les *Stars* continuèrent leur bon travail, gagnant le match d'ouverture, 5-4. Les *Penguins*, qui bénéficiaient d'une avance créée par Bob Errey et Kevin Stevens, égalisèrent la série avec une victoire de 4-1 lors du deuxième match disputé à domicile.

L'amphithéâtre des *North Stars* était plein à craquer, alors que durant la majeure partie de la saison, l'assistance avait été plutôt faible. Bobby Smith marqua son deuxième but gagnant d'affilée, ce qui permit aux *Stars* de prendre l'avance dans la série, avec une victoire de 3-1. Mario Lemieux n'avait pu prendre part au match parce qu'il souffrait de spasmes au dos.

L'entraîneur de Pittsburgh, Bob Johnson, demanda à ses joueurs de fournir le plus grand effort au cours du quatrième match, espérant ainsi forcer Minnesota à changer son plan et les obliger à commettre des erreurs ou à prendre des punitions inutiles. Cette stratégie fut un vrai coup de maître. Avant la troisième minute de jeu, les *Penguins* jouissaient déjà d'une avance de 3-0. Les *Stars* réduisirent la marque à 4-3 vers la fin de la deuxième période, mais un but marqué par Phil Bourque dans un filet désert assura aux *Penguins* une victoire de 5-3 qui égalisait la série.

Le cinquième match se déroula de la même façon. Lorsque Mark Recchi marqua son deuxième but de la rencontre à 13 min 41 du premier engagement, Pittsburgh menait déjà par la marque de 4-1. Encore une fois, Minnesota remonta la pente et s'approcha dangereusement, mais Troy Loney, perché sur le filet durant une mêlée, marqua le but gagnant. Les *North Stars* s'avouèrent vaincus par la marque de 6-4. Au cours du sixième match, les *North Stars* avaient épuisé leur réserve de miracles. Les *Penguins* prirent encore une fois l'avance tôt dans la rencontre et marquèrent souvent, ce qui leur assura une victoire de 8-0 contre les finalistes de l'assemblée Campbell.

La finale de 1990 constituait un duel pour deux gardiens de but, Bill Ranford et Andy Moog, qui avaient été échangés l'un contre l'autre. Sur cette photo, Ranford jongle avec le disque pendant que Craig Simpson, Mark Messier et le joueur de Boston, Dave Christian, se contentent de regarder.

Phil Bourque de Pittsburgh fut placé à l'aile gauche par l'entraîneur Bob Johnson, même si Bourque avait été qualifié de remarquable défenseur dans la Ligue de hockey internationale, circuit mineur professionnel, en 1988.

Shawn Chambers de Minnesota secoue et arrête l'ailier gauche de Pittsburg, Kevin Stevens, durant la finale de la coupe Stanley, mettant aux prises les première et dernière équipes.

La conquête de la coupe Stanley par les *Penguins* souligna leur puissance de feu et leur capacité de regroupement. Après avoir tiré de l'arrière dans chacune des séries, ils avaient perdu le premier match à chacune des rondes; mais ils surent s'imposer dans les parties cruciales, marquant beaucoup plus de buts que leurs adversaires, soit 23 contre 4 au total.

Mario Lemieux, qui amassa quatre points lors du dernier match de la série, reçut le trophée Conn Smythe. En dépit de persistantes douleurs au dos, Lemieux enregistra 44 points durant les éliminatoires, le deuxième total en importance dans les séries.

Durant la saison régulière de 1991-1992, les *Rangers* de New York établirent une marque d'équipe en gagnant 52 matchs, et terminèrent en tête du classement général pour la première fois depuis 1942. L'ailier des *Rangers*, Mike Gartner, enregistra au moins 30 buts en 13 saisons consécutives, tout comme l'avaient fait Phil Esposito, Bobby Hull et Wayne Gretzky, tous membres du Temple de la renommée; Gartner devint aussi le premier joueur à atteindre, au cours de la même année, les objectifs de 500 buts, 500 passes, 1 000 points et 1 000 parties jouées.

Les éliminatoires commencèrent plus tard que d'habitude, parce qu'une grève de 11 jours déclenchée par l'Association des joueurs de la LNH avait retardé la présentation des derniers matchs de la saison régulière. Les demi-finales de division furent parmi les rondes éliminatoires les plus excitantes de l'histoire de la Ligue; dans six des huit séries, le vainqueur fut décidé après un duel de sept matchs. Quatre équipes – Boston, Vancouver, Pittsburgh et Détroit durent combler chacune un déficit de trois matchs à un pour accéder à la ronde suivante. Les quatre champions de division – Montréal, les *Rangers* de New York, Détroit et Vancouver – franchirent le premier tour pour la première fois depuis 1980, mais s'inclinèrent dans la finale de division. Ainsi, les quatre demi-finalistes furent Boston, Pittsburgh, Chicago et Edmonton.

Les *Blackhawks* traversèrent les séries et accédèrent à la finale en gagnant onze matchs consécutifs. Cette série de victoires des *Blackhawks* éclipsa le record de dix matchs que détenaient les *Bruins* de Boston depuis 1970. Dirigés par Mike Keenan, les *Hawks* possédaient une attaque bien équilibrée, comprenant Steve Smith et Chris Chelios à la ligne bleue, ainsi que l'étoile montante, Jeremy Roenick, au centre. Après avoir balayé Edmonton en finale de l'assemblée Campbell, les *Hawks* accédèrent à la finale de championnat pour la première fois depuis 1973.

Chicago affronta en finale les *Penguins* de Pittsburgh, champions en titre. La route des *Penguins* vers la finale ne fut pas aussi facile; en effet le propriétaire

Sept, le chiffre magique

Dans la première ronde des éliminatoires de 1992, les quatre séries de la conférence Prince-de-Galles nécessitèrent la présentation d'un septième et décisif affrontement. Six des huit séries de première ronde se prolongèrent jusqu'au septième match avant qu'un vainqueur puisse être déclaré.

Mario Le Magnifique se retrouve dans la lumière des projecteurs après que les Penguins eurent apporté la coupe Stanley dans la ville de l'acier. Son talent de marqueur permit également à ce grand joueur de centre de remporter le trophée Conn Smythe, en 1991.

de l'équipe de Pittsburgh changea et l'entraîneur, Bob Johnson, décéda le 26 novembre 1991. Scotty Bowman fut nommé entraîneur-chef intérimaire, et Pittsburgh termina au troisième rang de la division Patrick avec seulement 87 points, la troisième performance en importance de l'équipe. Les *Penguins* se préparèrent à défendre la Coupe en ajoutant à leur formation le rude ailier Rick Tocchet et le solide défenseur Kjell Samuelsson, qu'ils avaient obtenus au dernier jour des échanges. Pittsburgh accéda à la ronde finale après avoir défait Washington, les *Rangers* de New York et Boston. Malgré l'absence de Mario Lemieux, de Joe Mullen et de Bob Errey – tenus à l'écart des éliminatoires en raisons de blessures –, les *Penguins* gagnaient en puissance dans chacune des rondes et se présentèrent en finale sans avoir subi une défaite au cours de leurs sept derniers matchs.

Les *Hawks* entreprirent le premier match de la finale de la coupe Stanley de 1992 en se donnant une confortable avance de 3-0, mais Phil Bourque réduisit l'écart à 3-1 avant la fin de l'engagement. Brent Sutter redonna aux *Hawks* une priorité de trois buts à 11 min 36 du deuxième tiers, puis Pittsburgh réduisit l'écart à un but en marquant deux fois en fin de période, grâce à Tocchet et à Lemieux dont le tir, d'un angle impossible, dévia sur Ed Belfour avant de pénétrer dans le but. Cependant, le point décisif du match, et peut-être même de la série, fut marqué par Jaromir Jagr, cinq minutes avant la fin. Jagr, qui avait émerveillé les spectateurs durant toutes les séries avec ses tours de passe-passe, s'empara d'une rondelle libre près du filet des *Hawks* et évita trois joueurs de Chicago avant de glisser le disque derrière Ed Belfour d'un tir du revers, nivelant la marque 4-4. Le match semblait devoir aller en prolongation, mais Mario Lemieux fournit une victoire de dernière minute aux *Penguins* en enfilant un but en avantage numérique, treize secondes avant la fin du match, après une mise au jeu nettement gagnée.

Chicago entreprit le deuxième match en force, obligeant le gardien de Pittsburgh, Tom Barrasso, à effectuer de nombreux arrêts difficiles, ce qui empêcha les *Hawks* de s'inscrire au tableau. Vers le milieu du premier engagement, Bob Errey de Pittsburgh s'échappa au cours d'un avantage numérique des *Blackhawks* et, d'un tir du revers, souleva le disque par-dessus Belfour étendu sur la glace, inscrivant un but en désavantage numérique, ce qui donnait la priorité aux *Penguins*. Peu après, à 10 min 24 du deuxième tiers, Bryan Marchment nivela la marque. Mario Lemieux marqua deux buts, ce qui redonna l'avance aux Penguins; puis il augmenta cette priorité, le premier but marqué sur une passe croisée de Tocchet et le second, grâce à un tir des poignets décoché à partir du cercle de mise au jeu, le disque se faufilant entre les jambières de Belfour. À partir de ce moment, la défensive de Pittsburgh prit la relève et limita Chicago à quatre tirs en troisième période; grâce à cette victoire de 3-1, Pittsburgh possédait une avance de deux matchs pour se rendre au vénérable Stadium de Chicago.

Comme ils l'avaient fait au cours du deuxième match, les *Blackhawks* bourdonnèrent autour du filet des *Penguins*, mais Barrasso repoussa les 13 tirs dirigés contre lui en première période. Pendant la première période, les Penguins marquèrent le seul but dont ils auraient eu besoin, lorsque le tir de Jim Paek dévia sur Kevin Stevens avant de se retrouver dans le fond du filet de Chicago. Barrasso fut impeccable, arrêtant les 14 tirs qui lui étaient destinés pendant les 40 dernières minutes de jeu; avec cette victoire de 1-0, Barrasso

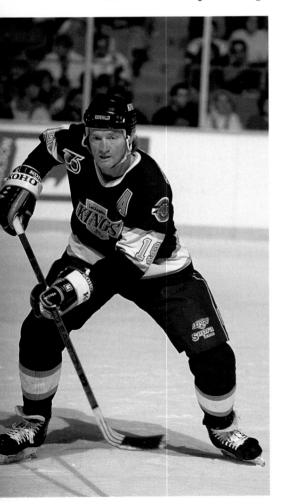

Larry Robinson, qui marqua au moins dix buts dans douze de ses quatorze saisons dans la LNH, effectua son salut final après vingt participations consécutives aux séries de la coupe Stanley.

enregistra le premier blanchissage en finale de coupe Stanley, depuis celui de Patrick Roy contre Calgary, en 1986.

Le quatrième match fit place à du jeu offensif ouvert au cours duquel six buts furent marqués en première période, dont le record en finale de trois buts à 30 secondes d'intervalle. Le capitaine de Chicago, Dirk Graham, entretint les espoirs des *Hawks* en réalisant un «tour du chapeau» pendant la première période, effaçant chaque fois une avance de Pittsburgh. La troisième période débuta avec une marque de 4-4, mais les *Penguins* se donnèrent de nouveau la priorité grâce au but de Stevens, 25 secondes après le début de l'engagement. Ron Francis ajouta un sixième but pour Pittsburgh, mais Jeremy Roenick marqua son deuxième but de la soirée, réduisant l'écart à un point, quatre minutes avant la fin du match. Chicago organisa un tir de barrage, mais les arrières de Pittsburgh tinrent bon, et les *Penguins*, en plus de remporter un deuxième titre de suite, répétèrent un record des *Blackhawks* en gagnant onze matchs éliminatoires d'affilée.

Même s'ils avaient balayé la série, les *Penguins* ne marquèrent que cinq buts de plus que les *Blackhawks* pendant les quatre rencontres, c'est-à-dire la plus petite différence pendant une finale de la coupe Stanley, depuis 24 ans. Mario Lemieux, tout comme Bernie Parent, membre du Temple de la renommée, remporta deux années de suite le trophée Conn Smythe. Lemieux avait raté six matchs à cause d'une blessure à la main, mais cela ne l'empêcha pas d'amasser 24 points durant les éliminatoires.

Steve Smith fait trébucher Mario Lemieux, procurant aux Penguins un avantage numérique au cours duquel ils marquèrent le but gagnant lors de la finale de 1992.

L'œil sur la rondelle

Pour la première fois dans l'histoire de la LNH, lors des semi-finales de 1992, entre Détroit et Minnesota, on eut recours à la reprise vidéo pour déterminer le gagnant. En supplémentaire, le lancer de Sergei Fedorov sembla toucher la barre horizontale du but. Après un arrêt du jeu, l'arbitre, Rob Shick, dû consulter le superviseur des officiels et Wallis Harris, l'officiel de la reprise vidéo, pour s'assurer que la rondelle avait bien pénétré dans le but, donnant la victoire aux *Wings* par 1-0.

Bryan Trottier, qui célèbre ici sa seconde Coupe avec les Penguins, est le seul joueur, après Frank Mahovlich, Dick Duff et Red Kelly, à gagner la coupe Stanley avec deux équipes différentes.

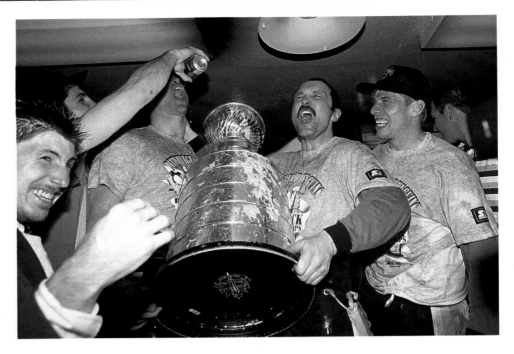

Jaromir Jagr, magicien sur patins, se défait de l'emprise de Frantisek Kucera, de Chicago.

Les conquêtes de la Coupe par les *Penguins* en 1991 et 1992 ont un lien direct avec les premières séries éliminatoires de la coupe Stanley. Lester Patrick, le grand-père de Craig Patrick (directeur général de Pittsburgh), faisait partie des *Wanderers* de Montréal qui avaient remporté le trophée en 1906 et en 1907. Frank Patrick, le grand-oncle de Craig, figurait parmi les joueurs des *Millionaires* de Vancouver, l'équipe gagnante en 1915. Lynn et Muzz Patrick, le père et l'oncle de Craig, jouaient pour les *Rangers* de New York qui avaient remporté la Coupe en 1940.

En 1992, avec la conquête du titre par les *Penguins*, c'est cent ans d'histoire de la coupe Stanley qui prenait fin. Pendant un siècle, la coupe Stanley avait brillé comme un vibrant symbole, perpétuant le spectacle et la passion née du hockey. Ce jeu, on le pratiquait hier à sept joueurs et les substitutions y étaient interdites; aujourd'hui, le jeu est devenu rapide comme l'éclair et son prestige traverse les frontières. Tout comme le hockey lui-même, le trophée n'a jamais cessé d'évoluer et de s'adapter à son temps. De nos jours, les noms des grands champions de tout un siècle sont gravés sur la surface extérieure et intérieure de la Coupe. Dans un certain sens, on peut aussi y lire les multiples espoirs de milliers de partisans et de joueurs.

Notes sur les collaborateurs

Pat Calabria, auparavant à l'emploi de *Newsday*, a suivi les *Islanders* de New York de 1975 à 1986. Il est maintenant le vice-président et le directeur des communications de l'équipe. Il habite à Seaford, dans l'État de New York.

Bill Chadwick, natif de New York, il arbitra dans la LNH pendant dix-sept saisons. Il est membre du Temple de la renommée du hockey et a reçu le trophée Lester Patrick pour les services qu'il a rendu au hockey aux États-Unis.

Antonia Chambers a obtenu son diplôme de l'école de droit de l'Université Notre-Dame. Il possède un cabinet d'avocats au Delaware et travaille à titre d'agent représentant les athlètes.

Dan Diamond est l'éditeur-conseil de la LNH depuis 1984. Il produit toutes les publications statistiques annuelles de la Ligue, et a édité *The Official NHL 75th Commemorative Book*, publié en 1991.

Ralph Dinger a effectué d'intenses recherches parmi les anciennes collections de photos. Il était l'éditeur des photos du best-seller de 1991, *The Official NHL 75th Commemorative Book*. Il est également l'éditeur en chef du livre des records de la LNH *The NHL Official Guide & Record Book*.

Phil Drackett est rédacteur du magazine de hockey *Ice Hockey World*, publié à Norfolk, en Angleterre. Il a joué pour une équipe de hockey professionnel dans les îles britanniques et est coauteur de divers livres sportifs, dont *Flashing Blades* qui raconte l'histoire du hockey en Angleterre.

Milt Dunnell est membre du comité de sélection des joueurs au Temple de la renommée du hockey. Il a reçu le prix Elmer Ferguson Memorial pour l'excellence de son travail journalistique; il est rédacteur et auteur de longue date, couvrant le hockey pour le *Star* de Toronto pendant plus d'un demi-siècle.

James Duplacey est l'ancien curateur du Temple de la renommée et musée du hockey. Il a écrit plusieurs livres sur le hockey et le base-ball, dont un livre pour enfants sur la coupe Stanley, publié récemment.

Stan Fischler est l'auteur de quelque 65 livres sur le hockey. Établi à New York, il exploite le Fischler Hockey Service avec sa femme et partenaire, Shirley Walton Fischler. Il agit aussi à titre de commentateur durant les matchs télévisés des *Islanders* de New York et des *Devils* du New Jersey.

George Gross est le rédacteur de la section des sports du *Sun* de Toronto. Il a reçu le prix Elmer Ferguson Memorial pour l'excellence de son travail journalistique; il était à l'emploi du *Telegram* de Toronto lorsque les *Maple Leafs* de Toronto gagnèrent la coupe Stanley, en 1967.

Bob Hesketh suivait les *Maple Leafs* de Toronto pour le compte du *Telegram* de Toronto à l'époque des wagons Pullman, dans les années 1940 et 1950. Il s'est mérité un important prix journalistique en 1957. Il s'est joint à CFBR Radio en 1959.

Roy MacGregor est coauteur de la minisérie télévisée de 1989 et du best-seller intitulés: «*Home Game*». Il a également écrit *The Last Season*, nouvelle qui a pour décor le monde du hockey. Il est journaliste pour le *Citizen* d'Ottawa et a été spécialement désigné pour suivre les nouveaux *Senators* d'Ottawa de 1992-1993.

Stan Saplin est un important journaliste et un expert en relations publiques possédant des connaissances approfondies dans les domaines du hockey et de l'athlétisme. Il a occupé le poste d'agent de publicité chez les *Rangers* de New York et a, en 1947, publié le premier guide d'équipe dans l'histoire de la LNH.

Myer Siemiatycki est professeur de sciences politiques à l'institut *Ryerson Polytechnical* de Toronto et anime à la radio une émission hebdomadaire sur les questions relatives au travail. Il a reçu de l'*Ontario Institute for Studies in Education* le prix Distinguished Educator en récompense de sa contribution à l'éducation dans le domaine du travail.

Jack Sullivan s'est joint aux rangs de la Presse canadienne (PC) en 1929 et a été nommé principal rédacteur sportif de la PC en 1948. Il a prit sa retraite en 1976 avant d'être intronisé au Temple de la renommée du sport canadien en 1983. Il est décédé en 1992.

Réjean Tremblay est journaliste à *La Presse*, de Montréal. Il a aussi écrit la palpitante série télévisée «*Lance et compte*»!, produite en français et en anglais, qui a connu un fort succès.

Photographies

Harold Barkley: 178, 179 (en bas), 180, 185 (en bas), 198 (en bas); archives de Bettman: 150, 157; David Bier: 143, 153, 196 (en bas), 278; bibliothèque publique de Boston, département de l'imprimerie: 96; Boston Record American: 201; Denis Brodeur: 182, 204, 205, 206 (en bas), 209, 223, 244 (en bas); Studios Bruce Bennett: 120, 211, 212 (en haut), 214, 216, 219 (en bas), 220, 222, 224, 225, 226, 227 (en haut), 228, 230, 231, 232, 233, 234, 239, 241, 243, 246, 247, 250, 251, 252, 253, 254 (en bas), 255, 256, 257, 259, 260; Michael Burns: 127, 136, 161; Canada Wide Feature Service: 181, 186; collection de Bill Chadwick: 119; archives de la ville de Vancouver: 47 (en haut); archives de la ville de Victoria photo n⁰ 99102-01-3662: 68; Dan Diamond: 23; James Drake/*Sports Illustrated*: 184; *The Gazette* de Montréal: 154; Graphic Artists: 189; Dan Hamilton: 2; bibliothèque publique de Hamilton – collections spéciales: 64; Temple de la renommée et musée du hockey: 6, 8, 13, 16, 17, 20, 22, 24, 26, 28, 30, 35, 37, 40, 42, 45, 46, 48, 49, 50 (en haut), 51, 52, 53, 55 (en bas), 57, 58, 59, 61, 63, 66, 69, 72, 74, 75, 76, 77, 78, 81, 82, 83, 87, 90, 91 (en bas), 92, 95, 123, 132, 139, 144, 149, 162, 176, 177, 187, 188, 199, 200, 221, 227 (en bas), 229, 242; Temple de la renommée et musée du hockey – collection Turofsky d'Imperial Oil: ii-iii, 5, 12, 65, 79, 80, 85, 86, 97, 98, 99, 101, 104, 105, 107, 109, 110, 111, 112, 113, 114, 115, 118, 121, 122, 124, 126, 129, 134, 137, 138, 140 (en haut), 146, 148, 163, 165, 166, 167, 168, 170, 171, 175, 179; Temple de la renommée et musée du hockey – collection de Doug MacLellan: 258; Temple de la renommée et musée du hockey – collection de Miles Nadal: 237; Temple de la renommée et musée du hockey – collection de Frank Prazak: 158, 182 (en haut), 183, 185 (en haut), 191, 192, 196 (en haut), 197, 203, 208, 210; Kiatlim Chew/The Ice Age: 34, 36, 50 (en bas), 73; Doug MacLellan/The Ice Age: 249, 254 (en haut); John F. Jacqua/*Sports Illustrated*: 156; Doug MacLellan: pages de garde, page 1, 3, 7, 18, 38, 47 (en bas), 89, 193, 213 (en haut), 235, 240; collection de Doug McLatchy: 70, 91 (en haut), 94, 140 (en bas), 151, 172, 174; Manny Millan/*Sports Illustrated*: 219 (en haut); *Times* de New York: 133; éditions de la LNH: 39, 43, 108, 147, 160, 202, 212 (en bas), 213 (en bas), 217; *Flyers* de Philadelphie: 194, 215; archives de la province de l'Alberta – collection d'Alfred Blyth: 55 (en haut); Archives publiques du Canada: 11, 29; Al Ruelle: 198 (en haut), 206 (en haut), 207, 218; *Sports Illustrated*: 141, 145, 155; collection de Stan Saplin: 130; Conseil des archives de la Saskatchewan: 54; bibliothèque publique de Saskatoon – pièce de l'histoire locale: 67; index photographique de l'Ouest du Canada: 21; Westfile/Bill McKeown: 244; Westfile/Bob Mummery: 245, 248; archives du Yukon: 33.

Les champions de la coupe Stanley et les finalistes

ANNÉE	GAGNANT	ENTRAÎNEUR	FINALISTE	ENTRAÎNEUR
1992	Penguins de Pittsburgh	Scotty Bowman	Black Hawks de Chicago	Mike Keenan
1991	Penguins de Pittsburgh	Bob Johnson	North Stars du Minnesota	Bob Gainey
1990	Oilers d'Edmonton	John Muckler	Bruins de Boston	Mike Milbury
1989	Flames de Calgary	Terry Crisp	Canadien de Montréal	Pat Burns
1988	Oilers d'Edmonton	Glen Sather	Bruins de Boston	Terry O'Reilly
1987	Oilers d'Edmonton	Glen Sather	Flyers de Philadelphie	Mike Keenan
1986	Canadien de Montréal	Jean Perron	Flames de Calgary	Bob Johnson
1985	Oilers d'Edmonton	Glen Sather	Flyers de Philadelphie	Mike Keenan
1984	Oilers d'Edmonton	Glen Sather	Islanders de New York	Al Arbour
1983	Islanders de New York	Al Arbour	Oilers d'Edmonton	Glen Sather
1982	Islanders de New York	Al Arbour	Canucks de Vancouver	Roger Neilson
1981	Islanders de New York	Al Arbour	North Stars du Minnesota	Glen Sonmor
1980	Islanders de New York	Al Arbour	Flyers de Philadelphie	Pat Quinn
1979	Canadien de Montréal	Scotty Bowman	Rangers de New York	Fred Shero
1978	Canadien de Montréal	Scotty Bowman	Bruins de Boston	Don Cherry
1977	Canadien de Montréal	Scotty Bowman	Bruins de Boston	Don Cherry
1976	Canadien de Montréal	Scotty Bowman	Flyers de Philadelphie	Fred Shero
1975	Flyers de Philadelphie	Fred Shero	Sabres de Buffalo	Floyd Smith
1974	Flyers de Philadelphie	Fred Shero	Bruins de Boston	Bep Guidolin
1973	Canadien de Montréal	Scotty Bowman	Black Hawks de Chicago	Billy Reay
1972	Bruins de Boston	Tom Johnson	Rangers de New York	Emile Francis
1971	Canadien de Montréal	Al MacNeil	Black Hawks de Chicago	Billy Reay
1970	Bruins de Boston	Harry Sinden	Blues de St. Louis	Scotty Bowman
1969	Canadien de Montréal	Claude Ruel	Blues de St. Louis	Scotty Bowman
1968	Canadien de Montréal	Toe Blake	Blues de St. Louis	Scotty Bowman
1967	Maple Leafs de Toronto	Punch Imlach	Canadien de Montréal	Toe Blake
1966	Canadien de Montréal	Toe Blake	Red Wings de Détroit	Sid Abel
1965	Canadien de Montréal	Toe Blake	Black Hawks de Chicago	Billy Reay
1964	Maple Leafs de Toronto	Punch Imlach	Red Wings de Détroit	Sid Abel
1963	Maple Leafs de Toronto	Punch Imlach	Red Wings de Détroit	Sid Abel
1962	Maple Leafs de Toronto	Punch Imlach	Black Hawks de Chicago	Rudy Pilous
1961	Black Hawks de Chicago	Rudy Pilous	Red Wings de Détroit	Sid Abel
1960	Canadien de Montréal	Toe Blake	Maple Leafs de Toronto	Punch Imlach
1959	Canadien de Montréal	Toe Blake	Maple Leafs de Toronto	Punch Imlach
1958	Canadien de Montréal	Toe Blake	Bruins de Boston	Milt Schmidt
1957	Canadien de Montréal	Toe Blake	Bruins de Boston	Milt Schmidt
1956	Canadien de Montréal	Toe Blake	Red Wings de Détroit	Jimmy Skinner
1955	Red Wings de Détroit	Jimmy Skinner	Canadien de Montréal	Dick Irvin
1954	Red Wings de Détroit	Tommy Ivan	Canadien de Montréal	Dick Irvin
1953	Canadien de Montréal	Dick Irvin	Bruins de Boston	Lynn Patrick
1952	Red Wings de Détroit	Tommy Ivan	Canadien de Montréal	Dick Irvin
1951	Maple Leafs de Toronto	Joe Primeau	Canadien de Montréal	Dick Irvin
1950	Red Wings de Détroit	Tommy Ivan	Rangers de New York	Lynn Patrick
1949	Maple Leafs de Toronto	Hap Day	Red Wings de Détroit	Tommy Ivan
1948	Maple Leafs de Toronto	Hap Day	Red Wings de Détroit	Tommy Ivan
1947	Maple Leafs de Toronto	Hap Day	Canadien de Montréal	Dick Irvin
1946	Canadien de Montréal	Dick Irvin	Bruins de Boston	Dit Clapper
1945	Maple Leafs de Toronto	Hap Day	Red Wings de Détroit	Jack Adams
1944	Canadien de Montréal	Dick Irvin	Black Hawks de Chicago	Paul Thompson
1943	Red Wings de Détroit	Jack Adams	Bruins de Boston	Art Ross

ANNÉE	GAGNANT	ENTRAÎNEUR	FINALISTE	ENTRAÎNEUR
1942	Maple Leafs de Toronto	Hap Day	Red Wings de Détroit	Jack Adams
1941	Bruins de Boston	Cooney Weiland	Red Wings de Détroit	Ebbie Goodfellow
1940	Rangers de New York	Frank Boucher	Maple Leafs de Toronto	Dick Irvin
1939	Bruins de Boston	Art Ross	Maple Leafs de Toronto	Dick Irvin
1938	Black Hawks de Chicago	Bill Stewart	Maple Leafs de Toronto	Dick Irvin
1937	Red Wings de Détroit	Jack Adams	Rangers de New York	Lester Patrick
1936	Red Wings de Détroit	Jack Adams	Maple Leafs de Toronto	Dick Irvin
1935	Maroons de Montréal	Tommy Gorman	Maple Leafs de Toronto	Dick Irvin
1934	Black Hawks de Chicago	Tommy Gorman	Red Wings de Détroit	Jack Adams
1933	Rangers de New York	Lester Patrick	Maple Leafs de Toronto	Dick Irvin
1932	Maple Leafs de Toronto	Dick Irvin	Rangers de New York	Lester Patrick
1931	Canadien de Montréal	Cecil Hart	Black Hawks de Chicago	Dick Irvin
1930	Canadien de Montréal	Cecil Hart	Bruins de Boston	Art Ross
1929	Bruins de Boston	Cy Denneny	Rangers de New York	Lester Patrick
1928	Rangers de New York	Lester Patrick	Maroons de Montréal	Eddie Gerard
1927	Senators d'Ottawa	Dave Gill	Bruins de Boston	Art Ross

(Après 1926, la Ligue nationale de hockey contrôla seule les matchs de la coupe Stanley.)

ANNÉE	GAGNANT	ENTRAÎNEUR	FINALISTE	ENTRAÎNEUR
1926	Maroons de Montréal	Eddie Gerard	Cougars de Victoria	Lester Patrick
1925	Cougars de Victoria	Lester Patrick	Canadien de Montréal	Léo Dandurand
1924	Canadien de Montréal	Léo Dandurand	Tigers de Calgary	-
			Maroons de Vancouver	-
1923	Senators d'Ottawa	Pete Green	Eskimos d'Edmonton	-
			Maroons de Vancouver	-
1922	St. Pats de Toronto	Eddie Powers	Millionaires de Vancouver	Frank Patrick
1921	Senators d'Ottawa	Pete Green	Millionaires de Vancouver	Frank Patrick
1920	Senators d'Ottawa	Pete Green	Metropolitans de Seattle	-
1919	Aucun gagnant (la série entre Montréal et Seattle fut annulée en raison d'une épidémie de grippe)			
1918	Arenas de Toronto	Dick Carroll	Millionaires de Vancouver	Frank Patrick
1917	Metropolitans de Seattle	Pete Muldoon	Canadien de Montréal	George Kennedy
1916	Canadien de Montréal	George Kennedy	Rosebuds de Portland	-
1915	Millionaires de Vancouver	Frank Patrick	Senators d'Ottawa	-
1914	Blueshirts de Toronto	Scotty Davidson	Cougars de Victoria	-
			Canadien de Montréal	George Kennedy
1913	Bulldogs de Québec	Joe Malone	Miners de Sydney	-
1912	Bulldogs de Québec	C. Nolan	Victories de Moncton	-
1911	Senators d'Ottawa	Bruce Stuart	Bearcats de Port Arthur	-
			Galt	-
1910	Wanderers de Montréal	Pud Glass	Union Jacks de Berlin	-
1910	Senators d'Ottawa	Bruce Stuart	Eskimos d'Edmonton	-
			Galt	-
1909	Senators d'Ottawa	Bruce Stuart	(aucun challengeur)	
1908	Wanderers de Montréal	Cecil Blachford	Eskimos d'Edmonton	-
			OPHL de Toronto	-
			Maple Leafs de Winnipeg	-
			Victorias d'Ottawa	-
1907	Wanderers de Montréal	Cecil Blachford	Thistles de Kenora	Tommy Phillips
	Thistles de Kenora	Tommy Phillips	Wanderers de Montréal	Cecil Blachford
1906	Wanderers de Montréal	Cecil Blachford	Cubs de New Glascow	-
			Silver Seven d'Ottawa	Alf Smith
	Silver Seven d'Ottawa	Alf Smith	Smith's Falls	-
			Université Queen	-
1905	Silver Seven d'Ottawa	Alf Smith	Thistles de Rat Portage	-
			Dawson City	-
1904	Silver Seven d'Ottawa	Alf Smith	Wheat Kings de Brandon	-
			Wanderers de Montréal	-
			Marlboros de Toronto	-
			Rowing Club de Winnipeg	-
1903	Silver Seven d'Ottawa	Alf Smith	Thistles de Rat Portage	-
			Victorias de Montréal	-
	AAA de Montréal	C. McKerrow	Victorias de Winnipeg	-
1902	AAA de Montréal	C. McKerrow	Victorias de Winnipeg	Dan Bain
	Victorias de Winnipeg	Dan Bain	Wellingtons de Toronto	-
1901	Victorias de Winnipeg	Dan Bain	Shamrocks de Montréal	Harry Trihey
1900	Shamrocks de Montréal	Harry Trihey	Crescents de Halifax	-
			Victorias de Winnipeg	Dan Bain
1899	Shamrocks de Montréal	Harry Trihey	Université Queen	-
	Victorias de Montréal	Frank Richardson	Victorias de Winnipeg	Jack Armitage
1898	Victorias de Montréal	Frank Richardson	(aucun challengeur)	
1897	Victorias de Montréal	Mike Grant	Capitals d'Ottawa	-
1896	Victorias de Montréal	Mike Grant	Victorias de Winnipeg	Jack Armitage
	Victorias de Winnipeg	Jack Armitage	Victorias de Montréal	Mike Grant
1895	Victorias de Montréal	Mike Grant	(aucun challengeur)	
1894	AAA de Montréal	-	Capitals d'Ottawa	-
1893	AAA de Montréal	-	(aucun challengeur)	

Gagnants de la coupe Stanley: alignements et pointages des séries finales

1991-92 – Penguins de Pittsburgh – Mario Lemieux (capitaine), Ron Francis, Bryan Trottier, Kevin Stevens, Bob Errey, Phil Bourque, Troy Loney, Rick Tocchet, Joe Mullen, Jaromir Jagr, Jiri Hrdina, Shawn McEachern, Ulf Samuelsson, Kjell Samuelsson, Larry Murphy, Gord Roberts, Jim Paek, Paul Stanton, Tom Barrasso, Ken Wregget, Jay Caufield, Jamie Leach, Wendell Young, Grant Jennings, Peter Taglianetti, Jock Callander, Dave Michayluk, Mike Needham, Jeff Chychrun, Ken Priestlay, Jeff Daniels, Howard Baldwin (propriétaire et président), Morris Belzberg (propriétaire), Thomas Ruta (propriétaire), Donn Patton (vice-président exécutif et responsable des finances), Paul Martha (vice-président exécutif et avocat principal), Craig Patrick (vice-président exécutif et directeur général), Bob Johnson (entraîneur), Scott Bowman (directeur du développement des joueurs et entraîneur), Barry Smith, Rick Kehoe, Pierre McGuire, Gilles Meloche, Rick Paterson (entraîneur adjoints), Steve Latin (responsable de l'équipement), Skip Thayer (soigneur), John Welday (responsable de la condition physique et de la musculation), Greg Malone, Les Binkley, Charlie Hodge, John Gill, Ralph Cox (dépisteurs).
Pointages: 26 mai à Pittsburgh – Pittsburgh 5, Chicago 4; 28 mai à Pittsburgh – Pittsburgh 3, Chicago 1; 30 mai à Chicago – Pittsburgh 1, Chicago 0; 1er juin à Chicago – Pittsburgh 6, Chicago 5.

1990-91 – Penguins de Pittsburgh – Mario Lemieux (capitaine), Paul Coffey, Randy Hillier, Bob Errey, Tom Barrasso, Phil Bourque, Jay Caufield, Ron Francis, Randy Gilhen, Jiri Hrdina, Jaromir Jagr, Grant Jennings, Troy Loney, Joe Mullen, Larry Murphy, Jim Paek, Frank Pietrangelo, Barry Pederson, Mark Recchi, Gordie Roberts, Ulf Samuelsson, Paul Stanton, Kevin Stevens, Peter Taglianetti, Bryan Trottier, Scott Young, Wendell Young, Edward J. DeBartolo, Sr. (propriétaire), Marie D. DeBartolo York (président), Paul Martha (vice-président exécutif et avocat principal), Craig Patrick (directeur général), Scotty Bowman (directeur du développement des joueurs et du recrutement), Bob Johnson (entraîneur), Rick Kehoe (entraîneur adjoint), Gilles Meloche (entraîneur de gardien de but, et dépisteur), Rick Paterson (entraîneur adjoint), Barry Smith (entraîneur adjoint), Steve Latin (responsable de l'equipement), Skip Thayer (soigneur), John Welday (responsable de la condition physique et de la musculation), Greg Malone (dépisteur).
Pointages: 15 mai à Pittsburgh – Minnesota 5, Pittsburgh 4; 17 mai à Pittsburgh – Pittsburgh 4, Minnesota 1; 19 mai à Minnesota – Minnesota 3, Pittsburgh 1; 21 mai à Minnesota – Pittsburgh 5, Minnesota 3; 23 mai à Pittsburgh – Pittsburgh 6, Minnesota 4; 25 mai à Minnesota – Pittsburgh 8, Minnesota 0.

1989-90 – Oilers d'Edmonton – Kevin Lowe, Steve Smith, Jeff Beukeboom, Mark Lamb, Joe Murphy, Glenn Anderson, Mark Messier, Adam Graves, Craig MacTavish, Kelly Buchberger, Jari Kurri, Craig Simpson, Martin Gélinas, Randy Gregg, Charlie Huddy, Geoff Smith, Reijo Ruotsalainen, Craig Muni, Bill Ranford, Dave Brown, Eldon Reddick, Petr Klima, Esa Tikkanen, Grant Fuhr, Peter Pocklington (propriétaire), Glen Sather (président/directeur général), John Muckler (entraîneur), Ted Green (coentraîneur), Ron Low (entraîneur adjoint), Bruce MacGregor (directeur général adjoint), Barry Fraser (directeur des joueurs), John Blackwell (directeur des opérations, AHL), Ace Bailey, Ed Chadwick, Lorne Davis, Harry Howell, Matti Vaisanen et Albert Reeves (dépisteurs), Bill Tuele (directeur de relations publiques), Werner Baum (contrôleur), Dr Gordon Cameron (chef du personnel médical), Dr David Reid (médecin de l'équipe), Barrie Stafford (soigneur), Ken Lowe (thérapeute), Stuart Poirier (masseur), Lyle Kulchisky (soigneur adjoint).
Pointages: 15 mai à Boston – Edmonton 3, Boston 2; 18 mai à Boston – Edmonton 7, Boston 2; 20 mai à Edmonton – Boston 2, Edmonton 1; 22 mai à Edmonton – Edmonton 5, Boston 1; 24 mai à Boston – Edmonton 4, Boston 1.

1988-89 – Flames de Calgary – Mike Vernon, Rick Wamsley, Al MacInnis, Brad McCrimmon, Dana Murzyn, Ric Nattress, Joe Mullen, Lanny McDonald (cocapitaine), Gary Roberts, Colin Patterson, Hakan Loob, Theoren Fleury, Jiri Hrdina, Tim Hunter (adjoint), Gary Suter, Mark Hunter, Jim Peplinski (cocapitaine), Joe Nieuwendyk, Brian MacLellan, Joel Otto, Jamie Macon, Doug Gilmour, Rob Ramage, Norman Green, Harley Hotchkiss, Norman Kwong, Sonia Scurfield, B.J. Seaman, D.K. Seaman (propriétaires), Cliff Fletcher (président et directeur général), Al MacNeil (directeur général adjoint), Al Coates (adjoint du président), Terry Crisp (entraîneur en chef), Doug Risebrough, Tom Watt (entraîneurs adjoints), Glenn Hall (expert des gardiens de but), Jim Murray (soigneur), Bob Stewart (responsable de l'équipement), Al Murray (soigneur adjoint).
Pointages: 14 mai à Calgary – Calgary 3, Montréal 2; 17 mai à Calgary – Montréal 4, Calgary 2; 19 mai à Montréal – Montréal 4, Calgary 3; 21 mai à Montréal – Calgary 4, Montréal 2; 23 mai à Calgary – Calgary 3, Montréal 2; 25 mai à Montréal – Calgary 4, Montréal 2.

1987-88 – Oilers d'Edmonton – Keith Acton, Glenn Anderson, Jeff Beukeboom, Geoff Courtnall, Grant Fuhr, Randy Gregg, Wayne Gretzky, Dave Hannan, Charlie Huddy, Mike Krushelnyski, Jari Kurri, Normand Lacombe, Kevin Lowe, Craig MacTavish, Kevin McClelland, Marty McSorley, Mark Messier, Craig Muni, Bill Ranford, Craig Simpson, Steve Smith, Esa Tikkanen, Peter Pocklington (propriétaire), Glen Sather (directeur général / entraîneur), John Muckler (coentraîneur), Ted Green (entraîneur adjoint), Barry Fraser (directeur des joueurs), Bill Tuele (directeur des relations publiques), Dr Gordon Cameron (médecin de l'équipe), Peter Millar (thérapeute), Barrie Stafford (soigneur), Juergen Mers (masseur), Lyle Kulchisky (soigneur adjoint).
Pointages: 18 mai à Edmonton – Edmonton 2, Boston 1; 20 mai à Edmonton – Edmonton 4, Boston 2; 22 mai à Boston – Edmonton 6, Boston 3; 24 mai à Boston – Boston 3, Edmonton 3 (match interrompu en raison d'une panne d'électricité); 26 mai à Edmonton – Edmonton 6, Boston 3.

1986-87 – Oilers d'Edmonton – Glenn Anderson, Jeff Beukeboom, Kelly Buchberger, Paul Coffey, Grant Fuhr, Randy Gregg, Wayne Gretzky, Charlie Huddy, Dave Hunter, Mike Krushelnyski, Jari Kurri, Moe Lemay, Kevin Lowe, Craig MacTavish, Kevin McClelland, Marty McSorley, Mark Messier, Andy Moog, Craig Muni, Kent Nilsson, Jaroslav Pouzar, Reijo Ruotsalainen, Steve Smith, Esa Tikkanen, Peter Pocklington (propriétaire), Glen Sather (directeur général / entraîneur), John Muckler (coentraîneur), Ted Green (entraîneur adjoint), Ron Low (entraîneur adjoint), Bruce MacGregor (directeur général adjoint), Barry Fraser (directeur des joueurs), Peter Millar (thérapeute), Barrie Stafford (soigneur), Lyle Kulchisky (soigneur adjoint).
Pointages: 17 mai à Edmonton – Edmonton 4, Philadelphie 3; 20 mai à Edmonton – Edmonton 3, Philadelphie 2; 22 mai à Philadelphie – Philadelphie 5, Edmonton 3; 24 mai à Philadelphie – Edmonton 4, Philadelphie 1; 26 mai à Edmonton – Philadelphie 4, Edmonton 3; 28 mai à Philadelphie – Philadelphie 3, Edmonton 2; 31 mai à Edmonton – Edmonton 3, Philadelphie 1.

1985-86 – Canadien de Montréal – Bob Gainey, Doug Soetaert, Patrick Roy, Rick Green, David Maley, Ryan Walter, Serge Boisvert, Mario Tremblay, Bobby Smith, Craig Ludwig, Tom Kurvers, Kjell Dahlin, Larry Robinson, Guy Carbonneau, Chris Chelios, Petr Svoboda, Mats Naslund, Lucien DeBlois, Steve Rooney, Gaston Gingras, Mike Lalor, Chris Nilan, John Kordic, Claude Lemieux, Mike McPhee, Brian Skrudland, Stephane Richer, Ronald Corey (président), Serge Savard (directeur général), Jean Perron (entraîneur), Jacques Laperrière (entraîneur adjoint), Jean Béliveau (vice-président), Francois-Xavier Seigneur (vice-président), Fred Steer (vice-président), Jacques Lemaire (directeur général adjoint), André Boudrias (directeur général adjoint), Claude Ruel, Yves Bélanger (thérapeute), Gaétan Lefèbvre (thérapeute adjoint), Eddy Palchek (soigneur), Sylvain Toupin (soigneur adjoint).
Pointages: 16 mai à Calgary – Calgary 5, Montréal 3; 18 mai à Calgary – Montréal 3, Calgary 2; 20 mai à Montréal – Montréal 5, Calgary 3; 22 mai à Montréal – Montréal 1, Calgary 0; 24 mai à Calgary – Montréal 4, Calgary 3.

1984-85 – Oilers d'Edmonton – Glenn Anderson, Bill Carroll, Paul Coffey, Lee Fogolin, Grant Fuhr, Randy Gregg, Wayne Gretzky, Charlie Huddy, Pat Hughes, Dave Hunter, Don Jackson, Mike Krushelnyski, Jari Kurri, Willy Lindstrom, Kevin Lowe, Dave Lumley, Kevin McClelland, Larry Melnyk, Mark Messier, Andy Moog, Mark Napier, Jaroslav Pouzar, Dave Semenko, Esa Tikkanen, Peter Pocklington (propriétaire), Glen Sather (directeur général/entraîneur), John Muckler (entraîneur adjoint), Ted Green (entraîneur adjoint), Bruce MacGregor (directeur général adjoint), Barry Fraser (directeur des joueurs/dépisteur en chef), Peter Millar (thérapeute), Barrie Stafford, Lyle Kulchisky (soigneurs).
Pointages: 21 mai à Philadelphie – Philadelphie 4, Edmonton 1; 23 mai à Philadelphie – Edmonton 3, Philadelphie 1; 25 mai à Edmonton – Edmonton 4, Philadelphie 3; 28 mai à Edmonton – Edmonton 5, Philadelphie 3; 30 mai à Edmonton – Edmonton 8, Philadelphie 3.

1983-84 – Oilers d'Edmonton – Glenn Anderson, Paul Coffey, Pat Conacher, Lee Fogolin, Grant Fuhr, Randy Gregg, Wayne Gretzky, Charlie Huddy, Pat Hughes, Dave Hunter, Don Jackson, Jari Kurri, Willy Lindstrom, Ken Linseman, Kevin Lowe, Dave Lumley, Kevin McClelland, Mark Messier, Andy Moog, Jaroslav Pouzar, Dave Semenko, Peter Pocklington (propriétaire), Glen Sather (directeur général/entraîneur), John Muckler (entraîneur adjoint), Ted Green (entraîneur adjoint), Bruce MacGregor (directeur général adjoint), Barry Fraser (directeur des joueurs/dépisteur en chef), Peter Millar (thérapeute), Barrie Stafford (soigneur).
Pointages: 10 mai à New York – Edmonton 1, Islanders de NY 0; 12 mai à New York – Islanders de NY 6, Edmonton 1; 15 mai à Edmonton – Edmonton 7, Islanders de NY 2; 17 mai à Edmonton – Edmonton 7, Islanders de NY 2; 19 mai à Edmonton – Edmonton 5, Islanders de NY 2.

1982-83 – Islanders de New York – Mike Bossy, Bob Bourne, Paul Boutilier, Bill Carroll, Greg Gilbert, Clark Gillies, Butch Goring, Mats Hallin, Tomas Jonsson, Anders Kallur, Gord Lane, Dave Langevin, Mike McEwen, Roland Melanson, Wayne Merrick, Ken Morrow, Bob Nystrom, Stefan Persson, Denis Potvin, Bill Smith, Brent Sutter, Duane Sutter, John Tonelli, Bryan Trottier, Al Arbour (entraîneur), Lorne Henning (entraîneur adjoint), Bill Torrey (directeur général), Ron Waske, Jim Pickard (soigneurs).
Pointages: 10 mai à Edmonton – Islanders 2, Edmonton 0; 12 mai à Edmonton – Islanders 6, Edmonton 3; 14 mai à New York – Islanders 5, Edmonton 1; 17 mai à New York – Islanders 4, Edmonton 2.

1981-82 – Islanders de New York – Mike Bossy, Bob Bourne, Bill Carroll, Butch Goring, Greg Gilbert, Clark Gillies, Tomas Jonsson, Anders Kallur, Gord Lane, Dave Langevin, Hector Marini, Mike McEwen, Roland Melanson, Wayne Merrick, Ken Morrow, Bob Nystrom, Stefan Persson, Denis Potvin, Bill Smith, Brent Sutter, Duane Sutter, John Tonelli, Bryan Trottier, Al Arbour (entraîneur), Lorne Henning (entraîneur adjoint), Bill Torrey (directeur général), Ron Waske, Jim Pickard (soigneurs).
Pointages: 8 mai à New York – Islanders 6, Vancouver 5; 11 mai à New York – Islanders 6, Vancouver 4; 13 mai à Vancouver – Islanders 3, Vancouver 0; 16 mai à Vancouver – Islanders 3, Vancouver 1.

1980-81 – Islanders de New York – Denis Potvin, Mike McEwen, Ken Morrow, Gord Lane, Bob Lorimer, Stefan Persson, Dave Langevin, Mike Bossy, Bryan Trottier, Butch Goring, Wayne Merrick, Clark Gillies, John Tonelli, Bob Nystrom, Bill Carroll, Bob Bourne, Hector Marini, Anders Kallur, Duane Sutter, Garry Howatt, Lorne Henning, Bill Smith, Roland Melanson, Al Arbour (entraîneur), Bill Torrey (directeur général), Ron Waske, Jim Pickard (soigneurs).
Pointages: 12 mai à New York – Islanders 6, Minnesota 3; 14 mai à New York – Islanders 6, Minnesota 3; 17 mai à Minnesota – Islanders 7, Minnesota 5; 19 mai à Minnesota – Minnesota 4, Islanders 2; 21 mai à New York – Islanders 5, Minnesota 1.

1979-80 – Islanders de New York – Gord Lane, Jean Potvin, Bob Lorimer, Denis Potvin, Stefan Persson, Ken Morrow, Dave Langevin, Duane Sutter, Garry Howatt, Clark Gillies, Lorne Henning, Wayne Merrick, Bob Bourne, Steve Tambellini, Bryan Trottier, Mike Bossy, Bob Nystrom, John Tonelli, Anders Kallur, Butch Goring, Alex McKendry, Glenn Resch, Billy Smith, Al Arbour (entraîneur), Bill Torrey (directeur général), Ron Waske, Jim Pickard (soigneurs).
Pointages: 13 mai à Philadelphie – Islanders 4, Philadelphie 3; 15 mai à Philadelphie – Philadelphie 8, Islanders 3; 17 mai à New York – Islanders 6, Philadelphie 2; 19 mai à New York – Islanders 5, Philadelphie 2; 22 mai à Philadelphie – Philadelphie 6, Islanders 3; 24 mai à New York – Islanders 5, Philadelphie 4.

1978-79 – Canadien de Montréal – Ken Dryden, Larry Robinson, Serge Savard, Guy Lapointe, Brian Engblom, Gilles Lupien, Rick Chartraw, Guy Lafleur, Steve Shutt, Jacques Lemaire, Yvan Cournoyer, Réjean Houle, Pierre Mondou, Bob Gainey, Doug Jarvis, Yvon Lambert, Doug Risebrough, Pierre Larouche, Mario Tremblay, Cam Connor, Pat Hughes, Rod Langway, Mark Napier, Michel Larocque, Richard Sévigny, Scotty Bowman (entraîneur), Irving Grundman (directeur général), Eddy Palchak, Pierre Meilleur (soigneurs).
Pointages: 13 mai à Montréal – Rangers de New York 4, Montréal 1; 15 mai à Montréal – Montréal 6, Rangers 2; 17 mai à New York – Montréal 4, Rangers 1; 19 mai à New York – Montréal 4, Rangers 3; 21 mai à Montréal – Montréal 4, Rangers 1.

1977-78 – Canadien de Montréal – Ken Dryden, Larry Robinson, Serge Savard, Guy Lapointe, Bill Nyrop, Pierre Bouchard, Brian Engblom, Gilles Lupien, Rick Chartraw, Guy Lafleur, Steve Shutt, Jacques Lemaire, Yvan Cournoyer, Réjean Houle, Pierre Mondou, Bob Gainey, Doug Jarvis, Yvon Lambert, Doug Risebrough, Pierre Larouche, Mario Tremblay, Michel Larocque, Scotty Bowman (entraîneur), Sam Pollock (directeur général), Eddy Palchak, Pierre Meilleur (soigneurs).
Pointages: 13 mai à Montréal – Montréal 4, Boston 1; 16 mai à Montréal – Montréal 3, Boston 2; 18 mai à Boston – Boston 4, Montréal 0; 21 mai à Boston – Boston 4, Montréal 3; 23 mai à Montréal – Montréal 4, Boston 1; 25 mai à Boston – Montréal 4, Boston 1.

1976-77 – Canadien de Montréal – Ken Dryden, Guy Lapointe, Larry Robinson, Serge Savard, Jimmy Roberts, Rick Chartraw, Bill Nyrop, Pierre Bouchard, Brian Engblom, Yvan Cournoyer, Guy Lafleur, Jacques Lemaire, Steve Shutt, Pete Mahovlich, Murray Wilson, Doug Jarvis, Yvon Lambert, Bob Gainey, Doug Risebrough, Mario Tremblay, Réjean Houle, Pierre Mondou, Mike Polich, Michel Larocque, Scotty Bowman (entraîneur), Sam Pollock (directeur général), Eddy Palchak, Pierre Meilleur (soigneurs).
Pointages: 7 mai à Montréal – Montréal 7, Boston 3; 10 mai à Montréal – Montréal 3, Boston 0; 12 mai à Boston – Montréal 4, Boston 2; 14 mai à Boston – Montréal 2, Boston 1.

1975-76 – Canadien de Montréal – Ken Dryden, Serge Savard, Guy Lapointe, Larry Robinson, Bill Nyrop, Pierre Bouchard, Jim Roberts, Guy Lafleur, Steve Shutt, Pete Mahovlich, Yvan Cournoyer, Jacques Lemaire, Yvon Lambert, Bob Gainey, Doug Jarvis, Doug Risebrough, Murray Wilson, Mario Tremblay, Rick Chartraw, Michel Larocque, Scotty Bowman (entraîneur), Sam Pollock (directeur général), Eddy Palchak, Pierre Meilleur (soigneurs).
Pointages: 9 mai à Montréal – Montréal 4, Philadelphie 3; 11 mai à Montréal – Montréal 2, Philadelphie 1; 13 mai à Philadelphie – Montréal 3, Philadelphie 2; 16 mai à Philadelphie – Montréal 5, Philadelphie 3.

1974-75 – Flyers de Philadelphie – Bernie Parent, Wayne Stephenson, Ed Van Impe, Tom Bladon, André Dupont, Joe Watson, Jim Watson, Ted Harris, Larry Goodenough, Rick MacLeish, Bobby Clarke, Bill Barber, Reggie Leach, Gary Dornhoefer, Ross Lonsberry, Bob Kelly, Terry Crisp, Don Saleski, Dave Schultz, Orest Kindrachuk, Bill Clement, Fred Shero (entraîneur), Keith Allen (directeur général), Frank Lewis, Jim McKenzie (soigneurs).
Pointages: 15 mai à Philadelphie – Philadelphie 4, Buffalo 1; 18 mai à Philadelphie – Philadelphie 2, Buffalo 1; 20 mai à Buffalo – Buffalo 5, Philadelphie 4; 22 mai à Buffalo – Buffalo 4, Philadelphie 2; 25 mai à Philadelphie – Philadelphie 5, Buffalo 1; 27 mai à Buffalo – Philadelphie 2, Buffalo 0.

1973-74 – Flyers de Philadelphie – Bernie Parent, Ed Van Impe, Tom Bladon, André Dupont, Joe Watson, Jim Watson, Barry Ashbee, Bill Barber, Dave Schultz, Don Saleski, Gary Dornhoefer, Terry Crisp, Bobby Clarke, Simon Nolet, Ross Lonsberry, Rick MacLeish, Bill Flett, Orest Kindrachuk, Bill Clement, Bob Kelly, Bruce Cowick, Al MacAdam, Bobby Taylor, Fred Shero (entraîneur), Keith Allen (directeur général), Frank Lewis, Jim McKenzie (soigneurs).
Pointages: 7 mai à Boston – Boston 3, Philadelphie 2; 9 mai à Boston – Philadelphie 3, Boston 2; 12 mai à Philadelphie – Philadelphie 4, Boston 1; 14 mai à Philadelphie – Philadelphie 4, Boston 2; 16 mai à Boston – Boston 5, Philadelphie 1; 19 mai à Philadelphie – Philadelphie 1, Boston 0.

1972-73 – Canadien de Montréal – Ken Dryden, Guy Lapointe, Serge Savard, Larry Robinson, Jacques Laperrière, Bob Murdoch, Pierre Bouchard, Jim Roberts, Yvan Cournoyer, Frank Mahovlich, Jacques Lemaire, Pete Mahovlich, Marc Tardif, Henri Richard, Réjean Houle, Guy Lafleur, Chuck Lefley, Claude Larose, Murray Wilson, Steve Shutt, Michel Plasse, Scotty Bowman (entraîneur), Sam Pollock (directeur général), Ed Palchak, Bob Williams (soigneurs).
Pointages: 29 avril à Montréal – Montréal 8, Chicago 3; 1er mai à Montréal – Montréal 4, Chicago 1; 3 mai à Chicago – Chicago 7, Montréal 4; 6 mai à Chicago – Montréal 4, Chicago 0; 8 mai à Montréal – Chicago 8, Montréal 7; 10 mai à Chicago – Montréal 6, Chicago 4.

1971-72 – Bruins de Boston – Gerry Cheevers, Ed Johnston, Bobby Orr, Ted Green, Carol Vadnais, Dallas Smith, Don Awrey, Phil Esposito, Ken Hodge, John Bucyk, Mike Walton, Wayne Cashman, Garnet Bailey, Derek Sanderson, Fred Stanfield, Ed Westfall, John McKenzie, Don Marcotte, Garry Peters, Chris Hayes, Tom Johnson (entraîneur), Milt Schmidt (directeur général), Dan Canney, John Forristall (soigneurs).
Pointages: 30 avril à Boston – Boston 6, Rangers de New York 5; 2 mai à Boston – Boston 2, Rangers 1; 4 mai à New York – Rangers 5, Boston 2; 7 mai à New York – Boston 3, Rangers 2; 9 mai à Boston – Rangers 3, Boston 2; 11 mai à New York – Boston 3, Rangers 0.

1970-71 – Canadien de Montréal – Ken Dryden, Rogatien Vachon, Jacques Laperrière, Jean-Claude Tremblay, Guy Lapointe, Terry Harper, Pierre Bouchard, Jean Béliveau, Marc Tardif, Yvan Cournoyer, Réjean Houle, Claude Larose, Henri Richard, Phil Roberto, Pete Mahovlich, Leon Rochefort, John Ferguson, Bobby Sheehan, Jacques Lemaire, Frank Mahovlich, Bob Murdoch, Chuck Lefley, Al MacNeil (entraîneur), Sam Pollock (directeur général), Yvon Bélanger, Ed Palchak (soigneurs).
Pointages: 4 mai à Chicago – Chicago 2, Montréal 1; 6 mai à Chicago – Chicago 5, Montréal 3; 9 mai à Montréal – Montréal 4, Chicago 2; 11 mai à Montréal – Montréal 5, Chicago 2; 13 mai à Chicago – Chicago 2, Montréal 0; 16 mai à Montréal – Montréal 4, Chicago 3; 18 mai à Chicago – Montréal 3, Chicago 2.

1969-70 – Bruins de Boston – Gerry Cheevers, Ed Johnston, Bobby Orr, Rick Smith, Dallas Smith, Bill Speer, Gary Doak, Don Awrey, Phil Esposito, Ken Hodge, John Bucyk, Wayne Carleton, Wayne Cashman, Derek Sanderson, Fred Stanfield, Ed Westfall, John McKenzie, Jim Lorentz, Don Marcotte, Bill Lesuk, Dan Schock, Harry Sinden (entraîneur), Milt Schmidt (directeur général), Dan Canney, John Forristall (soigneurs).
Pointages: 3 mai à St. Louis – Boston 6, St. Louis 1; 5 mai à St. Louis – Boston 6, St. Louis 2; 7 mai à Boston – Boston 4, St. Louis 1; 10 mai à Boston – Boston 4, St. Louis 3.

1968-69 – Canadien de Montréal – Lorne Worsley, Rogatien Vachon, Jacques Laperrière, Jean-Claude Tremblay, Ted Harris, Serge Savard, Terry Harper, Larry Hillman, Jean Béliveau, Ralph Backstrom, Dick Duff, Yvan Cournoyer, Claude Provost, Bobby Rousseau, Henri Richard, John Ferguson, Christian Bordeleau, Mickey Redmond, Jacques Lemaire, Lucien Grenier, Tony Esposito, Claude Ruel (entraîneur), Sam Pollock (directeur général), Larry Aubut, Eddy Palchak (soigneurs).
Pointages: 27 avril à Montréal – Montréal 3, St. Louis 1; 29 avril à Montréal – Montréal 3, St. Louis 1; 1er mai à St. Louis – Montréal 4, St. Louis 0; 4 mai à St. Louis – Montréal 2, St. Louis 1.

1967-68 – Canadien de Montréal – Lorne Worsley, Rogatien Vachon, Jacques Laperrière, Jean-Claude Tremblay, Ted Harris, Serge Savard, Terry Harper, Carol Vadnais, Jean Béliveau, Gilles Tremblay, Ralph Backstrom, Dick Duff, Claude Larose, Yvan Cournoyer, Claude Provost, Bobby Rousseau, Henri Richard, John Ferguson, Danny Grant, Jacques Lemaire, Mickey Redmond, Toe Blake (entraîneur), Sam Pollock (directeur général), Larry Aubut, Eddy Palchak (soigneurs).
Pointages: 5 mai à St. Louis – Montréal 3, St. Louis 2; 7 mai à St. Louis – Montréal 1, St. Louis 0; 9 mai à Montréal – Montréal 4, St. Louis 3; 11 mai à Montréal – Montréal 3, St. Louis 2.

1966-67 – Maple Leafs de Toronto – Johnny Bower, Terry Sawchuk, Larry Hillman, Marcel Pronovost, Tim Horton, Bob Baun, Aut Erickson, Allan Stanley, Red Kelly, Ron Ellis, George Armstrong, Pete Stemkowski, Dave Keon, Mike Walton, Jim Pappin, Bob Pulford, Brian Conacher, Eddie Shack, Frank Mahovlich, Milan Marcetta, Larry Jeffrey, Bruce Gamble, Punch Imlach (entraîneur-directeur), Bob Haggart (soigneur).
Pointages: 20 avril à Montréal – Toronto 2, Montréal 6; 22 avril à Montréal – Toronto 3, Montréal 0; 25 avril à Toronto – Toronto 3, Montréal 2; 27 avril à Toronto – Toronto 2, Montréal 6; 29 avril à Montréal – Toronto 4, Montréal 1; 2 mai à Toronto – Toronto 3, Montréal 1.

1965-66 – Canadien de Montréal – Lorne Worsley, Charlie Hodge, Jean-Claude Tremblay, Ted Harris, Jean-Guy Talbot, Terry Harper, Jacques Laperrière, Noel Price, Jean Béliveau, Ralph Backstrom, Dick Duff, Gilles Tremblay, Claude Larose, Yvan Cournoyer, Claude Provost, Bobby Rousseau, Henri Richard, Dave Balon, John Ferguson, Léon Rochefort, Jim Roberts, Toe Blake (entraîneur), Sam Pollock (directeur général), Larry Aubut, Andy Galley (soigneurs).
Pointages: 24 avril à Montréal – Détroit 3, Montréal 2; 26 avril à Montréal – Détroit 5, Montréal 2; 28 avril à Détroit – Montréal 4, Détroit 2; 1er mai à Détroit – Montréal 2, Détroit 1; 3 mai à Montréal – Montréal 5, Détroit 1; 5 mai à Détroit – Montréal 3, Détroit 2.

1964-65 – Canadien de Montréal – Lorne Worsley, Charlie Hodge, Jean-Claude Tremblay, Ted Harris, Jean-Guy Talbot, Terry Harper, Jacques Laperrière, Jean Gauthier, Noel Picard, Jean Béliveau, Ralph Backstrom, Dick Duff, Claude Larose, Yvan Cournoyer, Claude Provost, Bobby Rousseau, Henri Richard, Dave Balon, John Ferguson, Red Berenson, Jim Roberts, Toe Blake (entraîneur), Sam Pollock (directeur général), Larry Aubut, Andy Galley (soigneurs).
Pointages: 17 avril à Montréal – Montréal 3, Chicago 2; 20 avril à Montréal – Montréal 2, Chicago 0; 22 avril à Chicago – Montréal 1, Chicago 3; 25 avril à Chicago – Montréal 1, Chicago 5; 27 avril à Montréal – Montréal 6, Chicago 0; 29 avril à Chicago – Montréal 1, Chicago 2; 1er mai à Montréal – Montréal 4, Chicago 0.

1963-64 – Maple Leafs de Toronto – Johnny Bower, Carl Brewer, Tim Horton, Bob Baun, Allan Stanley, Larry Hillman, Al Arbour, Red Kelly, Gerry Ehman, Andy Bathgate, George Armstrong, Ron Stewart, Dave Keon, Billy Harris, Don McKenney, Jim Pappin, Bob Pulford, Eddie Shack, Frank Mahovlich, Eddie Litzenberger, Punch Imlach (entraîneur-directeur), Bob Haggert (soigneur).
Pointages: 11 avril à Toronto – Toronto 3, Détroit 2; 14 avril à Toronto – Toronto 3, Détroit 4; 16 avril à Détroit – Toronto 3, Détroit 4; 18 avril à Détroit – Toronto 4, Détroit 2; 21 avril à Toronto – Toronto 1, Détroit 2; 23 avril à Détroit – Toronto 4, Détroit 3; 25 avril à Toronto – Toronto 4, Détroit 0.

1962-63 – Maple Leafs de Toronto – Johnny Bower, Don Simmons, Carl Brewer, Tim Horton, Kent Douglas, Allan Stanley, Bob Baun, Larry Hillman, Red Kelly, Dick Duff, George Armstrong, Bob Nevin, Ron Stewart, Dave Keon, Billy Harris, Bob Pulford, Eddie Shack, Ed Litzenberger, Frank Mahovlich, John MacMillan, Punch Imlach (entraîneur-directeur), Bob Haggert (soigneur).
Pointages: 9 avril à Toronto – Toronto 4, Détroit 2; 11 avril à Toronto – Toronto 4, Détroit 2; 14 avril à Détroit – Toronto 2, Détroit 3; 16 avril à Détroit – Toronto 4, Détroit 2; 18 avril à Toronto – Toronto 3, Détroit 1.

1961-62 – Maple Leafs de Toronto – Johnny Bower, Don Simmons, Carl Brewer, Tim Horton, Bob Baun, Allan Stanley, Al Arbour, Larry Hillman, Red Kelly, Dick Duff, George Armstrong, Frank Mahovlich, Bob Nevin, Ron Stewart, Bill Harris, Bert Olmstead, Bob Pulford, Eddie Shack, Dave Keon, Ed Litzenberger, John MacMillan, Punch Imlach (entraîneur-directeur), Bob Haggert (soigneur).
Pointages: 10 avril à Toronto – Toronto 4, Chicago 1; 12 avril à Toronto – Toronto 3, Chicago 2; 15 avril à Chicago – Toronto 0, Chicago 3; 17 avril à Chicago – Toronto 1, Chicago 4; 19 avril à Toronto – Toronto 8, Chicago 4; 22 avril à Chicago – Toronto 2, Chicago 1.

1960-61 – Black Hawks de Chicago – Glenn Hall, Al Arbour, Pierre Pilote, Elmer Vasko, Jack Evans, Dollard St. Laurent, Reg Fleming, Tod Sloan, Ron Murphy, Eddie Litzenberger, Bill Hay, Bobby Hull, Ab McDonald, Eric Nesterenko, Ken Wharram, Earl Balfour, Stan Mikita, Murray Balfour, Chico Maki, Wayne Hicks, Tommy Ivan (directeur), Rudy Pilous (entraîneur), Nick Garen (soigneur).
Pointages: 6 avril à Chicago – Chicago 3, Détroit 2; 8 avril à Détroit – Détroit 3, Chicago 1; 10 avril à Chicago – Chicago 3, Détroit 1; 12 avril à Détroit – Détroit 2, Chicago 1; 14 avril à Chicago – Chicago 6, Détroit 3; 16 avril à Détroit – Chicago 5, Détroit 1.

1959-60 – Canadien de Montréal – Jacques Plante, Charlie Hodge, Doug Harvey, Tom Johnson, Bob Turner, Jean-Guy Talbot, Albert Langlois, Ralph Backstrom, Jean Béliveau, Marcel Bonin, Bernie Geoffrion, Phil Goyette, Bill Hicke, Don Marshall, Ab McDonald, Dickie Moore, André Pronovost, Claude Provost, Henri Richard, Maurice Richard, Frank Selke (directeur), Toe Blake (entraîneur), Hector Dubois, Larry Aubut (soigneurs).
Pointages: 7 avril à Montréal – Montréal 4, Toronto 2; 9 avril à Montréal – Montréal 2, Toronto 1; 12 avril à Toronto – Montréal 5, Toronto 2; 14 avril à Toronto – Montréal 4, Toronto 0.

1958-59 – Canadien de Montréal – Jacques Plante, Charlie Hodge, Doug Harvey, Tom Johnson, Bob Turner, Jean-Guy Talbot, Albert Langlois, Bernie Geoffrion, Ralph Backstrom, Bill Hicke, Maurice Richard, Dickie Moore, Claude Provost, Ab McDonald, Henri Richard, Marcel Bonin, Phil Goyette, Don Marshall, André Pronovost, Jean Béliveau, Frank Selke (directeur), Toe Blake (entraîneur), Hector Dubois, Larry Aubut (soigneurs).
Pointages: 9 avril à Montréal – Montréal 5, Toronto 3; 11 avril à Montréal – Montréal 3, Toronto 1; 14 avril à Toronto – Toronto 3, Montréal 2; 16 avril à Toronto – Montréal 3, Toronto 2; 18 avril à Montréal – Montréal 5, Toronto 3.

1957-58 – Canadien de Montréal – Jacques Plante, Gerry McNeil, Doug Harvey, Tom Johnson, Bob Turner, Dollard St. Laurent, Jean-Guy Talbot, Albert Langlois, Jean Béliveau, Bernie Geoffrion, Maurice Richard, Dickie Moore, Claude Provost, Floyd Curry, Bert Olmstead, Henri Richard, Marcel Bonin, Phil Goyette, Don Marshall, André Pronovost, Connie Broden, Frank Selke (directeur), Toe Blake (entraîneur), Hector Dubois, Larry Aubut (soigneurs).
Pointages: 8 avril à Montréal – Montréal 2, Boston 1; 10 avril à Montréal – Boston 5, Montréal 2; 13 avril à Boston – Montréal 3, Boston 0; 15 avril à Boston – Boston 3, Montréal 1; 17 avril à Montréal – Montréal 3, Boston 2; 20 avril à Boston – Montréal 5, Boston 3.

1956-57 – Canadien de Montréal – Jacques Plante, Gerry McNeil, Doug Harvey, Tom Johnson, Bob Turner, Dollard St. Laurent, Jean-Guy Talbot, Jean Béliveau, Bernie Geoffrion, Floyd Curry, Dickie Moore, Maurice Richard, Claude Provost, Bert Olmstead, Henri Richard, Phil Goyette, Don Marshall, André Pronovost, Connie Broden, Frank Selke (directeur), Toe Blake (entraîneur), Hector Dubois, Larry Aubut (soigneurs).
Pointages: 6 avril à Montréal – Montréal 5, Boston 1; 9 avril à Montréal – Montréal 1, Boston 0; 11 avril à Boston – Montréal 4, Boston 2; 14 avril à Boston – Boston 2, Montréal 0; 16 avril à Montréal – Montréal 5, Boston 1.

1955-56 – Canadien de Montréal – Jacques Plante, Doug Harvey, Émile Bouchard, Bob Turner, Tom Johnson, Jean-Guy Talbot, Dollard St. Laurent, Jean Béliveau, Bernie Geoffrion, Bert Olmstead, Floyd Curry, Jackie Leclair, Maurice Richard, Dickie Moore, Henri Richard, Ken Mosdell, Don Marshall, Claude Provost, Frank Selke (directeur), Toe Blake (entraîneur), Hector Dubois (soigneur).
Pointages: 31 mars à Montréal – Montréal 6, Détroit 4; 3 avril à Montréal – Montréal 5, Détroit 1; 5 avril à Détroit – Détroit 3, Montréal 1; 8 avril à Détroit – Montréal 3, Détroit 0; 10 avril à Montréal – Montréal 3, Détroit 1.

1954-55 – Red Wings de Détroit – Terry Sawchuk, Red Kelly, Bob Goldham, Marcel Pronovost, Ben Woit, Jim Hay, Larry Hillman, Ted Lindsay, Tony Leswick, Gordie Howe, Alex Delvecchio, Marty Pavelich, Glen Skov, Earl Reibel, John Wilson, Bill Dineen, Vic Stasiuk, Marcel Bonin, Jack Adams (directeur), Jimmy Skinner (entraîneur), Carl Mattson (soigneur).
Pointages: 3 avril à Détroit – Détroit 4, Montréal 2; 5 avril à Détroit – Détroit 7, Montréal 1; 7 avril à Montréal – Montréal 4, Détroit 2; 9 avril à Montréal – Montréal 5, Détroit 3; 10 avril à Détroit – Détroit 5, Montréal 1; 12 avril à Montréal – Montréal 6, Détroit 3; 14 avril à Détroit – Détroit 3, Montréal 1.

1953-54 – Red Wings de Détroit – Terry Sawchuk, Red Kelly, Bob Goldham, Ben Woit, Marcel Pronovost, Al Arbour, Keith Allen, Ted Lindsay, Tony Leswick, Gordie Howe, Marty Pavelich, Alex Delvecchio, Metro Prystai, Glen Skov, John Wilson, Bill Dineen, Jim Peters, Earl Reibel, Vic Stasiu, Jack Adams (directeur), Tommy Ivan (entraîneur), Carl Mattson (soigneur).
Pointages: 4 avril à Détroit – Détroit 3, Montréal 1; 6 avril à Détroit – Montréal 3, Détroit 1; 8 avril à Montréal – Détroit 5, Montréal 2; 10 avril à Montréal – Détroit 2, Montréal 0; 11 avril à Détroit – Montréal 1, Détroit 0; 13 avril à Montréal – Montréal 4, Détroit 1; 16 avril à Détroit – Détroit 2, Montréal 1.

1952-53 – Canadien de Montréal – Gerry McNeil, Jacques Plante, Doug Harvey, Émile Bouchard, Tom Johnson, Dollard St. Laurent, Bud MacPherson, Maurice Richard, Elmer Lach, Bert Olmstead, Bernie Geoffrion, Floyd Curry, Paul Masnick, Billy Reay, Dickie Moore, Ken Mosdell, Dick Gamble, Johnny McCormack, Lorne Davis, Calum McKay, Eddie Mazur, Frank Selke (directeur), Dick Irvin (entraîneur), Hector Dubois (soigneur).
Pointages: 9 avril à Montréal – Montréal 4, Boston 2; 11 avril à Montréal – Boston 4, Montréal 1; 12 avril à Boston – Montréal 3, Boston 0; 14 avril à Boston – Montréal 7, Boston 3; 16 avril à Montréal – Montréal 1, Boston 0.

1951-52 – Red Wings de Détroit – Terry Sawchuk, Bob Goldham, Ben Woit, Red Kelly, Leo Reise, Marcel Pronovost, Ted Lindsay, Tony Leswick, Gordie Howe, Metro Prystai, Marty Pavelich, Sid Abel, Glen Skov, Alex Delvecchio, John Wilson, Vic Stasiuk, Larry Zeidel, Jack Adams (directeur) Tommy Ivan (entraîneur), Carl Mattson (soigneur).
Pointages: 10 avril à Montréal – Détroit 3, Montréal 1; 12 avril à Montréal – Détroit 2, Montréal 1; 13 avril à Détroit – Détroit 3, Montréal 0; 15 avril à Détroit – Détroit 3, Montréal 0.

1950-51 – Maple Leafs de Toronto – Turk Broda, Al Rollins, Jim Thomson, Gus Mortson, Bill Barilko, Bill Juzda, Fern Flaman, Hugh Bolton, Ted Kennedy, Sid Smith, Tod Sloan, Cal Gardner, Howie Meeker, Harry Watson, Max Bentley, Joe Klukay, Danny Lewicki, Ray Timgren, Fleming Mackell, Johnny McCormack, Bob Hassard, Conn Smythe (directeur), Joe Primeau (entraîneur), Tim Daly (soigneur).
Pointages: 11 avril à Toronto – Toronto 3, Montréal 2; 14 avril à Toronto – Montréal 3, Toronto 2; 17 avril à Montréal – Toronto 2, Montréal 1; 19 avril à Montréal – Toronto 3, Montréal 2; 21 avril à Toronto – Toronto 3, Montréal 2.

1949-50 – Red Wings de Détroit – Harry Lumley, Jack Stewart, Leo Reise, Clare Martin, Al Dewsbury, Lee Fogolin, Marcel Pronovost, Red Kelly, Ted Lindsay, Sid Abel, Gordie Howe, George Gee, Jimmy Peters, Marty Pavelich, Jim McFadden, Pete Babando, Max McNab, Gerry Coutur, Joe Carveth, Steve Black, John Wilson, Larry Wilson, Jack Adams (directeur), Tommy Ivan (entraîneur), Carl Mattson (soigneur).
Pointages: 11 avril à Détroit – Détroit 4, Rangers de New York 1; 13 avril à Toronto* – Rangers 3, Détroit 1; 15 avril à Toronto – Détroit 4, Rangers 0; 18 avril à Détroit – Rangers 4, Détroit 3; 20 avril à Détroit – Rangers 2, Détroit 1; 22 avril à Détroit – Détroit 5, Rangers 4; 23 avril à Détroit – Détroit 4, Rangers 3.

*La patinoire du Madison Square Garden n'était pas disponible, et les Rangers choisirent de disputer les deuxième et troisième matchs sur la glace à Toronto.

1948-49 – Maple Leafs de Toronto – Turk Broda, Jim Thomson, Gus Mortson, Bill Barilko, Garth Boesch, Bill Juzda, Ted Kennedy, Howie Meeker, Vic Lynn, Harry Watson, Bill Ezinicki, Cal Gardner, Max Bentley, Joe Klukay, Sid Smith, Don Metz, Ray Timgren, Fleming Mackell, Harry Taylor, Bob Dawes, Tod Sloan, Conn Smythe (directeur), Hap Day (entraîneur), Tim Daly (soigneur).
Pointages: 8 avril à Détroit – Toronto 3, Détroit 2; 10 avril à Détroit – Toronto 3, Détroit 1; 13 avril à Toronto – Toronto 3, Détroit 1; 16 avril à Toronto – Toronto 3, Détroit 1.

1947-48 – Maple Leafs de Toronto – Turk Broda, Jim Thomson, Wally Stanowski, Garth Boesch, Bill Barilko, Gus Mortson, Phil Samis, Syl Apps, Bill Ezinicki, Harry Watson, Ted Kennedy, Howie Meeker, Vic Lynn, Nick Metz, Max Bentley, Joe Klukay, Les Costello, Don Metz, Sid Smith, Conn Smythe (directeur), Hap Day (entraîneur), Tim Daly (soigneur).
Pointages: 7 avril à Toronto – Toronto 5, Détroit 3; 10 avril à Toronto – Toronto 4, Détroit 2; 11 avril à Détroit – Toronto 2, Détroit 0; 14 avril à Détroit – Toronto 7, Détroit 2.

1946-47 – Maple Leafs de Toronto – Turk Broda, Garth Boesch, Gus Mortson, Jim Thomson, Wally Stanowski, Bill Barilko, Harry Watson, Bud Poile, Ted Kennedy, Syl Apps, Don Metz, Nick Metz, Bill Ezinicki, Vic Lynn, Howie Meeker, Gaye Stewart, Joe Klukay, Gus Bodnar, Bob Goldham, Conn Smythe (directeur), Hap Day (entraîneur), Tim Daly (soigneur).
Pointages: 8 avril à Montréal – Montréal 6, Toronto 0; 10 avril à Montréal – Toronto 4, Montréal 0; 12 avril à Toronto – Toronto 4, Montréal 2; 15 avril à Toronto – Toronto 2, Montréal 1; 17 avril à Montréal – Montréal 3, Toronto 1; 19 avril à Toronto – Toronto 2, Montréal 1.

1945-46 – Canadien de Montréal – Elmer Lach, Toe Blake, Maurice Richard, Bob Fillion, Dutch Hiller, Murph Chamberlain, Ken Mosdell, Buddy O'Connor, Glen Harmon, Jim Peters, Émile Bouchard, Bill Reay, Ken Reardon, Léo Lamoureux, Frank Eddolls, Gerry Plamondon, Bill Durnan, Tommy Gorman (directeur), Dick Irvin (entraîneur), Ernie Cook (soigneur).
Pointages: 30 mars à Montréal – Montréal 4, Boston 3; 2 avril à Montréal – Montréal 3, Boston 2; 4 avril à Boston – Montréal 4, Boston 2; 7 avril à Boston – Boston 3, Montréal 2; 9 avril à Montréal – Montréal 6, Boston 3.

1944-45 – Maple Leafs de Toronto – Don Metz, Frank McCool, Wally Stanowski, Reg Hamilton, Elwyn Morris, Johnny McCreedy, Tommy O'Neill, Ted Kennedy, Babe Pratt, Gus Bodnar, Art Jackson, Jack McLean, Mel Hill, Nick Metz, Bob Davidson, Dave Schriner, Lorne Carr, Conn Smythe (directeur), Frank Selke (directeur des affaires), Hap Day (entraîneur), Tim Daly (soigneur).
Pointages: 6 avril à Détroit – Toronto 1, Détroit 0; 8 avril à Détroit – Toronto 2, Détroit 0; 12 avril à Toronto – Toronto 1, Détroit 0; 14 avril à Toronto – Détroit 5, Toronto 3; 19 avril à Détroit – Détroit 2, Toronto 0; 21 avril à Toronto – Détroit 1, Toronto 0; 22 avril à Détroit – Toronto 2, Détroit 1.

1943-44 – Canadien de Montréal – Toe Blake, Maurice Richard, Elmer Lach, Ray Getliffe, Murph Chamberlain, Phil Watson, Emile Bouchard, Glen Harmon, Buddy O'Connor, Jerry Heffernan, Mike McMahon, Léo Lamoureux, Fernand Majeau, Bob Fillion, Bill Durnan, Tommy Gorman (directeur), Dick Irvin (entraîneur), Ernie Cook (soigneur).
Pointages: 4 avril à Montréal – Montréal 5, Chicago 1; 6 avril à Chicago – Montréal 3, Chicago 1; 9 avril à Chicago – Montréal 3, Chicago 2; 13 avril à Montréal – Montréal 5, Chicago 4.

1942-43 – Red Wings de Détroit – Jack Stewart, Jimmy Orlando, Sid Abel, Alex Motter, Harry Watson, Joe Carveth, Mud Bruneteau, Eddie Wares, Johnny Mowers, Cully Simon, Don Grosso, Carl Liscombe, Connie Brown, Syd Howe, Les Douglas, Hal Jackson, Joe Fisher, Jack Adams (directeur), Ebbie Goodfellow (joueur-entraîneur), Honey Walker (soigneur).
Pointages: 1er avril à Détroit – Détroit 6, Boston 2; 4 avril à Détroit – Détroit 4, Boston 3; 7 avril à Boston – Détroit 4, Boston 0; 8 avril à Boston – Détroit 2, Boston 0.

1941-42 – Maple Leafs de Toronto – Wally Stanowski, Syl Apps, Bob Goldham, Gord Drillon, Hank Goldup, Ernie Dickens, Dave Schriner, Bucko McDonald, Bob Davidson, Nick Metz, Bingo Kampman, Don Metz, Gaye Stewart, Turk Broda, Johnny McCreedy, Lorne Carr, Pete Langelle, Billy Taylor, Conn Smyte (directeur), Hap Day (entraîneur), Frank Selke (directeur des affaires), Tim Daly (soigneur).
Pointages: 4 avril à Toronto – Détroit 3, Toronto 2; 7 avril à Toronto – Détroit 4, Toronto 2; 9 avril à Détroit – Détroit 5, Toronto 2; 12 avril à Détroit – Toronto 4, Détroit 3; 14 avril à Toronto – Toronto 9, Détroit 3; 16 avril à Détroit – Toronto 3, Détroit 0; 18 avril à Toronto – Toronto 3, Détroit 1.

1940-41 – Bruins de Boston – Bill Cowley, Des Smith, Dit Clapper, Frank Brimsek, Flash Hollett, John Crawford, Bobby Bauer, Pat McCreavy, Herb Cain, Mel Hill, Milt Schmidt, Woody Dumart, Roy Conacher, Terry Reardon, Art Jackson, Eddie Wiseman, Art Ross (directeur), Cooney Weiland (entraîneur), Win Green (soigneur).
Pointages: 6 avril à Boston – Détroit 2, Boston 3; 8 avril à Boston – Détroit 1, Boston 2; 10 avril à Détroit – Boston 4, Détroit 2; 12 avril à Détroit – Boston 3, Détroit 1.

1939-40 – Rangers de New York – Dave Kerr, Art Coulter, Ott Heller, Alex Shibicky, Mac Colville, Neil Colville, Phil Watson, Lynn Patrick, Clint Smith, Muzz Patrick, Babe Pratt, Bryan Hextall, Kilby Macdonald, Dutch Hiller, Alf Pike, Sanford Smith, Lester Patrick (directeur), Frank Boucher (entraîneur), Harry Westerby (soigneur).
Pointages: 2 avril à New York – Rangers 2, Toronto 1; 3 avril à New York – Rangers 6, Toronto 2; 6 avril à Toronto – Rangers 1, Toronto 2; 9 avril à Toronto – Rangers 0, Toronto 3; 11 avril à Toronto – Rangers 2, Toronto 1; 13 avril à Toronto – Rangers 3, Toronto 2.

1938-39 – Bruins de Boston – Bobby Bauer, Mel Hill, Flash Hollett, Roy Conacher, Gord Pettinger, Milt Schmidt, Woody Dumart, Jack Crawford, Ray Getliffe, Frank Brimsek, Eddie Shore, Dit Clapper, Bill Cowley, Jack Portland, Red Hamill, Cooney Weiland, Art Ross (entraîneur-directeur), Win Green (soigneur).
Pointages: 6 avril à Boston – Toronto 1, Boston 2; 9 avril à Boston – Toronto 3, Boston 2; 11 avril à Toronto – Toronto 1, Boston 3; 13 avril à Toronto – Toronto 0, Boston 2; 16 avril à Boston – Toronto 1, Boston 3.

1937-38 – Black Hawks de Chicago – Art Wiebe, Carl Voss, Hal Jackson, Mike Karakas, Mush March, Jack Shill, Earl Seibert, Cully Dahlstrom, Alex Levinsky, Johnny Gottselig, Lou Trudel, Pete Palangio, Bill MacKenzie, Doc Romnes, Paul Thompson, Roger Jenkins, Alf Moore, Bert Connolly, Virgil Johnson, Paul Goodman, Bill Stewart (entraîneur-directeur), Eddie Froelich (soigneur).
Pointages: 5 avril à Toronto – Chicago 3, Toronto 1; 7 avril à Toronto – Chicago 1, Toronto 5; 10 avril à Chicago – Chicago 2, Toronto 1; 12 avril à Chicago – Chicago 4, Toronto 1.

1936-37 – Red Wings de Détroit – Normie Smith, Pete Kelly, Larry Aurie, Herbie Lewis, Hec Kilrea, Mud Bruneteau, Syd Howe, Wally Kilrea, Jimmy Franks, Bucko McDonald, Gordon Pettinger, Ebbie Goodfellow, Johnny Gallagher, Scotty Bowman, Johnny Sorrell, Marty Barry, Earl Robertson, Johnny Sherf, Howard Mackie, Jack Adams (entraîneur-directeur), Honey Walker (soigneur).
Pointages: 6 avril à New York – Détroit 1, Rangers de New York 5; 8 avril à Détroit – Détroit 4, Rangers 2; 11 avril à Détroit – Détroit 0, Rangers 1; 13 avril à Détroit – Détroit 1, Rangers 0; 15 avril à Détroit – Détroit 3, Rangers 0.

1935-36 – Red Wings de Détroit – Johnny Sorrell, Syd Howe, Marty Barry, Herbie Lewis, Mud Bruneteau, Wally Kilrea, Hec Kilrea, Gordon Pettinger, Bucko McDonald, Scotty Bowman, Pete Kelly, Doug Young, Ebbie Goodfellow, Normie Smith, Jack Adams (entraîneur-directeur), Honey Walker (soigneur).
Pointages: 5 avril à Détroit – Détroit 3, Toronto 1; 7 avril à Détroit – Détroit 9, Toronto 4; 9 avril à Toronto – Détroit 3, Toronto 4; 11 avril à Toronto – Détroit 3, Toronto 2.

1934-35 – Maroons de Montréal – Marvin (Cy) Wentworth, Alex Connell, Toe Blake, Stew Evans, Earl Robinson, Bill Miller, Dave Trottier, Jimmy Ward, Larry Northcott, Hooley Smith, Russ Blinco, Allan Shields, Sammy McManus, Gus Marker, Bob Gracie, Herb Cain, Tommy Gorman (directeur), Lionel Conacher (entraîneur), Bill O'Brien (soigneur).
Pointages: 4 avril à Toronto – Maroons 3, Toronto 2; 6 avril à Toronto – Maroons 3, Toronto 1; 9 avril à Montréal – Maroons 4, Toronto 1.

1933-34 – Black Hawks de Chicago – Taffy Abel, Lolo Couture, Lou Trudel, Lionel Conacher, Paul Thompson, Leroy Goldsworthy, Art Coulter, Roger Jenkins, Don McFayden, Tommy Cook, Doc Romnes, Johnny Gottselig, Mush March, Johnny Sheppard, Chuck Gardiner (capitaine), Bill Kendall, Tommy Gorman (entraîneur-directeur), Eddie Froelich (soigneur).
Pointages: 3 avril à Détroit – Chicago 2, Détroit 1; 5 avril à Détroit – Chicago 4, Détroit 1; 8 avril à Chicago – Détroit 5, Chicago 2; 10 avril à Chicago – Chicago 1, Détroit 0.

1932-33 – Rangers de New York – Ching Johnson, Butch Keeling, Frank Boucher, Art Somers, Babe Siebert, Bun Cook, Andy Aitkinhead, Ott Heller, Ozzie Asmundson, Gord Pettinger, Doug Brennan, Cecil Dillon, Bill Cook (capitaine), Murray Murdoch, Earl Seibert, Lester Patrick (entraîneur-directeur), Harry Westerby (soigneur).
Pointages: 4 avril à New York – Rangers 5, Toronto 1; 8 avril à Toronto – Rangers 3, Toronto 1; 11 avril à Toronto – Toronto 3, Rangers 2; 13 avril à Toronto – Rangers 1, Toronto 0.

1931-32 – Maple Leafs de Toronto – Charlie Conacher, Harvey Jackson, King Clancy, Andy Blair, Red Horner, Lorne Chabot, Alex Levinsky, Joe Primeau, Hal Darragh, Hal Cotton, Frank Finnigan, Hap Day, Ace Bailey, Bob Gracie, Fred Robertson, Earl Miller, Conn Smythe (directeur), Dick Irvin (entraîneur), Tim Daly (soigneur).
Pointages: 5 avril à New York – Toronto 6, Rangers de New York 4; 7 avril à Boston* – Toronto 6, Rangers 2; 9 avril à Toronto – Toronto 6, Rangers 4.

* La patinoire du Madison Square Garden n'était pas disponible, et les Rangers choisirent de disputer le deuxième match en territoire neutre.

1930-31 – Canadien de Montréal – George Hainsworth, Wildor Larochelle, Marty Burke, Sylvio Mantha, Howie Morenz, Johnny Gagnon, Aurel Joliat, Armand Mondou, Pit Lepine, Albert Leduc, Georges Mantha, Art Lesieur, Nick Wasnie, Bert McCaffrey, Gus Rivers, Jean Pusie, Léo Dandurand (directeur), Cecil Hart (entraîneur), Ed Dufour (soigneur).
Pointages: 3 avril à Chicago – Montréal 2, Chicago 1; 5 avril à Chicago – Chicago 2, Montréal 1; 9 avril à Montréal – Chicago 3, Montréal 2; 11 avril à Montréal – Montréal 4, Chicago 2; 14 avril à Montréal – Montréal 2, Chicago 0.

1929-30 – Canadien de Montréal – George Hainsworth, Marty Burke, Sylvio Mantha, Howie Morenz, Bert McCaffrey, Aurel Joliat, Albert Leduc, Pit Lepine, Wildor Larochelle, Nick Wasnie, Gerald Carson, Armand Mondou, Georges Mantha, Gus Rivers, Léo Dandurand (directeur), Cecil Hart (entraîneur), Ed Dufour (soigneur).
Pointages: 1er avril à Boston – Montréal 3, Boston 0; 3 avril à Montréal – Montréal 4, Boston 3.

1928-29 – Bruins de Boston – Cecil (Tiny) Thompson, Eddie Shore, Lionel Hitchman, Perk Galbraith, Eric Pettinger, Frank Fredrickson, Mickey Mackay, Red Green, Dutch Gainor, Harry Oliver, Eddie Rodden, Dit Clapper, Cooney Weiland, Lloyd Klein, Cy Denneny, Bill Carson, George Owen, Myles Lane, Art Ross (entraîneur-directeur), Win Green (soigneur).
Pointages: 28 mars à Boston – Boston 2, Rangers de New York 0; 29 mars à New York – Boston 2, Rangers 1.

1927-28 – Rangers de New York – Lorne Chabot, Taffy Abel, Léon Bourgault, Ching Johnson, Bill Cook, Bun Cook, Frank Boucher, Billy Boyd, Murray Murdoch, Paul Thompson, Alex Gray, Joe Miller, Patsy Callighen, Lester Patrick (entraîneur-directeur), Harry Westerby (soigneur).
Pointages: 5 avril à Montréal – Maroons de Montréal 2, Rangers 0; 7 avril à Montréal – Rangers 2, Maroons 1; 10 avril à Montréal – Maroons 2, Rangers de NY 1; 12 avril à Montréal – Rangers 1, Maroons 0, 14 avril à Montréal – Rangers 2, Maroons 1.

1926-27 – Senators d'Ottawa – Alex Connell, King Clancy, George (Buck) Boucher, Ed Gorman, Frank Finnigan, Alex Smith, Hec Kilrea, Hooley Smith, Cy Denneny, Frank Nighbor, Jack Adams, Milt Halliday, Dave Gil (entraîneur-directeur).
Pointages: 7 avril à Boston – Ottawa 0, Boston 0; 9 avril à Boston – Ottawa 3, Boston 1; 11 avril à Ottawa – Boston 1, Ottawa 1; 13 avril à Ottawa – Ottawa 3, Boston 1.

1925-26 – Maroons de Montréal – Clint Benedict, Reg Noble, Frank Carson, Dunc Munro, Nels Stewart, Harry Broadbent, Babe Siebert, Dinny Dinsmore, Bill Phillips, Hobart (Hobie) Kitchen, Sammy Rothschild, Albert (Toots) Holway, Shorty Horne, Bern Brophy, Eddie Gerard (entraîneur-directeur), Bill O'Brien (soigneur).
Pointages: 30 mars à Montréal – Maroons 3, Victoria 0; 1er avril à Montréal – Maroons 3, Victoria 0; 3 avril à Montréal – Victoria 3, Maroons 2; 6 avril à Montréal – Maroons 2, Victoria 0.

La dernière série de 1926 mettait un terme aux rencontres annuelles entre les champions de l'Est et de l'Ouest. Depuis 1926-1927, les éliminatoires de la Ligue nationale de hockey déterminent annuellement les champions de la coupe Stanley.

1924-25 – Cougars de Victoria – Harry (Happy) Holmes, Clem Loughlin, Gordie Fraser, Frank Fredrickson, Jack Walker, Harold (Gizzy) Hart, Harold (Slim) Halderson, Frank Foyston, Wally Elmer, Harry Meeking, Jocko Anderson, Lester Patrick (entraîneur-directeur).
Pointages: 21 mars à Victoria – Victoria 5, Montréal 2; 23 mars à Vancouver – Victoria 3, Montréal 1; 27 mars à Victoria – Montréal 4, Victoria 2; 30 mars à Victoria – Victoria 6, Montréal 1.

1923-24 – Canadien de Montréal – Georges Vézina, Sprague Cleghorn, Billy Couture, Howie Morenz, Aurel Joliat, Billy Boucher, Odie Cleghorn, Sylvio Mantha, Bobby Boucher, Billy Bell, Billy Cameron, Joe Malone, Charles Fortier, Léo Dandurand (entraîneur-directeur).
Pointages: 18 mars à Montréal – Montréal 3, Maroons de Vancouver 2; 20 mars à Montréal – Montréal 2, Maroons de Vancouver 1. 22 mars à Montréal – Montréal 6, Tigers de Calgary 1; 25 mars à Ottawa* – Montréal 3, Tigers de Calgary 0.

*Partie jouée à Ottawa pour profiter de la patinoire artificielle.

1922-23 – Senators d'Ottawa – George (Buck) Boucher, Lionel Hitchman, Frank Nighbor, King Clancy, Harry Helman, Clint Benedict, Jack Darragh, Eddie Gerard, Cy Denneny, Harry Broadbent, Tommy Gorman (directeur), Pete Green (entraîneur), F. Dolan (soigneur).
Pointages: 16 mars à Vancouver – Ottawa 1, Maroons de Vancouver 0; 19 mars à Vancouver – Maroons 4, Ottawa 1; 23 mars à Vancouver – Ottawa 3, Maroons 2; 26 mars à Vancouver – Ottawa 5, Maroons 1; 29 mars à Vancouver – Ottawa 2, Eskimos d'Edmonton 1; 31 mars à Vancouver – Ottawa 1, Eskimos 0.

1921-22 – St. Pats de Toronto – Ted Stackhouse, Corb Denneny, Rod Smylie, Lloyd Andrews, John Ross Roach, Harry Cameron, Bill (Red) Stuart, Cecil (Babe) Dye, Ken Randall, Reg Noble, Eddie Gerard (prêté pour une partie par Ottawa), Stan Jackson, Nolan Mitchell, Charlie Querrie (directeur), Eddie Powers (entraîneur).
Pointages: 17 mars à Toronto – Millionaires de Vancouver 4, Toronto 3; 20 mars à Toronto – Toronto 2, Millionaires ; 23 mars à Toronto – Millionaires 3, Toronto 0; 25 mars à Toronto – Toronto 6, Millionaires 0; 28 mars à Toronto – Toronto 5, Millionaires 1.

1920-21 – Senators d'Ottawa – Jack McKell, Jack Darragh, Morley Bruce, George (Buck) Boucher, Eddie Gerard, Clint Benedict, Sprague Cleghorn, Frank Nighbor, Harry Broadbent, Cy Denneny, Leth Graham, Tommy Gorman (directeur),Pete Green (entraîneur), F. Dolan (soigneur).
Pointages: 21 mars à Vancouver – Millionaires de Vancouver 2, Ottawa 1; 24 mars à Vancouver – Ottawa 4, Millionaires 3; 28 mars à Vancouver – Ottawa 3, Millionaires 2; 31 mars à Vancouver – Millionaires 3, Ottawa 2; 4 avril à Vancouver – Ottawa 2, Millionaires 1.

1919-20 – Senators d'Ottawa – Jack McKell, Jack Darragh, Morley Bruce, Horrace Merrill, George (Buck) Boucher, Eddie Gerard, Clint Benedict, Sprague Cleghorn, Frank Nighbor, Harry Broadbent, Cy Denneny, Price, Tommy Gorman (directeur), Pete Green (entraîneur).
Pointages: 22 mars à Ottawa – Ottawa 3, Seattle 2; 24 mars à Ottawa – Ottawa 3, Seattle 0; 27 mars à Ottawa – Seattle 3, Ottawa 1; 30 mars à Toronto* – Seattle 5, Ottawa 2; 1er avril à Toronto* Ottawa 6, Seattle 1.

*Parties jouées à Toronto pour profiter de la patinoire artificielle.

1918-19 – Aucun gagnant. La série fut interrompue en raison d'une épidémie de grippe espagnole. Lorsque la série fut arrêtée, cinq parties avaient été jouées; chaque équipe avait gagné deux fois, perdu deux fois et annulé un match. Les résultats sont les suivants:
Pointages: 19 mars à Seattle – Seattle 7, Montréal 0; 22 mars à Seattle – Montréal 4, Seattle 2; 24 mars à Seattle – Seattle 7, Montréal 2; 26 mars à Seattle – Montréal 0, Seattle 0; 30 mars à Seattle – Montréal 4, Seattle 3.

1917-18 – Stades de Toronto – Rusty Crawford, Harry Meeking, Ken Randall, Corb Denneny, Harry Cameron, Jack Adams, Alf Skinner, Harry Mummery, Harry (Happy) Holmes, Reg Noble, Sammy Hebert, Jack Marks, Jack Coughlin, Neville, Charlie Querrie (directeur), Dick Carroll (entraîneur), Frank Carroll (soigneur).
Pointages: 20 mars à Toronto – Toronto 5, Millionaires de Vancouver 3; 23 mars à Toronto – Millionaires 6, Toronto 4; 26 mars à Toronto – Toronto 6, Millionaires 3; 28 mars à Toronto – Millionaires 8, Toronto 1; 30 mars à Toronto – Toronto 2, Millionaires 1.

1916-17 – Metropolitans de Seattle – Harry (Happy) Holmes, Ed Carpenter, Cully Wilson, Jack Walker, Bernie Morris, Frank Foyston, Roy Rickey, Jim Riley, Bobby Rowe (capitaine), Peter Muldoon (directeur).
Pointages: 17 mars à Seattle – Montréal 8, Seattle 4; 20 mars à Seattle – Seattle 6, Montréal 1; 23 mars à Seattle – Seattle 4, Montréal 1; 25 mars à Seattle – Seattle 9, Montréal 1.

1915-16 – Canadien de Montréal – Georges Vézina, Bert Corbeau, Jack Laviolette, Newsy Lalonde, Louis Berlinguette, Goldie Prodgers, Howard McNamara, Didier Pitre, Skene Ronan, Amos Arbour, Skinner Poulin, Jack Fournier, George Kennedy (directeur).
Pointages: 20 mars à Montréal – Portland 2, Montréal 0; 22 mars à Montréal – Montréal 2, Portland 1; 25 mars à Montréal – Montréal 6, Portland 3; 28 mars à Montréal – Portland 6, Montréal 5; 30 mars à Montréal – Montréal 2, Portland 1.

1914-15 – Millionaires de Vancouver – Kenny Mallen, Frank Nighbor, Fred (Cyclone) Taylor, Hughie Lehman, Lloyd Cook, Mickey MacKay, Barney Stanley, Jim Seaborn, Si Griffis (capitaine), Jean Matz, Frank Patrick (joueur-entraîneur).
Pointages: 22 mars à Vancouver – Millionaires 6, Ottawa 2; 24 mars à Vancouver – Millionaires 8, Ottawa 3; 26 mars à Vancouver – Millionaires 12, Ottawa 3.

1913-14 – Blueshirts de Toronto – Con Corbeau, F. Roy McGiffen, Jack Walker, George McNamara, Cully Wilson, Frank Foyston, Harry Cameron, Harry (Happy) Holmes, Alan M. Davidson (capitaine), Harriston, Jack Marshall (joueur-entraîneur), Frank et Dick Carroll (soigneurs).
Pointages: 7 mars à Montréal – Montréal 2, Toronto 0; 11 mars à Toronto – Toronto 6, Montréal 0; Total des buts: Toronto 6, Montréal 2. 14 mars à Toronto – Toronto 5, Victoria 2; 17 mars à Toronto – Toronto 6, Victoria 5; 19 mars à Toronto – Toronto 2, Victoria 1.

1912-13 – Bulldogs de Québec – Joe Malone, Joe Hall, Paddy Moran, Harry Mummery, Tommy Smith, Jack Marks, Russell Crawford, Billy Creighton, Jeff Malone, Rocket Power, M.J. Quinn (directeur), D. Béland (soigneur).
Pointages: 8 mars à Québec – Bulldogs 14, Sydney 3; 10 mars à Québec – Bulldogs 6, Sydney 2.

Victoria défia Québec, mais les Bulldogs refusèrent de mettre la coupe Stanley en jeu, et les deux équipes disputèrent une série hors-concours. Victoria gagna deux matchs à un par les pointages de 7–5, 3–6 et 6–1. C'était la première fois que les champions de l'Est et de l'Ouest s'affrontaient. L'année suivante, et jusqu'à la dissolution de la Ligue de hockey de l'Ouest après les éliminatoires de 1926, la Coupe fut accordée au gagnant de la série opposant l'Est à l'Ouest.

1911-12 – Bulldogs de Québec – Goldie Prodgers, Joe Hall, Walter Rooney, Paddy Moran, Jack Marks, Jack McDonald, Eddie Oatman, George Léonard, Joe Malone (capitaine), C. Nolan (entraîneur), M.J. Quinn (directeur), D. Béland (soigneur).
Pointages: 11 mars à Québec – Bulldogs 9, Moncton 3; 13 mars à Québec – Bulldogs 8, Moncton 0.

Avant 1912, n'importe quelle équipe pouvaient défier les champions de la coupe Stanley pour l'obtention du titre; plus d'une série de championnat fut donc disputée dans la plupart des saisons comprises entre 1894 et 1911.

1910-11 – Senators d'Ottawa – Hamby Shore, Percy LeSueur, Jack Darragh, Bruce Stuart, Marty Walsh, Bruce Ridpath, Fred Lake, Albert (Dubby) Kerr, Alex Currie, Horace Gaul.
Pointages: 13 mars à Ottawa – Ottawa 7, Galt 4; 16 mars à Ottawa – Ottawa 13, Port Arthur 4.

1909-10 – Wanderers de Montréal – Cecil W. Blachford, Ernie (Moose) Johnson, Ernie Russell, Riley Hern, Harry Hyland, Jack Marshall, Frank (Pud) Glass (capitaine), Jimmy Gardner, R. R. Boon (directeur).
Pointages: 12 mars à Montréal – Wanderers 7, Berlin (Kitchener) 3.

1908-09 – Senators d'Ottawa – Fred Lake, Percy LeSueur, Fred (Cyclone) Taylor, H.L. (Billy) Gilmour, Albert Kerr, Edgar Dey, Marty Walsh, Bruce Stuart (capitaine).
Pointages: Ottawa, à titre de champions de l'Association de hockey de l'est du Canada, prit possession de la coupe Stanley en 1909 et, bien qu'un défi des Shamrocks de Winnipeg fut accepté par les administrateurs de la Coupe, les parties n'eurent pas lieu car la saison était déjà trop avancée. Aucun autre défi ne fut lancé en 1909. Cependant, la saison suivante, en 1909-1910, les Senators acceptèrent deux fois de défendre leur titre de champions. La première fois contre Galt et la deuxième, contre Edmonton. Résultats: 5 janvier à Ottawa – Ottawa 12, Galt 3; 7 janvier à Ottawa – Ottawa 3, Galt 1; 18 janvier à Ottawa – Ottawa 8, Eskimos d'Edmonton 4; 20 janvier à Ottawa – Ottawa 13, Eskimos d'Edmonton 7.

1907-08 – Wanderers de Montréal – Riley Hern, Art Ross, Walter Small, Frank (Pud) Glass, Bruce Stuart, Ernie Russell, Ernie (Moose) Johnson, Cecil Blachford (capitaine), Tom Hooper, Larry Gilmour, Ernie Liffiton, R.R. Boon (directeur).
Pointages: Les Wanderers acceptèrent de relever quatre défis. 9 janvier à Montréal – Wanderers 9, Victorias d'Ottawa 3; 13 janvier à Montréal – Wanderers 13, Ottawa 1; 10 mars à Montréal – Wanderers 11, Maple Leafs de Winnipeg 5; 12 mars à Montréal – Wanderers 9, Maple Leafs de Winnipeg 3; 14 mars à Montréal – Wanderers 6, Toronto (OPHL)4. Au début de la saison suivante, en 1908-1909, les Wanderers furent défiés par Edmonton. Résultats: 28 décembre à Montréal – Wanderers 7, Eskimos d'Edmonton 3; 30 décembre à Montréal – Eskimos 7, Wanderers 6. Total des buts: Wanderers 13, Eskimos 10.

1906-07 – (Mars) – Wanderers de Montréal – W. S. (Billy) Strachan, Riley Hern, Lester Patrick, Hod Stuart, Frank (Pud) Glass, Ernie Russell, Cecil Blachford (capitaine), Ernie (Moose) Johnson, Rod Kennedy, Jack Marshall, R. R. Boon (directeur).
Pointages: 23 mars à Winnipeg – Wanderers 7, Kenora 2; 25 mars à Winnipeg – Kenora 6, Wanderers 5. Total des buts: Wanderers 12, Kenora 8.

1906-07 – (Janvier) – Thistles de Kenora – Eddie Geroux, Art Ross, Si Griffis, Tom Hooper, Billy McGimsie, Roxy Beaudro, Tom Phillips.
Pointages: 17 janvier à Montréal – Kenora 4, Wanderers 2; 21 janvier à Montréal – Kenora 8, Wanderers de Montréal 6.

1905-06 – Wanderers de Montréal – H. Ménard, Billy Strachan, Rod Kennedy, Lester Patrick, Frank (Pud) Glass, Ernie Russell, Ernie (Moose) Johnson, Cecil Blachford (capitaine), Josh Arnold, R. R. Boon (directeur).
Pointages: 14 mars à Montréal – Wanderers 9, Ottawa 1; 17 mars à Ottawa – Ottawa 9, Wanderers 3. Total des buts: Wanderers 12, Ottawa 10. Les Wanderers acceptèrent le défi de New Glasgow, en Nouvelle-Écosse, avant le début de la saison 1906–1907. Résultats: 27 décembre à Montréal – Wanderers 10, New Glasgow 3; 29 décembre à Montréal – Wanderers 7, New Glasgow 2.

1905-06 – (Février) – Silver Seven d'Ottawa – Harvey Pulford (capitaine), Arthur Moore, Harry Westwick, Frank McGee, Alf Smith (joueur-entraîneur), Billy Gilmour, Billy Hague, Percy LeSueur, Harry Smith, Tommy Smith, Dion Ebbs.
Pointages: 27 février à Ottawa – Ottawa 16, Université Queen 7; 28 février à Ottawa – Ottawa 12, Université Queen 7; 6 mars à Ottawa – Ottawa 6, Smiths Falls 5; 8 mars à Ottawa – Ottawa 8, Smiths Falls 2.

1904-05 – Silver Seven d'Ottawa – Dave Finnie, Harvey Pulford (capitaine), Arthur Moore, Harry Westwick, Frank McGee, Alf Smith (joueur-entraîneur), Billy Gilmour, Frank White, Horace Gaul, Hamby Shore, Bones Allen.
Pointages: 13 janvier à Ottawa – Ottawa 9, Dawson City 2; 16 janvier à Ottawa – Ottawa 23, Dawson City 2; 7 mars à Ottawa – Rat Portage 9, Ottawa 3; 9 mars à Ottawa – Ottawa 4, Rat Portage 2; 11 mars à Ottawa – Ottawa 5, Rat Portage 4.

1903-04 – Silver Seven d'Ottawa – S.C. (Suddy) Gilmour, Arthur Moore, Frank McGee, J.B. (Bouse) Hutton, H.L. (Billy) Gilmour, Jim McGee, Harry Westwick, E.H. (Harvey) Pulford (capitaine), Scott, Alf Smith (joueur-entraîneur).
Pointages: 30 décembre à Ottawa – Ottawa 9, Rowing Club de Winnipeg 1; 1er janvier à Ottawa – Rowing Club 6, Ottawa 2; 4 janvier à Ottawa – Ottawa 2, Rowing Club 0. 23 février à Ottawa – Ottawa 6, Marlboros de Toronto 3; 25 février à Ottawa – Ottawa 11, Marlboros 2; 2 mars à Montréal – Ottawa 5, Wanderers de Montréal 5. À la suite de ce match nul, on décida qu'une nouvelle série de deux matchs devait être disputée à Ottawa, mais les Wanderers refusèrent à moins que le match nul ne fut repris à Montréal. Aucune entente ne put être conclue, et la série fut abandonnée. Ottawa garda possession de la Coupe et accepta de défendre son titre contre Brandon dans une série de deux rencontres. Résultats: (les deux matchs eurent lieu à Ottawa) 9 mars, Ottawa 6, Brandon 3; 11 mars, Ottawa 9, Brandon 3.

1902-03 – (Mars) – Silver Seven d'Ottawa – S.C. (Suddy) Gilmour, P.T. (Percy) Sims, J. B. (Bouse) Hutton, D. J. (Dave) Gilmour, H. L. (Billy) Gilmour, Harry Westwick, Frank McGee, F. H. Wood, A. A. Fraser, Charles D. Spittal, E. H. (Harvey) Pulford (capitaine), Arthur Moore, Alf Smith (entraîneur)
Pointages: 7 mars à Montréal – Ottawa 1, Victorias de Montréal 1; 10 mars à Ottawa – Ottawa 8, Victorias 0. Total des buts: Ottawa 9, Victorias 1. 12 mars à Ottawa – Ottawa 6, Rat Portage 2; 14 mars à Ottawa – Ottawa 4, Rat Portage 2.

1902-03 – (Février) – AAA de Montréal – Tom Hodge, R.R. (Dickie) Boon, W.C. (Billy) Nicholson, Art Hooper, W.J. (Billy) Bellingham, Charles A. Liffiton, Jack Marshall, Jim Gardner, Cecil Blachford, George Smith.
Pointages: 29 janvier à Montréal – AAA de Montréal 8, Victorias de Winnipeg 1; 31 janvier à Montréal – Victorias 2, AAA de Montréal 2; 2 février à Montréal – Victorias 4, AAA de Montréal 2; 4 février à Montréal – AAA de Montréal 5, Victorias 1.

1901-02 – (Mars) – AAA de Montréal – Tom Hodge, R.R. (Dickie) Boon, W.C. (Billy) Nicholson, Art Hooper, W.J. (Billy) Bellingham, Charles A. Liffiton, Jack Marshall, Roland Elliott, Jim Gardner.
Pointages: 13 mars à Winnipeg – Victorias de Winnipeg 1, AAA de Montréal 0; 15 mars à Winnipeg – AAA de Montréal 5, Victorias 0; 17 mars à Winnipeg – AAA de Montréal 2, Victorias 1.

1901-02 – (Janvier) – Victorias de Winnipeg – Burke Wood, A.B. (Tony) Gingras, Charles W. Johnstone, R.M. (Rod) Flett, Magnus L. Flett, Dan Bain (capitaine), Fred Scanlon, F. Cadham, G. Brown.
Pointages: 21 janvier à Winnipeg – Victorias de Winnipeg 5, Wellingtons de Toronto 3; 23 janvier à Winnipeg – Victorias 5, Wellingtons 3.

1900-01 – Victorias de Winnipeg – Burke Wood, Jack Marshall, A.B. (Tony) Gingras, Charles W. Johnstone, R.M. (Rod) Flett, Magnus L. Flett, Dan Bain (capitaine), G. Brown.
Pointages: 29 janvier à Montréal – Victorias 4, Shamrocks de Montréal 3; 31 janvier à Montréal – Victorias 2, Shamrocks 1.

1899-1900 – Shamrocks de Montréal – Joe McKenna, Frank Tansey, Frank Wall, Art Farrell, Fred Scanlon, Harry Trihey (capitaine), Jack Brannen.
Pointages: 12 février à Montréal – Shamrocks 4, Victorias de Winnipeg 3; 14 février à Montréal – Victorias 3, Shamrocks 2; 16 février à Montréal – Shamrocks 5, Victorias 4; 5 mars à Montréal – Shamrocks 10, Halifax 2; 7 mars à Montréal – Shamrocks 11, Halifax 0.

1898-99 – (Mars) – Shamrocks de Montréal – Joe McKenna, Frank Tansey, Frank Wall, Harry Trihey (capitaine), Art Farrell, Fred Scanlon, Jack Brannen, Dalby, C. Hoerner.
Pointages: 14 mars à Montréal – Shamrocks 6, Université Queen 2.

1898-99 – (Février) – Victorias de Montréal – Gordon Lewis, Mike Grant, Graham Drinkwater, Cam Davidson, Bob McDougall, Ernie McLea, Frank Richardson, Jack Ewing, Russell Bowie, Douglas Acer, Fred McRobie.
Pointages: 15 février à Montréal – Victorias de Montréal 2, Victorias de Winnipeg 1; 18 février à Montréal – Victorias de Montréal 3, Victorias de Winnipeg 2.

1897-98 – Victorias de Montréal – Gordon Lewis, Hartland McDougall, Mike Grant, Graham Drinkwater, Cam Davidson, Bob McDougall, Ernie McLea, Frank Richardson (capitaine), Jack Ewing. Les Victorias, à titre de champions de l'Association de hockey amateur, conservèrent la Coupe et ne furent pas appelé à la défendre.

1896-97 – Victorias de Montréal – Gordon Lewis, Harold Henderson, Mike Grant (capitaine), Cam Davidson, Graham Drinkwater, Robert McDougall, Ernie McLea, Shirley Davidson, Hartland McDougall, Jack Ewing, Percy Molson, David Gillilan, McLellan.
Pointages: 27 décembre à Montréal – Victorias 15, Capitals d'Ottawa 2.

1895-96 – (Décembre) – Victorias de Montréal – Gordon Lewis, Harold Henderson, Mike Grant (capitaine), Robert McDougall, Graham Drinkwater, Shirley Davidson, Ernie McLea, Robert Jones, Cam Davidson, Hartland McDougall, David Gillilan, Reg Wallace, Stanley Willett.
Pointages: 30 décembre à Winnipeg – Victorias de Montréal 6, Victorias de Winnipeg 5.

1895-96 – (Février) – Victorias de Winnipeg – G.H. Merritt, Rod Flett, Fred Higginbotham, Jack Armitage (capitaine), C.J. (Tote) Campbell, Dan Bain, Charles Johnstone, H. Howard.
Pointages: 14 février à Montréal – Victorias de Winnipeg 2, Victorias de Montréal 0.

1894-95 – Victorias de Montréal – Robert Jones, Harold Henderson, Mike Grant (capitaine), Shirley Davidson, Bob McDougall, Norman Rankin, Graham Drinkwater, Roland Elliot, William Pullan, Hartland McDougall, Arthur Fenwick, A. McDougall. Les Victorias de Montréal, à titre de champions de l'Association de hockey amateur, étaient prêts à défendre la coupe Stanley. Cependant, les administrateurs de la Coupe avaient déjà approuvé une série entre le champion de 1894, les AAA de Montréal, et l'Université Queen. On avait dit que si les AAA de Montréal battaient l'Université Queen, les Victorias de Montréal seraient déclarés champions de la coupe Stanley. Si l'Université Queen gagnait, la Coupe lui appartiendrait alors. Dans un match joué le 9 mars 1895, les AAA de Montréal battirent l'Université Queen 5–1. Les Victorias de Montréal gagnèrent donc la coupe Stanley.

1893-94 – AAA de Montréal – Herbert Collins, Allan Cameron, George James, Billy Barlow, Clare Mussen, Archie Hodgson, Haviland Routh, Alex Irving, James Stewart, A.C. (Toad) Waud, A. Kingan, E. O'Brien.
Pointages: 17 mars à Montréal – AAA de Montréal 3, Victorias de Montréal 2; 22 mars à Montréal – AAA de Montréal 3, Capitals d'Ottawa 1.

1892-93 – AAA de Montréal – Tom Paton, James Stewart, Allan Cameron, Alex Irving, Haviland Routh, Archie Hodgson, Billy Barlow, A.B. Kingan, J. Lowe. Conformément aux termes régissant la présentation de la coupe Stanley, ce trophée fut accordé pour la première fois aux AAA de Montréal, champions de l'Association de hockey amateur en 1893. Une fois que les AAA de Montréal eurent été déclaré récipiendaires de la coupe Stanley, n'importe quelle équipe canadienne de hockey pouvait lui lancer un défi pour l'obtention du trophée.

Classement des marqueurs, statistiques en séries éliminatoires et prolongations

Statistiques en séries éliminatoires

1918-1992
(classification selon le nombre de victoires)

Équipes	Vict.	Ans	Séries	G	P	Pj	G	P	N	BP	BC	%
Montréal	22*	67	125*	80	44	590	355	227	8	1835	1445	.608
Toronto	13	54	82	43	39	374	177	194	3	961	1024	.477
Détroit	7	41	70	36	34	337	162	174	1	903	918	.482
Boston	5	53	93	45	48	449	220	223	6	1333	1325	.497
Edmonton	5	13	37	29	8	180	120	60	0	770	579	.667
Islanders (NY)	4	15	39	28	11	196	119	77	0	687	563	.607
Chicago	3	47	81	37	44	364	168	191	5	1066	1175	.468
Rangers (NY)	3	44	75	34	41	327	149	170	8	905	954	.468
Philadelphie	2	20	43	25	18	223	116	107	0	715	688	.520
Pittsburgh	2	12	22	12	10	107	60	47	0	356	348	.561
Calgary***	1	18	28	12	16	132	61	71	0	439	475	.462
St. Louis	0	22	38	16	22	195	86	109	0	571	656	.441
Los Angeles	0	18	25	7	18	118	42	76	0	366	477	.356
Minnesota	0	17	31	14	17	166	80	86	0	554	579	.482
Buffalo	0	17	26	9	17	123	54	69	0	390	420	.439
Vancouver	0	12	16	4	12	71	27	44	0	205	256	.380
Washington	0	10	16	6	10	86	40	46	0	284	284	.465
Winnipeg	0	9	11	2	9	50	15	35	0	150	212	.300
Hartford	0	8	9	1	8	49	18	31	0	143	177	.367
Québec	0	7	13	6	7	68	31	37	0	212	242	.456
New Jersey****	0	5	7	2	5	42	19	23	0	134	147	.452
San Jose	0	0	0	0	0	0	0	0	0	0	0	.000

*Finale de 1919 final arrêtée à cause d'une épidémie de grippe.
**Le Canadien de Montréal gagna aussi la coupe Stanley en 1916.
***Comprend les statistiques d'Atlanta (1972-1980).
****Comprend les statistiques du Colorado (1976-1982).

Les dix plus longs matchs

Date	Ville	Série	Marque		Compteur	Prolongation	Gagnant
24-03-36	Mtl.	DF	Dét. 1	Mtl. M. 0	Mud Bruneteau	116:30	Dét.
3-04-33	Tor.	DF	Tor. 1	Bos. 0	Ken Doraty	104:46	Tor.
23-03-43	Dét.	DF	Tor. 3	Dét. 2	Jack McLean	70:18	Dét.
28-03-30	Mtl.	DF	Mtl. 2	NYR 1	Gus Rivers	68:52	Mtl.
18-04-87	Wsh.	DFD	I (NY) 3	Wsh. 2	Pat LaFontaine	68:47	I (NY)
27-03-51	Dét.	DF	Mtl. 3	Dét. 2	Maurice Richard	61:09	Mtl.
27-03-38	NY	QF	A (NY) 3	NYR 2	Lorne Carr	60:40	A (NY)
26-03-32	Mtl.	DF	R (NY) 4	Mtl. 3	Fred Cook	59:32	R (NY)
21-03-39	NY	DF	Bos. 2	NYR 1	Mel Hill	59:25	Bos.
15-05-90	Bos.	F	Edm. 3	Bos. 2	Petr Klima	55:13	Edm.

Les meilleurs marqueurs en séries de la coupe Stanley

depuis 1893
(40 buts ou plus)

Joueur	Équipes	Ans	Pj	B
*Wayne Gretzky	Edm., L.A.	13	156	95
*Jari Kurri	Edm., L.A.	11	150	93
*Mark Messier	Edm., R (NY)	13	177	87
Mike Bossy	Islanders (NY)	10	129	85
Maurice Richard	Montréal	15	133	82
*Glenn Anderson	Edmonton	11	164	81
Jean Béliveau	Montréal	17	162	79
Bryan Trottier	I (NY), Pit.	16	219	71
Gordie Howe	Dét., Hfd.	20	157	68
*Brian Propp	Phi., Bos., Min.,	14	160	64
Yvan Cournoyer	Montréal	12	147	64
*Bobby Smith	Min., Mtl.	13	184	64
Frank McGee	Ottawa	4	22	63
Bobby Hull	Chi., Hfd.	14	119	62
Phil Esposito	Chi., Bos., R (NY)	15	130	61
Jacques Lemaire	Montréal	11	145	61
Stan Mikita	Chicago	18	155	59
Guy Lafleur	Mtl., R (NY)	14	128	58
Bernie Geoffrion	Mtl., R (NY)	16	132	58
*Denis Savard	Chicago, Mtl.	12	123	58
Denis Potvin	Islanders (NY)	14	185	56
*Joe Mullen	St.L., Cgy., Pit.	10	112	55
Rick MacLeish	Phi., Pit., Dét.	11	114	54
Bill Barber	Philadelphie	11	129	53
*Cam Neely	Bos.	6	84	51
*Esa Tikkanen	Edm.	8	114	51
Frank Mahovlich	Tor., Dét., Mtl.	14	137	51
Steve Shutt	Mtl., L.A.	12	99	50
*Dino Ciccarelli	Min., Wsh.	10	94	49
Henri Richard	Montréal	18	180	49
Reggie Leach	Bos., Phi.	8	94	47
Ted Lindsay	Dét., Chi.	16	133	47
Clark Gillies	I (NY), Buf.	13	164	47
Dickie Moore	Mtl., Tor., St.L.	14	135	46
Rick MacLeish	R (NY), Bos.	12	114	45
*Steve Larmer	Chicago	10	103	45
*Mario Lemieux	Pittsburgh	3	49	44
*Paul Coffey	Edm., Pit., L.A.	10	123	44
Lanny McDonald	Tor., Cgy.	13	117	44
*Ken Linseman	Phi., Edm., Bos.	11	113	43
*Brett Hull	Cgy., St.L.	7	57	42
Bobby Clarke	Philadelphie	13	136	42
John Bucyk	Dét., Bos.	14	124	41
*Tim Kerr	Phi., Van.	10	81	40
Peter McNab	Bos., Van.	10	107	40
Bob Bourne	I (NY), L.A.	13	139	40
*John Tonelli	I (NY), Cgy., L.A.	13	172	40

* – Joueur actif.

Les meilleurs passeurs en séries de la coupe Stanley

depuis 1893
(60 passes ou plus)

Joueur	Équipes	Ans	Pj	A
*Wayne Gretzky	Edm., L.A.	13	156	211
*Mark Messier	Edm., R (NY)	13	177	142
Larry Robinson	Mtl., L.A.	20	227	116
Bryan Trottier	NY, Pit.	16	219	113
*Jari Kurri	Edm., L.A.	11	150	112
Denis Potvin	Islanders (NY)	14	185	108
*Glenn Anderson	Edmonton	11	164	102
Jean Béliveau	Montréal	17	162	97
*Bobby Smith	Min., Mtl.	13	184	96
*Ray Bourque	Boston	13	135	95
Gordie Howe	Dét., Hfd.	20	157	92
*Paul Coffey	Edm., Pit., L.A.	10	123	92
Stan Mikita	Chicago	18	155	91
Brad Park	R (NY), Bos., Dét.	17	161	90
*Denis Savard	Chi., Mtl.	12	123	89
*Brian Propp	Phi., Bos., Min.	14	160	84
Henri Richard	Montréal	18	180	80
Jacques Lemaire	Montréal	11	145	78
*Ken Linseman	Phi., Edm., Bos.	11	113	77
Bobby Clarke	Philadelphie	13	136	77
Guy Lafleur	Mtl., R (NY)	14	128	76
Phil Esposito	Chi., Bos., R (NY)	15	130	76
Mike Bossy	Islanders (NY)	10	129	75
*John Tonelli	I (NY), Cgy., L.A.	13	172	75
*Chris Chelios	Mtl., Chi.	9	122	74
*Peter Stastny	Qué., N.J.	10	84	70
Gilbert Perreault	Buffalo	11	90	70
Alex Delvecchio	Détroit	14	121	69
Bobby Hull	Chi., Hfd.	14	119	67
Frank Mahovlich	Tor., Dét., Mtl.	14	137	67
Bobby Orr	Boston	8	74	66
*Adam Oates	Dét., St.L., Bos.	6	78	66
Bernie Federko	St. Louis	11	91	66
Jean Ratelle	R (NY), Bos.	15	123	66
*Al MacInnis	Calgary	8	82	65
Dickie Moore	Mtl., Tor., St.L.	14	135	64
Doug Harvey	Mtl., R (NY), St.L.	15	137	64
*Steve Larmer	Chicago	10	103	63
Yvan Cournoyer	Montréal	12	147	63
*Craig Janney	Bos., St.L.	5	75	62
*Charlie Huddy	Edm., L.A.	11	144	62
John Bucyk	Dét., Bos.	14	124	62
*Doug Wilson	Chicago	12	95	61

* – Joueur actif.

Les meilleurs pointeurs en séries de la coupe Stanley

depuis 1893
(100 points ou plus)

Joueur	Équipes	Ans	Pj	B	A	Pts
*Wayne Gretzky	Edm., L.A.	13	156	95	211	306
*Mark Messier	Edm., R (NY)	13	177	87	142	229
*Jari Kurri	Edm., L.A.	11	150	93	112	205
Bryan Trottier	I (NY), Pit.	16	219	71	113	184
*Glenn Anderson	Edmonton	11	164	81	102	183
Jean Béliveau	Montréal	17	162	79	97	176
Denis Potvin	Islanders (NY)	14	185	56	108	164
Mike Bossy	Islanders (NY)	10	129	85	75	160
Gordie Howe	Dét., Hfd.	20	157	68	92	160
*Bobby Smith	Min., Mtl.	13	184	64	96	160
Stan Mikita	Chicago	18	155	59	91	150
*Brian Propp	Phi., Bos., Min.	14	160	64	84	148
*Denis Savard	Chi., Mtl.	12	123	58	89	147
Larry Robinson	Mtl., L.A.	20	227	28	116	144
Jacques Lemaire	Montréal	11	145	61	78	139
Phil Esposito	Chi., Bos., R (NY)	15	130	61	76	137
*Paul Coffey	Edm., Pit., L.A.	10	123	44	92	136
Guy Lafleur	Mtl, R (NY)	14	128	58	76	134
Bobby Hull	Chi., Hfd.	14	119	62	67	129
Henri Richard	Montréal	18	180	49	80	129
Yvan Cournoyer	Montréal	12	147	64	63	127
Maurice Richard	Montréal	15	133	82	44	126
*Ray Bourque	Boston	13	135	30	95	125
Brad Park	R (NY), Bos., Dét.	17	161	35	90	125
*Ken Linseman	Phi., Edm., Bos.	11	113	43	77	120
Bobby Clarke	Philadelphie	13	136	42	77	119
Bernie Geoffrion	Mtl., R (NY)	16	132	58	60	118
Frank Mahovlich	Tor., Dét., Mtl.	14	137	51	67	118
*John Tonelli	I (NY), Cgy., L.A.	13	172	40	75	115
Dickie Moore	Mtl., Tor., St.L.	14	135	46	64	110
Bill Barber	Philadelphie	11	129	53	55	108
*Steve Larmer	Chicago	10	103	45	63	108
Rick MacLeish	Phi., Pit., Dét.	11	114	54	53	107
Alex Delvecchio	Détroit	14	121	35	69	104
John Bucyk	Dét., Bos.	14	124	41	62	103
*Peter Stastny	Qué., N.J.	10	84	33	70	103
Gilbert Perreault	Buffalo	11	90	33	70	103
Bernie Federko	St. Louis	11	91	35	66	101
Rick Middleton	R (NY), Bos.	12	114	45	55	100

* – Joueur actif.

Les formules des séries éliminatoires de la LNH

1917-1918 – La saison régulière était divisée en deux moitiés. Les gagnants de chacune des deux moitiés de saison s'affrontaient dans une série de deux matchs au total des buts, pour l'obtention du championnat et le droit de se mesurer au champion de l'AHCP dans la finale trois-de-cinq de la coupe Stanley.

1918-1919 – Comme en 1917-1918, mais la finale de la coupe Stanley était devenue une série quatre-de-sept.

1919-1920 – Comme en 1918-1919, sauf qu'Ottawa avait gagné les deux moitiés de saison pour se mériter un laisser-passer automatique à la finale trois-de-cinq contre les champions de l'AHCP.

1921-1922 – À la fin de la saison régulière, les deux meilleures équipes s'affrontaient dans une série de deux matchs au total des buts, afin de déterminer le champion de la LNH. Celui-ci se mesurait ensuite au vainqueur des séries entre l'AHCP et la LHOC dans une finale trois-de-cinq.

1922-1923 – À la fin de la saison régulière, les deux meilleures équipes s'affrontaient dans une série de deux matchs au total des buts, afin de déterminer le champion de la LNH. Celui-ci disputait ensuite une finale deux-de-trois de la coupe Stanley contre le champion de l'AHCP. Le gagnant se mesurait au champion de la LHOC dans une finale supplémentaire deux-de-trois de la coupe Stanley.

1923-1924 – À la fin de la saison régulière, les deux meilleures équipes s'affrontaient dans une série de deux matchs au total des buts, afin de déterminer le champion de la LNH. Celui-ci jouait ensuite une finale deux-de-trois de la coupe Stanley contre le perdant des éliminatoires entre l'AHCP et la LHOC. Le gagnant de cette série devait se mesurer au vainqueur des séries entre l'AHCP et la LHOC, dans une finale supplémentaire deux-de-trois de la coupe Stanley.

1924-1925 – À la fin de la saison régulière, la meilleure équipe (Hamilton) devait jouer contre le gagnant d'une série de deux matchs au total des buts entre les équipes de deuxième et troisième places, Toronto et Montréal. Cependant, Hamilton refusa de se plier à cette nouvelle formule, exigeant une compensation supplémentaire. Toronto et Montréal disputèrent donc leur série de deux matchs au total des buts, et le gagnant (Montréal) se mérita le titre de champion de la LNH puis affronta le champion de la LHOC (Victoria) dans une finale trois-de-cinq de la coupe Stanley.

1925-1926 – La formule qui avait été prévue pour 1924–1925 fut adoptée. Le gagnant de la série de deux matchs au total des buts entre les équipes de deuxième et troisième places affrontait l'équipe de première position dans une finale de la LNH de deux matchs au total des buts. Le champion de la LNH jouait ensuite une finale trois-de-cinq contre le vainqueur de la LHO.

Après 1925-1926, la LNH contrôla seule les éliminatoires de la coupe Stanley.

1926-1927 – Les dix équipes de la Ligue furent séparées en deux divisions, canadienne et américaine, de cinq équipes chacune. Dans ces divisions, le gagnant d'une série de deux matchs au total des buts entre les équipes de deuxième et troisième places affrontait l'équipe de premier rang dans une série de deux matchs au total des buts, pour l'obtention du championnat de division. Les deux champions de division se mesuraient ensuite dans une finale trois-de-cinq de la coupe Stanley.

1928-1929 – Dans chacune des divisions, les deux équipes de première place disputaient une série trois-de-cinq. Les équipes de deuxième place s'affrontaient dans une série de deux matchs au total des buts, tout comme les équipes de troisième position. Les gagnants de ces deux dernières séries jouaient ensuite une série deux-de-trois, et le vainqueur obtenait le droit de se mesurer au gagnant de la série opposant les équipes de premier rang. Cette finale était une série trois-de-cinq.
Ronde A: la 1re équipe de la division canadienne contre la 1re de la division américaine (trois-de-cinq).
Ronde B: la 2e équipe de la division canadienne contre la 2e de la division américaine (deux matchs, total des buts).
Ronde C: la 3e équipe de la division canadienne contre la 3e de la division américaine (deux matchs, total des buts).
Ronde D: les gagnants des séries B contre C (deux-de-trois).
Ronde E: les gagnants des séries A contre D (deux-de-trois), pour la coupe Stanley.

1931-1932 – Comme pour la saison 1928-1929, sauf que la ronde D devint de deux matchs au total des buts et la ronde E, une série trois-de-cinq.

1936-1937 – Comme pour la saison 1931-1932, sauf que les rondes B, C et D étaient maintenant des séries trois-de-trois.

1938-1939 – Le nombre d'équipes de la LNH étant passé à sept, le système de deux divisions fut remplacé par un seul groupe de sept équipes. Selon les résultats obtenus à l'issue de la saison régulière, la formule suivante fut adoptée:
Ronde A: la 1re équipe contre la 2e (quatre-de-sept).
Ronde B: la 3e équipe contre la 4e (deux-de-trois).
Ronde C: la 5e équipe contre la 6e (deux-de-trois).
Ronde D: les gagnants des rondes B contre C (deux-de-trois).
Ronde E: Les gagnants des rondes A contre D (quatre-de-sept), pour la coupe Stanley

1942-1943 – Le nombre d'équipes de la LNH ayant été réduit à six (les six équipes originales), seules la quatre meilleures formations se qualifiaient pour les séries éliminatoires. Les demi-finales quatre-de-sept opposaient l'équipe 1 à l'équipe 3 et l'équipe 2 à l'équipe 4. Les gagnants de chaque demi-finale se mesuraient dans une finale quatre-de-sept de la coupe Stanley.

1967-1968 – Lorsque le nombre d'équipes doubla, passant de six à douze, la LNH sépara encore ses formations en deux divisions, l'Est et l'Ouest, comportant chacune six équipes. Les quatre équipes de tête de chaque division se qualifiaient pour les éliminatoires (toutes les rondes étaient des séries quatre-de-sept):
Ronde A: les équipes 1 (E.) contre 3 (E.).
Ronde B: les équipes 2 (E.) contre 4 (E.).
Ronde C: les équipes 1 (O.) contre 3 (O.).
Ronde D: les équipes 2 (O.) contre 4 (O.).
Ronde E: les gagnants des rondes A contre B.
Ronde F: les gagnants des rondes C contre D.
Ronde G: les gagnants des rondes E contre F, pour la coupe Stanley.

1970-1971 – Comme pour la saison 1967-1968, sauf que la ronde E opposait les gagnants des rondes A et D et que la ronde F mettait aux prises les gagnants des rondes B et C.

1971-1972 – Comme pour la saison 1970-1971, sauf que les rondes A et C opposaient les équipes 1 et 4 tandis que les rondes B et D, les équipes 2 et 3.

1974-1975 – La Ligue comptant maintenant 18 équipes séparées en quatre divisions, une formule complètement nouvelle des séries éliminatoires fut

présentée. Tout d'abord, les équipes de deuxième et troisième places de chacune des quatre divisions étaient réunies en un seul groupe et classées de 1 à 8, selon les résultats obtenus durant la saison régulière. Ces huit formations s'affrontaient en rondes préliminaires.
Ronde A: les équipes 1 contre 8 (deux-de-trois).
Ronde B: les équipes 2 contre 7 (deux-de-trois).
Ronde C: les équipes 3 contre 6 (deux-de-trois).
Ronde D: les équipes 4 contre 5 (deux-de-trois).

Les gagnants de ces rondes préliminaires étaient de nouveau réunis dans un groupe avec les quatre champions de division. Ces huit équipes étaient classées de 1 à 8, selon les résultats obtenus durant la saison régulière:
Ronde E: les équipes 1 contre 8 (quatre-de-sept).
Ronde F: les équipes 2 contre 7 (quatre-de-sept).
Ronde G: les équipes 3 contre 6 (quatre-de-sept).
Ronde H: les équipes 4 contre 5 (quatre-de-sept).

Les quatre formations s'étant qualifiées pour les quart-de-finales étaient enfin classées de 1 à 4, selon les résultats obtenus durant la saison régulière:
Ronde I: les équipes 1 contre 4 (quatre-de-sept).
Ronde J: les équipes 2 contre 3 (quatre-de-sept).
Ronde K: les gagnants des rondes I contre J (quatre- de-sept), pour la coupe Stanley.

1977-1978 – Comme pour la saison 1974-1975, sauf que la ronde préliminaire était composée des quatre équipes de deuxième place et des quatre formations ayant obtenu le plus grand nombre de points après celles-ci.

1979-1980 – Avec l'ajout de quatre équipes de l'ancienne AMH, la Ligue modifia la structure des éliminatoires pour permettre à 16 de ses 21 équipes de participer aux séries de fin de saison. L'équipe de tête de chaque division était assurée d'une participation aux éliminatoires. Parmi les 17 formations restantes, les 12 premières, selon les résultats obtenus durant la saison régulière, méritaient une place dans les séries. Ensuite, ces 16 équipes étaient réunies en un groupe et classées de 1 à 16, selon les résultats obtenus à l'issue du calendrier régulier:
Ronde A: les équipes 1 contre 16 (trois-de-cinq).
Ronde B: les équipes 2 contre 15 (trois-de-cinq).
Ronde C: les équipes 3 contre 14 (trois-de-cinq).
Ronde D: les équipes 4 contre 13 (trois-de-cinq).
Ronde E: les équipes 5 contre 12 (trois-de-cinq).
Ronde F: les équipes 6 contre 11 (trois-de-cinq).
Ronde G: les équipes 7 contre 10 (trois-de-cinq).
Ronde H: les équipes 8 contre 9 (trois-de-cinq).

Les huit gagnants des rondes préliminaires, classés de 1 à 8, selon les résultats obtenus durant la saison régulière, passaient en quart- de-finales:
Ronde I: les équipes 1 contre 8 (quatre-de-sept).
Ronde J: les équipes 2 contre 7 (quatre-de-sept).
Ronde K: les équipes 3 contre 6 (quatre-de-sept).
Ronde L: les équipes 4 contre 5 (quatre-de-sept).

Les gagnants des quart-de-finales, classés de 1 à 4 selon les résultats obtenus durant la saison régulière, disputaient les demi-finales:
Ronde M: les équipes 1 contre 4 (quatre-de-sept).
Ronde N: les équipes 2 contre 3 (quatre-de-sept).
Ronde O: les gagnants des rondes M contre N (quatre-de-sept), pour la coupe Stanley.

1981-1982 – Les quatre premières équipes de chacune des divisions participent aux éliminatoires. Dans chaque division, l'équipe de tête joue contre l'équipe de quatrième place, tandis que les formations de deuxième et troisième places se disputent la victoire dans une demi-finale de division (DFD) trois-de-cinq. Dans chaque division, les deux gagnants des DFD se rencontrent dans une série quatre-de-sept de finales de divisions (FD). Les deux gagnants de chacune des conférences jouent une série quatre-de-sept, la finale de conférence (FC). Dans la conférence Prince- de-Galles, le vainqueur de la division Adams affronte celui de la division Patrick; dans la conférence Clarence-Campbell, le gagnant de la division Smythe se mesure à celui de la division Norris. Les deux gagnants des FC disputent la finale (F) quatre-de-sept pour l'obtention de la coupe Stanley.

1986-1987 à nos jours – Les rondes demi-finales de division sont maintenant des séries quatre-de-sept au lieu de trois-de-cinq.

Records d'équipes

1918-1992

LE PLUS DE CONQUÊTES DE LA COUPE STANLEY:
- **22 – Canadien de Montréal** 1924-30-44-46-53-56-57-58-59-60-65-66-68-69-71-73-76-77-78-79-86
- 13 – Maple Leafs de Toronto 1918-22-32-42-45-47-48-49-51-62-63-64-67
- 7 – Red Wings de Détroit 1936-37-43-50-52-54-55

LE PLUS DE COUPE STANLEY DE SUITE:
- **5 – Canadien de Montréal** (1956-57-58-59-60)
- 4 – Canadien de Montréal (1976-77-78-79)
-    – Islanders de New York (1980-81-82-83)

LE PLUS DE PARTICIPATIONS CONSÉCUTIVES EN SÉRIES:
- **25 – Bruins de Boston** (1968 à 1992 inclusivement)
- 23 – Black Hawks de Chicago (1970 à 1992 incl.)
- 22 – Canadien de Montréal (1971 à 1992 incl.)
- 21 – Canadien de Montréal (1949 à 1969 incl.)
- 20 – Red Wings de Détroit (1939 à 1958 incl.)

LA PLUS LONGUE PÉRIODE DE PROLONGATION:
116 minutes, 30 secondes – Red Wings de Détroit, Maroons de Montréal, à Montréal, le 24, 25 mars 1936. Détroit 1, Maroons de Montréal. 0. Mud Bruneteau marqua, aidé de Hec Kilrea à 16:30 de la sixième période de prolongation; soit 176 min 30 après le début du match qui se termina à 2 h 25 du matin. Détroit gagna 3–0 la demi-finale trois-de-cinq.

LA PLUS COURTE PÉRIODE DE PROLONGATION:
9 secondes – Canadien de Montréal, Flames de Calgary, le 18 mai 1986. Montréal gagna 3–2 grâce au but de Brian Skrudland et remporta la finale quatre-de-sept, 4-1.

LE PLUS DE VICTOIRES CONSÉCUTIVES EN SÉRIES:
12 – Oilers d'Edmonton. La série commença le 15 mai 1984 à Edmonton par une victoire de 7–2 contre les Islanders de New York dans le troisième match de la série finale, et se termina le 9 mai 1985 lorsque Chicago battit Edmonton 5–2, à Chicago. Cette série sans défaite comprend trois victoires aux dépens des Islanders de New York en 1984, trois contre Los Angeles, quatre contre Winnipeg et deux contre Chicago, toutes en 1985.

LES TROIS BUTS LES PLUS RAPIDES MARQUÉS PAR UNE ÉQUIPE:
23 secondes – Maple Leafs de Toronto, à Toronto, le 12 avril 1979 contre les Flames d'Atlanta. Darryl Sittler marqua à 4:04 de la première période puis encore à 4:16 et Ron Ellis, à 4:27. Les Leafs gagnèrent la partie 7–4 et la ronde préliminaire par deux matchs à zéro.

LES QUATRE BUTS LES PLUS RAPIDES MARQUÉS PAR UNE ÉQUIPE:
2 minutes 35 secondes – Canadien de Montréal, à Montréal, le 30 mars 1944 contre Toronto. Toe Blake marqua à 7:58 de la troisième période et encore à 8:37, Maurice Richard, à 9:17 puis Ray Getliffe, à 10:33. Montréal remporta la rencontre 11–0 et la demi-finale quatre-de-sept, 4-1.

LES CINQ BUTS LES PLUS RAPIDES MARQUÉS PAR UNE ÉQUIPE:
3 minutes 36 secondes – Canadien de Montréal, à Montréal, le 30 mars 1944 contre Toronto. Toe Blake marqua à 7:58 de la troisième période et encore à 8:37, Maurice Richard, à 9:17, Ray Getliffe, à 10:33 puis Buddy O'Connor, à 11:34. Montréal remporta la rencontre 11–0 et la demi-finale quatre-de-sept, 4-1.

Records individuels

1918-1992

LE PLUS DE PARTICIPATIONS EN SÉRIES:
- **20 – Gordie Howe, Détroit, Hartford** (1947-1958 incl.; 1960-1961; 1963-1966 incl. 1970 et 1980)
-    – **Larry Robinson, Montréal, Los Angeles** (1973 à 1992 incl.)
- 19 – Red Kelly, Détroit, Toronto
- 18 – Stan Mikita, Chicago
-    – Henri Richard, Montréal

LE PLUS DE PARTICIPATIONS CONSÉCUTIVES EN SÉRIES:
- **20 – Larry Robinson, Montréal, Los Angeles** (1973 à 1992 incl.)
- 17 – Brad Park, Rangers (NY), Boston, Détroit (1969

à 1985 incl.)
- 16 – Jean Béliveau, Montréal (1954 à 1969 incl.)

LE PLUS DE MATCHS EN SÉRIES:
- **227 – Larry Robinson, Montréal, Los Angeles**
- 219 – Bryan Trottier, Islanders (NY), Pittsburgh
- 185 – Denis Potvin, Islanders (NY)
- 184 – Bobby Smith, Minnesota, Montréal
- 182 – Bob Gainey, Montréal

LE PLUS DE BUTS GAGNANTS EN SÉRIES (CARRIÈRE):
- **18 – Maurice Richard, Montréal**
-    – Wayne Gretzky, Edmonton, Los Angeles
- 17 – Mike Bossy, Islanders (NY)
- 15 – Jean Béliveau Montréal
-    – Yvan Cournoyer, Montréal

LE PLUS DE BUTS MARQUÉS EN PROLONGATION EN SÉRIES (CARRIÈRE):
- **6 – Maurice Richard, Montréal** (1 en 1946; 3 en 1951; 1 en 1957; 1 en 1958).
- 4 – Bob Nystrom, Islanders (NY)
-    – Dale Hunter, Québec, Washington

LE PLUS DE BUTS MARQUÉS EN AVANTAGE NUMÉRIQUE EN SÉRIES (CARRIÈRE):
- **35 – Mike Bossy, Islanders (NY)**
- 27 – Denis Potvin, Islanders (NY)
- 26 – Jean Béliveau, Montréal

LE PLUS DE MATCHS AVEC AU MOINS TROIS BUTS EN SÉRIES (CARRIÈRE):
- **7 – Maurice Richard, Montréal.** Quatre matchs de trois buts; deux de quatre buts; un de cinq buts.
-    – **Wayne Gretzky, Edmonton, Los Angeles.** Cinq matchs de trois buts; deux de quatre buts.
-    – **Jari Kurri, Edmonton.** Six matchs de trois buts; un de quatre buts.

LE PLUS DE BLANCHISSAGES EN SÉRIES (CARRIÈRE):
- **15 – Clint Benedict, Ottawa, Maroons de Montréal**
- 14 – Jacques Plante, Montréal, St. Louis
- 13 – Turk Broda, Toronto
- 12 – Terry Sawchuk, Détroit, Toronto, Los Angeles

LE PLUS DE MINUTES JOUÉES PAR UN GARDIEN DE BUT (CARRIÈRE):
- **7,645 – Billy Smith, Islanders (NY)**
- 6,899 – Glenn hall, Détroit, Chicago, St. Louis
- 6,846 – Ken Dryden, Montréal
- 6,651 – Jacques Plante, Montréal St. Louis, Toronto, Boston

LE PLUS DE POINTS EN SÉRIES, EN UNE ANNÉE:
- **47 – Wayne Gretzky, Edmonton**, en 1985. 17 buts et 30 passes en 18 matchs.
- 44 – Mario Lemieux, Pittsburgh, en 1991. 16 buts et 28 passes en 23 matchs.
- 43 – Wayne Gretzky, Edmonton, en 1988. 12 buts et 31 passes en 19 matchs.
- 38 – Wayne Gretzky, Edmonton, en 1983. 12 buts et 26 passes en 16 matchs.

LE PLUS DE POINTS MARQUÉS PAR UN DÉFENSEUR EN SÉRIES, EN UNE ANNÉE:
- **37 – Paul Coffey, Edmonton** en 1985. 12 buts, 25 passes en 18 matchs.
- 31 – Al MacInnis, Calgary, en 1989. 7 buts, 24 passes en 18 matchs.
- 25 – Denis Potvin, Islanders (NY), en 1981. 8 buts, 17 passes en 18 matchs.
-    – Ray Bourque, Boston, en 1991. 7 buts, 18 passes en 19 matchs.
- 24 – Bobby Orr, Boston, en 1972. 5 buts, 19 passes en 15 matchs.

LE PLUS DE POINTS MARQUÉS PAR UNE RECRUE EN SÉRIES, EN UNE ANNÉE:
- **21 – Dino Ciccarelli, Minnesota**, en 1981. 14 buts, 7 passes en 19 matchs.
- 20 – Don Maloney, Rangers (NY), en 1979. 7 buts, 13 passes en 18 matchs.

LE PLUS DE BUTS EN SÉRIES, EN UNE ANNÉE:
- **19 – Reggie Leach, Philadelphie**, en 1976. 16 matchs.
-    – Jari Kurri, Edmonton, en 1985. 18 matchs.

LE PLUS DE BUTS MARQUÉS PAR UN DÉFENSEUR EN SÉRIES, EN UNE ANNÉE:
- **12 – Paul Coffey, Edmonton**, en 1985. 18 matchs.
- 9 – Bobby Orr, Boston, en 1970. 14 matchs.
-    – Brad Park, Boston, en 1978. 15 matchs.

LE PLUS DE BUTS MARQUÉS PAR UNE RECRUE EN SÉRIES, EN UNE ANNÉE:
- **14 – Dino Ciccarelli, Minnesota**, en 1981. 19 matchs.
- 11 – Jeremy Roenick, Chicago, en 1990. 20 matchs.

LE PLUS DE BUTS MARQUÉS EN SÉRIES, EN UNE ANNÉE:
- 10 – Claude Lemieux, Montréal, en 1986. 20 matchs.

LE PLUS DE PASSES EN SÉRIES, EN UNE ANNÉE:
- **31 – Wayne Gretzky, Edmonton**, en 1988. 19 matchs.
- 30 – Wayne Gretzky, Edmonton, en 1985. 18 matchs.
- 29 – Wayne Gretzky, Edmonton, en 1987. 21 matchs.
- 28 – Mario Lemieux, Pittsburgh, en 1991. 23 matchs.

LE PLUS DE PASSES PAR UN DÉFENSEUR EN SÉRIES, EN UNE ANNÉE:
- **25 – Paul Coffey, Edmonton**, en 1985. 18 matchs.
- 24 – Al MacInnis, Calgary, en 1989. 22 matchs.
- 19 – Bobby Orr, Boston, en 1972. 15 matchs.

LE PLUS DE VICTOIRES PAR UN GARDIEN DE BUT EN SÉRIES, EN UNE ANNÉE:
- **16 – Grant Fuhr, Edmonton**, en 1988. 19 matchs.
-    – **Mike Vernon, Calgary**, en 1989. 22 matchs.
-    – **Bill Ranford, Edmonton**, en 1990. 22 matchs.
-    – **Tom Barrasso, Pittsburgh**, en 1992. 21 matchs.

LA PLUS LONGUE PÉRIODE SANS BUT:
248 minutes 32 secondes – Norm Smith, Détroit, en 1936. Dans la demi-finale trois-de-cinq, Smith blanchit les Maroons de Montréal. 1–0 le 24 mars, après 116 : 30 de jeu supplémentaire; il blanchit de nouveau les Maroons 3–0 dans la seconde rencontre, le 26 mars; il ne céda que le 29 mars lorsque Gus Marker le déjoua à 12:02 de la première période. Détroit gagna la demi-finale 3–0.

LE PLUS DE POINTS DANS UN MATCH:
- **8 – Patrik Sundstrom, New Jersey**, le 22 avril 1988 à New Jersey dans une victoire de 10–4 contre Washington. Il obtint 3 buts, 5 passes.
-    – **Mario Lemieux, Pittsburgh**, le 25 avril 1989 à Pittsburgh dans une victoire de 10–7 contre Philadelphie. Il enregistra 5 buts, 3 passes.

LE PLUS DE BUTS DANS UN MATCH:
- **5 – Newsy Lalonde, Montréal**, le 1er mars 1919, à Montréal. Pointage final: Montréal 6, Ottawa 3.
-    – **Maurice Richard, Montréal**, le 23 mars 1944, à Montréal. Pointage final: Montréal 5, Toronto 1.
-    – **Darryl Sittler, Toronto**, le 22 avril 1976, à Toronto. Pointage final: Toronto 8, Philadelphie 5.
-    – **Reggie Leach, Philadelphie**, le 6 mai 1976, à Philadelphie. Pointage final: Philadelphie 6, Boston 3.
-    – **Mario Lemieux, Pittsburgh**, le 25 avril 1989, à Pittsburgh. Pointage final: Pittsburgh 10, Philadelphie 7.

LE PLUS DE PASSES DANS UN MATCH:
- **6 – Mikko Leinonen, Rangers de New York**, le 8 avril 1982, à New York. Pointage final: Rangers de New York 7, Philadelphie 3.
-    – **Wayne Gretzky, Edmonton**, le 9 avril 1987, à Edmonton. Pointage final: Edmonton 13, Los Angeles 3.

Records des séries éliminatoires des premières années

1893-1918

LE PLUS DE BUTS MARQUÉS PAR DEUX ÉQUIPES EN UN MATCH:
25 – Silver Seven d'Ottawa, Dawson City à Ottawa, le 16 janvier 1905. Ottawa 23, Dawson City 2. Ottawa gagna la série deux- de-trois, 2-0.

LE PLUS DE BUTS DURANT LES SÉRIES:
63 – Frank McGee, Silver Seven d'Ottawa, en 22 matchs des séries éliminatoires. 7 buts en quatre matchs en 1903, 21 buts en 8 matchs en 1904, 18 buts en quatre matchs en 1905 et 17 buts en 6 matchs en 1906.

LE PLUS DE BUTS DANS UN MATCH DES SÉRIES:
14 – Frank McGee, Silver Seven d'Ottawa, le 16 janvier 1905 à Ottawa dans une victoire de 23–2 contre Dawson City.

Page suivante: Maurice Richard (à gauche) et Butch Bouchard soulèvent à bout de bras un Elmer Lach fou de joie, dont le but marqué en prolongation donna la vitoire 1-0 au Canadien ainsi que la coupe Stanley, lors du cinquième match de la finale de 1953. Ce fut le seul but de Lach durant les séries de fin de saison de 1953, et ce fut également le dernier de sa carrière en séries éliminatoires.